MEMOIRES

over het Regentschap en de Koningskwestie

ANDRÉ DE STAERCKE

MEMOIRES

over het Regentschap en de Koningskwestie

ALLES IS VOORBIJGEGAAN ALS EEN SCHADUW

Teksten en documenten bezorgd door Jean Stengers en Ginette Kurgan-van Hentenryk

Uit het Frans vertaald door
Reina Ascherman en Macha Snouckaert van Schauburg

www.lannoo.com

De oorspronkelijke editie verschijnt bij Editions Racine onder de titel
Tout cela a passé comme une ombre.
Mémoires sur la Régence et la Question Royale
Omslagontwerp Studio Lannoo
Omslagillustratie Archieven van de Université Libre de Bruxelles

D/2003/45/235 – ISBN 90 209 5198 x – NUR 681

Gedrukt en gebonden bij Drukkerij Lannoo nv, Tielt

Inhoud

Woord vooraf

André de Staercke overleed op 27 december 2001. Reeds een aantal jaren voordien had hij professor Jean Stengers tijdens hun vriendschappelijke gesprekken met de postume uitgave van zijn memoires over de Koningskwestie belast.

Ofschoon de gezondheid van Jean Stengers achteruitging, wilde hij zeer beslist zijn belofte gestand doen. Met medewerking van zijn echtgenote Adrienne hebben we de documenten en aantekeningen bijeengebracht en geselecteerd, de indeling van het boek vastgelegd en de teksten geredigeerd ter verduidelijking van André de Staerckes memoires. Jean Stengers had juist de redactie van de inleiding voltooid toen hij, omringd door de genegenheid van zijn naasten, op 15 augustus 2002 overleed.

Dit boek kon gestalte krijgen dankzij onze collega Régine Beauthier, die het manuscript heeft herlezen, de Archiefdienst van de Université Libre de Bruxelles en Barbara Stephanik. Onze dank gaat uit naar hen allen.

Ginette Kurgan-van Hentenryk

Inleiding

Jean Stengers

In 1967 werd André de Staercke op zijn 54ste getroffen door een zware aanval van tuberculose. Tijdens zijn verblijf in Canada samen met Etienne Davignon ter voorbereiding van het rapport Harmel, liep hij een zware kou op. De dokters stelden tuberculose vast en lieten hem de keuze tussen een langzame maar betrouwbare behandeling en een snellere, maar met meer risico op bijwerkingen. Omdat de Staercke graag zo vlug mogelijk zijn werk bij de NAVO wilde hervatten, koos hij voor de vlugge behandeling. Binnen een maand kreeg hij 37 streptomycine-injecties. De behandeling was succesvol, maar zorgde inderdaad voor neveneffecten. Vanaf die tijd liep hij lichtjes mank tengevolge van evenwichtsstoornissen, waardoor hij met een wandelstok moest lopen.

Hierdoor kwamen wij toevallig met elkaar in contact bij een lunch in de Universitaire Stichting, na uitreiking van de Francquiprijs in 1996. Toen we aan tafel werden genood vroeg André de Staercke me, hem een arm te geven om bij zijn stoel te geraken. Tot dat moment kenden we elkaar slechts oppervlakkig. André de Staercke had mijn boek over Leopold III en de Regering gelezen en gewaardeerd.

Onze nadere kennismaking bij de Universitaire Stichting vormde het begin van een diepe en wederzijdse vriendschap, die duurde totdat in december 2001 zijn afscheid van het leven zich aankondigde. Kort na onze ontmoeting nodigde André de Staercke me in zijn lievelingsrestaurant uit en daarna introduceerde hij me stukje bij beetje in de schat van zijn persoonlijke papieren. Deze documenten werden voor mij van grote waarde. Niet alleen gaven zijn confidenties meestal blijk van een zeer exact geheugen als het ging om de grote gebeurtenissen in zijn verleden en getuigden ze eveneens van zijn grote culturele bagage, bedoelde documenten boden ook zicht op het belang van zijn politieke rol en zijn bijzonder gevarieerde talenten.

Na elke ontmoeting met hem noteerde ik zorgvuldig de verhalen die hij me had verteld en waarin nooit ook maar een zweem van grootspraak doorklonk. Zijn sympathie voor en vertrouwen in mij resulteerden in de beslissing om mij en de dames Ginette Kurgan en Régine Beauthier de postume uitgave van zijn memoires toe te vertrouwen. Om geen deining te veroorzaken, wilde hij deze niet publiceren zolang hij nog leefde.

Op basis van zijn memoires en gesprekken kunnen zijn eigenlijke politieke activiteiten in grote lijnen worden geschetst.

Na het verschijnen van zijn Franse proefschrift over de Raad van State werd hij in 1939 voor het kabinet van Hubert Pierlot aangeworven, maar als bestuurssecretaris speelde hij geen opmerkelijke rol. Een curiositeit is wel dat hij, na Ambassadeur van België te zijn geweest, met pensioen ging als bestuurssecretaris, de enige titel die hij in de Belgische administratie verworven had en de enige die hem recht op een pensioen verleende. Het is iets bijzonders dat de Staercke met de officiële functie van eenvoudig bestuurssecretaris tevens grootofficier in de Leopoldsorde was.

Naar aanleiding van de tragische momenten van mei en juni 1940 is de Staerckes naam nooit gevallen, behoudens in verband met zijn relaties met de geestelijkheid; hij zorgde er mede voor dat de uit België gesmokkelde koninklijke archieven in Frankrijk in een clandestiene bergplaats werden ondergebracht.

Na terugkeer van die tocht werd hij aanvankelijk mee opgenomen in de ideeënbeweging die zich met de politieke vernieuwing in België bezighield. Hij werd door graaf Lippens als secretaris van diens Studiecommissie voor de Hervorming van de Staat gekozen. Het was de Staerckes taak de verschillende bijdragen van de medewerkers aan de Commissie-Lippens bijeen te brengen, bijdragen van zeer uiteenlopende oriëntatie – zoals bijvoorbeeld in de richting van het corporatisme. De Staerckes persoonlijke bijdrage bestond voornamelijk uit de redactie van een project voor een Regering met een Grote Raad, die op zijn beurt een aantal adviesraden zou omvatten voor de verschillende regeringsaangelegenheden. Hoe het ook zij, de doorslaggevende beslissing lag bij de Koning, wiens macht men aanzienlijk wilde versterken.

Het parlementair stelsel werd hierbij overduidelijk afgewezen; dit stelsel had destijds zijn goede naam verloren. Maar men poogde tevens de fundamentele publieke vrijheden te behouden. Het geheel, meestal opgeschreven door voortreffelijke patriotten, moest de Koning tot richtlijn dienen bij de grondwetsherziening die als onvermijdelijk werd beschouwd.

Het volgend jaar, in 1941, was de wind gedraaid. Maar niet voor bepaalde mensen die zonder de minste schroom zeer openlijk een apologie voor de macht van de Koning hielden. Dit gold voor graaf Xavier de Hemricourt de Grunne met zijn min of meer clandestiene brochure *La Belgique loyale*, brochure die vanaf augustus 1941 op grote schaal werd verspreid. Hierin werd bedoelde apologie vermengd met een pleidooi voor een krachtige neutraliteitspolitiek en kritiek op Groot-Brittannië en de Belgische regering in ballingschap in Londen.

Tekenend voor de verandering sinds het eind van het jaar voordien waren de krachtige reacties op *La Belgique loyale*; één reactie, de meest doorwrochte en best beredeneerde, verscheen in brochurevorm onder de titel *La Vraie Belgique* en was te danken aan de samenwerking tussen André de Staercke, François De Kinder (de schoonbroer van eerste minister Pierlot) en Charles De Visscher. De auteurs van *La Vraie Belgique* veegden compromisloos de dubbelzinnigheden van *La Belgique loyale* van tafel. Energiek verdedigden ze de regering in ballingschap te Londen, die huns inziens een onaanvechtbare wettelijke status genoot en waarvan de ministers in hun ogen trouw de plichten van hun opdracht vervulden (p. 22). Voor hen kon de redding van België slechts gerealiseerd worden met de Engelse overwinning.

Het moet vanzelfsprekend in deze geest worden gezien dat de Staercke in maart 1942 naar Londen werd geroepen. Zijn reis naar Groot-Brittannië in gezelschap van Fernand, de jonge zoon van Paul-Henri Spaak, vond plaats in april en mei 1942. Op 8 april 1943 werd de Staercke tot kabinetschef van de eerste minister en tot secretaris van de ministerraad benoemd. Hij was nog jong, maar dat vormde geen bezwaar. Spaak stond erop dat men een jonge man zou aanduiden.

Als kabinetschef werd hij rechtstreeks bij gewichtige aangelegenheden betrokken, zoals bij de voorbereiding van de zending-De Kinder, waaraan de Regering zeer veel belang hechtte.

Met de terugkeer naar Brussel in september 1944 van de Regering, werd de Staerckes rol er niet minder op. Dit moge blijken uit de Memoires.

Maar de Staercke zou het hoogtepunt van zijn politieke rol en invloed beleven met zijn benoeming tot secretaris van de Prins-regent. In het Paleis van Brussel was de Staerckes kantoor naast dat van de Regent gelegen en de laatste riep hem soms meerdere malen per dag en zelfs 's nachts.

De Prins, die niets afwist van de publieke zaak, moest geïnstrueerd worden over de meest elementaire elementen van onze instellingen. Er is ons een soort huiswerk nagelaten dat de Prins vlijtig voor zijn mentor had opgesteld (zie onderstaand document).

Tekst opgesteld door de Regent met een samenvatting van de werkingsprincipes van de constitutionele monarchie die André de Staercke voor hem uiteengezet had

Een Soeverein tekent een overeenkomst met zijn Land door zijn eed bij de troonsbestijging.
Hij moet zich streng hieraan houden.
Anders kan het land (door tussenkomst van de Kamers) zijn daden betwisten.
Vervallenverklaring is een maatregel die om 2 redenen vermeden dient te worden:

1) aanslag op het regime
2) precedent (reden om referendum over Koning te vermijden)
Hoe de Koning zijn vergissingen te tonen:
1) De Ministers (natuurlijke raadslieden)
2) Weigering van 1 of meerdere partijen toe te treden tot een regering K.K. <Koningskwestie>? Hoe opstelling *oppositiepartij of -partijen* = duidelijk grieven uiteenzetten.
GRIEVEN = eigenmachtig (ongrondwettelijk door tijdens de bezetting te blijven)
Waarom eigenmachtig en niet uitsluitend ongrondwettelijk?
WANT blijft bij zijn beslissing na vergissing = aan het licht gebracht door Ministers
Waarom kan de Koning niet vrij beschikken zonder minister.
WANT overeenkomst = eerbied grondwet
WAT ZEGT grondwet = Koning politieke verantwoordelijkheid tegenover natie verzekerd door ministers = ministeriële verantwoordelijkheid
DUS K.K. Weigering van de koning zich te verstaan met hen die garant voor hem staan.
WAAROM
WANT Koning maakt onderscheid tussen Staatshoofd en O. <Opperbevelhebber> (wat hij constitutioneel rechtens is)
CONCLUSIE Een Staatshoofd heeft voor elke politieke daad medeondertekening nodig, anders houdt hij zich niet aan zijn grondwettelijke eed.

Diverse overwegingen
Staatshoofd kan ondertekening besluit weigeren.
Consequentie: 1) Minister accepteert en verandert besluit
2) Minister accepteert niet, dan:
a) Koning komt op zijn beslissing terug;
b) Koning blijft bij zijn beslissing, dan:
A) Treedt alleen Minister af of de regering
B) Koning onmogelijk een andere regering te vormen

CONSEQUENTIES. Er begint conflict tussen Staatshoofd en Natie
OPLOSSING. 1) veelvuldige consultaties om tot verzoening te komen
2) Referendum (werd Leopold II) ontraden, want gevaar van mogelijk precedent dat zich kan uitbreiden tot persoon Koning
3) Troonsafstand Koning
4) K.K.

Vooral de Staercke legde voortdurend de nadruk op de grondwettelijke beginselen waarvan de Prins doordrongen moest worden. Herhaaldelijk zei hij hem: *'Monseigneur, u hebt niet de titel van Koning, maar u beschikt over alle bevoegdheden van de Koning'*. Een schitterende toepassing van deze idee kwam naar voren bij de gesprekken in Bern in april 1949, die Leopold III, de Regent en Spaak in een zeer gespannen sfeer bijeenbrachten. De Staercke was in de antichambre gebleven. Op een bepaald moment stoof Leopold III er binnen en viel fel tegen hem uit: ú bent het die verantwoordelijk is voor alles wat er gebeurt! Spaak gaf een teken aan de Staercke ter vermijding van een incident. De Staercke hield het hoofd koel en zei, terwijl hij zich tot de Prins-regent richtte: *'Staat u mij toe te antwoorden, Monseigneur? Aangezien U de Koninklijke macht uitoefent'*. Het bleef even stil, toen antwoordde de Regent: *'Ja.'* Vervolgens zei de Staercke tot de Koning dat deze ongelijk had, dat al het voorgevallene voor diens eigen verantwoordelijkheid was en hij, de Staercke, daarmee niets uitstaande had gehad.

Behalve in de institutionele regels onderrichtte de Staercke de Regent ook in de gebruiken van de constitutionele monarchie, die vaak belangrijker zijn dan de regels. Hij legde hem bijvoorbeeld uit wat men moet doen bij een benoeming. Een frappant geval op dit vlak was dat van baron de Gruben.

Spaak wilde baron de Gruben tot secretaris-generaal van het Ministerie van Buitenlandse Zaken benoemen. Hij waardeerde de Gruben niet bijzonder, maar beschouwde hem als een goed ambtenaar. En aangezien Spaak zelf alles wat ambtelijk was verafschuwde, oordeelde hij dat hij dit op de Gruben kon afschuiven.

Volgens de Staercke zou deze benoeming desastreus zijn. Voor hem was de Gruben een man met een bekrompen geest – en hij liet dit de Regent weten.

Wat moet ik doen? vroeg de Regent.

De Staercke antwoordde: bewaar het benoemingsbesluit in uw lade. Spaak gaat een eerste herinnering zenden, en vervolgens een tweede. Doe niets. Dan komt hij bij u op bezoek. Vraag hem of hij, uw bezwaren kennende, deze benoeming tot elke prijs wenst. Antwoordt hij bevestigend, teken dan.

Inderdaad zou de Regent ten slotte tekenen.

De Staercke ging zelfs zo vér in Prins Karels politieke opvoeding, dat hij hem voorspelbare momenten in bepaalde ontmoetingen vooraf liet repeteren. Zo ontving hij de Prins, kort voor diens bezoek aan het Vaticaan in 1949, op zijn buitenverblijf in Italië. De Staercke speelde de rol van de Paus om samen met de Regent allerlei scenario's voor een gesprek met de Heilige Vader door te nemen. Na een zo zorgvuldige voorbereiding is het ondenkbaar dat de Prins de ongelooflijke domheid begaan zou hebben zoals geïnsinueerd door de heren

Dujardin en Dumoulin. Domheid waarbij de Prins de troonsafstand van zijn broer bij de Paus ter sprake gebracht zou hebben.

Tijdens de zes regentschapsjaren heeft de Staercke een fundamentele rol als raadsman gespeeld: deze rol, gevoegd bij Prins Karels politiek inzicht dat niemand tot dat ogenblik bij de Prins had vermoed, leidde tot een verbazingwekkend resultaat. Tijdens het gehele Regentschap – een periode waarin Prins Karel voortdurend in het oog werd gehouden, daar vele Leopold III-aanhangers hem niet mochten of wantrouwden en op een misstap loerden – beging de Regent vrijwel geen flater. Toch was zijn rol niet uitsluitend representatief; met name op het vlak van de buitenlandse politiek had hij zijn persoonlijke opvattingen en was hij vastbesloten korte metten te maken met de neutraliteitspolitiek van zijn broer. Het zij echter herhaald dat hij die ganse periode beschikte over een grote troef, André de Staercke, die hem deelgenoot van zijn persoonlijke politieke inzichten maakte.

Zoals de Staercke later vertelde, zorgde hij er tot in 1949 steeds voor dat er socialisten aan de regering deelnamen. Dit ging zelfs tot financiële steun aan hun partij. Kort voor de verkiezingen van 1946 vernam de Staercke dat de socialistische kas leeg was. Hij maakte Prins Karel duidelijk dat dit voor hem als Regent een gevaarlijke situatie was. Werden de socialisten verslagen, dan riskeerde de Regent tegenover een vijandige CVP (christen-democraten) en wankele liberalen te staan. Er waren dus fondsen vereist voor de campagne van de socialistische partij. Met instemming van de Regent diende de Staercke bij de Generale Maatschappij een verzoek in. De Staercke sprak in naam van de Regent met Blaise, de gouverneur van de Generale Maatschappij. Hierop verstrekte Blaise de partij een subsidie van twee miljoen frank.

Omdat hij de Prins liefst elke moeilijke situatie wilde besparen, haalde de Staercke soms zelfs huzarenstukjes uit. De Prins had eens een bevlieging tijdens zijn grote reis door Kongo: hij weigerde de hem vanuit België gezonden besluiten te ondertekenen. De Staercke was van oordeel dat de machinerie niet om deze reden mocht vastlopen. Hij telefoneerde naar Brussel en signaleerde dat de Prins de besluiten had ondertekend. Aldus vernam de Prins na zijn terugkeer dat hij had getekend en dat een en ander moest worden geregulariseerd. Hij was er woedend over.

Verder had de secretaris van de Regent de taak om zijn superieur bij mismoedige buien op te monteren.

Op een dag zat de Regent diep in de put en wilde hij eigenlijk al zijn functies neerleggen, omdat ontmoetingen met zijn natuurlijke dochter hem onmogelijk werden gemaakt. Het meisje was aan de zorgen van haar grootmoeder toevertrouwd, die ontzaglijk kwaad was op Prins Karel. Ze verweet hem dat hij haar dochter, inmiddels overleden, had laten huwen met een kamerdienaar van

Robert Goffinet, een huwelijk dat door deze was gearrangeerd. De woedende grootmoeder verhinderde elk contact tussen vader en dochter. De Staercke mengde zich in de zaak en vond een formule: in 1947 werd hij zelf voogd van het meisje; vanaf dat ogenblik kon de Prins haar regelmatig ontmoeten.

André de Staercke bekommerde zich bij Prins Karel om alle politieke aangelegenheden. Eén enkele sector bleef voornamelijk in handen van de wijze man die kabinetschef van de Prins was, baron Holvoet (met wie de Staercke allerhartelijkste relaties onderhield): de materie van gratieverlening. In het algemeen beperkte Holvoet zich ertoe de Prins een besluit conform het voorstel van het ministerie van Justitie ter ondertekening voor te leggen.

Er deed zich echter een incident voor in verband met gratie – of beter gezegd een gratie-afwijzing – voor Robert Poulet. De Prins-regent had een besluit tot gratie-afwijzing ondertekend. De terechtstelling moest de maandag nadien plaatsvinden. Inmiddels was de Staercke door pater Claeys-Boüart benaderd, die hem op de onrechtvaardigheid van Poulets veroordeling had gewezen. Want Poulet had gemeend zich te kunnen beroepen op de instemming van Leopold III. De Prins-regent was in Londen. De Staercke reisde daarheen en ontmoette de Prins in de Belgische Ambassade, waar hij zich kleedde voor een receptie in Buckingham Palace. De Staercke pleitte ten gunste van de zaak Poulet. Als u hem laat executeren, zei hij de Prins, zal men u ervan beschuldigen u te hebben ontdaan van een getuige van de Koningskwestie. De Prins nam het document en plaatste een groot kruis door zijn handtekening. De gratie-afwijzing was dus geannuleerd. Die maandag vond er geen executie plaats.

Voor een beter begrip van André de Staerckes zeer rijke intellectuele persoonlijkheid moeten we teruggaan tot zijn studiejaren.

Hij had intensief gestudeerd bij de jezuïeten en behield zijn ganse leven een voorliefde voor klassieke literatuur, met name voor de Latijnse letteren. Er ging geen dag voorbij of hij las enkele bladzijden van auteurs die in het Latijn hadden geschreven en vooral van Augustinus, zijn favoriete Kerkvader.

Toen hij aspirant bij het Belgisch Nationaal Fonds voor Wetenschappelijk Onderzoek was en in Parijs studeerde (hij woonde daar in de Cité Universitaire), liep hij college aan de faculteit Rechtsgeleerdheid en volgde tevens cursussen aan het 'Institut catholique de Paris', waar hij zijn kennis op het vlak van wijsbegeerte en godsdienst verdiepte. Later zei hij dat dit de gelukkigste jaren van zijn leven geweest waren.

Hij bleef een uitnemend latinist en in de jaren die volgden werd hem gevraagd een opschrift in het Latijn voor de fraaie bibliotheek van de Engelse Ambassade in Parijs te vinden. En bovenal verzocht de NAVO hem een Latijns devies voor de organisatie te bedenken. Hij reproduceerde een zin die hij in zijn jeugd in het Toscaanse San Gimignano had gelezen: 'Animus in consulendo liber' (Vrijheid van geest door overleg) of door een overlegcultuur bereikt men een open geest. Sindsdien sieren deze woorden de raadzaal van de NAVO.

Daar de Staercke over een makkelijke en elegante pen beschikte, werd hem heel vaak om een tekst verzocht. Zijn vriend Paul-Henri Spaak was degene die het meest zijn voordeel deed met deze vorm van 'leentjebroer'. Voor een voordracht nam Spaak bijvoorbeeld een tekst van de Staercke over die hij als van zichzelf presenteerde en die handelde over het leven in Londen tijdens de Blitz. De Staercke had deze periode niet zelf meegemaakt, maar wist de gebeurtenissen in kleuren en geuren op te roepen.

Het was eveneens de Staercke die van A tot Z Spaaks toespraak opstelde ter gelegenheid van diens toetreding tot de Koninklijke Academie voor Franse taal en letterkunde. Verder was hij de voornaamste auteur van Spaaks beroemde redevoering over verdraagzaamheid, een redevoering die Spaak in het Capitool te Rome uitsprak. Geen enkele tekst is zo onthullend voor de Staerckes eigen gedachtegoed, dat geheel doordrongen was van de geest van het oude Rome en de grandeur van dat tijdperk. Spaak, die intellectueel diepgaand door de Staercke werd beïnvloed, maakte zich al diens ideeën en formules eigen, zoals: 'Het doet me genoegen vandaag met u Michelangelo's fraaie trap te bestijgen die naar het Capitool leidt. Laat ons een moment stilstaan boven het menselijk gewoel, laat ons een moment uitrusten van onze moedeloosheid en de blik richten op het gebaar van een der fraaiste beelden uit de Oudheid op een der fraaiste pleinen ter wereld. De arm van deze keizer in brons steekt niet vooruit om toe te slaan, maar om vrede te brengen. Hij roept ons niet op tot de verovering, maar maant ons tot universele harmonie. Laat ons in deze onrustige periode nadenken over het tijdloze gebaar van Marcus Aurelius.'

Maar André de Staerckes twee beroemdste 'cliënten' zijn ongetwijfeld president Clinton en koning Boudewijn geweest. Het is de Staercke die Clintons redevoering opstelde voor de plechtigheid ter herdenking van de landing in Normandië, de gigantische operatie van een halve eeuw voordien. Het verzoek hiertoe had hij ontvangen van zijn oude vriendin Pam Harriman, ambassadrice van de Verenigde Staten in Frankrijk. Pams levensverhaal is te lang om hier gedetailleerd weer te geven. Na haar scheiding van Churchills zoon, had Churchill zelf graag gezien dat ze André de Staercke huwde. Maar deze wilde liever vrij blijven en had geweigerd. André de Staercke en Pam bleven een hechte vriendschap onderhouden, ook tijdens haar ganse tumultueuze bestaan als grote courtisane – ze huwde tenslotte Harriman – en ook na haar benoeming tot ambassadrice in Frankrijk. Kort voor haar dood had hij voor haar een toespraak opgesteld ter viering van de vijftigste verjaardag van het Marshallplan. Het was haar niet meer vergund deze uit te spreken.

Met Koning Boudewijn stelde hij documenten op toen de relaties met de Koning er eenmaal op verbeterd waren. Het begin was zeer koel. Boudewijn had de Staercke bij zich laten komen om hem opheldering te vragen over een probleem in verband met de NAVO. Na enkele minuten onderbrak de Koning de Staercke en vroeg hem om uitleg over diens vijandige houding ten opzichte van zijn vader. De Staercke gaf hem daarop een uiteenzetting van ruim een uur, waarin hij Leopold III niet aanviel, maar zijn eigen rol bij de Regent rechtvaardigde en benadrukte dat het Regentschap de monarchie had gered.

Nadien zou De Valkeneer, persattaché van de Koning, hem toevertrouwen dat de Koning twee dagen volledig uit het lood geslagen was geweest doordat hij de Staercke een hand had moeten geven. Bemerking van de Staercke: *'Ik neem aan dat koningen of prinsen hun haatgevoelens nooit prijsgeven.'* Nadien groeide er een vertrouwensband en zelfs een vriendschappelijke relatie tussen beiden. Bij zijn reizen naar China en Japan liet de Koning zijn toespraken door de Staercke schrijven. Bij het diner na Prins Karels begrafenis liet de Koning de Staercke aan zijn rechterzijde zitten.

De Koning stond evenmin onverschillig tegenover de Staerckes politieke adviezen. Zo volgde hij diens raad toen deze hem Etienne Davignon als eerste minister ontried. De Staercke benadrukte dat Davignon door de politieke partijen verslonden en verlamd zou worden, om te beginnen door zijn eigen partij, en dat hij geen enkele manoeuvreerruimte zou hebben. Als Davignon zich verdienstelijk voor België wilde maken, kon hij het land veel doeltreffender dienen in zijn economische en financiële rol, daar waar hij over reële macht beschikte. Davignon hoorde over de Staerckes advies aan de Koning en was hem er uiteindelijk dankbaar voor.

Een zeer voornaam element in de Staerckes bestaan was zijn vriendschap met Winston Churchill, een vriendschap die begon in 1943 in Londen, toen Mary Churchill met hem had kennisgemaakt en hem aan haar vader voorstelde. De vriendschap duurde tot aan Churchills dood en zelfs nog langer. Want bij zijn begrafenis, waarvan de bejaarde staatsman de regie zorgvuldig had voorbereid, was er een speciale plaats voor zijn *Belgian friend* gereserveerd: deze liep in de rouwstoet achter de familieleden en buitenlandse staatshoofden, maar vóór de prominente buitenlandse politici.

Churchill bleef tijdens het Regentschap voortdurend met de Staercke in contact; hij telefoneerde hem zowat elke drie weken om informatie over de situatie in België en ter bemoediging: deze blijken van aanmoediging waren bedoeld voor de Staercke zelf maar ook voor de Prins-regent, wiens politieke feeling hij waardeerde en bewonderde.

In normale tijden waren de ontmoetingen tussen Churchill en de Staercke vooral literair en ontspannend. In Churchills lichtjes geheroïseerde portret dat in de Staerckes memoires opgenomen is, wordt dit misschien onvoldoende belicht. Tijdens zulke avonden reciteerde Churchill gedichten van zijn lievelingsschrijvers zoals Shakespeare, Byron of Kipling, van wie hij tal van bladzijden uit het hoofd kende. Vervolgens vroeg hij de Staercke hem uit Gibbon voor te lezen, een auteur voor wie hij een grote bewondering koesterde. Churchill was soms tot tranen geroerd door de schoonheid van diens taal. Na verscheidene uren – de avonden liepen vaak uit tot diep in de nacht – zei Churchill dan opeens: laten we een patience leggen – *let us make a patience*. Ieder speelde dit patiencespel afzonderlijk met twee kaartspellen – het was hoogst ingewikkeld (André de Staercke heeft me verteld dat er in de Verenigde Staten een of twee clubs bestaan die zich in Churchills patience gespecialiseerd hebben). Lukte het de Staercke om zijn patience vóór Churchill rond te krijgen, dan toonde de laatste zich lichtjes geïrriteerd.

Tijdens deze lange avonden kwam politiek meestal niet ter sprake. Op een bepaald ogenblik waagde de Staercke het echter de Europese politiek aan te snijden. In zijn redevoeringen had Churchill een krachtige impuls aan de Europese beweging gegeven. Maar hij weigerde hardnekkig Groot-Brittannië's aansluiting bij Europa. Op een dag zei de Staercke hem, *'Ik kniel voor u'* (*I kneel before you*) *'opdat u uw land de doorslaggevende stap naar Europa laat doen waarop zovelen wachten.'* Churchill antwoordde hem met een verwijzing naar het onschendbare karakter van de Britse vlag: *'The flag, Andrew!'*

De Staercke kon Churchills beleid niet beïnvloeden, maar wel analyseerde hij zorgvuldig alle meanders hiervan. Na terugkeer van een onverwacht bezoek door de Britse eerste minister aan president Eisenhower, waarbij een ieder zich de vraag stelde of het wel resultaat had opgeleverd, zond de Staercke een telegram aan van Zeeland met commentaar. Daarin had hij zijn visie verwerkt op Churchills karakter en de redenen van alle geheimzinnigheid eromheen. Hij schreef: 'Iedereen die van ver of nabij Mister Churchill heeft meegemaakt, weet dat hij even onvoorspelbaar is qua beslissingen als zuinig met commentaar aan zijn ambtenaren.... Voor een oordeel over de doeltreffendheid (van het bezoek) moet men het zien in het perspectief van het karakter van de Britse eerste minister. Mister Churchill gelooft in het genie want hij gelooft in zichzelf. Hij heeft altijd geloofd dat het menselijk contact, de persoonlijke en plotselinge tussenkomst van toppolitici opeens voor een ontspanning konden zorgen of de kiem in zich dragen van een duurzaam akkoord. Vandaar die onverwachte initiatieven, desoriënterend voor mensen die hem niet goed kennen en waar waarnemers vraagtekens bij plaatsen. Zij zijn typisch voor het Churchilliaans temperament. Het is ook evident dat specialisten ze niet waarderen. Deze initiatieven vallen te veel buiten de gangbare methodes, ze laten de vaklui te veel aan de kant staan, en doordat ze zo sterk inspelen op de factor toeval leiden ze wel tot enige vrees en veel wantrouwen'.... 'Ook al weten we niet wat Churchill en Eisenhower precies tegen elkaar hebben gezegd, en ook indien Churchill niets van zijn gesprekspartner bekomen heeft, dan is er altijd nog de sfeer van het onderhoud en die was misschien het belangrijkst; ik weet dat generaal Eisenhower een groot zwak – en dat is niet te sterk uitgedrukt – heeft voor Churchill. Ik ken ook de grote aantrekkingskracht van deze oude man, die vorm van dichterlijke bevlogenheid en fascinatie waaraan niemand ontsnapt die hem lang genoeg heeft meegemaakt'... Heel goed mogelijk dus dat de eerste minister de president heeft kunnen beïnvloeden en de Amerikanen tot oplossingen voor de toekomst bewegen.

Hierboven was reeds sprake van de auteurs die Churchill en de Staercke beiden bewonderden en zeer graag lazen. Maar de Staercke had ook zo zijn speciale voorkeuren en probeerde hierin zijn vrienden te laten delen. Spijtig voor hem, maar de harde en deels cynische uitspraken van Baltasar Gracián y Morales in zijn 'El oráculo manual y arte de prudencia' heb ik nooit kunnen bewonderen, ook al waren ze voor hem een delicatesse. Daarentegen ben ik hem dankbaar dat ik door hem de schitterende bladzijde heb leren kennen waarop Pascal onderscheid maakt tussen *'les grandeurs d'établissement'* en *'les grandeurs naturelles'* (de natuurlijke grootheden en de grootheden behorend tot de gevestigde orde).

De tweede Parijse periode van André de Staercke, die van zijn NAVO-jaren, was intellectueel gezien zeer rijk; hij stond destijds op het toppunt van zijn intellectuele capaciteiten. Hij paarde zijn officiële en mondaine bestaan aan een intens geestesleven. Hij was een briljant man en ontmoette briljante geesten: allereerst de permanente vertegenwoordigers bij de NAVO, onder wie David Bruce, vertegenwoordiger van de Verenigde Staten, een zeer gedistingeerde persoonlijkheid en in de Staerckes ogen de intelligentste man die hij ooit had ontmoet. De banden tussen Bruce en de Staercke waren zeer hecht en diepgaand. Voorts ontmoette André de Staercke regelmatig Diana Cooper, voor wie hij een grote bewondering koesterde, alsook de hertog en hertogin van Windsor. Hij bewonderde de intelligentie van de hertogin maar had een hartgrondige hekel aan haar echtgenoot[1].

Na de oorlog was het intellectuele leven weer volop op gang gekomen. Op een dag ontving de Regent zijn ministers in de Ardennen en de Staercke verveelde zich. Hij zette de tekst van *Cimetière marin* op papier, gedicht dat hij uit zijn hoofd kende; hieraan wijdde hij een commentaar dat als tijdschriftartikel gepubliceerd werd en hem een lofbetuiging van de dichter opleverde.

Maar veel meer nog dan met literatuur hield André de Staerckes geest zich bezig met filosofische en religieuze overpeinzingen.

Drie teksten, ontstaan tussen 28 juni en 9 juli 1957, onthullen in het bijzonder hoe diep zijn religieuze gevoelens waren.

'Heer, indien ik u zonder vrees liefhad, zou ik u zonder liefde beminnen. Dan zou ik u hovaardig liefhebben, dan zou ik u slechts lippendienst bewijzen en u niet van harte beminnen. Het is geen vrees voor straf, niet langer die voor straf, hoewel mijn gehele opvoeding was gebaseerd op angst voor bestraffing en tuchtiging. Het is de vrees dat ik u niet voldoende liefheb, dat ik u niet goed liefheb. Het is de vrees voor de liefde, de vrees van de verliefde uit het Hooglied; het is de vervoering die er in elke waarachtige liefde is, vol bange beklemming. Het is de vrees van hen die hun zwakheden kennen, en bewenen dat hun wil niet gelijk is aan hun verlangen. Heer, ik zal u in nederigheid beminnen en omdat ik u wil liefhebben, zal ik u in vreze liefhebben. Schenk mij deze vrees die mijn liefde kan vergroten, inspireer mij tot een liefde die vervuld is van de vrees u onvoldoende lief te hebben.

28 juni 1955, terug van Corsica.'

Deze tekst is een vibrerend gebed van iemand die trillend reikt naar de liefde Gods, een beklemmende liefde die hij nederig in de vreze des Heren wil versterken.

'Het is half vier in de ochtend. Tot op dit ogenblik heb ik gelezen. Het is lang geleden dat ik zo laat ben opgebleven of zo vroeg op was en het ochtendgloren na de troebelen van de nacht zag komen.

Ik heb P. Steinmans boek over Johannes de Doper gelezen. Na zoveel artikelen en studies over de Dode Zee-rollen vraag ik me af of deze buitengewone vondst geen geschenk van God is. Een alternatief, een oproep. Naarmate het formalisme van de kerk toeneemt, naarmate deze haar dogma's verder uitwerkt en zich steeds verder van het leven lijkt te verwijderen naarmate ze menselijke gezichten aan de godheid geeft en de Geest in al te menselijke verschijningen opgaat, vraag ik me af of deze teksten niet een oproep tot geloofsverdieping inhouden. Er is misschien nog plaats voor de afzondering van de Doper, voor een spontane mystiek, niet een mystiek van de retraite, maar een mystiek van de stille presentie, geen mystiek van de rebellie en woede zoals tegen Herodes, maar een mystiek van geduld en verborgenheid in de gevangenis van de viervorst Herodes, geen mystiek van hovaardij, maar een mystiek van verborgen lijden, van volharding en verwachting; door de kracht van het zwijgen, wachten, volharden en hopen lang genoeg te kunnen volhouden opdat de uiterlijke realiteit van de

Kerk slechts een voorbijgaande sluier is, hangend voor innerlijke realiteit waaraan de Dode Zee-rollen ons herinneren. Zoals de diepte van een lange nacht waar je het licht wel vermoedt en het bestaan trilt van Hem die ik voorvoel, die ik voel en die waarlijk en geheel anders is dan de definities waarin men hem meent te vatten.

26 november 1955 – 4 uur.'

Deze nachtelijke bespiegeling na lezing van een werk over de Wegbereider, gevoegd bij André de Staerckes herinneringen aan de in de grotten van de Dode Zee gevonden handschriften, gaf hem het gevoel van een andere weg tot de Heer dan die van een Kerk die groot belang hecht aan de verdieping van haar dogma's. Zou er niet een andere weg tot God zijn, een weg tussen de boze opstandigheid van de Doper en de verfijnde dogma's van de kerk?

'Heer, het is lang geleden dat ik me tot u heb gewend. Ik hield me in de tuin verborgen en u zocht me overal. Thans is het nacht en stil, ik ben uit het struikgewas gekomen en hier ben ik voor u, op het pad. U hebt stilgehouden en uw blik overspoelt mij, Heer. Ik ben het vat vol ongerechtigheid, u bent de bron van het heil. Ik vrees zelfs niet dat u het moe bent mij lief te hebben. Ook al wend ik me af, ik hoor uw liefde mij achtervolgen. Ik sta voor u en u bent gebleven. Ik ben uitgeput, ik smacht, mijn ziel dorst, verlangt naar onnutte daden, over enkele ogenblikken keer ik terug in het donker, maar ik speur naar uw blik om er de moed in te vinden voor mijn bestemming. Alles houdt mij tegen behalve u, alles houdt mij vast ondanks u, alles voert me weer naar u, dankzij u. Ik speel met mijn krachten, met mijn geest. Fier ben ik op wat ik goed doe en ik ontleen hieraan het excuus om talloze andere dingen te doen die slecht zijn doordat ze me van u wegvoeren en mij te gronde richten. Hoe meer ik voortga, hoe meer ik u ontwijk, des te sterker weet ik dat u wacht. U sterkt mij op zijn minst met het vermogen klaar te zien, zelfs als ik slecht handel. Goede en slechte daden doen er niet meer toe. Hier staat een arm mens die te ver gaat maar zich geen illusies meer maakt. Hij is uit het duister getreden en staat voor u, Heer. Hij zal weer heengaan maar brengt u de oogst van zijn gebreken, van zijn tranen, van zijn glimlach. Nederig zoekt hij in uw blik de belofte van zijn redding. Hij verwijdert zich van u, maar is niet zonder u. In het donker is hoe langer hoe meer uw licht dat hem op een dag zal omhullen, Heer, een dag als uw liefde.

9 juli 1957, half een 's nachts.'

Dit is de meest ontroerende tekst. Hij is slechts een zondaar, een nieuwe Kaïn, maar zonder de zonde van de broedermoord; hij verbergt zich voor het oog van God, verpletterd door zijn fouten, smachtend maar vertrouwend op de liefde van God en op zijn vergiffenis.

Dit zijn teksten van een bewogen christen, maar een christen die nadenkt over zijn geloof en tracht zijn Heer te bereiken. Ontroering, gebed en reflectie wellen vooral in de nachtelijke uren op.

Toch verliest de profane poëzie niet haar goed recht. Dit wordt verduidelijkt door volgend sonnet, dat ontstond omdat hij was geraakt door de verschrikkelijke berichten uit Hongarije. Het gedicht weerspiegelt de Staerckes visie op de bloedige repressie van 1956. De titel van het sonnet luidt *Les Insurgés* (de Opstandelingen).

Het onheil maakt ons gek, het onheil maakt ons sterk.
Blindelings en massaal marcheren wij in de straat,
Wij tellen onze successen in 't tellen van onze doden.

In diepe stilte vertrappen wij onze doden.
Geen wapens, geen hoop, onze handen, onze arme handen
Onze lichamen in gesloten rijen, doelwit voor 't artillerievuur.
Het treft zonder ophouden de levende muur
Waarin wij de gaten dichten met andere mensen.

Tranen zijn voor later. Voor later een gedachte
Voor de jeugd in de bloei van het leven, vallend onder het vuur.
Eén enkele kreet stijgt ten hemel. Hoe lang, mijn God,

Laat u deze verpletterde massa lijden?
De zwakken hebben zich opgericht, de machtigen zijn door angst bevangen,
Zullen zij ooit de kracht van de smart overwinnen?

Deze versregels staan in een reeks sonnetten van een totaal andere, sterk erotisch getinte inspiratie. Daarin beschrijft de auteur de genoegens van nachtelijke ontmoetingen waarbij hij vooral oog had voor het mannelijk schoon. Dit is een kant van André de Staerckes persoonlijkheid die men niet over het hoofd mag zien. Deze man, die zich gepassioneerd overgaf aan het gebed, gaf zich eveneens vrijelijk over aan de zonde.

Van die zonde voelde hij het fysieke gevaar in mei 1957, toen hij voor de eerste keer door een vorm van tuberculose werd bedreigd. Hij schreef in zijn opschrijfboekje: 'Ik kan bijna zeggen waarom ik ziek geworden ben. De oorzaak ligt niet zozeer in het werk dan wel in de genoegens. Het uitputtende en verrukkelijke nachtleven, de jacht in het donker tot aan de ochtend, en dan de schijn die je moet ophouden en waarmee je je verborgen bestaan verhult, je kan het volhouden tot je erbij neervalt. Ik ben erbij neergevallen'.

In zijn opschrijfboekjes vindt men hier en daar allusies op hetzelfde thema: 'Ik doe mijn best om dat waarvoor ik wel en waarvoor ik niet kan uitkomen in één enkel armzalig bestaan te combineren'. 'Mijn leven is voornamelijk clandestien – de liefdes, niet de liefde houden me nog overeind'. Tot tamelijk vergevorderde leeftijd behield de Staercke op het vlak van zedelijk gedrag een gevestigde reputatie.

De Staercke heeft vanaf het begin België bij de NAVO vertegenwoordigd. Aan het eind van zijn leven heeft hij op frappante wijze enkele hoofdlijnen geschetst van de NAVO-evolutie. Hij benadrukte dat men aan het begin van het bondgenootschap verplicht was geweest te improviseren zonder dat men de tijd had om na te denken over de principes die als richtlijn voor de organisatie moesten dienen. Hij zei: 'In 1949 en de daarop volgende jaren leek het gevaar zo urgent en de dreiging zo nabij, dat de vrije wereld slechts aan één ding dacht, zich verdedigen om te overleven, zonder zich veel vragen te stellen over de achterliggende motivaties. Een beetje zoals mensen in paniek bij een natuurramp slechts aan één ding denken, het vege lijf redden, of bij een onverhoedse aanval meteen reageren. Nadenken doe je pas daarna.

Men moet zich de sfeer van die jaren voor de geest halen om het rampgevoel te begrijpen dat destijds heerste. Uitgeput was Europa uit de oorlog gekomen, het in 1947 ontwikkelde Marshallplan begon nog maar pas vruchten af te werpen, de Berlijnse blokkade volgde op de Praagse coup die weer volgde op de Sovjet-annexaties en -greep op de satellietlanden, terwijl aan het andere eind van de wereld de Korea-oorlog (1950) was uitgebroken. Wat er van Europa restte, leek gedoemd totaal verslagen te worden. De situatie leek zo onherstelbaar, dat ik haar in één enkele zin van Churchill kon samenvatten. Op een avond in februari 1951 had ik gedineerd bij hem en Lady Churchill. Bij het weggaan zei hij mij deze onthullende woorden: 'Laten we bidden dat we aan een nieuwe oorlog ontsnappen en als ons dat niet lukt, laten we dan hopen dat de pijn kort zal zijn voor we eeuwig inslapen.' (*let us hope pain will be short before the eternal sleep...*).

Pas later, toen door de imposante uitbreiding van de NAVO de veiligheidseuforie was teruggekeerd, kwam de tijd voor reflectie over de specifieke doelstellingen van de organisatie. Deze reflectie culmineerde in de beschrijving van het plan-Harmel, dat voornamelijk was geredigeerd door André de Staercke en Etienne Davignon. De Staercke vervulde in deze periode, en reeds verscheidene jaren, de functie van deken van de NAVO-Raad, waaraan voor hem bijzondere verantwoordelijkheden waren verbonden.

Zo rustte op hem de taak het probleem van de verhuizing uit Frankrijk van de NAVO te regelen.

Ook in politiek opzicht beleefde hij enkele opmerkelijke momenten. Een van die momenten was de Cubaanse rakettencrisis. De door Kennedy afgevaardigde Averell Harriman kwam in Parijs aan en werd door generaal de Gaulle ontvangen, die zijn steun aan de Amerikaanse vastberadenheid toezegde. Na zijn vertrek bij de Gaulle begaf Harriman zich, nog steeds in smoking, naar de NAVO-Raad. Voor de Raad legde hij de situatie van de Verenigde Staten uit en vroeg de goedkeuring door zijn NAVO-bondgenoten. Een lange stilte volgde op zijn uiteenzetting – de vertegenwoordigers zwegen want ze hadden geen instructies ontvangen.

De Staercke besloot de stilte te verbreken – dit was in zijn leven een groot moment. Hij zei: 'Ik heb geen instructies van mijn minister, maar hem kennende ben ik ervan overtuigd dat hij zijn toestemming zal verlenen.' Door dit in naam van België én als deken van de Raad te zeggen, nam hij een enorme verantwoordelijkheid op zich. Spaak maakte hem hierop attent, waarop de Staercke reageerde, dat hij met een andere minister van Buitenlandse Zaken dan Spaak niet zo had durven handelen.

Uitgezonderd de poging in 1960 tot vorming van een regering Spaak-van Zeeland, waarmee de Staercke het absoluut oneens was, getuigde de relatie tussen Spaak en hem altijd van een nauwe band en wederzijds vertrouwen.

Toen Spaak genoemd werd voor de post van secretaris-generaal van de NAVO, verzetten Adenauer en Salazar zich hevig hiertegen; ze wensten geen socialist in die functie. De Staercke ondernam persoonlijke demarches bij hen met een toelichting op het socialisme van Spaak – een socialisme gebaseerd op edelmoedigheid, een socialisme zonder de minste bedreiging voor de Atlantische Alliantie.

De Staercke had graag zijn loopbaan bij de NAVO voortgezet tot aan de normale pensioengerechtigde leeftijd. Dat werd hem onmogelijk gemaakt door de onbuigzaamheid in de taalpolitiek van een Vlaamse minister van Buitenlandse Zaken, die eiste dat alle ambtenaren van het ministerie middels een taalexamen hun kennis van de twee landstalen zouden aantonen. De Staercke nam dit niet en weigerde het examen Nederlands af te leggen. Dit had tot gevolg dat hij vervroegd met pensioen moest gaan.

De Staercke bleef trouw aan zijn vrienden, en voor alles aan Spaak – hij was getuige bij diens tweede huwelijk. Dankbaar herinnerde Spaak zich dat de Staercke hem tijdens de oorlog het leven had gered doordat hij kans had gezien hem een dosis penicilline te bezorgen, een gloednieuw geneesmiddel dat Spaak absoluut nodig had om van een infectieziekte te genezen.

De Staercke vergezelde Spaak naar de Azoren op diens laatste reis met zijn dochter Antoinette. Spaak werd daar echter zo ziek, dat het enige wat de Staercke voor hem kon doen was hem snel een vliegtuig verschaffen voor de terugreis naar België. Spaak overleed in 1972 na zijn terugkeer in Brussel.

Spaak was een poosje voor zijn overlijden in 'zaken' gegaan, evenals de Staercke. Met name bij ITT speelde hij een decoratieve rol. De Staerckes rol in grote ondernemingen was veel actiever. Hij herinnerde eraan dat dit de tijd was van de enorme inkomsten, die echter voor ruim 90% door de fiscus opgeslokt werden. Het waren ook de jaren waarin hij betrokken was bij grote financiële manoeuvres, waarover hij altijd zeer discreet is gebleven.

Bij zijn overlijden liet André de Staercke geen noemenswaardig persoonlijk fortuin na. Hij was zelfs geen eigenaar van het appartement dat hem lange jaren had gehuisvest voor hij in een seniorie moest gaan wonen.

Zoals hij ongetwijfeld zelf had gewenst, vermeldde zijn overlijdensbericht geen enkele van zijn hoge onderscheidingen. Toch was het voor hem altijd een erezaak geweest, in aanwezigheid van de Gaulle het insigne van het Legioen van Eer te dragen dat de generaal hem had uitgereikt.

Niet alleen Churchill en Spaak waren vóór hem overleden, ook een andere zeer dierbare vriend was hem voorgegaan: Salazar. Over hem zei de Staercke me eens spontaan: *'Wat was ik gesteld op die man!'* Deze woorden waren een gevoelige hommage aan Salazars intellectuele, morele en politieke striktheid en onbuigzaamheid, iets waarvan het portret getuigt dat de Staercke van Salazar op schrift heeft gesteld.

André de Staercke had Salazar tijdens de oorlog voor het eerst in Lissabon ontmoet, toen hij in naam van de regering in Londen een diplomatieke missie vervulde in verband met een conflict tussen Belgisch Kongo en Angola. Dit was het begin van hun lange vriendschap.

Na een aantal jaren van openhartige contacten waagde hij het een keer tot Salazar te zeggen: *'Denkt u niet dat u uw werk zou kunnen bekronen door de Portugezen meer politieke vrijheid te verlenen en bijvoorbeeld de partijen toe te staan weer actief te worden?'* Salazar snauwde hem dadelijk af met: *'Hoho, nu gaat u te ver!'* Salazar bleek al even onbuigzaam bij de verdediging van het integrale behoud van het Portugese imperium.

Maar Salazar bezat zoveel kwaliteiten en was zo onkreukbaar dat ze de Staerckes bewondering en genegenheid rechtvaardigden.

Churchill, Spaak en Salazar: de Staercke was van oordeel dat zijn leven rijk was geweest aan menselijke contacten. Hij had gelijk.

Presentatie

Ginette Kurgan-van Hentenryk

André de Staercke werd op 10 november 1913 te Gent geboren als telg van een oude familie van textielfabrikanten[2]. Hij was een briljant leerling bij de jezuïeten aan het Gentse Sint-Barbaracollege en ging daarna studeren in Namen, aan de Facultés Notre-Dame de la Paix. In 1933 behaalde hij hier met de grootste onderscheiding zijn kandidatuur Letteren en Wijsbegeerte. Volgens zijn zeggen, en zijn vele geschriften getuigen ervan, onderging hij diepgaand de invloed van de Grieks-Romeinse beschaving tijdens deze 'veertien jaar bij de jezuïeten'. Zijn universitair curriculum gaat al even briljant verder aan de Faculteit Rechtsgeleerdheid aan de Katholieke Universiteit van Leuven. In 1936 werd hij doctor in de rechten en ging hij verder studeren in Parijs, waar hij verscheidene diploma's hoger onderwijs in publiekrecht, privaatrecht, Romeins recht en rechtsgeschiedenis behaalde. In 1937 kreeg hij een mandaat van aspirant bij het Belgisch Nationaal Fonds voor Wetenschappelijk Onderzoek. Twee jaar later verdedigde hij in Parijs zijn proefschrift getiteld 'De la création d'un Conseil d'Etat en Belgique' (Over de oprichting van een Raad van State in België), dat bij de Presses Universitaires de France in boekvorm verscheen. Dit proefschrift kreeg de vermelding 'très bien' en werd in Frankrijk uitgeroepen tot het beste proefschrift van 1939. Deze drie gelukkige jaren vol gevarieerde contacten waren de voorbode van een hoogst uitzonderlijke carrière bij het Belgische overheidsapparaat.

Eind 1939 werd hij naar Brussel gehaald om mee te werken aan de activiteiten van het Studiecentrum voor de Hervorming van de Staat S.C.H.S. (Centre d'étude pour la réforme de l'Etat – C.E.R.E.). Louis Camu was voorzitter, André de Staercke werd tot bestuursadviseur benoemd en betrokken bij het onderdeel administratieve hervorming. In 1940 werd hij als medewerker aangesteld bij het kabinet van de eerste minister Hubert Pierlot. Na de Duitse invasie in België volgde hij de Belgische regering naar Vichy. Op 1 augustus was hij terug in Brussel. De dienst algemene administratie waaronder hij ressorteerde, werd bestuurstechnisch ondergebracht bij het Commissariaat-generaal voor Wederopbouw, geleid door secretaris-generaal Verwilghen. Op verzoek van graaf Lippens, die met instemming van de koning het S.C.H.S.-C.E.R.E. opnieuw had samengesteld, werd André de Staercke gedetacheerd bij het secretariaat van dit centrum, dat als opdracht kreeg een studie te maken van de hervorming van het regeringsstelsel na het weerkeren van de vrede. Het resultaat van de werkzaamheden van de verschillende commissies werd op 24 december 1940 aan de Koning overgemaakt. Doordrongen van de geest des tijds werd een sterk koninklijk bewind met corporatieve Kamers bepleit. Onder leiding van Maurice Lippens en Pierre Wigny kreeg André de Staercke opdracht het rapport te redigeren over het organiseren van de regering en een Grote Raad in navolging van het model dat door de Bourgondische hertogen en later door Richelieu en Lodewijk XIV was ingevoerd. Ten tijde van de Koningskwestie[3] leverde deze periode in zijn loopbaan de Staercke venijnige kritieken op in *La Libre Belgique*.

Op suggestie van Fernand Lepage, administrateur-generaal van de Staatsveiligheid, besloot eerste minister Hubert Pierlot begin 1942 om ter versterking van zijn kabinet twee betrouwbare functionarissen naar Londen te laten komen. Zijn keuze viel op René Lefébure, een hoge ambtenaar bij het ministerie van Financiën en de latere kabinetschef van Koning Boudewijn, en André de Staercke[4]. Op 30 maart 1942 hoorde de laatste het nieuws van François De Kinder (schoonbroer van de eerste minister) met wie hij in de clandestiene pers samenwerkte. De Staercke 'accepteert met vreugde'. Lefébure daarentegen wilde niet naar Londen. Hij werd vervangen door de jonge Fernand Spaak, zoon van de minister van Buitenlandse Zaken. Op 10 april maakte de Staercke met Fernand Spaak kennis. Hun reis werd voorbereid door het netwerk *Comète*. Ze vertrokken op 25 april uit Brussel en bereikten Parijs in gezelschap van François De Kinder, die hen een begeleider en papieren moest bezorgen. Fernand Spaak was nog niet helemaal genezen van een aanval van pleuritis. Na dagenlang vergeefs wachten op hun contact besloot de Staercke om met Fernand verder te reizen, hoewel zijn eigen papieren niet in orde waren. Op 6 mei vertrokken ze uit Parijs met bestemming Saint-Jean-de-Luz. Fernand Spaak arriveerde daar rechtstreeks, maar de Staercke stapte in Bayonne uit de trein en maakte allerlei omwegen om controles te ontlopen. Ten slotte trof hij de jonge Spaak weer in Saint-Jean-de-Luz. Op 9 mei begonnen ze bij het vallen van de nacht en onder leiding van twee gidsen aan hun tocht dwars door de Pyreneeën. De tocht verliep zonder moeilijkheden; de volgende dag bereikten ze totaal uitgeput San Sebastian. Daarna ging het naar Bilbao, waar ze van 12 tot 22 mei op een schuiladres verbleven. Maar aangezien hun ontsnappingsroute scheen uitgelekt, gingen ze met een nieuwe gids afwisselend per trein en te voet op weg. Een herder hielp hen over de grens met Portugal; zo arriveerden ze op 26 mei in Lissabon. Hoewel het welkom op de Belgische legatie hartelijk was, werden de Staercke en vooral Fernand Spaak beschouwd als 'waardevolle en hinderlijke pakketten'. Ze moesten zo snel mogelijk weer weg zonder dat de Portugese politie lucht van hun aanwezigheid zou krijgen. Ze gingen dan ook diezelfde avond nog in het geheim aan boord van een Belgisch schip dat om de twee weken vluchtelingen naar Gibraltar bracht. Daar gingen ze op 28 mei aan wal. Ondanks de inspanningen vanuit Lissabon om hen prioritair een vliegtuig naar Londen te bezorgen, verliepen er drie weken zonder dat er iets gebeurde. Op 19 juni 's avonds stegen ze ten slotte van Gibraltar op. Het had hen twee maanden gekost om in Londen te geraken, waar ze op 20 juni bij het ochtendgloren arriveerden. De talrijke wederwaardigheden tijdens deze zwerftocht bezegelden een diepe vriendschap, die de grondslag vormde voor de zeer nauwe en levenslange banden tussen André de Staercke en Paul-Henri Spaak en diens gezin.

Op 8 april 1943 werd André de Staercke tot tijdelijk kabinetschef van de eerste minister en secretaris van de ministerraad benoemd. Hij was toen nog geen dertig jaar. In de uitoefening van zijn functies, waardoor hij een vooraanstaand medewerker en bevoorrecht getuige zou worden van het optreden van de Belgische regering in Londen, ontwikkelde hij nauwe banden met Hubert Pierlot, Paul-Henri Spaak en Camille Gutt. Dankzij zijn relaties met Mary, de dochter van de Britse eerste minister, werd hij een vertrouwde gast van Winston Churchill. Uit die tijd stamt ook een andere ontmoeting, die een nauwe vriendschap zou bezegelen met een in de Westerse democratieën nogal controversiële persoonlijkheid: de Portugese president Salazar. Hun persoonlijke banden kregen vorm tijdens een zending in 1943 van André de Staercke naar Lissabon. Hij slaagde erin een schikking tussen België en Portugal te bereiken over de diamantvelden die Kongo en Angola elkaar betwistten. Bij de Bevrijding keerde André de Staercke samen met de regering naar Brussel terug, waar hij zijn functies behield tot de val van het kabinet Pierlot op 6 februari 1945.

De Staercke maakte ook van zeer dichtbij de verslechtering in de relatie tussen de Belgische ministers in ballingschap te Londen en Leopold III mee; hierdoor onderhield hij tevens de contacten tussen de regering en de vertegenwoordigers van de geallieerden te Brussel. Begin februari 1945 lag baron Robert Goffinet, hoofd van het Huis van Prins Karel en tevens diens vertrouwensman, op sterven. André de Staercke werd discreet naar het Paleis geroepen, waar hij het voorstel kreeg baron Goffinet op te volgen. Als secretaris van de Regent werd de Staerke diens voornaamste politiek adviseur. Vanwege zijn rol als vertrouwd raadsman werd hem aangewreven, dat hij een der verantwoordelijken voor de troonsafstand van Leopold III zou zijn geweest. Aan het eind van het Regentschap in augustus 1950 werd de Staercke dan ook verzocht het politieke toneel te verlaten. Nadat Prins Karel zich uit het openbare leven had teruggetrokken, bleef de Staercke toch voor de rest van Karels leven diens vertrouweling.

De Staercke werd echter allerminst weer een gewoon ambtenaar. Zijn carrière nam een nieuwe wending, waardoor hij op slag naar voren werd geschoven op het hoogste niveau van een diplomatieke carrière, los van de normale administratieve weg. De internationale conjunctuur lag voor hem bijzonder gunstig. Fernand Van Langenhove, vertegenwoordiger van België bij de Verenigde Naties, accepteerde eind juni 1950 met enige reserve de beslissing van de minister van Buitenlandse Zaken Paul van Zeeland, hem te benoemen tot vertegenwoordiger van België in de Raad van Plaatsvervangers bij de Noord-Atlantische Verdragsorganisatie, de NAVO. Maar het uitbreken van de Koreaanse oorlog leidde ertoe, dat Van Langenhove in New York bleef. Toen het conflict aanhield, besloot van Zeeland de voor Van Langenhove voorziene plaatsvervangersfunctie aan André de Staerke toe te vertrouwen. Na anderhalf jaar vervanging werd het besluit met Van Langenhoves benoeming ingetrokken en was het de Staercke die bij besluit van 4 april 1952 werd benoemd tot permanent vertegenwoordiger van België bij de Noord-Atlantische Verdragsorganisatie in Parijs[6]. Op het hoogtepunt van de koude oorlog ontpopte André de Staercke zich tot een fervent voorstander van de Atlantische alliantie. Vanaf 1957 was hij deken van de Atlantische Raad; hij leidde in Parijs een luxueus leven. Toen Frankrijk zich in 1966 uit de NAVO terugtrok, vestigde de organisatie haar zetel in Brussel en verhuisde de Staercke mee. Ten slotte legde hij in 1976 met veel misbaar zijn functie neer, nadat hij 26 jaar lang België bij de NAVO had vertegenwoordigd. Aanleiding was een incident dat hem in aanvaring bracht met de minister van Buitenlandse Zaken Renaat Van Elslande. Als gevolg van zijn atypische diplomatieke loopbaan vervulde André de Staercke zijn functies met de rang van ambassadeur, maar in de administratie was hij op een tamelijk laag niveau blijven staan. Om zijn situatie te regulariseren werd hem gevraagd een examen Nederlands af te leggen. Daar zijn familie van Vlaamse oorsprong was en hij zichzelf dus als Vlaming zag, weigerde hij zich te plooien naar de eisen van de minister en legde hij zijn functies neer[7]. Verbitterd vertrok hij naar Mexico waar hij vier jaar zou blijven.

Wegens zijn matige pensioen bleef de Staercke professioneel actief. Zijn talrijke contacten in internationale kringen, vooral in de Verenigde Staten, openden moeiteloos vele deuren voor hem in de zakenwereld. In de Raad van Beheer van de in Chicago gevestigde farmaceutische groep G.D. Searle & Co maakte hij kennis met Donald Rumsfeld, destijds manager van dat bedrijf en thans Minister van Defensie van de V.S. Verscheidene Belgische groepen deden een beroep op hem. Hij werd vice-president van het bedrijf Géomines en zetelde ongeveer tien jaar lang in de Raden van Beheer van meerdere Belgische ondernemingen, zoals Petrofina, Philips & MBLE Associated, Diamant Boart en de Generale Bankmaatschappij. Op 27 december 2001 overleed hij in Brussel, 88 jaar oud.

André de Staercke had het grootste deel van zijn Papieren toevertrouwd aan het archief van het ministerie van Buitenlandse Zaken. Niettemin had hij zelf het manuscript van zijn memoires over de Koningskwestie bewaard, evenals een aantal teksten waaraan hij veel waarde hechtte maar die hij niet bij leven wilde publiceren. Op 16 november 1998 vertrouwde hij de professoren Jean Stengers, Ginette Kurgan-van Hentenryk en Régine Beauthier de publicatie toe van zijn memoires, verder van teksten zoals een portret van Churchill en van Salazar, evenals enkele stukken die hij in zijn persoonlijke dossiers had bewaard. Deze documenten werden in hun totaliteit in bewaring gegeven bij het archief van de Université Libre de Bruxelles, op voorwaarde dat ze pas vrijelijk geraadpleegd mochten worden nà publicatie van zijn memoires.

Het bij de ULB in bewaring gegeven archief omvat diverse periodes van André de Staerckes leven. Hij paarde een voortreffelijke pen aan een grote culturele bagage en vaak zette hij impressies van zijn gesprekken en van evenementen waarvan hij getuige was geweest meteen op papier. Zo zijn er heel wat handgeschreven aantekeningen op losse bladen en in opschrijfboekjes bewaard gebleven. Een deel hiervan is gebruikt voor de redactie van uitgewerkte teksten, waarvan de memoires het meest ambitieuze project vormen. Zo is het hoofdstuk over de gesprekken in Sankt Wolfgang gebaseerd op dagelijkse notities in telegramstijl van half maart tot eind juli 1945, notities in een in rood leer gebonden opschrijfboekje waarop zijn initialen stonden. Hoewel zijn memoires als titel droegen *Tout cela a passé comme une ombre. Mémoires sur la Régence et la Question Royale* – Alles is voorbijgegaan als een schaduw. Memoires over het Regentschap en de Koningskwestie – eindigt zijn tekst op 18 mei 1945, kort na de eerste besprekingen van de regering-Van Acker en de Regent met Leopold III in Strobl. Volgens eigen zeggen schreef André de Staercke op aanraden van Churchill *ab irato* zijn memoires om zijn hart te luchten dadelijk na beëindiging van Prins Karels regentschap. De eerste versie werd eind oktober 1945 voltooid. Vele jaren later zei hij in verband hiermee: *'Ik geloof niet dat je bij het opschrijven van je Memoires aan historici moet denken; je moet het doen zoals Saint-Simon, je moet partij kiezen, want het is onmogelijk het volslagen objectief te doen.'*

Het manuscript omvatte vijf hoofdstukken. Daarna werkte André de Staerkce er meerdere jaren met tussenpozen aan. De uitgetikte versie geeft geen ingrijpend bewerkte gedeelten te zien. Een hoofdstuk over de zending-De Kinder, evenals portretten van Churchill, Salazar en van Zeeland werden later geschreven, maar geen enkele versie van deze teksten is van een datum voorzien.

Bepaalde teksten van de Staercke circuleerden reeds tijdens zijn leven, ook al waren ze niet in druk verschenen. Zo worden een kopie van het hoofdstuk over de zending-De Kinder en een aantekening over het Politiek Testament van Leopold III in de Paul-Henri Spaak-archieven bewaard. Anderzijds is de historiografie over het niet terugkeren van Leopold III in 1945 voornamelijk gebaseerd op Britse en Amerikaanse diplomatieke rapporten. Bij het lezen van André de Staerckes aantekeningen en memoires wordt duidelijk, dat hij destijds uit de eerste hand inlichtingen van de geallieerde vertegenwoordigers ontving. De woorden waarmee de ambassadeur van de V.S. de Shakespeariaanse sfeer opriep van de eerste ontmoetingen met de Koning in Strobl, geven bijvoorbeeld overduidelijk blijk van de Staerckes hand[10].

Het boek dat voor u ligt, bestaat uit drie gedeelten. Het eerste gedeelte brengt de Memoires. Hiervoor werd de uitgetikte versie gevolgd, door de auteur met de hand gecorrigeerd. Het omvat ook het hoofdstuk over de zending-De Kinder. Een aantal passages werd aangevuld met documenten of gedeelten die in het ULB-archief worden bewaard. Deze aanvullingen zijn in een kadertje geplaatst of volgen als toevoeging na het desbetreffende hoofdstuk.

Het tweede gedeelte is aan de Portretten gewijd. De Papieren van André de Staercke bevatten een overvloed aan notities op losse bladen waarmee hij in enkele treffende regels het portret schetste van heel wat belangrijke persoonlijkheden die zijn pad kruisten. Een aantal portretten staat in zijn Memoires. In het geval van Churchill en Salazar was het zijn eigen wens, ze in literaire vorm te gieten. Hiermee wilde hij eer bewijzen aan machtige mensen die reeds vanaf het begin zijn kwaliteiten hadden herkend en voor wie hij een grenzeloze bewondering en vriendschap koesterde. In de oorlog was hij een huisvriend van Churchill geworden en hij bleef met de bejaarde staatsman in contact tot diens overlijden in 1951. Uit hoofde van zijn persoonlijke relaties met Salazar werd de Staercke van tijd tot tijd door hooggeplaatste lieden gevraagd, officieus hiervan gebruik te maken om na de oorlog de medewerking van Portugal te verwerven[11]. Toen Paul-Henri Spaak in 1957 kandidaat was voor de functie van secretaris-generaal van de NAVO, was het de Staerckes taak om Salazars oppositie tegen de benoeming van een socialist te ontkrachten. Op verzoek van de Amerikaanse Secretary of State heeft hij naar het schijnt tijdens de Zesdaagse oorlog in 1967 persoonlijk geïntervenieerd bij Salazar – die de Verenigde Staten zeer vijandig gezind was wegens hun antikolonialistische politiek – om diens toestemming voor de Amerikanen te verkrijgen, de basis van Lagos op de Azoren te gebruiken als tussenlandingsplaats voor de Amerikaanse vliegtuigen die Israël bevoorraadden[12]. Enkele maanden later deed de Belgische minister van Buitenlandse Zaken Pierre Harmel een beroep op zijn bemiddeling in verband met de huursoldaten die, aldus Kongo, door Portugal in Angola getraind zouden worden[13].

Het is niet mogelijk de manuscripten met de portretten van Churchill en Salazar te dateren; je kan hooguit zeggen dat ze pas na hun dood werden geredigeerd en herwerkt. Met Paul van Zeelands portret begon André de Staercke echter volgens eigen zeggen vijf jaar na afloop van hun samenwerking, na van Zeelands vertrek bij het ministerie van Buitenlandse Zaken in 1954.

Het kan verbazen dat er in dit boek geen portret van Paul-Henri Spaak is opgenomen. Ook al had André de Staercke het graag geschreven, hij moest bekennen dat hij er nooit toe gekomen was. Zijn meest uitgewerkte tekst gaat over Spaaks redenaarstalent en is te lezen in het voorwoord bij het boek *La pensée européenne et atlantique de Paul-Henri Spaak (1942-1972)*, in 1980 door P.F. Smets gepubliceerd. In een ruwe schets van 3 bladzijden, die de Staercke naar het schijnt op hoge leeftijd heeft opgesteld, legt hij uit waarom hij nooit kans heeft gezien Spaaks portret te schrijven. Hij begint deze tekst als volgt: 'Van alle portretten die ik gepoogd heb te schetsen, was dat van Paul-Henri Spaak het moeilijkst. De mensen die je het beste kent, ken je uiteindelijk het minst. Vanaf de twee laatste oorlogsjaren tot het eind van zijn leven, van 1942 tot 1971 <sic> waren we elkaar zo genegen, dat de meest delicate gebeurtenissen in zijn publieke en zijn privéleven mij zo vanzelfsprekend leken, dat ik het slechts kon uitleggen als: dit is typisch Paul-Henri Spaak. En toch moet je proberen te analyseren wie en wat deze grote man was, een persoonlijkheid waarover je je des te meer kan verbazen omdat Spaak afkomstig was uit een land waarin groot zijn onmogelijk lijkt. Steeds weer kom ik uit bij woorden uit Plato's *Wetten (Nomoi)*, woorden die ik zo vaak in verband met hem heb gebruikt dat het bijna banaal is geworden. Toch is en blijft het fraai en terecht; het ging om een groot man afkomstig uit een klein dorpje. Een groot man, met bijzondere kwaliteiten en talrijke gebreken, gelijkend op de illustere mannen bij Plutarcus, op de prachtige standbeelden uit de oudheid die, beschadigd of niet, ons nog altijd aanspreken.' De tekst over Spaak, die trouwens vol doorhalingen staat, stopt na twee bladzijden over diens jeugd en zijn inzet voor het socialisme.

Het derde gedeelte van dit boek bestaat uit nog niet eerder gepubliceerde documenten die in het ULB-archief worden bewaard. Een eerste reeks documenten betreft de voorbereidsels van André de Staerckes aankomst in Londen. Het is de bedoeling, in dit gedeelte de context te verduidelijken waarin de Staercke bij de Koningskwestie niet alleen een actieve rol speelt maar ook een bevoorrecht getuige is. Opgenomen werden de verslagen van zijn gesprekken met kardinaal Van Roey en de gouverneur van de Generale Maatschappij, Alexandre Galopin voor de Staerckes vertrek naar Londen. Verder ook de brief die hij na aankomst op Gibraltar 29 mei 1942 aan eerste minister Pierlot schreef. Dan volgen gedeelten uit de aantekeningen die hij maakte na afloop van zijn eerste ontmoetingen in Londen, eind juni, begin juli. Deze aantekeningen staan in een schoolschrift met blauwe omslag. De Staercke begon op 30 mei in Gibraltar in dit schrift met een samenvatting van de aantekeningen gemaakt tijdens de tocht met Fernand Spaak. Daarna volgen ze elkaar met onderbrekingen tot 3 juli 1942 op. De 'Note sur la situation en Belgique' (Aantekening bij de situatie in België) was bedoeld voor de Belgische Staatsveiligheid in Londen en sluit deze reeks documenten af.

Hierna volgt een aanvulling op de Memoires die bestaat uit twee door de Staercke geredigeerde nota's met een onderbreking van veertig jaar. Anderzijds houdt de tekst van de Memoires half mei 1945 op, toen Koning Leopold III na de eerste gesprekken in Strobl met zijn broer en de regering besloot zijn terugkeer uit te stellen. André de Staercke heeft het idee laten varen deze aantekeningen, tussen 24 mei en 23 juli 1945 neergepend in zijn 'kleine rode opschrijfboekje', te modelleren naar aanleiding van nieuwe geheime onderhandelingen van de regering met de Koning en diens besluit, pas na een nationale volksraadpleging naar België terug te keren. De publicatie van ongebruikte gedeelten uit het opschrijfboekje is dan ook bedoeld als aanvulling op de tekst van de Memoires. Daaraan worden toegevoegd: de briefwisseling met Camille Gutt in verband met diens brief van 10 juli 1943 aan Leopold III, alsmede een commentaar van André de Staercke dd. 18 oktober 1949 op het interview dat Leopold III over de capitulatie aan United Press had toegestaan.

Het derde onderdeel van dit gedeelte is nog nooit eerder gepubliceerd en bestaat uit een briefwisseling die overduidelijk aantoont, dat een verzoening tussen Leopold III en zijn broer, enkele maanden voor hun dood, niet mogelijk bleek.

Ten slotte zijn in dit boek twee bijlagen bij het portret van Paul van Zeeland opgenomen. André de Staercke en Camille Gutt waren er na de oorlog beiden fel op tegen, dat van Zeeland weer aan de macht zou komen. Hiervan getuigen een vertrouwelijke nota van Gutt aan de Regent dd. 12 november 1946 en de notities van André de Staercke over Koning Boudewijns plan om ten tijde van de Kongolese crisis begin augustus 1960, de regering-Eyskens te vervangen door een kabinet van Zeeland-Spaak.

Eerste deel

Alles is voorbijgegaan als een schaduw

Memoires over het regentschap en de koningskwestie

Memoires over het regentschap en de koningskwestie

'Alles is voorbijgegaan als een schaduw
en als een vluchtig bericht,
als een schip dat door het golvende water vaart:
na zijn doortocht is er geen spoor van te vinden,
noch het pad, door zijn kiel in de golven gebaand;
of zoals men, wanneer een vogel vliegt door de lucht,
geen teken van zijn tocht meer kan vinden:
gezweept door het slaan van de wieken,
gespleten door de suizende kracht van de bewegende vleugels,
wordt de ijle lucht doorkliefd
en is er geen blijk van die vlucht meer te vinden;
of zoals, wanneer een pijl naar zijn doel schiet,
de lucht wordt doorsneden
en aanstonds weer samenvloeit,
zodat men zijn baan niet meer bespeurt.'

(Boek der Wijsheid, V 9-12, Willibrordvertaling, 1974).

BIJ WIJZE VAN INLEIDING

De volgende bladzijden zijn een getuigenis.
Ik heb gepoogd slechts die gebeurtenissen te behandelen waarin ik passief of actief een rol heb gespeeld. Er wordt zowel over mensen als hun daden geoordeeld. Al poogt men passie of woede buiten spel te laten, het is moeilijk om geheel onpartijdig te blijven en dit erkennen is ook een vorm van objectiviteit. Aan de lezer te oordelen of hiermee de goede of verkeerde weg werd bewandeld. Wie dingen aan het papier toevertrouwt, accepteert en wenst misschien ook beoordeeld te worden. De auteur heeft als taak de feiten weer te geven en attitudes te beschrijven.

Voor mij die zo vaak is aangevallen, is het een bijna eerbaar genoegen om argumenten aan te dragen voor mijn aanklagers. Hun animositeit was zo hardnekkig dat ze bijna een plaatsje in de geschiedenis zou verdienen, als een flauwe nagalm van een overal rondgebazuinde minachting.

I Over een karakter en een aantal feiten

Hoe kon in 1940 en de hierop volgende jaren een vorst die op het eerste gezicht over alle kwaliteiten beschikte, alsook de achting en liefde van zijn onderdanen genoot, zich uiteindelijk zoveel misprijzen en betwisting op de hals halen en ook zo vinnig aangevallen en verdedigd worden, dat voortzetting van zijn bewind onmogelijk bleek?

Het loont de moeite hierbij stil te staan. We moeten hier geen eenvoudige verklaringen en algemene betrachtingen inroepen zoals de teloorgang van monarchieën en het anachronisme van het koningschap of een samenzwering van linkse partijen. Deze motieven hebben steeds meegespeeld. Waren ze reëel of irreëel? Zo ze bij de gebeurtenissen al een zekere rol hebben gespeeld, dan waren ze toch niet de ware aanleiding of oorzaak. Op het ogenblik dat de Koningskwestie zich in België stelde, speelden deze motieven geen enkele rol.

Om te beginnen: de linksen gingen akkoord met de monarchie, zo al niet met het principe dan toch met het bestaan ervan. Bovendien waren heel wat rechtse lieden en katholieken openlijke of verholen anti-leopoldisten. Ten tweede had deze staatsvorm ruim een eeuw lang zijn waarde bewezen, had nog nooit zo florissant geleken en werden er niet serieus vraagtekens bij geplaatst. Bovendien zagen vrijwel alle Belgen in de monarchie het noodzakelijke en doeltreffende symbool van de nationale eenheid voor hun land, waar tal van bewegingen meer neigden tot splitsing dan tot eendracht.

Hoe kon een zo aanzienlijke positie dan zo ernstig en diepgaand worden geschaad?

Het begon met een lawine gebeurtenissen in 1940. De omstandigheden maken de held en de held maakt de omstandigheden. Dat wat Churchill groot maakte, maakte Leopold III kapot. Toegegeven, de tijden waren onrechtvaardig. Er werd te veel van de mensen gevergd. In normale, rustige tijden wiegen machthebbers zich in de illusie van hun aanzien. In troebele tijden is deze illusie de oorzaak van hun ondergang. Ik weet niet wat er van het koningschap van Leopold III was geworden indien het toeval hem alle agitatie rond zijn persoon had bespaard. Zou hij zijn latente zwakheid hebben beseft of zou hij zijn koningschap zonder grote problemen hebben waargemaakt? Men kan het zich afvragen. Nog een ander element had echter de harmonieuze loop van een rustig bestaan kunnen ontregelen, zoals het de reeds catastrofale effecten van de oorlog heeft verergerd: het karakter van de Koning.

De verholen oorzaak van een menselijk tragedie ligt vrijwel altijd in een menselijk falen op een kritiek moment. Dikwijls is het de consequentie van een opeenstapeling van nauwelijks waarneembare tekortkomingen gecamoufleerd als deugden, de consequentie van waaghalzerij uitgelegd als een gelukkig voorgevoel en van gebreken die worden schoongepraat. Zelfverzekerdheid die iedere controle versmaadt – een karaktertrek die voortvloeit uit het succes, behaald door zich aan de wet te houden maar die ook lichtjes te overtreden – laat de mens en vooral een vorst alleen en weerloos als het lot plotseling toeslaat. De Gasperi zei me eens dat Mussolini's ondergang te wijten was aan diens zesde zintuig, waardoor hij ieder advies in de wind sloeg. De oude Grieken wisten het al heel goed. Overmoed noemden zij deze houding waarbij onvoorzichtigheid en vergissingen hand in hand gaan en waardoor geen verband meer wordt gelegd tussen wat men kàn doen en wat men doet. Deze instelling zou de vorst diepe teleurstellingen gaan bezorgen.

Leopold III genoot een immens prestige. Met wat hij deed, overschreed hij echter de grens van zijn aanzien. Niet alleen schond hij het recht, zijn wijze van optreden pleegde zelfs een aanslag op zijn morele positie. Hij geloofde dat het succes uit het verleden ook dat voor de toekomst zou waarborgen en dat zijn vroegere optreden volstond als rechtvaardiging voor wat hij nog zou doen. Zijn voorvaderen waren zo belangrijk geweest, dat zijn machtsoverschrijding des te laakbaarder scheen.

Zijn houding bij de invasie van België, in de bezettingstijd en na de bevrijding werd bepaald door de ontwikkeling van zijn karakter tijdens de jaren daarvoor. In 1940 stelde hij zich onwettig op door zich te beroepen op zijn constitutionele positie en op het gewicht van zijn vroegere optreden. Maar naarmate hij op deze weg voortging, werden al zijn daden op een goudschaaltje gelegd, werden ze onderworpen aan een vorm van immanente gerechtigheid. Uiteindelijk bezweek hij bijna onder het gewicht van zijn hele doen en laten. Het was niet allemaal verkeerd wat hij had gedaan, maar elk van zijn daden apart was onvergeeflijk wegens de situatie die hij uit eigen wil had gekozen. Heeft Aeschylus niet gezegd dat het recht zich wreekt?

Waarschijnlijk zouden weinig mensen een precies idee kunnen geven van het karakter van Leopold III – dit gold zowel voor zijn ministers, zijn medewerkers en zijn vriendenkring als voor zijn talrijke tegenstanders. Niet dat zijn karakter zo moeilijk was te doorgronden. Maar men beschikt nu eenmaal nimmer over alle sleutels tot iemands wezen, terwijl die toch onmisbaar zijn wil men iets zinnigs op dit vlak zeggen. De mensen die met hem in contact stonden, zagen een zeer belangrijke sleutel over het hoofd. Waarschijnlijk besefte hij het zelf evenmin, hoewel het zijn gedrag grotendeels verklaart. Die sleutel was zijn Duitse afkomst. De westerse wereld is door twee oorlogen afgesneden geraakt van de Germaanse geest. Door de afschuwelijke daden van de Duitsers zijn we veraf komen te staan van de Duitse manier van denken. Voor het Westen is dit een verlies. De Europese beschaving is in steeds toenemende mate de uitkomst van soms tegengestelde tendensen. Maar wanneer deze samensmelten, ontstaat er een onontwarbaar kluwen. Wie een van deze tendensen over het hoofd ziet, veroordeelt zichzelf tot minder weten en loopt gevaar minder te begrijpen.

Ik stel nogmaals, dat tengevolge van de oorlog van 1914 en vervolgens die van 1940 het morele oordeel en de intellectuele bijdrage dooreen zijn gehaald. Het was vrijwel onvermijdelijk dat het door de passie niet meer mogelijk was de twee gescheiden te houden. Als consequentie na de Eerste Wereldoorlog, en nog geaccentueerd na de Tweede Wereldoorlog, is ons een hele reeks feiten, activiteiten en denkwijzen ontgaan en ontgaan ze ons meer en meer. Doordat we de bijdrage van de Duitse geest nauwelijks meer kenden, was deze in onze ogen onbelangrijk geworden; we wisten er niets meer vanaf doordat we er niets meer vanaf wilden weten. Duitsland heeft ons niet alleen de ellende van de oorlog bezorgd, hierdoor zijn we ook vrijwel definitief van het Duitse intellectuele erfgoed afgesneden.

Degenen die Leopold III hebben benaderd alsof hij van Franse of Angelsaksische origine was, begingen hiermee misschien een vergissing, aangezien zijn karakter grotendeels door zijn Duitse afkomst werd bepaald. In de memoires van de Prins von Bülow staat ergens een lijst van de prinsen en prinsessen waarmee Europa door Duitsland werd voorzien. De lijst is lang en gaat tot ver in de geschiedenis terug. Gezien hun plicht heeft hun nieuwe nationaliteit vrijwel steeds geleid tot een nieuw patriottisme, maar hiermee kwam er nog geen grondige wijziging in hun karakter.

Tijdens de schemeroorlog tussen september 1939 en mei 1940 werden de vertrouwelijkste militaire vraagstukken rechtstreeks behandeld tussen de Koning en de drie ministers Pierlot, Spaak en generaal Denis. Met toestemming van de ministerraad spraken ze gevieren regelmatig hierover. Het was voor de collegaministers niet zonder gevaar zich zelf met deze problemen bezig te houden en ze stelden dan ook hun vertrouwen in deze drie rechtstreeks betrokken ministers. Het was tijdens een van de gesprekken tussen genoemd viertal dat Pierlot hoogst vertrouwelijke inlichtingen signaleerde, afkomstig van een Duitse officier en vriend van majoor Sas, de militair attaché van Nederland in Berlijn. Deze officier, wiens naam pas na de oorlog bekend werd, was generaal Oster van de dienst contraspionage, adjunct van admiraal Canaris, het hoofd van deze dienst[14]. De officier was anti-nazi, hij handelde uit idealisme en onbaatzuchtigheid. Hij behoorde tot dat 'andere Duitsland', het ondergrondse Duitsland dat met

Goerdeler, von Hassel en anderen tevergeefs het regime omver trachtte te werpen, het regime dat zou uitmonden in de oorlog en uiteindelijk tot de ruïnering van Osters land zou voeren. Na de mislukte aanslag van 20 juli 1944 op Hitler werd generaal Oster ter dood gebracht.

De Koning vroeg Pierlot van wie hij deze zeer precieze en duidelijke inlichtingen had. De eerste minister onthulde dat wat hij van de bron afwist: het ging om een hoge Duitse officier wiens rang en naam hij niet kende. De Koning reageerde zeer fel: *'U denkt toch zeker niet dat een Duitse officier zoiets zou doen!'*. Hij was gekrenkt, niet in zijn militaire eer en vanwege het feit zelf, maar omdat de inlichting van een Duitser zou komen. Hij kon zich geen kwaad indenken van dat waarmee hij affiniteit had.

Toen hij ter gelegenheid van zijn huwelijk op 6 december 1941, in volle oorlog, besloot zijn titels van hertog van Saksen en Prins van Saksen-Coburg-Gotha weer op te nemen, titels die zijn vader na de Eerste Wereldoorlog niet langer had gedragen, was zijn motief hoogstwaarschijnlijk dat hij hiermee zijn land een dienst zou bewijzen. Hij had het schild van de Belgen moeten zijn en zijn oorsprong dienen te verloochenen. Toen hij tot die oorsprong weerkeerde, gaf hij toe aan een affiniteit en dacht hij te kunnen fungeren als trait-d'union met de vijand.

Leopold III was een Duitser, zowel in zijn kwaliteiten als in zijn gebreken. Hij koesterde de wens het goed te doen, had een hoge opvatting van zijn functie, een scrupuleus en zelfs beklemd geweten ten aanzien van zijn plicht zonder zich hiervan ten volle te kwijten, en voorts het idee van een superieure verantwoordelijkheid om zijn volk en zijn land naar welvaart en geluk te voeren. Met en door dit alles een zeker misprijzen voor de letter van de wet die initiatieven en edelmoedige opvattingen tegenhoudt of verhindert en met een zeker wantrouwen voor het meerpartijenstelsel, dat resulteert in de macht van de middelmaat die uit is op eigenbelang. Dit tegenover een onpartijdig aanvoerder wiens uiteindelijke bekommernis erin bestond de natie hiertegen te beschermen. Hierbij kwam nog een soort mystiek rond zijn roeping die tot onbuigzaamheid leidt, tot het axioma dat de functie aan de man die haar uitoefent de dwingende plicht oplegt, het geluk van zijn land te bewerkstelligen en zelfs dat van de wereld. Dit ondanks de vijandigheid van degenen wier niveau ontoereikend zou zijn om hem te kunnen beoordelen.

Deze kwaliteiten en zwakheden kunnen een zeer goede vorst en een zeer rechtschapen mens opleveren. Onder bepaalde omstandigheden kunnen ze ook volstrekt in strijd zijn met het begrip van de constitutionele monarchie. Het hieruit voortvloeiende conflict is onoplosbaar. Het gaat om het conflict tussen een temperament en instellingen die hiermee onverenigbaar zijn.

Aan al deze elementen kunnen we nog enkele persoonlijke trekken toevoegen, zoals een grote timiditeit die tot een zekere stijfheid leidde en een koppigheid die baron Goffinet deed zeggen: *'Sire, u verwart wilskracht met koppigheid. Koppigheid is slechts een karikatuur van wilskracht'*. Genoemd zij voorts een scrupuleuze tendens die hem ertoe aanzette, zich te verlaten op zijn raadgevers wier trouw men vaststaand achtte, zoals een boeteling zich aan een zelf gekozen biechtvader overgeeft, en verder een eerder ijverige dan diepgravende intelligentie die meer door de praktijk dan door opleiding was gevormd en niet getuigde van veel oorspronkelijkheid of fantasie. Al deze elementen samen geven ons een indruk van een persoonlijkheid die, in de delicate situaties waarmee zij werd geconfronteerd, maar nauwelijks aan tegenslagen kon ontkomen. Hiervoor had Leopold III over een kwaliteit moeten beschikken die zijn andere kwaliteiten pas echt tot hun recht hadden doen komen, een kwaliteit die Baltasar Gracián y Morales voor koningen vereist achtte: een 'grand coeur'.

'La forte tête aux philosophes, la bonne langue aux orateurs, la poitrine aux athlètes, les bras aux soldats, les pieds aux coureurs, les épaules aux portefaix, le grand coeur aux rois'. (Een knappe kop voor filosofen, een scherpe tong voor redenaars, een brede borst voor atleten, stevige armen voor soldaten, krachtige voeten voor hardlopers, sterke schouders voor kruiers en een 'grand coeur' voor koningen). Dat had Leopold III beslist niet.

Altijd en overal was hij overtuigd van zijn eigen gelijk, zelfs als hij soms toegaf zich misschien te hebben vergist; zijn houding was nooit edel. Nu eens inspireerde hem een behoefte aan revanche, dan weer een onhandige wens tot terugkeer op de troon, maar nooit ontbrak het hem aan berekening en kleinzieligheden. Dit is het verschil met echte helden aan wie deze trekken onbekend zijn en die dan zelfs met hun zwakheden worden bemind. Dit verklaart waarom een ongelooflijke positie, stoelend op door zijn voorgangers aan de staat bewezen diensten, de immense goodwill van zijn vader, de herinnering aan een door haar volk aanbeden koningin, de sympathie die hij genoot wegens de tegenspoed die hem had getroffen, de bewondering die zijn persoonlijkheid opriep, nogmaals, dit verklaart waarom dit alles wat hem tot een groot koning had moeten maken, onherstelbaar werd verspeeld.

Was Leopold II te groot voor hetgeen hij kon doen, Leopold III was te klein voor hetgeen hij wilde doen. Men legde de Prins-regent eens de beeldenaar van zijn broer op een muntstuk voor met de woorden *'Wat een prachtig gelaat!'* – *'Ja'*, antwoordde de Prins, *'maar dat gelaat is een leugen'*. Het lot van Leopold III komt ons des te tragischer voor, doordat het minder gerechtvaardigd lijkt door uiterlijke schijn.

Zijn verachting voor het parlementaire stelsel zette hem ertoe aan politici te wantrouwen. Het diskrediet waarin het democratisch stelsel voor de oorlog op het Europese vasteland was geraakt door een aantal misstanden, verschafte de Koning een schijnbaar gelijk. Door zijn temperament interpreteerde hij bovendien de Grondwet in een betekenis die door de geest en zelfs de letter van de Constitutie wordt uitgesloten. Hij interpreteerde de constitutionele monarchie alsof hij over alle macht beschikte die de Grondwet hem niet ontzegde. Hij heeft altijd geloofd dat de monarchie een statuut was dat tegen de impertinenties van de wetgevende macht verdedigd moest worden. Zijn entourage – juristen als Wodon of Fredericq, die eerst zijn leraar was en nadien zijn secretaris zou worden), een man als Pirenne, leden van zijn Militair Huis zoals generaal Van Overstraeten en tal van anderen – hebben hem voortdurend in deze idee gestijfd. Hoe vaak heeft men hem niet horen herhalen: *'De koning is de behoeder van de grondwet'*, zonder te beseffen dat deze formule slechts de behoeder blootstelde, zonder eerbied voor dat wat beschermd dient te worden.

Zolang de omstandigheden gunstig waren, werd de Koning steeds eigenmachtiger – want welk etiket moet je anders kleven op een attitude die niet met zekerheid op de wet is gebaseerd – en vergrootte dit slechts zijn prestige. De meeste mensen, zelfs in politieke kringen, vonden het goed dat de Koning zich in het belang van het land op de voorgrond plaatste. Hij zelf kreeg er de smaak van te pakken, terwijl veel mensen het resultaat waardeerden. In zulke gevallen is het probleem, dat men tot succes is veroordeeld. Reeds tijdens de schemeroorlog, rond augustus 1939, had de latere baron Richard hem discreet uit een moeilijke situatie gered waarin de Koning door een eigen initiatief was terechtgekomen. Na het discutabele akkoord van München in 1938 had de Koning in Brussel een grote economische conferentie willen houden, ter bestudering van de aanspraken van Duitsland en Italië en had hij suggesties willen doen voor de herverdeling van de rijkdommen der aarde en de toegankelijkheid voor iedereen van de essentiële grondstoffen. De regering had aan dit plan niet veel aandacht besteed, want het scheen haar noch opportuun, noch tot de bevoegdheid van België te behoren. De Koning liet eind juli 1939 Richard bij zich komen, die Leopolds vader zeer toegewijd was geweest en vervolgens ook diens opvolger. De Koning zei hem dat hij niet erg gelukkig was geweest met het geringe enthousiasme waarmee de regering het jaar ervoor zijn plan had onthaald. Hij onthulde Richard dat hij sedert ongeveer een jaar – en buiten medeweten van de regering – twee Britse economen van Oostenrijkse oorsprong en naar het buitenland gevlucht, in dienst had genomen en in paleis Bellevue had geïnstalleerd. Daar hadden ze voor hem aan een algemeen plan gewerkt voor het oplossen van de economische problemen in de wereld. Dit plan was gereed, hij verzocht Richard het aandachtig te bestuderen en het was zijn bedoeling het tot uitgangspunt voor een actie te maken, teneinde het conflict te vermijden dat gans Europa dreigde te vernietigen. Het idee was genereus. Het hield verband met de mystiek rond de hiervoor reeds aangestipte roeping van een koning. Richard bestudeerde het plan aandachtig en kwam tot de overtuiging dat het een utopisch idee was en dat het opgestelde plan niet ernstig overwogen kon worden. Het was zaak, de Koning dit te doen beseffen zonder een van nature obstinaat man te mishagen, een man die overtuigd was van de juistheid van zijn opvattingen en weinig gewend aan tegenspraak. Na negatieve adviezen van een reeks economen ingewonnen te hebben, onder andere van Beveridge aan wie Richard het plan als van zichzelf had voorgelegd, kon de Koning worden overtuigd. De twee in Paleis Bellevue geïnstalleerde economen werden met een fraaie vergoeding en met behulp van Mac Kenna, voorzitter van de Midland Bank, ontslagen. Voor de Koning werd als doorslaggevend argument ingeroepen, dat zijn initiatief zou worden gezien als in tegenspraak met de neutraliteitspolitiek die hij uit alle macht ondersteunde.

De evenementen en posities van 1940 zijn bekend. Met de tegenslagen kwamen de vragen om uitleg. Het ware wijzer geweest te erkennen, dat een beleid gebaseerd op persoonlijke initiatieven niet tot wijzigingen in het recht kon leiden. Men kon gezien de omstandigheden misschien hiervoor wel begrip opbrengen, maar het kon niet blijven duren. In plaats hiervan pretendeerde de Koning dat hij steeds uitsluitend de Grondwet had toegepast. Meer nog, hij verlangde in naam van de Grondwet de bestraffing van hen die, door zijn optreden af te keuren, terzelfder tijd afbreuk hadden gedaan aan zijn prerogatieven. Hij kreeg geen enkele steun van degenen die hij niet mocht. Zelfs de parlementariërs van de partij die zijn sterkste steun zou worden, verdedigden hem in de aanvang slechts zwakjes. Later zouden ze zich, althans toch voor de schijn, herpakken. Wat zijn tegenstanders betreft, ze profiteerden van de dubbelzinnigheid die hij hen verschafte door zijn politieke houding als de beste en meest correcte te betitelen. Een fout die toegegeven zou zijn had men kunnen vergeven, maar men weigerde deze fout te aanvaarden als een morele houding of een houding conform het recht. En zo koos de Koning zelf het terrein van zijn ondergang.

De wijze waarop hij zich in mei 1940 van zijn ministers losmaakte, na hen onkundig van de militaire situatie en zijn ware bedoelingen te hebben gehouden, viel niet te rechtvaardigen. Zich buiten de Grondwet plaatsend door een persoonlijke daad te stellen, schiep hij een geducht probleem voor de toekomst: te weten dat het persoonlijk optreden van de koning legaal zou worden. Door te accepteren in handen van de vijand te vallen, dreigde hij met zijn persoon de Staat te verliezen en voor altijd buiten de overwinning te staan.

Zowel onder de bezetting als na de bevrijding hield de Koning koppig vast aan het doorluchtige van zijn positie. De vergissing, ook al was het slechts een vergissing, werd een fout, die hem te gronde richtte omdat hij erin volhardde en evenzeer een gevangene werd van zijn eigen houding als van de Duitsers.

Degenen die hem blindelings verdedigden omdat hij de Koning was, hadden totaal niet door dat hun al te grote ijver de monarchistische staatsvorm aantastte, zonder hun meester voordeel te brengen. Het volstaat niet te bevestigen dat de Koning niets verkeerd kan doen. Juridisch geldt dit slechts, als in de praktijk iemand voor hem verantwoordelijk is.

We kunnen stellen dat de teloorgang van de Koning veroorzaakt is door degenen die hem wilden redden, en dat hij gered had kunnen worden door hen die hij van zich af wilde schudden.

Door jacht te maken op iedereen die hem ongelijk had gegeven, vereende hij iedereen tegen zich die hem tekortkomingen wilde aanwrijven. En zij waren talrijk. Hoogstwaarschijnlijk had hij zich kunnen herpakken door zijn prestige aan te wenden en daarmee zijn vergissingen te doen vergeten. Hij richtte zichzelf te gronde door te trachten misbruik te maken van zijn rechten, met als doel te laten erkennen dat hij altijd goed had gehandeld.

De houding van de Koning tijdens de campagne van de Achttiendaagse Veldtocht en onder de vijandelijke bezetting in België kan slechts op één manier worden uitgelegd: de overtuiging dat de Duitsers de overwinning zouden behalen. *'Er is iets wat u niet wenst te begrijpen'*, aldus de Koning in Wijnendale op 25 mei 1940 tot zijn ministers, *'namelijk dat de oorlog voorbij is.'* Hij had zijn ministers niet kunnen beletten deze oorlog voort te zetten en daarom deed hij later net alsof hij hen met zijn goedkeuring had laten vertrekken.

In Brugge op 20 mei 1940 in gesprek met Pierlot zag hij de Duitse vliegtuigen overkomen en riep:*'Ze sparen ons! Ze sparen ons!'* Daarmee getuigde hij reeds van het gevoel waarvan zijn geest vol was, de hoop zich weldra met een overwinnaar te kunnen verstaan wiens mildheid hij als een gelukkig voorteken uitlegde.

Toen hij op het moment van de capitulatie niet de sluizen van Zeebrugge liet opblazen, bevestigend dat dit een onnodige vernieling zou zijn – hoewel hierom was gevraagd door Sir Roger Keyes, die heel goed wist waarom – baseerde de Koning zijn beslissing op het motief dat men met de vijandelijkheden moest ophouden. Vier jaar later waren het de Duitsers die vernielden wat voor hen intact was gehouden.

Toen het leger zich met zijn gehele intacte artillerie overgaf, zonder het minste bevel om de artillerie buiten gebruik te stellen, was de stilte van het ochtendgloren op 28 mei 1940 uitsluitend een bedreiging voor onze bondgenoten. Onze kanonnen konden tegen hen worden ingezet. Men moest ze slechts de andere kant opdraaien. Ik ken heel wat Belgen volgens wie dit geen stijl was om de strijd te beëindigen. Echter, niet de strijd was in de ogen van de Koning ten einde, maar de oorlog. Het ware vergeefs geweest de loop der gebeurtenissen te willen stoppen.

Naar de capitulatie zelf is nooit een onderzoek ingesteld. Ook is er nooit een gerechtelijke beslissing over gevallen. Toch worden beide impliciet voorgeschreven door artikel 19 en volgende van de wet van 27 mei 1870 betreffende het militair strafwetboek. Deze onderzoeken vonden wel plaats in Noorwegen en Nederland na de evenementen van 1940, en in de V.S. na de ramp van Pearl Harbour. Bij analoge gebeurtenissen gold dit voor elk land ter wereld. In België werd volstaan met verschillende verdedigingsnota's afkomstig van de Koning, van generaal Michiels, stafchef van het leger, van generaal Van Overstraeten, vleugeladjudant van de Koning, en rapporten van het hoofdkwartier of van de geschiedkundige afdeling van het leger.

Waarom heeft men zich niet aan een normale en reguliere procedure onderworpen die, aan de hand van al deze getuigenissen en tal van andere, had kunnen uitlopen op een uitspraak die zowel de feiten als de verantwoordelijkheden had vastgesteld? De omstandigheden rond de capitulatie zijn allerminst opgehelderd en zolang dit zo blijft, is het onmogelijk een definitief oordeel te vellen. Het debat blijft open, dat is het minste wat men kan zeggen. Wie zou niet in verwarring geraken bij de vaststelling dat de belangrijkste medespelers in dit drama hun eigen rechters werden? Wie zou niet in verwarring geraken door de van tijd tot tijd uitlekkende onthullingen? Zo'n onthulling kwam begin 1949 bijvoorbeeld van kolonel De Fraiteur, op dat moment minister van Landsverdediging, een man die tijdens de Achttiendaagse Veldtocht als majoor verbonden was aan het algemeen hoofdkwartier. De Fraiteur liet tegenover verschillende personen een commentaar los dat ik hier zonder meer weergeef.

'De bevelhebbers van legercorpsen', zo bevestigde hij, *'werden over de capitulatie niet geraadpleegd. Officieel is gezegd dat deze in akkoord met hen werd afgesloten. Dit is onjuist. De definitieve beslissing is op 27 mei genomen en zij werden hierover de 28ste geïnformeerd. Zij werden niet vooraf geraadpleegd. Hierdoor is de daad zuiver persoonlijk, zowel vanuit militair als vanuit politiek oogpunt. Alvorens een fort of een leger over te geven, wordt gewoonlijk een oorlogsraad bijeengeroepen. In dit geval werd die niet gehouden. Was men voor zo'n raad bevreesd omdat men elke tegenspraak ten aanzien van de reeds vooraf beraamde beslissing wilde vermijden? Een aantal bevelhebbers van legercorpsen, zoals generaal Van den Bergen had een andere mening kunnen hebben of een andere oplossing suggereren, zoals een gedeeltelijke overgave. Zelfs nadat de beslissing was gevallen, weigerden anderen een staakt het vuren, zoals generaal de Nève de Roden, aan wie men verscheidene koeriers moest zenden. Er waren officieren, van wie kolonel De Fraiteur minstens drie majoors kende, die zich van het leven benamen toen ze hoorden dat de Koning tot overgave had bevolen. Trouwens, de Duitsers waren compleet verrast te zien dat hij in het land bleef. (Kolonel Kiewitz zou later verklaren dat ze met stomheid geslagen waren). Het document dat ze voor de capitulatie hadden voorbereid, vermeldde niets over Leopold III. Toen hen werd gemeld dat hij zich, tegen hun verwachting in, met zijn troe-*

pen had overgegeven, maakten ze een bijkomend protocol om zijn lot te regelen.'

Deze verklaringen van een minister van Landsverdediging van België[15], een getuige van de gebeurtenissen, zijn van belang. Laten ze niet doorschemeren dat de waarheid misschien niet geheel en al luidt zoals betrokkenen die hebben willen vastleggen en ingang doen vinden met hun nota's en interviews?

Men zou alle daden gesteld door de Koning eigenlijk moeten zien in het licht van de volgende zin: *'Er is iets wat u niet wenst te begrijpen, Mijne Heren, dat is dat de oorlog voorbij is'*. Dan wordt alles duidelijk en zelfs bijna eenvoudig.

Hij diende in België te blijven want hij diende in de nabijheid te blijven van degenen die gingen winnen en niet te blijven bij hen die door de overwinning in de steek waren gelaten. De gehele positie van Leopold III stoelde uitsluitend op deze hypothese en gold slechts binnen dit kader. Wil men de bekentenis zwart op wit? Ze staat in het Politiek Testament dat de Koning op 24 januari 1944 heeft ondertekend: '... *Het was door de tegenspoed van mijn Leger en van mijn Volk te delen, dat ik de belangen van het Vaderland behoedde, welke ook de afloop van de oorlog zou zijn.' Welke ook de afloop van de oorlog zou zijn.* Het was zelfs in 1944 nog de opperste rechtvaardiging die de Koning verschafte voor zijn aanwezigheid in bezet België, het was deze mogelijke afloop van de oorlog waarbij de Duitsers in staat zouden zijn de toekomst van zijn land te regelen. Door in het land te blijven en de strijd te staken, verzekerde hij zich bij hen van een betere behandeling voor de toekomst. *'Totdat er vrede komt, kan ik niets doen,'* verklaarde hij aan kapitein Gade, Amerikaans marine-attaché in Brussel, die hij enige tijd na de capitulatie ontving en hij voegde hieraan toe: *'Frankrijk zou in een betere situatie hebben verkeerd als het een week eerder om de wapenstilstand had gevraagd. En waarom tracht Groot-Brittannië niet nu een oplossing voor de strijd te vinden, voordat het weinige van wat er nog van deze arme wereld rest, wordt vernietigd?'*[16]. Ja, waarom? Eenvoudig omdat Groot-Brittannië de nederlaag niet wilde aanvaarden. Kapitein Gade sloeg met zijn korte antwoord de spijker op de kop: *'Dat is uitgesloten'*, reageerde hij, *'in een korte oorlog zou Groot-Brittannië waarschijnlijk worden verslagen'*. Het *'Morgen zullen wij weer aan het werk gaan'* uit de proclamatie van 28 mei 1940 van de Koning aan het leger, betekent niets anders dan 'Laten we uit het drama stappen, we hebben onze rol gespeeld, het is niet langer ons drama'. Leopold III stapte eruit, geheel alleen, eens en voor altijd.

Wat de Koning deed en liet doen tot 6 juni 1944, de dag van zijn vertrek in gevangenschap naar Duitsland, is slechts te begrijpen vanuit de manier waarop hij zich koppig vastklampte aan een en dezelfde overtuiging. Aanvankelijk dacht hij dat Duitsland de overwinning zou behalen, vervolgens meende hij dat Duitsland nooit zou worden overwonnen en de oorlog alleen met een compromis kon worden beslecht. Ik waardeer motieven als ze iets verklaren, niet als ze iets compliceren. Wanneer een gedrag zo goed wordt verklaard als hierboven beschreven, dan kan ik niet anders dan geloven dat het waar is. Alleen hiermee krijgt de reis naar Berchtesgaden betekenis, waar Leopold III aan Hitler een politieke vraag voorlegde over de toekomstige onafhankelijkheid van België. Hierin schuilt het grote belang van de passage uit het relaas dat Vanderpoorten, minister van Binnenlandse Zaken, op 8 juni 1940 in Poitiers aan baron Holvoet deed over het gesprek te Wijnendale: door in België te blijven wilde de Koning een 'relatieve onafhankelijkheid' vrijwaren. Ten aanzien van de Duitsers nam hij hiermee genoegen. Tegenover de geallieerden zou hij vier jaar later in zijn Politiek Testament 'eisen' dat België integraal in zijn onafhankelijkheid zou worden hersteld. Het is nogmaals dit motief dat licht werpt op de richtlijnen van Bern, (september 1940) door graaf Capelle opgesteld in opdracht van de Koning, die de tekst van zijn secretaris verkoos boven die van zijn kabinetschef Fredericq, richtlijnen waaruit wij diplomaten vernamen dat België niet langer in oorlog was en dat we beleefd en hoffelijk met de Duitsers moesten omgaan.

Het is uiteindelijk deze overtuiging die licht werpt op de houding, of liever gezegd de agitatie, van 's Konings entourage tijdens de bezetting. Toen graaf Capelle, geen groot licht maar wel een man vol pretenties, samen met de kliek die hem voorzichtig volgde of hem lichtzinnig voorging, toen de secretaris van de Koning het zogenaamde beleid van Laken voerde, wilde hij de toekomst voorbereiden. En de toekomst, dat was de Duitse hegemonie in Europa. De banden die de 'entourage' met de vijand, met de intellectuele collaboratie en, kortom, met alle collaborateurs onderhield, gingen van hoffelijke relaties via persoonlijke adviezen tot verholen of openlijke instemming. Deze hele dubieuze activiteit zou onmogelijk zijn geweest indien ze uiteindelijk niet door de Koning werd gesteund. Menig hof was en is een broeinest van intriges. Zonder de gunst van de Koning had een zo omstreden gedrag nooit zo lang en zo hardnekkig kunnen voortduren. De leden van de 'entourage' die hiermee niet akkoord gingen, en die waren er – bijvoorbeeld generaal Tilkens – werden getolereerd maar hadden geen krediet. Na de bevrijding heeft het gerecht deze politiek nooit aan het licht weten te brengen. Men wilde de bewijzen in de doofpot stoppen om zo het bestaan ervan te ontkennen. Maar de feiten spraken te veel voor zich. Het beleid in kwestie had onder de bezetting een zo krachtige impuls gegeven, dat de hierdoor gesteunde collaborateurs het als excuus inriepen. Maar de hemel, in dit geval de Koning, bleef doof voor hun smeekbeden. De vorst maakte zich meer zorgen om zichzelf dan om het kwaad dat hij had veroorzaakt. Het onderzoek dat werd bevolen naar het optreden van graaf Capelle tijdens de oorlog, liep uit op ontslag van rechtsvervolging. Toen het onderzoek werd hernomen in verband met de herziening van het proces-Poulet, liep het op een sisser uit met een vertrouwelijk administratief rapport, opgesteld door een substituut van de auditeur-generaal. Dit rapport bevatte zowel gronden voor vervolging als voor ontslag van rechtsvervolging van de secretaris des Konings. Alle wegen leidden naar de Koning. Ze waren allemaal versperd door het principe van de onschendbaarheid. Maar het was geen gelukkige berekening om de feiten te verdoezelen achter een juridische fictie. De schaduw vergroot misstappen. De publieke opinie kijkt hier beslist niet naast. De bevolking mocht niets weten maar wel van alles fantaseren.

Zij die tijdens de bezetting contact zochten met de Koning, twijfelden niet aan zijn mentaliteit. Zolang generaal von Falkenhausen gouverneur-generaal en militair bevelhebber van bezet België was, onderhield hij steeds een hartelijke vertrouwensrelatie met Leopold III. Op een dag verklaarde hij (von Falkenhausen) aan Tschoffen, die hem verdedigde, dat hijzelf als Duitser altijd de overwinning van zijn land had gewenst, maar nooit erg nazi was geweest. En glimlachend had hij gezegd dat de Koning der Belgen veel meer nazi was dan hij.

Een oude jaargenoot van de promotie (van de Koninklijke Militaire School) van de Koning, die priester was geworden, abbé Deschuyteneer, kwam met hetzelfde verhaal. Tot in juni 1944 ontmoetten de Koning en de priester elkaar regelmatig. Enkele jaren na de bevrijding, in 1948 om precies te zijn, geërgerd door de campagne die van de Koning de eerste verzetsman maakte, gaf hij aan diverse personen zijn bedenkingen te kennen. Hij wist dat bedoelde bewering in strijd was met de waarheid en hij wist dit door zijn privé-gesprekken met de Koning waarin deze zijn pro-Duitse gevoelens nooit onder stoelen of banken had gestoken, zelfs tot in het laatste jaar van de oorlog. Abbé Deschuyteneer was een gekweld man; ofwel moest hij een onrecht op zijn beloop laten door een leugen voor waarheid te laten doorgaan, ofwel moest hij het vertrouwen van de Koning schenden en de waarheid openbaren. Men kan deze bedenkingen respecteren. Waar het om gaat is, dat er iets wordt vastgelegd. Leopold III is beslist nooit een nazi geweest. Hij was niet zoals zij, maar hij was wel gevoelig voor hun ideeën en vooral voor het principe 'autoriteit' – het Führerprinzip – wat de intellectuele grondslag voor het nazisme was. De gigantische omvang van de misdaden van de nazi's was (tijdens de oorlog) nog niet bekend. De misdaden waarvan ze werden beschuldigd konden door de anti-Duitse propaganda wel overtrokken lijken. Door zijn temperament en de positie die hij zichzelf had toegewezen, moest de Koning wel worden aangezet tot begrip voor de nazi's. Immers, wie sympathiseert met bepaalde ideeën, blijft niet onverschillig voor hen die ze verkondigen, vooral als hun overwinning wordt voorspeld. En al was het maar om gelijk te hebben, wens je uiteindelijk wat je had gehoopt.

Tijdens de Duitse bezetting had de Belgische regering in Londen haar uiterste best gedaan om in het gedrag van de Koning aanwijzingen te vinden voor een impliciete goedkeuring van het verzet, voor een stilzwijgend akkoord met de geallieerden en voor het optreden van de regering, al was het dan misschien niet met de ministers zelf. Ik herinner me zorgelijke vragen waarmee de uit het land ontkomen Belgen in Groot-Brittannië werden onthaald en die misschien een beetje opheldering hierover konden verschaffen. Ik herinner me hoe het minste voorval aan de ministerraad werd gerapporteerd, minutieus van alle kanten bekeken en ten slotte in gunstige zin werd geïnterpreteerd. Het zwijgen dat duidelijk vijandig was, werd uiteindelijk uitgelegd als instemmend. Ook het geringste – schuchtere of openlijke – signaal van de Koning tijdens de oorlog als zou dit een signaal zijn tot aanmoediging van de strijd, werd aan een serieuze analyse onderworpen. Noch het verstrijken van de jaren noch de Duitse nederlaag konden de rancune van de Koning afzwakken. Eind maart 1943 bracht een jonge diplomaat[17] die in enkele dagen uit België tot Londen was geraakt, aan Spaak verslag uit van een gesprek dat hij voor zijn vertrek met graaf Capelle had gevoerd. Deze had hem verklaard dat de regering nooit iets had gezegd dat voor de Koning aanleiding kon zijn haar te vergeven. Hij gaf geen enkele boodschap door, zond geen enkele steun en had slechts een ding in zijn hoofd: zich voor de toekomst indekken zodat de regering moest erkennen dat ze fout was geweest.

Toch hield men vast aan een hypothese, omdat men niet anders kon dan geloven dat degene die men wilde redden echt een gevangene was, dat wil zeggen een krijgsman wiens lichaam in handen was van de vijand, maar wiens geest zich niet had overgegeven. Deze houding nam de Belgische regering in. Los van het conflict waarin de Koning en de regering tegenover elkaar stonden, verklaarde de laatste steeds – zij het zonder de geringste illusie – dat het ging om twee aparte luiken van één schilderij: enerzijds het optreden van de regering aan de kant van de geallieerden en anderzijds wat zij de onthouding van de Koning in België noemde. Voor dit optreden en deze onthouding was volgens de regering maar één verklaring, een gezamenlijke afspraak voor eenzelfde doel: de bevrijding van België en de overwinning van ons leger.

Toen op 21 juli 1943 eerste minister Pierlot in een radiotoespraak gericht tot het land onder de bezetting de grote lijnen uitstippelde van een plan over de hervatting van het openbare leven in België, waarin de Koning een centrale plaats innam, ging hij uit van een instemming van de Koning die deze echter nooit had verleend en nooit zou verlenen. Voor zover mogelijk lag het in de bedoeling van de regering, de Koning te helpen zich op de troon te handhaven, maar niet ten koste van de vernedering van de persoon van de ministers of van een correct beleid dat ze zouden moeten afzweren. De regering had het voornemen, over haar beleid tijdens de oorlog verslag uit te brengen aan het Parlement. Vervolgens zou zij de Koning haar ontslag aanbieden. Ze wilde de draad weer opnemen bij 28 mei 1940 zonder lang uit te weiden over een conflict en zou hulde brengen aan de intenties van de Koning en diens ministers. Bovendien wilde de regering de Koning zeggen dat zij geen enkele verantwoordelijkheid droeg voor alles wat er in België was gebeurd nadat hun wegen zich hadden gescheiden. Bij het hele scenario dat de regering had opgesteld werd ervan uitgegaan, dat de Koning zich echt als gevangene in handen van de vijand had gedragen, dat wil zeggen, dat hij zich ervan had onthouden tijdens zijn gevangenschap politiek op te treden. Nooit heeft de regering erover gepeinsd het idee te aanvaarden van haar automatische verantwoordelijkheid voor het optreden van de Koning in die periode. Nog nooit eerder was in de geschiedenis van zowel de absolute als de constitutionele monarchie een dergelijk idee gelanceerd. Het ontstond na de bevrijding van België en kwam uit de pen van pamfletschrijvers en juristen die de leopoldistische zaak waren toegewijd. Als uitkomst van deze idee zouden de ministers worden getransformeerd tot die immer onschuldige knechten in een blijspel, die altijd een aframmeling krijgen voor de fratsen van hun meester.

Juist doordat deze enscenering gebaseerd was op de hypothese van de onthouding van de Koning, was ze zwakjes. Als de Koning tijdens de bezetting was opgetreden – en niemand heeft er ooit aan getwijfeld dat hij zulks heeft gedaan – dan riskeerde hij vroeg of laat voor zijn daden verantwoordelijk te worden gesteld. Zelfs indien op een golf van nationale verzoening na de bevrijding dit probleem niet aan bod kwam, dan nog zou de houding van de Koning tijdens de oorlog beslist ter sprake komen zodra er moeilijke tijden aanbraken, en die laten nooit lang op zich wachten. Tijdens zijn verdere regeerperiode zou hij in een scheve positie hebben gezeten, dit als gevolg van het feit dat hem persoonlijke initiatieven werden verweten in een periode die geen enkele regering met haar verantwoordelijkheid wilde of kon dekken.

En toch, bij goed nadenken – en er was goed over nagedacht, zowel in Londen als in kringen van het bezette België die contacten konden onderhouden met Groot-Brittannië – was het regeringsplan het enige dat kans van slagen had. Het stuk kon worden opgevoerd, mits iedere acteur zich aan zijn rol hield. Maar toen de hoofdrolspeler opkwam – in casu de Koning – respecteerde deze zijn rol niet. Met een beetje discretie was men bereid geweest veel door de vingers te zien. Dat schijnen noch de Koning noch zijn aanhangers ooit te hebben begrepen. Omdat de regering zich niet meer wilde herinneren dat zij gelijk had gehad, werd het ongelijk van de regering geclaimd door Leopold III en degenen die hem steunden. Hiermee gaven de laatsten hun tegenstanders alleen maar redenen om hen aan te vallen en wapens om hen te verslaan. Zo stuikte alles ineen wat tal van mensen van goede wil tijdens de oorlog en tot aan de bevrijding van de Koning in het werk hadden gesteld om tot een verzoening te komen. Zij vertrouwden erop dat de Koning verstandig zou zijn. Ze konden enkel en alleen daarop vertrouwen. Ze kwamen bedrogen uit doordat hun verwachtingen ijdele hoop bleken.

II Zending-De Kinder

Op 21 juli 1943 had eerste minister Pierlot in een radiotoespraak de standpunten van de regering uiteengezet over de hervatting van het publieke leven in België.

Enkele dagen nadien besloot de ministerraad in Londen, dat het moment was aangebroken om met de Koning in contact te treden. De ministerraad wilde hem de toespraak met de politieke doelstellingen voor de periode na de overwinning officieel meedelen. Bovendien wilde de ministerraad de Koning een memorandum in briefvorm zenden en zich hierin als verantwoordelijk raadgever – vastberaden en respectvol – over een aantal netelige problemen uitspreken. Deze problemen hadden betrekking op het herstel van onze grondwettelijke instellingen, de toekomstige internationale positie van België, de repressie van de collaboratie met de vijand, de houding van de koninklijke entourage tijdens de vijandelijkheden en de gevolgen hiervan bij de bevrijding.

Dit belangrijke besluit nam de regering op 29 juli 1943. Zij was tot dan toe, zowel uit voorzichtigheid als uit onzekerheid over het onthaal, nooit rechtstreeks met de Koning in contact getreden. Niettemin had de regering geprofiteerd van diverse zendingen naar bezet België om onrechtstreeks te getuigen van zowel haar goede wil als haar wens de onderlinge contacten te herstellen om gezamenlijk over de toekomst na te denken. De signalen hadden wel degelijk hun bestemming bereikt, maar men kon er nog inkomen dat deze onbeantwoord bleven. Maar gezien de steeds gunstiger militaire situatie was de regering van oordeel dat zij niet nòg langer moest wachten om rechtstreeks met de vorst contact te leggen. Ook kon ze de hoop koesteren, dat de overwinningen van de geallieerden de Koning toeschietelijker zouden maken.

Op de ministerraad van 29 juli 1943[18] hechtten de regeringsleden eenparig hun goedkeuring aan een beleid, erop gericht de Koning op de troon te handhaven en gebaseerd op het feit dat er tussen de koning-krijgsgevangene en de regering, die de oorlog voortzette, geen fundamentele tegenstrijdigheid kon bestaan[19]. Als dit het beoogde doel was, dan zou men, aldus Spaak, zo'n beleid ook moeten willen waarmaken. Daarom stelde hij voor om wel officieel maar niet publiekelijk met de Koning in contact te treden.

De eerste minister werd door de ministerraad verzocht een tekst uit te werken. Pierlot redigeerde een eerste nota die Spaak overnam en herwerkte onder de vorm van een brief. Deze brief werd door Tschoffen gereviseerd. Op 12 en 13 augustus 1943 werd hun gemeenschappelijk project aan de ministerraad voorgelegd die er verscheidene wijzigingen in aanbracht. Richard, onderstaatssecretaris van Bevoorrading, op dienstreis in de Verenigde Staten, kon niet aan de besprekingen deelnemen. Hij werd eind augustus op de hoogte gesteld en suggereerde enkele correcties. De definitieve tekst van de brief, door de regering collectief opgesteld, werd ten slotte op 23 september door de raad aangenomen. Daarna had er een ontmoeting plaats tussen Spaak en Eden, de *Secretary of State* van het Foreign Office. Spaak verwittigde Eden, dat de Belgische regering besloten had met de Koning in contact te treden en vroeg hem om hulp van de Britse geheime inlichtingendienst om het welslagen van de onderneming te waarborgen. Eden beloofde hem alle medewerking.

Op 20 november werd het origineel van de brief, getypt op speciaal briefpapier met het wapen van het Koninkrijk België, waarvan ieder blad genummerd en door de eerste minister geparafeerd was, ter ondertekening aan de ministers voorgelegd. Bij de tekst was een kopie gevoegd van de eenentwintigjulitoespraak van Pierlot[20]. Vanwege de belangrijke demarche vroeg de regering de Kardinaal om als tussenpersoon op te treden. De eerste minister schreef hem een begeleidende brief, die hij bij de twee voor de Koning bestemde documenten voegde. Volgens mij is deze brief tot op heden niet gepubliceerd. Het lijkt me nuttig deze hierbij te reproduceren, zodat men een idee krijgt van de geest waarin de mededeling werd opgesteld[21].

EMINENTIE,

De regering wenst de Koning een document gedateerd 20 november 1943 te doen toekomen. Dit document is bij deze mededeling gevoegd in de vorm van een fotografische reproductie van de tekst en de handtekeningen. Ik ben zo vrij Uwe Eminentie te verzoeken zo goed te willen zijn deze aan de Koning te overhandigen.

Als het de Koning zou behagen deze brief te beantwoorden, dan zou het van fundamenteel belang zijn dat dit persoonlijk van Zijne Majesteit uitgaat door tussenkomst van Uwe Eminentie. In dit geval zal de koerier, bezorger van deze brief, zich te Uwer beschikking houden om de boodschap, die de Koning tot haar zou willen richten, in ontvangst te nemen en aan de regering over te brengen.

Teneinde de uitoefening van Uw hoge functie niet in gedrang te brengen, heeft de regering er zich steeds van onthouden met Uwe Eminentie in contact te treden. Nochtans ben ik ervan overtuigd dat Monseigneur zijn patriottische medewerking wenst te verlenen, gezien het publiek belang van de demarche waarvan sprake.

Bij voorbaat ben ik U zeer erkentelijk en ik maak gaarne van deze gelegenheid gebruik wederom mijn hoogachting aan Uwe Eminentie te betuigen.

Hubert Pierlot
Londen, 21 november 1943

Nu moest alleen nog iemand worden gevonden om de brief te bezorgen. Gezien de personen die hierbij betrokken waren, was een maximum aan voorzorgsmaatregelen vereist. Er mochten alleen niet te vermijden risico's genomen worden, gerechtvaardigd door de noodzaak om met de Koning in contact te treden.

Het grootste probleem was dat van de koerier. De beste bood zich spontaan aan: François De Kinder. Mogen wij hem hier evoceren als een vluchtig schaduwbeeld naar aanleiding van de Koningskwestie, die hij mee trachtte op te lossen, maar waarbij hij voor niets zijn bestaan opofferde? Nee..., niet voor niets. Zijn geest zweefde boven alle disputen. De Kinder had nooit veel illusies over de goede wil van de Koning gekoesterd. Maar hij was wel een van degenen die dacht dat men de vorst alle kans moest geven. De Kinders drijfveren tot handelen overtroffen veruit de mens en de omstandigheden. De toekomstige vrede van zijn land gepaard met een humane levensvisie, daar was het hem om te doen. Daarom is, in het diepst van ons hart, in de niet tastbare stilte, de glimlach van zijn vriendschap blijvend aanwezig.

Als schoonbroer van de eerste minister was hij een waardevol vertrouwensman, een gedegen raadsman met een perfect helder oordeel. Tot midden 1942 had hij in het bezette België gewoond, waar hij vanaf het allereerste begin in het verzet was gegaan en zich, glimlachend en kalm, aan de grootste gevaren had blootgesteld, waarbij hij zichzelf en zijn bezittingen niet had ontzien. In zijn kantoor aan de Handelsstraat in Brussel kwamen allerlei bezoekers. Sommigen onder hen kwamen van Londen of gingen ernaartoe, anderen voerden de strijd ondergronds die, door sabotage of door het organiseren van het verzet, de bezetter geen moment respijt moest gunnen. De Kinders voornaamste eigenschappen, van wezenlijk belang voor de taken die hij op zich had genomen, waren koelbloedigheid, discretie en voorzichtigheid. Hij had een steeds evenwichtige attitude van zowel een gereserveerd en belezen zakenman als een kunstliefhebber met een kalme uitstraling waardoor de buitenwereld niets merkte van wat er in hem omging. Heel deze zweem van onschuld had hij uiteraard weten op te bouwen ten koste van een constante en verschrikkelijke spanning die zijn reeds zwakke gezondheid alleen nog maar verder ondermijnde. Door zijn talloze ondergrondse activiteiten kwamen de Duitsers hem uiteindelijk op het spoor. Hij moest onderduiken en vertrekken. Na enkele maanden in Frankrijk, in bezet gebied, kwam hij eind 1942 in Londen aan.

Ondanks zijn broze gezondheid en ondanks de aarzelingen van Pierlot, die legitiem kon denken dat er een grens was aan de opofferingen van zijn familie in deze oorlog, wilde François De Kinder de uitdaging toch aangaan. Niemand was hier beter voor geschikt dan hij en de zending werd hem dan ook toevertrouwd.

Hij bereidde zijn reis uiterst zorgvuldig voor en werd hierbij geholpen door respectievelijk de Britse geheime inlichtingendienst, de Hoogcommissaris voor 's Rijks Veiligheid, auditeur-generaal Ganshof van der Meersch en door Lepage, administrateur-generaal ad interim van de Belgische Staatsveiligheid; tevens stond hij in verbinding met het kabinet van de eerste minister.

Opdat zijn afwezigheid geen argwaan bij de Belgische kolonie in Londen zou wekken, liet François De Kinder, eind november, voorkomen alsof hij voor zaken naar Marokko vertrok. Voor zijn zending koos hij de schuilnaam Xavier, naam die wij hierna steeds zullen gebruiken.

De originele documenten die overhandigd moesten worden – de ministeriële brief aan de Koning, de tekst van de radiotoespraak van 21 juli van de eerste minister, het begeleidend schrijven aan de Kardinaal – werden gefotografeerd. De film werd zodanig gereduceerd dat hij in de holle schacht van een speciaal hiertoe vervaardigde sleutel kon worden verstopt die Xavier aan zijn sleutelbos zou dragen. Op het laatste moment werd echter besloten hiervan af te zien, omdat deze truc al te vaak was gebruikt.

Xaviers lichamelijke toestand liet niet toe dat hij werd geparachuteerd. Bovendien zou hij evenmin tijd gehad hebben voor de vereiste oefeningen. Hij moest dus per vliegtuig worden afgezet en maakte zich klaar voor zijn vertrek op 4 december. Het moment van vertrek hing af van de weersomstandigheden, de stand van de maan alsook de bodemgesteldheid van het terrein waarop het vliegtuig in bezet gebied een noodlanding zou kunnen maken. Een andere factor was de beschikbaarheid van mannen die hem dan zouden moeten opwachten.

Zo werd onze koerier op 15 december 1943 op een druilerige namiddag naar het vliegveld van Chichester gebracht. Het vliegtuig steeg met De Kinder aan boord op, maar wegens het onstabiele weer moest het onverrichter zake terugkeren. Xavier moest nog een dag wachten en had de gelegenheid dit naar Londen te schrijven: *'Nog nooit was ik kalmer dan tijdens mijn uitstapje de afgelopen nacht. God geve dat dit duurt! Het was een prachtige nacht en op sommige momenten zag ik als in een flits mijn leven voorbijgaan.'*

De nacht van 16 december was gunstiger en Xavier werd in het noorden van Frankrijk afgezet. Hij stak zonder problemen de Belgische grens over en begaf zich naar Brussel.

Bij zijn aankomst ging hij onmiddellijk naar Charles De Visscher. Als rechter in het Permanent Hof van Internationale Justitie en professor aan de Universiteit van Leuven was hij een van de Belgische figuren in wie de regering het grootste vertrouwen had. Vanwege zijn groot moreel gezag, (de integriteit van zijn patriottische opvattingen, zijn uiterst scherpe visie op de realiteit, een politiek inzicht met daarbij nog een levendige geest en een koele geaardheid) werd hij gekozen als raadsman naar wie in (de meest) netelige kwesties het meest werd geluisterd. Xavier vertelde hem van zijn zending en toonde hem de documenten. De Visscher aanvaardde onmiddellijk contact met de Kardinaal te leggen en begaf zich naar de primaat die zich akkoord verklaarde als tussenpersoon op te treden. Zo kwam op 30 december het eerste telegram van Xavier aan, gedateerd 28 december. De tekst luidde aldus:

Nr 1. 'Xavier zegt dat hij De Visscher heeft ontmoet en dat deze aanvaardt als tussenpersoon op te treden. Zijn indruk is gunstig. De Kardinaal accepteert te overhandigen. Hij zal dit doen ter gelegenheid van Nieuwjaar in een sympathieke sfeer maar verwacht een reactie van de entourage. Hij verwacht Xavier te zien.'

Op 19 januari 1944 bereikt het volgende telegram Londen, gedateerd 14 januari:

nr 2. 'Op 14 januari zegt Xavier: in een lang onderhoud deelt Kardinaal zeer gereserveerde algemeenheden mee, uitgesproken door de Koning die na tien dagen nadenken naast de kwestie antwoordde. Stop. De Visscher echter van mening dat gesprekken wijzen op een verbetering van de stemming. Stop. Overbodig andere mandataris te voorzien. Stop. Xavier van plan binnen acht dagen op eigen gelegenheid naar Parijs te gaan.'

Uit deze tekst bleek dat de kardinaal de brief op de Nieuwjaarsaudiëntie aan de Koning had overhandigd, audiëntie die waarschijnlijk op 5 januari had plaatsgevonden, daar het telegram van 14 januari dateerde en vermeldde dat de Koning na een bedenktijd van tien dagen de Kardinaal had geantwoord. De Koning had de Kardinaal toen opnieuw ontmoet en hem wat vage verklaringen aan de hand gedaan die niet als een antwoord beschouwd konden worden. De Kardinaal had dit tijdens een lang gesprek aan Xavier meegedeeld. Het feit alleen al dat de Koning, naar aanleiding van de brief van de regering, überhaupt verklaringen had afgelegd, betekende volgens De Visscher een sprankje hoop. In ieder geval was het duidelijk dat Xavier zijn zending als beëindigd beschouwde. Met het oog op de toekomstige ontwikkelingen was het niet nodig een regeringsmandataris te zenden. Deze had over preciezere modaliteiten moeten overleggen aangaande een akkoord over de hervatting van het publieke leven onmiddellijk na de bevrijding van het land. Xavier kondigde aan dat hij rond 21 januari naar

Parijs zou vertrekken. Vandaaruit moest hij de plaats bereiken waar het Engelse vliegtuig hem zou komen oppikken.

Men wachtte in Londen op de terugkomst van Xavier toen men op 28 januari een telegram gedateerd 23 januari ontving:

nr 3: *'Xavier zegt: Koning Kardinaal ontboden, wenst tekst met algemeenheden aan regering overhandigen. Stop. Jean de Landtsheere meent, voorbereiding akkoord gevoelig vooruit. Stop. Xavier vertrekt maandag 24 naar Parijs.'*

Het telegram wees op een keerpunt. Zelfs al was er geen antwoord op de brief gekomen, dan was er toch sprake van een mededeling aan de regering zonder dat deze specifiek voor haar bestemd was, een mededeling in verband met een tekst die haar ten minste werd 'doorgespeeld'. Maar terzelfder tijd kwam er slecht nieuws binnen. Aangezien zijn vertrek in afwachting van een antwoord alsmaar werd uitgesteld, kon Xavier niet naar Engeland worden teruggebracht. Door de hoop op een positief resultaat en vooral door de laatste oproep door de Koning aan de Kardinaal, werd Xaviers vertrek verscheidene keren uitgesteld. Zo had Xavier de enige geschikte nachten met volle maan gemist. Intussen moest hij ondergedoken blijven en liep hierdoor dus gevaar. Hij benutte deze tijd om per koerier berichten naar Londen te sturen.

Op 9 februari 1944 kreeg Londen drie gedeeltelijk in code opgestelde documenten (wij geven ze, als vervolg op de 3 telegrammen, de nummers 4, 5 en 6). In opdracht van de eerste minister werden ze door de administrateur van de Staatsveiligheid ontcijferd en op 16 februari aan Pierlot overhandigd. Zo was de regering dan in bezit van het belangrijkste resultaat van de zending-Xavier.

Het eerste document verwees naar telegram nr 2. Dit was op 18 januari geredigeerd en ging over het lange gesprek tussen de Kardinaal en Xavier. Het bevatte o.a. de tekst van de Koning met zijn 'zeer gereserveerde algemeenheden' waarvan sprake in telegram nr 2. Hier volgt de tekst in telegramstijl met daarnaast het document dat in het verslag van de door de Koning ingestelde Commissie van Voorlichting werd gepubliceerd[22].

nr 4: Tekst overhandigd in Londen	*Tekst van het verslag-Servais*
De Koning heeft nooit opgehouden als hoogste plicht beschouwen handhaving 's lands onafhankelijkheid. Stop. Heeft zich, zoals voorgangers, altijd gehouden aan eerbied grondwet. Nooit heeft hij het voornemen gehad deze te schenden. Stop. Eventuele herziening acht hij slechts mogelijk door vrij uitgesproken wil Belgische volk. Stop. Alle geruchten die deze twee punten tegenspreken zijn volstrekt ongegrond. Stop. Wat betreft zijn houding sedert achtentwintig mei, heeft zich stipt gehouden aan positie krijgsgevangene in handen van de vijand. Stop. Is van oordeel overeenkomstig zijn waardigheid en nationale belangen noch rechtstreeks noch onrechtstreeks van deze houding af te wijken.	*De Koning heeft nooit opgehouden het als zijn plicht te beschouwen 's lands onafhankelijkheid te handhaven. De Koning, evenals Zijn voorgangers, heeft zich altijd gehouden aan de eerbied voor de Grondwet. Nooit heeft hij het voornemen gehad deze te schenden. Een eventuele herziening ervan acht hij slechts mogelijk door de vrij uitgesproken wil van het Belgische volk. De geruchten die enige twijfel daaromtrent zouden doen ontstaan, zijn van alle grond ontbloot en wie ze verspreidt, begaat een misdaad tegen de dynastie en tegen België. Voor het overige heeft de Koning zich sedert 28 mei 1940 strikt gehouden aan zijn positie van krijgsgevangene in handen van de vijand. Hij is van oordeel dat het strookt met de waardigheid van de Kroon en het belang van de Natie noch rechtstreeks noch onrechtstreeks daarvan af te wijken.* *Leopold,* *Koning der Belgen – Krijgsgevangene op het Kasteel van Laken.*

Al zijn de termen niet helemaal dezelfde, de ideeën zijn volkomen identiek. De rest van document nr 4 bestaat uit losse aantekeningen die Xavier later had moeten gebruiken om zijn onderhoud met de Kardinaal weer te geven. Zelf noemde hij ze *'een haastig gedicteerd gebrabbel dat uitsluitend voor mij als geheugensteuntje dient'*[23]. Worden ze toch gebruikt dan riskeer je de gedachtegang van de gesprekspartners door een persoonlijke interpretatie verkeerd weer te geven. De enige objectieve aanwijzing die hieruit weerhouden kan worden, is de notitie aan het einde: *'onderhoud van een uur en drie kwartier'*. In verband met telegram nr 2 kon men hieruit terecht afleiden dat de Kardinaal Xavier rond 14 januari had ontmoet. Deze had meer dan anderhalf uur een gesprek met hem gevoerd waarin hij hem de door de Koning uitgewerkte tekst had overhandigd en die door Londen was ontvangen en geïdentificeerd. Bovendien had hij hierin, in de vorm van losse aantekeningen, zijn indrukken neergeschreven.

Het tweede document moest met telegram nr 3 in verband worden gebracht. Dit was gedateerd 21 januari 1944. De tekst leek van het grootste belang:

nr 5: De Koning ontbiedt de Kardinaal.

'Ik heb nagedacht, ik wil nog een stap zetten... ik wens dat de aan de Kardinaal meegedeelde tekst namens mij wordt overhandigd. Bovendien wil ik bepaalde misverstanden die in het land de ronde doen ontzenuwen en verzoek de kardinaal deze tekst aan bepaalde hooggeplaatste personen te overhandigen.

De Kardinaal. *Wenst Zijne Majesteit een publieke verzoening?*

De Koning. *Het antwoord is bevestigend.*

De Kardinaal. *Is het nuttig formules hiertoe voor te bereiden?*

De Koning. *Ja, maar momenteel is het volstrekt onmogelijk partij te kiezen voor de een of voor de ander. Alles hangt van de gebeurtenissen af.'*

De bondigheid van telegram nr 3 werd tegelijkertijd verklaard en becommentarieerd door, zo scheen, de letterlijke weergave van het gesprek.

Dit had tot gevolg dat de Koning niet op de brief van de regering wilde antwoorden. Maar wel legde hij naar aanleiding van deze brief een zeer algemene verklaring af die enerzijds bij de ministers in goede aarde kon vallen en anderzijds bepaalde geruchten ontzenuwen die in het bezette land over de houding van de Koning de ronde deden. Aanvankelijk was de Koning niet van plan met de Belgische regering in ballingschap te Londen in contact te treden. Vervolgens bedacht hij zich en gaf toestemming zijn tekst aan zijn ministers over te maken. Daar deze tekst een geheel op zich vormde en niet specifiek voor de regering was bestemd, moest deze tevens in het bezette land worden gebruikt en hiertoe aan diverse invloedrijke persoonlijkheden overgemaakt.

Uit het vervolg van het gesprek valt bovendien op te maken dat Xavier zijn opdracht als beëindigd beschouwde. Al het mogelijke was gedaan. De Koning had aan de Kardinaal zijn wil tot een overeenkomst bevestigd, maar ieder idee van de hand gewezen om voor welke formule dan ook te kiezen. Terzelfder tijd begrijpt men dat er door dit gesprek enige hoop was ontstaan met het oog op de toekomst. Zonder zich ergens toe te verbinden leenden de verklaringen van de Koning zich tot diverse hypothesen. Het 'alles hangt van de gebeurtenissen af' bleef vaag en was voor velerlei uitleg vatbaar.

Het derde document (nr 6) was gedateerd 23 januari 1944. Dit maakte gewag van vele gesprekken die tussen diverse hooggeplaatste personen hadden plaatsgevonden om een ontwerp-communiqué van het Paleis uit te werken dat op het moment van de bevrijding gepubliceerd moest worden. Bij de op 19 januari opgestelde formulering werd rekening gehouden met Pierlots eenentwintigjulitoespraak van 1943. Hierin werd een verzoening verondersteld tussen de Koning en diens regering. In het document werd bovendien gewezen op het feit dat de voorgestelde tekst een grote vooruitgang betekende vergeleken met eerdere kladversies. Uit dit document bleek dat Fredericq, kabinetschef van de Koning, op 27 oktober 1943, dus drie maanden tevoren, pogingen had ondernomen een verklaring uit te werken, bestemd voor bekendmaking, zodra de Belgische regering uit Londen zou terugkeren. Hierbij zou deze haar spijt aan de Koning betuigd hebben vanwege haar houding in het verleden en zou bevestigd hebben dat zij alle daden van de Koning sinds 25 mei 1940 dekte. Hoe interessant ook als indicatie van een bepaalde geestesgesteldheid, toch past dit document (nr 6) niet onmiddellijk in de zending-Xavier die was bedoeld om een rechtstreeks contact tussen Koning en regering tot stand te brengen. Het gaat eerder om een initiatief van personen met invloed en van goede wil die, via hun medewerking, ernaar streefden de relaties tussen Koning en Regering, zodra deze tot stand zouden zijn gekomen, in een aanvaardbaar en concreet resultaat te laten uitmonden.

De zes boodschappen van Xavier – de drie telegrammen en de drie nota's – vormden een geheel waaruit geconcludeerd kon worden dat zijn opdracht met tact was uitgevoerd en, voor zover haalbaar, was geslaagd. De documenten werden nog aangevuld met brieven geschreven door Xavier toen hij in Frankrijk was ondergedoken was. Ze bevatten zeer belangrijke details voor de geheime inlichtingendienst en voor de beoordeling van de geboekte resultaten. Een van de uittreksels gedateerd 17 februari 1944 moge hiervan getuigen:

'Ik maak van de gelegenheid gebruik om u snel even een paar woordjes te schrijven. Ik houd een heerlijke herinnering over aan de vijf weken die ik heb doorgebracht in dit ons zo dierbare dorpje'[24]*. Ik meen te hebben gedaan wat ik moest en kon doen…*

X.[25] *die vond dat ik als geroepen kwam (Fredericq had op 27 oktober toenaderingspogingen ondernomen waaruit bleek dat men wel op zeer verschillende golflengten zat) was over het behaalde resultaat veel tevredener dan ik. Hij denkt ook dat het hardnekkig voorbehoud van de Koning in zekere mate voortvloeit uit een minder helder inzicht dan het uwe over de afloop en vooral over de duur van het conflict. De mensen hier die menen goed ingelicht te zijn, zijn minder optimistisch dan bij u en denken dat er ons nog heel wat verrassingen te wachten staan*[26]*.*

Op de 6de van deze maand liet X. mij weten[27] *dat de Kardinaal de verklaring, waarvan de algemene teneur mij teleurstelde, nog niet aan derden heeft bekendgemaakt. Ik had mij noodgedwongen tot 6 bondige berichten beperkt en veronderstel dat u nadere gegevens niet op papier wenst…'*

De opmerkingen van Xavier zijn waardevol. Ze werpen misschien een licht op document nr 5 waarin het onderhoud tussen de Koning en de Kardinaal beschreven staat. De Koning was nog niet overtuigd van de op hand zijnde overwinningen van de geallieerden. Vormde een eventuele compromisvrede misschien een verklaring voor zijn weigering te opteren voor de formule van publieke verzoening alsook voor zijn 'alles hangt van de gebeurtenissen af'?

Eind februari 1944 was de eerste minister in bezit van elementen waarmee hij aan de regering een uiteenzetting over de zending-Xavier kon doen. Dit deed hij op de ministerraad van 9 maart 1944. Hij drong aan op de absolute noodzaak tot geheimhouding en op de niet te overziene gevolgen, indien er toch iets zou uitlekken, voor zowel de betrokken personen als het welslagen van de tot stand gebrachte contacten. Mondeling stelde hij de ministerraad op de hoogte van:

1. de door de Koning aan de Kardinaal-Aartsbisschop van Mechelen afgelegde verklaring naar aanleiding van de brief van de regering document nr 4;
2. de dialoog tussen de Koning en de Kardinaal (document nr 5);
3. het ontwerp-communiqué van het Paleis met betrekking tot de te volgen procedure na de terugkeer van de regering in België voor de normale hervatting van het publieke leven (document nr 6).

De ministerraad zag unaniem het belang van het behaalde resultaat in. Zelfs al was dit resultaat niet geweldig, dat er überhaupt resultaat was geboekt, vormde op zich reden tot enige tevredenheid. Alleen Tschoffen – men vangt geen oude vossen met zure druiven-, maakte discreet voorbehoud, hoewel hij de voldoening van de anderen deelde. Bij het lezen van de tekst van de Koning wist hij een indruk van malaise niet te onderdrukken (document nr 4) omwille van wat de vorst hierin zei, maar vooral omwille van alles wat deze niet zei.

Deze indruk werd gedeeltelijk bijgestuurd door de dialoog tussen de Koning en de Kardinaal (document nr 5). De raad ging uiteen in de hoop dat dit eerste succes de aanzet zou zijn voor een gunstige ontwikkeling in de toekomst.

Intussen zat Xavier nog steeds ondergedoken in afwachting dat hij weer naar Engeland zou worden overgevlogen. Begin februari had men in Londen vernomen dat de Gestapo van zijn aankomst in de bezette zone op de hoogte was. Drie maanden lang werden vruchteloze pogingen ondernomen om hem weer terug naar Engeland te halen. Uit korte berichten bleek dat zij die hem nauw aan het hart lagen, zijn hoopvolle gedachten konden raden en deelden zijn ontmoediging. Op 17 maart werd hem de volgende mededeling toegezonden:

'Operaties onmogelijk, laatste kwartier van de maan. Stop. Personeel ter plaatse. Gunstiger vooruitzichten begin april. Stop. Post ontvangen. Stop. Groetjes en tot gauw, van allen hier.'

April ging voorbij en bracht hem niet terug. Op 19 april stuurde Pierlot hem toen een bericht:

'Hebben onmogelijke gedaan operatie uit te voeren. Stop. Omstandigheden onafhankelijk van onze wil tot op heden oorzaak verhindering. Stop. Hebben formele belofte voor volgende maand. Stop. Blij verkregen resultaten; beste groeten.'

Aangezien het opnieuw onmogelijk was om een 'pick up' vanuit de lucht uit te voeren, dacht men begin mei 1944 aan andere middelen om Xavier terug te halen, zoals hem de Pyreneeën te laten oversteken of hem per boot op te pikken. Op 8 mei bereikte Londen het nieuws dat de Duitsers hem eind april hadden opgepakt. God weet door wie hij werd verklikt[28]. Hij werd in de gevangenis van Cherche-Midi in Parijs opgesloten, vervolgens in Fresnes en daarna overgebracht naar het kamp Royallieu bij Compiègne. Vandaar werd hij op een augustusdag in 1944, terwijl de bevrijding van Parijs nog een kwestie van een paar dagen zou zijn, samen met andere gevangenen in een vrachtwagen weggevoerd. Door de terugtrekkende vijand werd hij samen met zijn lotgenoten op 31 augustus voor de tunnel van Tavannes, bij Verdun, gefusilleerd. Bespaar mij mijn verdriet te verwoorden. *Farewell, to our work alive.*

Ja, vaarwel, laat ons naar het werk van alle dag terugkeren! Maar we moeten besluiten. En de conclusie zal hard zijn. De regering was blij met wat de zending-De Kinder had bereikt. Maar zij kende de waarheid niet. Leggen we de twee teksten naast elkaar en vergelijken we even de data met elkaar, dan komt de waarheid duidelijk aan het licht. De ene tekst is document nr 5 van de zending-Xavier, waarin het onderhoud tussen de Koning en de Kardinaal wordt beschre-

Document nr 5

21 januari 1944

De Koning roept de Kardinaal opnieuw bij zich. 'Ik heb nagedacht en ik wil nog een stap zetten... Ik wens dat de aan de Kardinaal meegedeelde tekst namens mij wordt overgemaakt. Voorts wil ik bepaalde in het Land heersende misverstanden ontzenuwen en verzoek de kardinaal deze tekst aan hooggeplaatste personen te willen overhandigen'.

De Kardinaal. 'Wenst Zijne Majesteit een publieke verzoening?'

De Koning. 'Ja.'

De Kardinaal. 'Heeft het nut formuleringen hieromtrent voor te bereiden?'

De Koning. 'Ja, maar momenteel is het volstrekt onmogelijk voor de een of andere formule te kiezen. Alles hangt van de gebeurtenissen af'.

25 januari 1944

De noodzakelijke genoegdoening. Er is geen enkele patriot die sommige toespraken is vergeten die ten overstaan van de hele wereld werden uitgesproken en waarin Belgische Ministers zich hebben veroorloofd, in uitzonderlijk hachelijke omstandigheden, toen de vrijwaring van de nationale waardigheid gebood de uiterste voorzichtigheid aan de dag te leggen, ondoordacht de meest ernstige aantijgingen te uiten ten overstaan van de houding van ons Leger en het optreden van de legeraanvoerder.

Die aantijgingen die in een eigenzinnige verblindheid de eer van onze soldaten en van hun opperbevelhebber besmeurden, hebben België een onberekenbare en moeilijk herstelbare schade toegebracht. Men zou vergeefs in de geschiedenis een ander voorbeeld zoeken van een regering die haar Vorst en de nationale vlag op zo'n manier en zo ongegrond met schande heeft overladen.

Het aanzien van de Kroon en de eer van het land verzetten zich ertegen dat de degenen die de redevoeringen hebben gehouden nog enig gezag uitoefenen in

het bevrijde België zolang ze hun vergissing niet zullen hebben betreurd en plechtig en volledig genoegdoening zullen hebben gegeven.
De Natie zou noch begrijpen noch ermee instemmen dat het vorstenhuis in de uitoefening van zijn taak mensen zou betrekken die datzelfde Huis een belediging hebben aangedaan waarvan de wereld met ontsteltenis kennisnam.

ven en de andere is paragraaf VII van wat het Politiek Testament van de Koning wordt genoemd.
Nu begrijpen we de omzichtigheid van de ene tekst als we deze vergelijken met de felheid van de andere tekst. Bijna op de dag zelf, waarop de Koning erin toestemde om over verzoening met de regering te spreken, leidde hij de Kardinaal om de tuin omtrent zijn (ware) bedoelingen en misleidde zijn ministers die hem wensten te redden. Hij veinsde het met hen eens te willen worden en onmiddellijk daarna sprak hij de banvloek over hen uit in een lang weloverwogen verklaring, geredigeerd in ongehoord felle bewoordingen. Zij wensten immers het conflict te beëindigen waarin het gelijk aan hun kant stond en hij wilde het conflict voortzetten terwijl hij ongelijk had gehad. Het echte antwoord van de Koning op de brief van de regering was zijn Politiek Testament getekend op 25 januari 1944. Maar dàt wisten de ministers niet. Ze vernamen dit tot hun stomme verbazing bij de bevrijding.

BIJLAGE

In een boek[29] dat in 1949 verscheen zonder de naam van de auteur, maar waarvan het auteurschap aan Pirenne kan worden toegeschreven en waarvan de Koning beslist kennis had, aangezien een hoofdstuk over de capitulatie van het Belgische leger in naam van de Koning aan een buitenlands persagentschap was toegespeeld, wordt beweerd dat door François De Kinders arrestatie het 'antwoord' van de Koning aan de regering (dus document nr 4) in Duitse handen was gevallen. Dit zou volgens de auteur tot de wegvoering van Leopold III geleid hebben. Deze volkomen uit de lucht gegrepen hypothese, die om polemische redenen vijf jaar na de gebeurtenissen was ontstaan en die op louter denkbeeldige details stoelde, wordt door de feiten tegengesproken. François De Kinders aantekeningen zowel die met betrekking tot zijn hoofdopdracht (zijn zending evenals documenten 4 tot 6) als die betreffende andere secundaire opdrachten waarmee hij was belast, bereikten begin februari 1944 per koerier Londen. Toen was zijn zending intussen al beëindigd en had hij zich van al zijn documenten ontdaan. Vervolgens wachtte hij drie maanden totdat men hem kwam oppikken, tot hij in mei 1944 werd aangehouden. Niemand met wie hij tijdens het volbrengen van zijn opdracht in contact was gekomen werd hierom lastig gevallen. Zou dit ook zo geweest zijn indien men papieren op hem had gevonden? En zouden de Duitsers, toen ze de Koning wegvoerden, of Meissner, von Falkenhausen en Kiewitz, toen zij later hieromtrent werden ondervraagd, niet onmiddellijk zo'n ideaal motief aangegrepen hebben om de wegvoering van de Koning naar Duitsland te rechtvaardigen?

III Het Politiek Testament

Op 3 september 1944 werd Brussel bevrijd. Na meer dan vier jaar afwezig te zijn geweest, keerde de regering-Pierlot op 8 september uit Londen terug.

Bij haar terugkomst in België werd zij met enorme problemen geconfronteerd. Zij moest de financiën saneren, voor bevoorrading zorgen, de economische bedrijvigheid weer aanzwengelen, de collaboratie met de vijand, onder al haar vormen, bestraffen en bovendien ook de oorlog voortzetten.

De regering stond niet voor een zwart gat, maar voor een chaos. En tegenover deze gigantische problemen ontbrak het haar vrijwel geheel aan middelen. De instellingen werden voor andere doelstellingen gebruikt dan waarvoor ze feitelijk waren bedoeld. Het bestuur lag door de lange bezettingsjaren volledig overhoop en had te kampen met een tekort aan de meest noodzakelijke diensten, was opgezadeld met nieuwe en dubieuze organismen vol ongewenste elementen en was verstoken van de medewerking van zijn beste ambtenaren.

Voor de ordehandhaving, het allereerste waarop de efficiency van een regering wordt beoordeeld, was er noch politie noch rijkswacht noch een leger. Op dit gebied moest alles opnieuw worden georganiseerd. Bovendien was iedere burger gewapend. De regering had weliswaar het recht aan haar kant, maar bezat geen enkele macht en, zoals Tacitus opmerkt, 'niets (in het menselijk bestaan) is zo onbestendig en zozeer aan verandering onderhevig als de reputatie van macht die niet steunt op eigen kracht'.

De verzetsgroepen, die tijdens de bezetting de Duitsers hadden bestookt, werden door de geallieerden en de regering erkend en gesteund. Deze verzetsgroepen waren samengesteld volgens politieke en regionale affiniteiten. De diensten die zij ons land bewezen en bleven bewijzen, waren van onschatbare waarde. Maar er bestond een gevaar dat, nu ze niet meer echt nodig waren, ze te veel macht kregen. Wilde het land niet door rivaliserende gewapende facties verscheurd worden, dan was het van belang dat deze organisaties stukje bij beetje tot een nationaal leger zouden versmelten, opgebouwd rond de kern, gevormd door de Belgische regering in ballingschap in Londen.

En dan was er bovenal de publieke opinie. Elke staatsman weet wat er na een overwinning en de daarmee gepaard gaande vreugderoes allemaal verlangd wordt. Door vier jaar ontbering en stilzwijgen waren deze eisen zowel ten top gedreven als, in dit geval, gerechtvaardigd. De bevrijding leek vol beloften en het was aan de regering deze na te komen. Het vertrouwen dat zij absoluut nodig had om te kunnen optreden, werd vooral bepaald door de successen die zij boekte. Het volk was moeilijk te sturen bij gebrek aan instrumenten om het te overtuigen. Er was geen vrije pers en er heerste een algehele emotionaliteit die in allerlei richtingen een uitweg zocht. Zo waren er sommigen die, gedreven door legitieme wraaklust, de regering verder wilden meesleuren dan het welzijn van de Staat en de rechtspraak toelieten; anderen kregen steeds meer invloed naarmate ze uit de clandestiniteit traden. En dan waren er nog die schuldig waren, zij die door de overwinning teleurgesteld, gekrenkt of verrast waren, zij die zich tijdens deze oorlog afzijdig hadden gehouden en uit frustratie afgunstig of vijandig werden, zij die een mooi verhaal klaar hadden en de waarheid een kwaad hart toedroegen, en zij ondermijnden bij voorbaat, al dan niet openlijk, het optreden van de regering. Door de eersten werd zij beschuldigd van slapheid, door de tweeden van overdrijving en door iedereen van onbekwaamheid. Hiertussen bewoog zich de zwevende massa die had geleden, die niet zozeer om het een als om het ander vroeg en als deze groep maar tevreden werd gesteld, dan zou dat de publieke opinie gunstig beïnvloeden. Er gingen beslist ook enkele redelijke stemmen op, maar het was nu eenmaal geen tijd voor redelijkheid. Iedereen kwam wel met een eis voor de dag, een suggestie of een advies. En iedere teleurstelling betekende een tegenstander. Het was een gevaarlijk moment, een moment waarop de druk der krachten tot versnippering en ontbinding kon leiden.

De regering wijdde zich moedig aan haar gigantische en ondankbare taak. In afwezigheid van de Koning besloot zij een regentschap in te stellen. Zij wilde het vluchtige karakter van de uitoefening van de regeringsfunctie, onderhevig aan de tand des tijds en afhankelijk van het vertrouwen van het parlement, loskoppelen van de permanente en onverantwoordelijke uitoefening van de uitvoerende macht.

Gezien de voorspelbare problemen waaraan de regering het hoofd moest bieden, is het duidelijk dat zij op alles moest kunnen rekenen waarop een regering normaal kan bouwen. Zij had het recht te denken dat, gezien de extreme omstandigheden, een gezonde solidariteit de uitvoerende macht zou binden door een punt te zetten achter de verdeeldheid en de wrokgevoelens uit het verleden en dat zij daarbij niet onderuit gehaald zou worden. Zij kon hierop vertrouwen te meer daar de zending-De Kinder de hoop hierop had gerechtvaardigd. En op dat moment ontplofte de tijdbom van het Politiek Testament.

Op 9 september rond 17.30 uur, daags na de aankomst van de regering in België, kreeg Pierlot op de ministerraad een schrijven van Jamar, eerste voorzitter van het Hof van Cassatie en Cornil, procureur-generaal bij het Hof van Cassatie. Alleen al uit de formulering blijkt dat het bij deze demarche om een hoogst dringende zaak ging, die geen enkel uitstel kon lijden.

Hof van Cassatie
Kabinet van de Eerste Voorzitter *Brussel, 9 september 1944*

Mijnheer de Minister,

Voor een uiterst dringende mededeling namens de Koning, verzoeken wij u zo goed te willen zijn ons zo spoedig mogelijk een onderhoud toe te staan: vanavond of morgenochtend.

Zoudt u, gezien de communicatieproblemen, ieder van ons afzonderlijk thuis kunnen oproepen en de plaats van dit onderhoud bepalen?

Met de meeste hoogachting.

Waarnemend Procureur-generaal,
(Get.) L. Cornil
Koninklijke Prinsstraat 31

De Eerste Voorzitter,
J. Jamar
Breydelstraat 6

Aan de Heer Hubert Pierlot,
Eerste minister
Brussel

De eerste minister antwoordde onmiddellijk dat hij nog diezelfde avond rond 9 uur beide magistraten bij hen thuis zou laten ophalen. Om 9.15 uur werden ze zijn kabinet binnengeleid. Zij overhandigden hem twee verzegelde enveloppen waarvan de ene de Franse en de andere de Vlaamse tekst van een koninklijke nota bevatte. Alleen de enveloppe met de Franse tekst werd geopend. Dit was een getypt document van tien bladzijden waarvan elk blad genummerd en door de Koning geparafeerd was. Op de laatste bladzijde stond het volgende met de hand geschreven:

'Geschreven op het Kasteel van Laken
op 25 januari 1944.
Leopold
Koning der Belgen
Krijgsgevangene in het Kasteel van Laken'[30]

Cornil las de nota in zijn geheel voor en gaf vervolgens enige toelichting.

De Koning had de eerste voorzitter en de procureur-generaal in maart 1944 ontboden. Hij had hen de nota voorgelezen alvorens deze eigenhandig in de enveloppe te steken. De magistraten moesten de bewaarnemers hiervan zijn en de nota onmiddellijk na de bevrijding aan de regering bezorgen opdat de nota bekendgemaakt zou worden. Tijdens dit onderhoud maakte Cornil de Koning erop attent dat het ongetwijfeld om de regering-Pierlot zou gaan en dat die de voorwaarde van § VII, waarin een plechtige en algehele genoegdoening werd geëist, misschien onaanvaardbaar zou vinden. De Koning antwoordde dat in dit geval alleen de eerste minister van het document kennis mocht nemen. Deze mocht het hele document pas dan aan de andere ministers meedelen als deze eerst bereid waren de noodzakelijke genoegdoening van § VII te aanvaarden. Op een andere opmerking van Cornil stemde de Koning ermee in dat het document alleen kon worden bekendgemaakt als de regering dit opportuun achtte[31].

Eerste minister Pierlot incasseerde de schok van deze vreemde mededeling met zijn gebruikelijke kalmte. In dergelijke omstandigheden – en hij had er al heel wat meegemaakt – sloot hij zich af en liet uiterlijk niets blijken van wat er diep in hem omging. Toen Cornil ten slotte zweeg, zette de eerste minister aan zijn gesprekspartners het standpunt van de regering uiteen. Deze was van plan tot het uiterste te gaan om de Koning te redden. De niet overschrijdbare grens lag bij iedere daad die de eer van de ministers zou schenden door van hen te verlangen zichzelf te verloochenen. En dat, terwijl zij van hun gelijk overtuigd bleven en zich dan een morele blaam op de hals zouden halen in de vorm van verontschuldigingen, terwijl zij ervan overtuigd waren geen vergissing te hebben begaan.

Pierlot was ervan overtuigd dat de regering de in § VII gestelde voorwaarde nooit zou aanvaarden. Gezien de ernst van de beslissing vroeg hij, of hij de inhoud van het document aan Spaak mocht meedelen om diens mening te horen. Jamar en Cornil stemden hiermee in.

Het gesprek duurde meer dan twee uur. De eerste voorzitter en de procureur-generaal werden door een uitgestorven en verduisterd Brussel naar huis gereden. De gemaakt opgewekte toon van hun gesprek kon hun diepere gevoelens amper verhullen.

Terug in zijn kabinet dacht Pierlot na. Door de koninklijke nota riskeerden alle inspanningen van de regering teniet te worden gedaan om een elegante oplossing te vinden voor wat Pierlot omschreef als 'de tegenstrijdige opvatting over hetgeen, in 1940, de Koning als zijn plicht zag en de regering als haar plicht beschouwde'. Ook dacht eerste minister Pierlot aan de opoffering van François De Kinder, zijn schoonbroer. Op dat moment wist hij nog niet dat deze net was vermoord en dacht bij zichzelf dat hij misschien zijn leven had gegeven om te vermijden wat er zich zojuist had afgespeeld. Vooral dacht hij eraan hoe ongelofelijk dubbelzinnig het was – zo bleek uit de verdacht dicht op elkaar volgende data van Xaviers berichten en die van de koninklijke nota – dat men stilletjes de wapens der wraak aan het voorbereiden was, terwijl men intussen de regering flink om de tuin leidde.

Hij besloot onmiddellijk Spaak te raadplegen. Thuis wakker gemaakt, kleedde deze zich snel aan en haastte zich naar de eerste minister. Het was bijna één uur 's nachts. Terwijl Spaak het document las, liep Pierlot ijsberend door zijn werkkamer. Hun gevoelens laten zich raden. Verbittering te zijn misleid, verontwaardiging over zo'n onrechtvaardige en willekeurige behandeling en verbazing over de zo arrogante toon van de tekst, werden overheerst door consternatie over zoveel verblinding en roekeloosheid. *'Het is gewoon een slechte ministeriële verklaring'*, zei Spaak, *'maar deze kan haar auteur noodlottig worden.'*

Een slechte ministeriële verklaring! Al gauw werd deze aangeduid onder de naam 'Politiek Testament'. Daarmee bewees men het document wel veel eer...

In deze bevrijdingssfeer vanaf het spreekgestoelte in het Parlement de koninklijke nota voorlezen en daarmee aantonen hoe onbillijk die was jegens de regering en hoe onrechtvaardig jegens de geallieerden, en daarmee ook nog eens duidelijk laten uitschijnen hoe 'neutraal' en 'passief' de Koning was in zijn weigering de tijdens de oorlog door de regering onderschreven verbintenissen te accepteren en hoe ongrondwettelijk in de uit persoonlijke macht ontstane pretentie, dit alles openbaar maken en nog eens extra goed onderstrepen, dit alles had de Koning beslist aan kritiek blootgesteld die hij niet zou hebben overleefd. De Belgische regering in ballingschap in Londen had geopteerd voor een verzoeningsgezind beleid en wilde dit tot de grens van het mogelijke doorzetten. Indien de Koning zijn eigen ondergang wilde bewerkstelligen, dan moest hij daarbij niet ook nog eens geholpen worden. De eerste minister en de minister van Buitenlandse Zaken Spaak besloten hun collega's voor te stellen, het op 21 juli 1943 uitgestippelde beleid voort te zetten. Dit betekende dat men de koninklijke nota als van nul en generlei waarde beschouwde en niet bekend zou maken. Het betekende ook dat men vierkant weigerde in te gaan op § VII over de noodzakelijke genoegdoening. Wat de door de Koning over de ministers uitgesproken banvloek betreft, waarbij hij hen verbood 'nog enig gezag uit te oefenen in het bevrijde België', was deze veroordeling tot een politieke dood dermate onwettelijk en zo totaal naast de kwestie dat men ze gerust terzijde kon schuiven zonder er verder de geringste aandacht aan te schenken. Bovendien stond vast dat het niet aan de koning-krijgsgevangene was om de toekomstige regent, zijn tijdelijke opvolger, door politieke instructies te binden. Het volstond deze op de hoogte te stellen van het bestaan en de inhoud van het 'testament'. De regent kon ermee doen wat hij wilde. Hij moest vrij kunnen handelen. Indien hij de koninklijke nota voor zijn rekening nam, dan zou hij alle gevolgen hiervan moeten dragen. Indien de regent daarentegen besloot de nota te negeren, dan kon de regering, onder zijn beschermheerschap, haar verzoeningspolitiek voortzetten tot de terugkeer van de Koning.

Dit standpunt was slechts haalbaar indien de uiterst kwalijke daad van de Koning met de sluier der geheimhouding bedekt kon worden en indien de koninklijke nota nergens anders voor gebruikt werd. Precies het tegenovergestelde gebeurde. Wat verderop zullen we zien dat het 'testament' zowat bijna tegelijkertijd zowel aan Pierlot als aan het Engelse kabinet werd overgemaakt, met de duidelijke bedoeling schade te berokkenen aan de regering die de oorlog aan de zijde van de geallieerden had gevoerd en die, normaal gesproken, na de bevrijding het land verder moest regeren. En over geheimhouding gesproken..., die werd onmiddellijk verbroken. Nog dezelfde ochtend na deze memorabele nacht, waarvan zojuist het verloop werd geschetst, kwam Dubois, persattaché in het kabinet van de eerste minister, met de eerste onthullingen voor de dag. Hij (Dubois) ontmoette regelmatig de grootmeester van het Huis van de Koningin, graaf Guillaume de Grunne. Deze charmante en impulsieve man, een boven alle moerassen dansend dwaallicht, wiens vriendelijke luchthartigheid zich even goed schikte in nieuwsgierigheid als in praatzucht, had hem toevertrouwd dat de regering binnenkort een koninklijk document zou ontvangen. Hij gaf een idee van de inhoud; volgens hem zou het document de positie van Pierlot en diens collega's onhoudbaar maken. Al gauw zwol het gerucht aan in de vorm van gefluister door welingelichte personen en verspreidde zich van salon tot salon en van de ene cocktail naar de andere. Uiteindelijk ving iedereen wel iets op.

De entourage van de Koning plachte altijd de overwinning te vieren voordat de strijd überhaupt gewonnen was en interpreteerde het officiële stilzwijgen van de regering rond het 'testament' als dat van de schuldige die zijn straf afwacht. Deze lieden staken hun vreugde niet onder stoelen of banken, tot het lachen hun uiteindelijk zou vergaan.

Pierlot en Spaak gingen om 3 uur 's morgens uiteen. Drie dagen later, op 12 september, stelde de eerste minister de ministerraad op de hoogte van de demarche van beide magistraten alsook het onderwerp hiervan. Zonder de nota voor te lezen onderstreepte hij het door de Koning gestelde dilemma: ofwel aanvaardde de regering de genoegdoening en in dat geval zou haar het document worden overhandigd en door haar en onder haar verantwoordelijkheid openbaar gemaakt, ofwel stemde de regering niet in met de gestelde voorwaarde en in deze hypothese zou haar het document niet worden overgemaakt noch openbaar gemaakt[32].

Pierlot vroeg zijn collega's zich over bovengenoemde voorwaarde uit te spreken. Hij stelde voor, hun niet de tekst van § VII voor te lezen, welke in zulke ongehoorde bewoordingen was geredigeerd dat zij hierop onmiddellijke geïrriteerd zouden reageren, iets waardoor ze zouden kunnen afwijken van de door hen aangenomen gedragslijn. De ministerraad drong er echter op aan hiervan toch kennis te mogen nemen. Na voorlezing van de tekst viel er een stilte. Daarna verklaarde elk der ministers formeel de koninklijke voorwaarde niet te aanvaarden.

Spaak adviseerde het document als onbestaand te beschouwen, het naar beide magistraten terug te sturen en er geen rekening mee te houden. Het testament was, vanwege de Koning, een grove vergissing. Maar de ministerraad moest een grote inspanning leveren om het te vergeten, op gevaar af de ernstige malaise die er in het land heerste, niet meer in de hand te kunnen houden, een malaise waarin de meeste mensen de Koning aanvaardden als het minste kwaad. De ministerraad besloot dat de regering het beleid dat zij in Londen had verdedigd en uitgewerkt, zo lang mogelijk moest voortzetten, niet zozeer uit genegenheid of enthousiasme, maar om staatsraison. Tschoffen maakte op zijn beurt een kanttekening en signaleerde dat de nota toch niet zo geheim was als de ministerraad dacht. Iemand die niet aan het Paleis was verbonden, was in bezit van de volledige tekst en had aangeboden deze aan hem voor te lezen.

Pierlot maakte de ministerraad erop attent dat de nota was geschreven na de door de regering aan de Koning gerichte brief, hetgeen de draagwijdte van de nota accentueerde en deze dus als een antwoord kon worden opgevat. Tevens beklemtoonde hij dat het, aldus het document, de ministers van 1940 verboden werd een functie bij de Staat uit te oefenen. Een dergelijke verbodsbepaling was uiteraard zonder enige waarde.

Wat de nota zelf betreft, was het – aangezien de Koning krijgsgevangene was – allereerst aan de regering haar gedragslijn te bepalen en vervolgens aan de regent, zodra deze door het Parlement zou zijn aangesteld. De regering moest het document negeren, het aan de twee bewaarnemers teruggeven en hun laten weten dat er niets aan haar beleid gewijzigd zou worden. De regering zou doen wat ze kon om deze positie te handhaven, zolang deze niet werd aangetast door indiscretie, aanvallen van verblinde koningsgezinden of verspreiding van de nota die de ware houding van de Koning zou onthullen. Pierlot liet de ministerraad weten dat hij twee dagen eerder, zondagavond 10 september, Koningin Elisabeth had ontmoet. Het gesprek was goed verlopen. De Koningin had, toen het verleden ter sprake kwam, de wens geuit haar zoon niet van verraad te beschuldigen. Pierlot had tegengeworpen dat de regering zoiets nooit had gezegd. Ook Spaak had de Koningin ontmoet, evenals Fredericq, kabinetschef van de Koning. Volgens hem gaapte er een kloof tussen de toon van het document en hun gesprekken. Hij had de indruk gekregen dat men op een schikking hoopte en dat men de regering nodig had. Ook had hij de gelegenheid aangegrepen er nog eens extra op te wijzen dat de koninklijke nota een vergissing was en dat hierover absolute geheimhouding geboden was, wilde de verzoeningspolitiek kans van slagen hebben. We moeten er wel onmiddellijk bij zeggen dat noch de eerste minister noch de minister van Buitenlandse Zaken kon vermoeden dat nauwelijks een week later, en zonder hen zelfs maar te verwittigen, de Koningin het document aan maarschalk Montgomery liet overmaken die het aan Churchill moest overhandigen.

Na Pierlots en Spaaks uiteenzetting onderschreef de ministerraad hun suggesties. Het document zou samen met een brief van de eerste minister naar de magistraten worden teruggezonden. Er zou geen rekening worden gehouden met het bestaan ervan, terwijl de regering van haar kant de door haar uitgestippelde gedragslijn zou blijven volgen.

Vervolgens bezag de ministerraad welke procedure er voor het Parlement gevolgd zou moeten worden om de regering gelegenheid te bieden rekenschap af te leggen van haar tijdens de oorlog gevoerde beleid. Met betrekking tot de Koningskwestie besloot de ministerraad dat de eerste minister, zonder te lang over de evenementen uit te weiden, in zijn rapport de nadruk zou leggen op de stelling in verband met de tegenstrijdige opvatting over hetgeen, in 1940, de Koning als zijn lovenswaardige plicht zag en de regering tevens als haar lovenswaardige plicht beschouwde.

Daags daarop, 13 september, deelde Pierlot de ministerraad mee dat hij aan het einde van de namiddag Prins Karel zou ontmoeten om hem te vragen het regentschap op zich te nemen. Indien de graaf van Vlaanderen dit aanvaardde, zou hij het in alle openheid met hem over de koninklijke nota hebben, hem hieromtrent de houding van de uit Londen teruggekeerde regering te kennen geven alsmede het waarom hiervan en hem suggereren het document als onbestaand te beschouwen. De ministerraad was het met de eerste minister eens en er werd meteen daarna besloten de nota naar beide magistraten terug te sturen.

Zo richtte op 16 september de eerste minister een schrijven tot Jamar om hem het 'testament' terug te bezorgen en de standpunten van de regering uiteen te zetten. Hieronder volgt zijn brief:

Brussel, 16 september 1944

Geachte Mijnheer de Eerste Voorzitter,

U en eerste advocaat-generaal Cornil hebben mij, namens de Koning, een document gedateerd 25 januari 1944, ter hand gesteld.

Volgens de intenties van de Koning was dit document, dat een overzicht van het Belgische beleid van de afgelopen jaren alsook de richtlijnen voor de toekomst bevat, bestemd om door de regering openbaar gemaakt te worden ingeval de Koning niet in België zou zijn op het ogenblik van de bevrijding van het grondgebied.

Ingeval de Regering die ik de eer heb voor te zitten, op het moment van de bevrijding aan de macht zou zijn, heeft de Koning instructies gegeven het document aan de eerste minister ter kennis te geven, maar deze zou zijn collega's hier pas van op de hoogte mogen stellen als de Regering de in § VII gestelde voorwaarden, onder de titel 'noodzakelijke genoegdoening', aanvaardt. Zo ja, zou de Regering oordelen of het document onder haar verantwoordelijkheid gepubliceerd kon worden. Zo niet, zou de eerste minister het document teruggeven dat de Koning u heeft toevertrouwd, zonder dit aan de Ministerraad te hebben voorgelezen, met uitzondering welteverstaan van § VII waarin bovengenoemde voorwaarde wordt uiteengezet.

Ik meen de mondelinge aanwijzingen die u zo goed was mij te willen geven, getrouw te hebben samengevat.

Ik voeg er echter nog aan toe dat u de mening was toegedaan dat niets zich ertegen verzette, dat ik het hele document ter kennis zou brengen aan de heer Spaak aan wiens oordeel ik zeer veel belang hecht.

Ik heb de aldus voorgeschreven gedragslijn getrouw gevolgd.

De ministerraad was unaniem van mening dat hij de in § VII gestelde voorwaarden niet kon aanvaarden.

Dientengevolge heb ik de eer u, in bijlage bij deze brief, het document te retourneren dat de Koning u had toevertrouwd.

Eerlijk gezegd ben ik ervan overtuigd dat indien de ministerraad de hele tekst van het document had gekend, mijn collega's geoordeeld zouden hebben dat, § VII buiten beschouwing gelaten, het niet wenselijk was de hele tekst bekend te maken met de handtekening van de Koning. Die bekendmaking zou de opvattingen, de woorden en de intenties van de Koning rechtstreeks onderwerpen aan het oordeel van de publieke opinie en ze overleveren aan een discussie, wat een ernstig nadeel zou betekenen, vooral in de huidige omstandigheden.

Gezien het voorafgaande en het moment waarop de regering haar functies zal neerleggen, zal ze alles doen om haar taak te volbrengen volgens de gedragslijn die zij tot nu toe gevolgd heeft.

Het zal aan u toekomen wanneer een nieuwe regering zal zijn gevormd te oordelen of het al dan niet past, genoemd document te overhandigen aan degene die de regering dan zal leiden.

Met de meeste hoogachting,

H. Pierlot

Aan de heer JAMAR
Eerste Voorzitter van het Hof van Cassatie
Brussel

Deze brief en de nota werden op 19 september naar de Procureur-generaal gebracht. In onderstaand ontvangstbewijs laat Jamar Pierlot weten dat Cornil en hijzelf zich tot de Regent zouden wenden om zich te ontdoen van die problematische documenten:

Hof van Cassatie
Kabinet van de Eerste Voorzitter

Brussel, 20 september 44

Geachte mijnheer de Eerste Minister,

Uw kabinetschef, de heer de Staercke, was zo vriendelijk om ons, procureur-generaal Cornil en mijzelf, op 19 september dezer, uw brief gedateerd de 16de te bezorgen alsook de gestempelde brief met het document dat wij u op 9 september hadden toevertrouwd.

Wij hebben de eer u te melden dat wij een en ander goed hebben ontvangen.

Wij zijn van mening dat, teneinde te handelen in overeenstemming met 's konings gedachtegang, wij dit document thans de Regent ter hand dienen te stellen.

Met de meeste hoogachting,

Jamar

Aan de Heer H. Pierlot
Eerste Minister
Wetstraat 16
Brussel

Persoonlijk

Op 21 september richtten beide magistraten een schrijven tot baron Holvoet, kabinetschef van de Prins-regent:

Hof van Cassatie
Parket
21 september 1944

Geachte Mijnheer de Kabinetschef,

Zijne Majesteit de Koning heeft ons de eer verschaft ons op 10 maart 1944 een document toe te vertrouwen dat wij dienden te overhandigen aan hen die bij de bevrijding van het grondgebied de macht in handen zouden hebben ingeval de Koning naar Duitsland weggevoerd zou zijn.

Wij kunnen deze opdracht slechts uitvoeren door dit schrijven zo spoedig mogelijk Zijne Koninklijke Hoogheid de Regent ter hand te stellen. Dit schrijven bevat bepaalde opvattingen van Zijne Majesteit de Koning ten aanzien van de Belgische regering.

Wij verzoeken u derhalve, Zijne Koninklijke Hoogheid de Regent te vragen ons audiëntie te verlenen.

Met de meeste hoogachting,

L. Cornil
Procureur-generaal bij het Hof
van Cassatie
Koninklijke Prinsstraat 31

J. Jamar
Eerste Voorzitter van het Hof
van Cassatie
Breydelstraat 6

Aan Baron Holvoet
Kabinetschef van de Regent

Op 23 september werden Jamar en Cornil ontvangen door de Prins. Zij overhandigden hem de twee enveloppen en gaven hem enige toelichting.

De Regent luisterde en bedankte hen. Reeds door Pierlot ingelicht over het bestaan en de grote lijnen van de nota, had hij zijn keuze bepaald. Daar hij een verzoeningspolitiek niets in de weg wilde leggen, besloot hij met het document geen rekening te houden. Aangezien hij niet wilde dat de daarin uiteengezette standpunten hem in verlegenheid zouden brengen, besloot hij de nota niet te lezen.

Op haar beurt legde de regering, zowel trouw aan als berustend in de attitude die de staatsraison haar voorschreef, bij monde van Pierlot in haar verslag aan de verenigde Kamers op 19 september 1944 de verklaring af die, zonder iemand in het ongelijk te stellen, de eendracht van allen mogelijk maakte:

'Zodra er sprake leek van een eventuele capitulatie van het leger rees de vraag, te weten wat de Koning en de in België gebleven regeringsleden: de eerste minister en de Ministers van Buitenlandse Zaken, van Binnenlandse Zaken en van Landsverdediging, zouden doen.

Op 25 mei was het ogenblik van de onherroepelijke beslissingen aangebroken. Na een onderhoud dat dramatisch was wegens het onderwerp en wegens de gevoelens die bovenkwamen, besloten de vier ministers te vertrekken en hun collega's te volgen die hun administraties naar Frankrijk hadden overgebracht. Onnodig te preciseren dat het geschil tijdens dat laatste gesprek geen betrekking had op de capitulatie; die was op dat ogenblik onvermijdelijk geworden en zeer nabij...

In de geest van de regering drong één noodzaak zich op, die al het overige beheerste: de oorlog voortzetten met de krachten die ons overbleven, contact houden met onze garanten en de geallieerden en alles doen wat het belang van het land vroeg. Met dat doel vestigde de regering zich in Frankrijk.

De Koning dacht zijn volk niet te kunnen verlaten aan de vooravond van de bezetting. Hij oordeelde dat hij als opperbevelhebber zijn leger op dat ultieme ogenblik niet mocht verlaten. Hij verwierp de idee van een vertrek als was het een desertie. De Koning heeft steeds de bezorgdheid gehad zich te laten leiden door de plicht die hij te vervullen had, en – indien ik mij zo mag uitdrukken – die hij te kiezen had. Dat is – ik houd eraan het te herhalen om te vermijden dat oude verwarringen blijven voortbestaan – nooit in vraag gesteld, niet in de geest van de regering en evenmin in haar verklaringen.

Als krijgsgevangene heeft de Koning opgehouden de macht uit te oefenen. Die onthouding vormde een stilzwijgend protest en beschermde zowel de situatie van het koninkrijk als die van het staatshoofd.'

Na verantwoording te hebben afgelegd over haar beleid tijdens de oorlog bood de regering de Regent haar ontslag aan.

Zo kon worden aangenomen dat de laatste en zo ernstige misstap van de Koning zonder gevolgen zou blijven, dankzij een absolute geheimhouding over het bestaan ervan en de afspraak tussen de Prins-regent en de uit Londen teruggekeerde regering. Ook kon worden gehoopt dat de nieuwe voorzieningen voor een harmonieuze en probleemloze hervatting van het publieke leven weer normaal zouden functioneren.

Hiertoe was alles in het werk gesteld. Volgens sommigen was er zelfs te veel gedaan. Een verdedigbare stelling. Men kan van oordeel zijn dat de regering, in plaats van te proberen de Koning te redden, hem beter aan zijn lot had overgelaten; dat het beter was geweest niet met hem in contact te treden om tot een verzoening trachten te komen; dat het 'politiek testament' wél openbaar gemaakt had moeten worden zoals hij dit had gewenst en het land daarbij tot getuige nemen; dat men, na de fouten van de Koning in 1940, na diens houding in bezet België, na zijn stilzwijgen de hele oorlog lang, na zijn dubbelzinnig en inadequaat antwoord in januari 1944, en vooral na het onvoorstelbare document dat hij achterliet ter verwelkoming van zijn ministers en onze geallieerden, hem niet moest rechtvaardigen noch zijn terugkeer moest wensen zoals Pierlot dit doet in zijn verslag aan de Kamers. Al deze overwegingen kunnen iemand doen geloven dat het regeringsbeleid een vergissing was. Maar dan tenminste een eervolle vergissing. De bedoeling van de ministers was om België een gevaarlijke constitutionele crisis te besparen. Zij slaagden hier niet in, maar hadden de verdienste alles gedaan te hebben wat maar menselijkerwijs mogelijk was. Ook al zijn ze hierin niet geslaagd, daarom hadden ze nog geen ongelijk.

Hoe dan ook, het gevaar dat door het 'testament' was opgeroepen, leek bezworen totdat een bliksemslag uit heldere hemel alles op losse schroeven zette. Maanden later, op 1 maart 1945, onder de regering-Van Acker, moest ik namens de Prins de Britse ambassadeur ontmoeten in verband met een bezoek van lady

Churchill aan België. Toen wij over het onderwerp uitgepraat waren, vroeg Sir Hugh Knatchbull-Hugessen mij of hij met mij een kwestie kon bespreken die hemzelf alsmede zijn regering in verlegenheid had gebracht. Wat moest worden aangevangen met een document afkomstig van koning Leopold III, overgemaakt aan Churchill via veldmaarschalk Montgomery? Terzelfder tijd haalde Sir Hugh uit een zwart bakje voor spoedberichten, onder het monogram van de Koning van Engeland, een document te voorschijn dat hij even tussen duim en wijsvinger hield en vroeg: *'Do you know that filthy paper?'* Ik kwam wat dichterbij en las enkele woorden. Tot mijn verbijstering herkende ik het 'testament'. Ik antwoordde de ambassadeur dat ik meende te weten wat het was en vroeg hem, in welke omstandigheden de Britse regering in bezit van dit stuk was gekomen. Hij stelde me voor de volgende dag te komen om het document met zekerheid te identificeren en beloofde me te informeren over Churchills en Edens kanttekeningen hierbij.

De dag daarna, vrijdag 2 maart, ontmoette ik Sir Hugh Knatchbull opnieuw. Hij legde me het document voor. Het was de koninklijke nota van 25 januari 1944, maar niet gedateerd. Kennelijk was het de bedoeling geweest de datum van overmaking, die 16 september 1944 bleek, voor actueel te laten doorgaan. Ik verstrekte de ambassadeur de juiste datum waarop de nota was opgesteld. Hierop toonde Sir Hugh mij Churchills kanttekeningen. Een ervan luidde ongeveer als volgt: *'He is like the Bourbons. Hij heeft niets geleerd en niets vergeten.'* Bij het document was ook een bijtende opmerking van Eden gevoegd: *'It leaves a nasty taste in the mouth'*. Hierin werd tevens vastgesteld dat men met iemand te maken had die de situatie niet goed wist in te schatten, een situatie waarmee hij alle contact had verloren. Eden verklaarde nog – en dit is belangrijk voor de eventuele nasleep van het testament – dat de ministers van de regering-Pierlot in hun recht stonden door te handelen zoals zij hadden gedaan. Het was – politiek gezien – onvoorstelbaar dat dergelijke ideeën in de geest van de Koning hadden kunnen ontstaan.

Ik vroeg de ambassadeur hoe het document in Churchills handen was beland. Hierop toonde hij me een brief van graaf Cornet de Ways Ruart, grootmaarschalk aan het Hof, gedateerd 16 september 1944 en gericht tot veldmaarschalk Montgomery. Hierin werd deze verzocht de nota van koning Leopold rechtstreeks aan Churchill over te maken. Terzelfder tijd vertelde Hugh me over een gesprek tussen hem en graaf Cornet, een gesprek waarover hij aan Londen verslag had uitgebracht. De grootmaarschalk had hem verklaard dat het voor Pierlot en Spaak onmogelijk was in de regering te blijven.

Ik was zowel met stomheid geslagen als verontwaardigd over de incorrecte gang van zaken die mij hier onthuld werd en over de onvermijdelijke gevolgen ervan. Terwijl de Koning aan Pierlot met bijna plechtige formaliteiten een nota liet overhandigen waarin hij diens regering aanviel, een reeks politieke standpunten innam over op zijn minst controversiële kwesties en jegens de geallieerden een bijna beledigende houding aannam, terwijl deze zelfde regering alles in het werk stelde opdat deze nota, teneinde zijn auteur geen schade te berokkenen, voor altijd geheim zou blijven, liet de Koning terzelfder tijd het document aan een geallieerde regering overmaken en het commentaar van graaf Cornet laat uitschijnen met welke intentie.

Maar hier bleef het niet bij. Zonder er doekjes om te winden liet Sir Hugh mij weten dat deze mededeling bij de Britse regering niet in goede aarde was gevallen. Allereerst was de inhoud van de nota niet alleen onheus jegens de geallieerden, maar op een aantal plaatsen bovendien volkomen vreemd aan de grondwettelijke gewoonten van Groot-Brittannië. Vervolgens leek de nota slechts te zijn overhandigd met de bedoeling, schade toe te brengen aan een regering die aan de zijde van Groot-Brittannië had gestreden en die de Britse regering altijd als vriend had beschouwd. Bovendien was het, indien men de koninklijke nota in zijn ware betekenis moest interpreteren, een regelrechte uitnodiging om tegen de regering-Pierlot te ageren of haar althans niet te steunen. Ik moest toch begrijpen hoezeer het de regering van Zijne Majesteit tegenstond zich te mengen in de zaken van andere landen of zelfs maar een suggestie in die richting te ontvangen. Het was evident, zo beklemtoonde Sir Hugh nog, dat een dergelijk document, gezien de omstandigheden waarin het was opgesteld, tot een zekere reserve van de Britse regering ten aanzien van de Belgische regering had kunnen leiden, reserve die voor ons zeer nadelig geweest zou zijn.

De ambassadeur kon mij niet verhelen dat het kabinet perplex had gestaan en de indruk had gekregen dat de overmaking – en dus de inhoud – van de nota de goedkeuring van de Prins-regent had weggedragen, gezien de datum, 16 september 1944,... drie dagen nadat Prins Karel zijn functies had aanvaard. In Londen vroeg men zich af wat de positie van de Regent was ten aanzien van zijn regering. De ambassadeur verklaarde zich overigens gelukkig met de geboden gelegenheid diverse punten van deze zaak te verduidelijken.

Nu we intussen wat verder waren en de regering-Pierlot zojuist was gevallen, zou hij graag willen vernemen hoe de situatie er werkelijk uit zag en wat men had verwacht van de regering van Zijne Majesteit.

Onnodig te zeggen dat ik even ontdaan was over de feiten, die ik zojuist had vernomen, als over de interpretatie waartoe zij aanleiding hadden gegeven. Ik begon met aan de ambassadeur te zeggen dat de overmaking van de koninklijke nota had plaatsgevonden buiten medeweten van de Prins, die de nota zelfs niet eens had gelezen. Ik zei hem in welke omstandigheden de inhoud van de nota aan de Belgische regering was meegedeeld en wat haar antwoord hierop was. Ik herinnerde hem aan de politiek van deze regering in verband met de

Koningskwestie, een politiek die in Londen was uitgewerkt en voortgezet en ook daarna, na de bevrijding, in België. Ik zei hem dat de regering, met goedvinden van de Prins, als gevolg van deze politiek had besloten om te doen alsof de koninklijke nota niet bestond en het bestaan ervan niet openbaar te maken. De overhandiging aan de Britse regering van de voor de Belgische regering bestemde nota was, zonder medeweten van eerstgenoemde en buiten medeweten van de Prins, met alle consequenties die dit met zich mee kon brengen, een zeer kwalijke daad. Dat een hoogwaardigheidsbekleder van het Paleis zich hiertoe had geleend, was ongehoord. Een dergelijke houding, die zou doen vermoeden dat de Prins akkoord ging, kon vraagtekens plaatsen bij diens loyaliteit ten aanzien van zijn regering. Ik stond erop de ambassadeur nog eens te bevestigen, dat de Regent niet alleen altijd correct was geweest ten aanzien van Pierlot en diens regering, maar dat hij hen hoogachtte. Ik voegde eraan toe dat alles wat ik zojuist had vernomen, op zich en door de gevolgen hiervan, zo ontoelaatbaar was dat ik meteen verslag hiervan zou uitbrengen aan de Prins.

Ten slotte zei ik dat er maatregelen genomen zouden worden om aan te tonen dat de overhandiging van de koninklijke nota aan Churchill niet alleen zeer ongepast was – om het niet sterker te zeggen – maar ook een daad, die indruiste tegen de ideeën van de Prins en diens regering. Uiteindelijk verzocht ik Sir Hugh om, nu de ware toedracht was vastgesteld, alle foutieve interpretaties naar aanleiding van de mededeling van het 'testament' aan de Britse eerste minister recht te zetten.

Na dit onderhoud haastte ik mij naar het Paleis en vroeg om een audiëntie bij de Regent. Ik bracht hem verslag uit van het hele gesprek dat ik zojuist had gevoerd. Op het moment zelf zei de Prins niets over de grond van de zaak. Hij gelastte me alleen er met Spaak over te spreken, die hierin bijzonder geïnteresseerd was, niet alleen als minister van Buitenlandse Zaken maar ook als oud-lid van de Belgische regering in ballingschap in Londen.

Pas op 8 maart, toen ik terugkwam van een reis naar Engeland, verklaarde de Regent mij dat hij na enig nadenken een besluit had genomen. Wat graaf Cornet had gedaan, was een kwalijke zaak en vroeg om een sanctiemaatregel. De Prins was van plan deze maatregel te treffen na raadpleging van de eerste minister Van Acker en de minister van Buitenlandse Zaken Spaak. Op 14 maart ontmoette hij eerst graaf Cornet en vroeg hem om uitleg. Diens relaas kwam niet erg overtuigend over. De grootmaarschalk verklaarde dat hij de orders van de Koning altijd blindelings had opgevolgd en dat hij dit altijd zou blijven doen. De Koning had hem gezegd, dat deze nota absoluut Churchill moest bereiken, zelfs al moest dat via een gewone soldaat. Graaf Cornet had gehoorzaamd. Moest het nog eens worden overgedaan, dan zou hij het weer doen. Of zijn daad in strijd was met de Grondwet, liet hem vrijwel onverschillig. Trouwens, hij wist niet eens wat er in de nota stond.

Toen de Prins op 15 maart dit antwoord aan zijn ministers meedeelde en hun zei wat er intussen allemaal was gebeurd, adviseerden Van Acker en Spaak hem om graaf Cornet van zijn functies te ontheffen. Om zo min mogelijk ruchtbaarheid aan deze zaak te geven, stelden zij voor hem om gezondheidsredenen te wippen of hem op non-actief te stellen. Van de vergadering van de Prins en zijn ministers werden notulen opgemaakt[33].

De dag daarop deelde baron Holvoet de beslissing van de Prins aan de grootmaarschalk mee. Deze werd om persoonlijke redenen op non-actief gesteld. Dat verhinderde de Koning later niet om, ondanks Cornets daad of ongetwijfeld juist daarom, hem weer in dienst te nemen. Op het Paleis werd hij vervangen door baron Papeians de Morchoven. De Britse ambassadeur werd ingelicht over de genomen maatregel en de eigenlijke aard van de sanctie.

Toen de andere hofdignitarissen het vertrek van graaf Cornet vernamen, waren zij hevig ontsteld. Een aanval op een van hen betekende een verwijt aan de hele groep. Graaf de Meeus, opperstalmeester, kwam baron Holvoet zeggen dat zijn collega's en hijzelf zich achter de grootmaarschalk schaarden. Hij verklaarde dat de Koning hem opdracht had gegeven graaf Cornet te vervangen ingeval deze iets zou overkomen. Hij wist waar het document zich bevond en zou gehandeld hebben zoals zijn collega.

Deze mini-paleisrevolutie scheen bij Koningin Elisabeth en haar entourage grote beroering teweeg te brengen. De Koningin was impulsief en bijzonder charmant, maar zonder enige politieke feeling. Het was meer dan waarschijnlijk dat zij op de een of andere manier had bijgedragen tot het overhandigen van de koninklijke nota aan Churchill. Zij hield van haar oudste zoon en verafschuwde de regering in Londen. Ook al hadden de ministers haar voor het gevaar gewaarschuwd als het 'testament' zou uitlekken, haar gevoel was beslist sterker geweest dan haar gezond verstand.

Op het ontslag van graaf Cornet had zij, met het sarcasme dat doorgaans de kracht der zwakken is, onmiddellijk gereageerd zoals mensen die geen gerust geweten hebben. Zonder zelfs maar de moeite te nemen inlichtingen in te winnen, zond zij een kaart onder gesloten omslag aan de Regent, gedateerd 22 maart, waarin zij schreef dat zij om aan het concentratiekamp te ontsnappen in het maquis was gegaan. Het maquis betekende in dit geval dus een comfortabele villa in Het Zoute bij vrienden. De Prins was gewend aan de uitstapjes en de wispelturigheden van zijn moeder.

Hij wist dat dit niet veel te betekenen had. Hij wist ook dat alles wat hij deed, nooit goed was in haar ogen. Toch stond hij erop haar de redenen voor zijn beslissing mee te delen en zond daartoe baron Holvoet naar haar toe. Op de avond van 4 april 1945 werd deze door de Koningin in Het Zoute ontvangen. Opdat haar niets zou ontgaan, las baron Holvoet haar de notulen van de vergadering voor van de Prins en zijn ministers naar aanleiding van graaf Cornets houding in verband met het overhandigen van de koninklijke nota aan de Britse regering. De Koningin luisterde zeer aandachtig en maakte enkele ongeduldige gebaren.

Toen baron Holvoet uitgesproken was, zei zij:

'Het is Karels fout. Hij wilde me niet ontmoeten. Hij wilde noch Cornet noch Fredericq ontvangen; ik besefte dat het om iets delicaats ging in verband met dat bericht aan Churchill... Toen Montgomery me kwam bezoeken, wist hij al dat er een document naar Londen moest worden gebracht; hij vroeg me: 'Where is the paper?...'. Hij belde me zelfs op en vroeg om graaf Cornet... Deze kwam en zei dat, op aanraden van Fredericq, het document, waarvan Fredericq ook een exemplaar bezat, niet kon worden verzonden voordat het aan de regering was overhandigd... Ik wist niet op welk moment het document uiteindelijk aan Montgomery werd toevertrouwd. In ieder geval was het vóór het Regentschap.'

Wat dit laatste punt betreft, werd dit direct door baron Holvoet gerectificeerd door aan de data te herinneren. Welke waarheid schuilt er in dit excuus? In ieder geval bevat het een bekentenis. In plaats van het te beletten, had de Koningin het laten gebeuren. Terwijl zij bij deze zaak was betrokken, van de ernst ervan op de hoogte was en zich tegen de overmaking ervan had moeten verzetten, had zij niets gedaan om dit te verhinderen. Bovendien blijkt uit haar verklaring dat graaf Cornet, in overleg met Fredericq, de instructies van de Koning volgde en de nota aan veldmaarschalk Montgomery doorzond met zijn brief van 16 september. Er werd alleen afgewacht tot de magistraten de regering hiervan op de hoogte zouden stellen. Er waren honderden manieren om Prins Karel via zijn entourage te bereiken, maar er was vooral de plicht te wachten tot men hem had kunnen bereiken. Waarom zou men, behalve indien men gehypnotiseerd was door de instructies van de Koning en verblind door animositeit, de nota hebben overgemaakt zonder de regering vooraf te verwittigen?

Het resultaat was trouwens precies het tegenovergestelde van dat waarop de grote politici hadden gerekend die de hele intrige hadden georchestreerd. Jaren later zei de Britse ambassadeur me dat hetgeen volgens zijn regering de Koning definitief te gronde had gericht, het Politiek Testament was, zowel wegens de inhoud als de wijze waarop het werd overgemaakt. *'Wie een kuil graaft voor een ander valt er zelf in'*, zo luidt een Oosters gezegde, en *'wie een strik spant voor een ander, loopt er zelf in.'*

In Sankt Wolfgang sprak ik op 12 mei 1945 met Fredericq over de koninklijke nota, die ik tot zijn grote verbazing het 'Politiek Testament' noemde. Ik gebruikte harde woorden, want ik wist dat hij het had helpen opstellen. Er was immers een gedeelte van de kladversie in zijn handschrift teruggevonden. Hij was het ook die, in plaats van het document door te geven zoals de Koning hem opdroeg, dit document op eigen risico had moeten bewaren. In zekere zin was graaf Cornet minder verantwoordelijk dan Fredericq, die als kabinetschef van de Koning de vorst had moeten bijstaan in zijn politieke taak. *'Soms bestaat er'*, zo zei ik hem, *'gehoorzaamheid die niets anders is dan slavernij, waarbij zowel meester als slaaf de verliezer zijn; en er bestaat óngehoorzaamheid, die zowel de een als de ander bevrijdt en beiden redt.'* We wandelden wat rond het barokkerkje dat aan het meer ligt. Telkens als we door de zuilengang boven het meer liepen, zagen we door de rustieke spitsbogen een mooi en vredig landschap gevormd door de kleurige lijnen van water, bergen en hemel. Opeens vroeg ik Fredericq of het doorspelen, in oorlogstijd, van documenten aan een vreemde mogendheid met de bedoeling deze tot vijand te maken ten aanzien van zijn eigen regering, niet een naam had in het strafrecht. Fredericq dacht waarschijnlijk dat ik overdreef. Hij gaf geen antwoord. Ik zal er verder ook niets over zeggen en ik laat het aan de lezer over die geen blad voor de mond neemt, dit zelf te formuleren.

Tijdens het gesprek dat de Koningin op 4 april 1945 had met baron Holvoet, scheen zij te beseffen, dat de toekomst er misschien niet helemaal zo zou uitzien als zij zich wenste. Ze erkende dat de Koning een lastige periode tegemoet zou gaan. Hierop stelde baron Holvoet haar voor dat ze de toestand niet nog gecompliceerder moest maken en dat het zinloos was verder uit te weiden over de evenementen van 1940 en op de huidige regering te vitten, waarin trouwens nog maar een minister uit de regering van Londen zat, minister Spaak. De Koningin onderbrak hem vinnig: *'Ja, maar dan wel de slechtste!'* Zij was niet in staat haar wrokgevoelens te verbergen. Deze snier spreekt boekdelen. Maar zij sprak wel vol lof over Eerste Minister Van Acker en Lalmand, communistisch Minister van Bevoorrading. Beiden hadden, zo zei ze, al haar sympathie. Later zou ze van mening veranderen.

De koninklijke nota en de manier waarmee hier werd omgegaan, waren van beslissende invloed op de komende gebeurtenissen. Het Politiek Testament had bij de ministers het vertrouwen dat zij de Koning nog konden betuigen, totaal teniet gedaan, maar niet hun goede wil; door de overmaking van de bewuste nota zagen zij, die hiervan op de hoogte waren, in dat de Koningskwestie voorgoed een verloren zaak was, het redden niet meer waard.

BIJLAGE I

Informele notulen, opgeschreven door A. de Staercke, van de ministerraad van 12 september 1944 (Deze notulen zijn niet openbaar gemaakt).

12 september 1944

Mededeling Eerste Minister

In Londen werd mij een document Jamar-Cornil ter kennis gebracht. Niet openbaar maken zonder akkoord regering.

Beiden zaterdag ontmoet.

Eind januari Koning overhandigd. Lezing aan magistraten. Belgische politieke toestand tijdens de laatste jaren herzien.

Bedoeld voor bekendmaking. Magistraten verklaren geen bekendmaking zonder akkoord van de regering.

Algemene beoordeling: delicaat om Koning standpunt te zien innemen over controversiële kwesties.

Alinea die de regering aangaat – sommige ministers hebben de eer van de Koning geschonden. Plechtige genoegdoening noodzakelijk.

Twee vragen van magistraten aan Koning:

Document openbaar maken met akkoord van de regering. Deze regering zal Pierlot zijn – bekendmaking problematisch

of: regering niet akkoord en document wordt niet openbaar gemaakt en niet aan regering overhandigd.

Om erachter te komen informeert men de regering over de voorwaarde. Indien 'ja', geeft men haar het ganse document. Indien 'neen', document retour.

De ministerraad moet zich over de voorwaarde uitspreken.

Gutt – Eis verantwoordelijkheid op in ministeriële verklaringen. Aanvaard niet.

Delfosse – Aanvaard voorwaarde niet.

Richard – Aanvaard niet.

De Vleeschauwer – Wil voorwaarde lezen. Aanvaard niet.

Spaak – Aanvaard niet. Geloof dat document als onbestaand beschouwd moet worden. Document terugsturen en er geen rekening mee houden. Onze politiek voortzetten.

Eerste Minister – In document staat dat de betrokken personen zonder voorafgaande genoegdoening geen functie meer mogen uitoefenen bij de Staat. Waardeloos. Koning is krijgsgevangene. Regering moet slechts bij zichzelf te rade gaan. Iedereen akkoord.

Hoste – Benadrukken: is niet opportuun.

Eerste Minister – Antwoord wat vager opstellen. Voorwaarde onaanvaardbaar. Regering heeft de eer van de Koning en het Leger nooit geschonden. Wij kunnen dus geen schuld bekennen. Betreuren deze beoordeling op een ogenblik waarop het land naar vrede snakt. De ganse Regering heeft geen kennis genomen van de documenten omdat zij weigerde in te stemmen met gestelde voorwaarde. Wij volbrengen onze taak.

De Vleeschauwer – Waarom § VII niet meedelen. Raad wenst te vernemen.

Tschoffen – Zo geheim is dit document niet. Iemand die niet tot het Paleis behoort, bezit volledige tekst van het document. Heeft mij aangeboden het voor te lezen.

Eerste Minister – Geschreven na de brief van de regering. Cornil zei me, u overdrijft de ernst van die passage. De Koning wenst dat publiekelijk wordt erkend dat hij het land niet heeft verraden. Interpretatie gehaald uit uw onderhoud met de Koning. Niet zeker.

Koningin Elisabeth zondagavond ontvangen. – onderhoud van aard om sfeer op te helderen. Wens: niet te beschuldigen van verraad. Verklaart dit nooit gezegd te hebben, maar niet bereid terug te nemen.

Spaak – Koningin Elisabeth, Fredericq ontmoet. Document grove vergissing. Men verwart toespraak Pierlot met die van Reynaud. Door niet te protesteren stond de eerste minister in ieder geval achter de toespraak van Reynaud.

Kloof tussen toon van het document en gesprekken van zondag. Men hoopt op een regeling en men heeft de regering nodig. Men vraagt de eer van de Koning te redden. Inspanning doen om document te vergeten.

Ernstige malaise in België. De meeste mensen aanvaarden de Koning als het minste kwaad. Wil document vergeten. Regering moet gewoon doorgaan zonder nog aan document te denken. Belgische bevolking niet slecht. In politieke zaken inconsequent. Zaken zoveel mogelijk bespoedigen. Kamers bijeenroepen. Regent aanstellen. Onderling beslissen wie voor overgangsperiode eerste minister zou kunnen zijn. Land moet opnieuw worden bestuurd. Laat, indien Kamers dinsdag. Denken over eerste minister, anders hele reeks consultaties, vertraging. Het land deze dienst bewijzen door ons te herpakken.

Gutt – Document verbaast me niet. Akkoord met Spaak.

Eerste Minister – Bijeenroeping Kamers en procedure. Dinsdag. Feestrede. Verslag neergelegd in commissie. Onmogelijk.

Moeten een openbaar, mondeling verslag doen.

De Staercke – Voor Regent, roepen ministers Kamers bijeen.

Balthazar – Zal eerste minister het hebben over 28 mei?

Spaak – Antwoorden mandaat. Dat document niets aan uw beleid verandert. Men is bezig regering de mond te snoeren.

Uit twee plichten, de slechte gekozen. Nooit gezegd *verraden*. Uitleggen tussen 14 juni en het opnieuw vormen van de regering.

De Vleeschauwer – Men is besloten Londen goed te keuren, maar niet ervoor of erna.

Tschoffen – Dubbel gevaar. Onzekerheid in het land, zwevend. Het land wil een bestuur. Gevaar van wat de Koning denkt.

Moet zich verantwoorden voor Kamers over de essentiële zaken. Spreken over 1940 betekent zich blootstellen aan kritiek en aan gebrek aan unanimiteit. Positie verzwakt indien u indruk geeft dat u verklaring weigert of verdoezelt.

Wat men weet over de houding van de Koning vereist toelichting aan de Kamer. U moet zich aan hem presenteren met goedkeuring door de Kamer. Spontaan verklaring doen dat men de Koning niet van verraad heeft willen beschuldigen.

Eerste Minister – Vergadering Kamers dinsdag. Aankondigen radio.

<volgens> Kardinaal – preoccupatie: bevestigen Koning geen verrader.

Keurt de verklaringen van de regering goed en gaat over tot de punten van de agenda.

Principeakkoord over besluit verzetsgroeperingen.

Situatie in het land beter dan men zou kunnen vermoeden: Luik – Henegouwen.

Alle wapenaanvoer doorsluizen naar rijkswacht en politie. Verzetsgroepen akkoord. Indien mogelijk, verdeling van wapens beperken.

Akkoord over besluitwet inzake wapenbezit.

Arrestaties Secretarissen-generaal

1. De Winter – aanhoudingsbevel
2. Schuind – ja
3. Verwilghen.

BIJLAGE 2

Notulen van de vergadering gehouden onder voorzitterschap van Zijne Koninklijke Hoogheid Prins Karel van België, Regent van het Koninkrijk, op donderdag 15 maart 1945 om 18 uur in het Paleis van Brussel.

Aanwezig: Van Acker, Eerste Minister
Spaak, Minister van Buitenlandse Zaken
de Staercke, Secretaris van de Prins-regent

Zijne Koninklijke Hoogheid Prins Karel van België zet aan de Eerste Minister en de Minister van Buitenlandse Zaken uiteen, dat Hij hen heeft verzocht te komen, teneinde Hem advies te geven in een delicate aangelegenheid van groot politiek belang.

Het is de Regent ter ore gekomen dat graaf CORNET de WAYS-RUART, grootmaarschalk van het Hof, op 16 september 1944 aan veldmaarschalk MONTGOMERY een nota van de Koning gedateerd 25 januari 1944 heeft overhandigd. Graaf CORNET heeft gehandeld volgens instructies van de Koning vóór diens vertrek naar Duitsland, dat wil zeggen drie maanden vóór de bevrijding van ons land. Het document in kwestie heeft een politiek karakter. Het betreft de binnenlandse aangelegenheden van België en bevat een beoordeling van de politieke toestand van het land en richtlijnen voor de toekomst. Dit document werd aan CHURCHILL overgemaakt buiten medeweten van de Prins en de Regering.

Pas enkele dagen geleden vernam de Regent de demarche van graaf CORNET. Hij ontbood op woensdag 14 maart om 10.45 uur de grootmaarschalk van het Hof om zijn versie te horen. De Regent gaf graaf CORNET te verstaan dat diens optreden, om diverse redenen, niet te rechtvaardigen was. En deze redenen luiden als volgt:

Prins Karel kwam op 11 september 1944 terug naar Brussel. PIERLOT, op dat ogenblik Eerste Minister, nam onmiddellijk contact met hem op om hem te vragen of hij het Regentschap wilde aanvaarden. Op 14 september kondigden de kranten aan dat er een Regent zou worden aangesteld en dat de keuze van het Parlement stellig op Prins Karel zou vallen. Op 21 september legde Prins Karel de grondwettelijke eed van Regent af. Toen graaf CORNET op 16 september de nota van de Koning naar veldmaarschalk MONTGOMERY zond, wist hij reeds dat er een Regent zou worden aangesteld. En, gezien zijn functies, moet hij beslist hebben geweten dat deze Regent Prins Karel zou zijn. Door de nota van de Koning over te maken zonder te wachten tot eerst de Regent was aangesteld en zonder Prins Karel hiervan op de hoogte te stellen, had hij bij voorbaat de positie van het staatshoofd op het spel gezet en terzelfder tijd tegen de Regering geageerd.

Ten tweede ging graaf CORNET categorisch voorbij aan de grondwettelijke prerogatieven van het Staatshoofd en van de Regering. De Regent en zijn Regering waren de enigen die konden oordelen of de nota van de Koning al dan niet aan CHURCHILL moest worden overgemaakt. Door zijn optreden had graaf CORNET een daad gesteld die regelrecht in strijd was met de Grondwet.

Bovendien had de Koning bij Zijn vertrek niet alle scenario's kunnen voorzien die zich konden voordoen bij de bevrijding van het nationale grondgebied. Zijn instructies moesten alleen worden opgevolgd als die niet in strijd met de

Grondwet waren noch in tegenspraak met de door de Koning ingenomen positie van krijgsgevangene die zich van elke politieke daad onthoudt. Welnu, door Graaf Cornets demarche werd nu juist de Grondwet geschonden en raakte de Koning in tegenspraak met zichzelf.

De overmaking van de Koninklijke Nota was uiterst onhandig, omdat dit negatieve reacties heeft uitgelokt.

Graaf CORNETS antwoord op deze opmerkingen van de Regent was grosso modo dat, ook al kon hij niet akkoord gaan met de inhoud van het document, hij blindelings aan de bevelen van de Koning had gehoorzaamd en dat hij niet wist wat de Grondwet inhield.

Tot slot verklaarde de Regent aan graaf CORNET dat hij, na raadpleging van Zijn ministers, over diens geval zou beslissen....

Na de Eerste minister en de Minister van Buitenlandse Zaken over dit gesprek te hebben ingelicht, wees Zijne Koninklijke Hoogheid Prins Karel hen erop, dat het bij de zaak die Hij hen voorlegde voor het Paleis alleen om deze hofdignitaris ging. Maar in werkelijkheid heeft de zaak een politiek karakter en daarom raadpleegt de Prins Zijn ministers die Zijn natuurlijke raadgevers zijn. Hij vraagt hun welke houding, volgens hen, tegenover graaf CORNET aan te nemen.

De Eerste minister VAN ACKER is van mening, dat de door graaf CORNET gestelde daad zowel een plichtsverzuim is ten overstaan van het Staatshoofd en de verantwoordelijke Regering als een inmenging in politieke aangelegenheden. Hij is van mening dat het niet meer gerechtvaardigd is dat graaf CORNET nog langer grootmaarschalk blijft en dat hij van zijn functies moet worden ontheven.

Minister van Buitenlandse Zaken, SPAAK, is dezelfde mening toegedaan als VAN ACKER.

De Eerste minister en de Minister van Buitenlandse Zaken zijn van oordeel dat, in het belang van het land en in het belang van het vorstenhuis, deze zaak zo min mogelijk ruchtbaarheid moet krijgen. Het meest aangewezen zou zijn graaf CORNET op een zijspoor te zetten en dit te omkleden met een administratieve maatregel die geen opzien baart, om zo een schandaal te vermijden. De grootmaarschalk zou, bijvoorbeeld, om gezondheidsredenen zijn functies moeten neerleggen of op non-actief worden gesteld. Wat telt is het resultaat.

Zijne Koninklijke Hoogheid de Prins-regent verklaart dat hij zich achter het oordeel van Zijn ministers schaart en dat Hij dienovereenkomstig maatregelen zal treffen.

Van deze vergadering worden notulen opgemaakt.

In drie exemplaren, allen ondertekend door de Eerste minister, de Minister van Buitenlandse Zaken en de Secretaris van de Prins-regent.

IV De terugkeer van de regering-Pierlot

HET INSTELLEN VAN HET REGENTSCHAP.

Twee transportvliegtuigen, geëscorteerd door Belgische jachttoestellen, brachten op vrijdag 8 september 1944 aan het begin van de namiddag de regering naar Brussel terug. Het vliegveld van Evere was verlaten. Door een gebrekkige transmissie tussen het War Office en de Belgische militaire missie die de geallieerde legers begeleidde, was niemand van deze aankomst op de hoogte gesteld. Een autootje voor het personeel van de Britse Ambassade, een postauto en een bagagevrachtwagen reden de ministers en hun medewerkers naar het ministerie van Binnenlandse Zaken aan de Wetstraat. Voor de stoet uit reed een jeep met enkele journalisten. In de achterste vrachtwagen zaten enkele kabinetsattachés bovenop een stapel bagage. Ernest de Selliers de Moranville, secretaris van Gutt, troonde op de valiezen en archieven. De menigte, gealerteerd door de jeep met journalisten, besefte pas nadat de optocht al voorbij was, wie er in meereed. De mensen zwaaiden naar de inzittenden van de vrachtwagen, die vriendelijk terugwuifden.

Eigenlijk was deze terugkeer zonder grandeur wel sympathiek en niet gespeend van humor. Zodra de voorbijgangers wisten dat de regering terug was, begonnen ze samen te scholen. Ze vroegen om de ministers. Deze verschenen op het balkon en werden toegejuicht. Enkele stemmen riepen: *'Leve de Koning'*. Spaak hief zijn arm op en riep op zijn beurt: *'Leve België'*.

Al snel arriveerde Tschoffen. Hij was Staatsraad, een titel die in Londen voor hem was gecreëerd, en als zodanig maakte hij deel uit van de ministerraad. De regering had hem benoemd tot hoofd van de civiele afdeling bij de militaire missie en hem de rang van generaal verleend, waardoor hij de geallieerde legers kon vergezellen.

Het officierenkorps Civiele Zaken[34] beantwoordde aan een behoefte waarmee het geallieerde opperbevel SHAEF[35] rekening wilde houden bij de voorbereiding van de landing op het Europese vasteland. Naarmate de bevrijding der bezette gebieden vorderde, werden de expeditietroepen – in het geval van België het Britse leger – met een tweevoudig probleem geconfronteerd: enerzijds het bestuur van de door de Duitsers verlaten gebieden, maar anderzijds voortzetting van de oorlog. De SHAEF had aan regeringen in ballingschap in Londen gevraagd een aantal functionarissen voor dit doel op te leiden. Ze zouden gemilitariseerd worden en een afdeling van de militaire missie vormen die door elke regering in de expeditietroepen zou worden opgenomen.

Het was de minister van Binnenlandse Zaken De Schryver, die de Belgische afdeling Civiele Zaken organiseerde. In de periode tussen het moment waarop de legers voet op onze bodem zouden zetten en de terugkeer van de regering, was deze afdeling belast met het algemeen beheer van de belangen van de bevrijde bevolkingen. Deze taak kon korter of langer duren, naargelang van de kansen van het leger. Maandenlang was de missie zorgvuldig bestudeerd, wetteksten waren voorbereid, bevoegdheden vastgelegd en instructies gegeven. In de loop van augustus 1944 had Tschoffen de standpunten van de ministers op een aantal punten laten preciseren. Hij vertrok begin september, in bezit van de voornaamste aanwijzingen. Door hem de leiding van Civiele Zaken toe te vertrouwen, wilde de regering het belang benadrukken dat ze hechtte aan de wijze waarop het eerste contact met het bevrijde land tot stand zou komen. De regering had een persoonlijkheid aangeduid die de vergaderingen van de ministerraad bijwoonde, die het sinds vier jaar gevoerde beleid kende en die tevens het land onder de bezetting had meegemaakt, aangezien Tschoffen pas in 1943 België was ontvlucht. Door Tschoffen een eminente positie te verlenen, wenste de regering hem te verzekeren van het nodige gezag ten overstaan van de militairen, die een ander onderdeel van de Belgische missie vormden[36]. Deze werd door generaal van Strydonck de Burckel geleid, de held van een cavalerieaanval in de oorlog van 1914-1918. Dit wapenfeit had glans verleend aan zijn verleden. Doordat hij in 1940 als militair attaché in Groot-Brittannië verbleef, was hij aangeduid als hoofdcommandant van de Belgische strijdkrachten die de regering daar met veel pijn en moeite had georganiseerd.

De voorliefde van militairen voor de politiek is bekend. Deze houdt gelijke tred met hun incompetentie voor deze activiteit. Ook kennen we hun stijl van politiek bedrijven: ze zweren dat ze niet aan politiek doen. Hun meningen en activiteiten nestelen zich in de beschutting van deze behoedzame opstelling. Voorkomen moest worden dat een loyale, dappere en oudere militair de speelbal werd van intriges van een inventieve entourage die ideeën koesterde welke niets met zijn functies uitstaande hadden.

De materie was veel te gewichtig om aan onoordeelkundige initiatieven te worden overgelaten. De regering drong er dan ook bij de Britse overheid op aan, dat alle politieke, civiele en administratieve vraagstukken rechtstreeks tussen de opperbevelhebber en de chef van de missie Civiele Zaken afgehandeld zouden worden (ministerraad van 7 juni 1944).

Generaal van Strydonck accepteerde zuinigjes het civiele alter ego in uniform dat hem werd toegewezen. Afgezien van een lichte kwaadwilligheid, die zich echter niet in daden omzette, verliep alles zeer goed. Tschoffen was trouwens de juiste man op de juiste plaats om het doel te bereiken. Hij was lang en statig van gestalte, met een gedistingeerd gelaat, een frisse teint en lichtblauwe ogen. Zijn kale kruin met daarrond enkele witte haren, bekroonde als een koepel zijn langwerpig hoofd. Hij was van een zekere leeftijd, maar jong van geest. In alles wat hij ondernam, bracht hij de trefzekerheid in van een scherpe kijk op de dingen, 'de scherpe blik van de jager', een heldere zienswijze, een raak samenvattingsvermogen, de bedrevenheid van een al jarenlang in moeilijke zaken doorkneed talent en een vitaliteit die zich uitte in een staccato spreekstijl en een hartelijke lach. Zijn vijanden verweten hem dat hij zó behendig was, dat hij zijn eigen geweten kon overtuigen en dat zijn persoonlijkheid onderdeed voor zijn esprit, zijn gevatheid. Dit soort verwijten heb ik nooit geverifieerd. Men zei dat hij van de geneugten des levens hield. Deze reputatie schaadde zijn persoonlijkheid absoluut niet. Het was een man van grote allure, met misschien iets roofdier- of katachtigs, maar dat maakte hem daarom niet minder sympathiek.

Toen hij op die namiddag van 8 september bij de ministers was teruggekeerd, bracht hij hen dadelijk verslag uit van zijn activiteit en van zijn indrukken sinds zijn aankomst in de nacht van dinsdag 5 september.

Hij verklaarde dat het land voor het merendeel achter de regering stond. Hij was ook royalist, maar met zekere nuances. Het algemeen verlangen in het land was om in deze aangelegenheid tot een schikking te geraken, maar ten aanzien van de persoon van de Koning gold een zekere reserve, die geaccentueerder was in Brussel en in volkse kringen. Tschoffen signaleerde dat hij kennis had genomen van het bestaan van een van de Koning afkomstige brief die door Jamar en Cornil aan de regering overhandigd zou moeten worden.

Hij deelde mee welke voorlopige beslissingen waren genomen voor de Secretarissen-generaal. Conform de regeringsinstructies had men hun verzocht zich terug te trekken, in afwachting van een onpartijdig onderzoek naar hun gedrag. Het ging om een zuiver administratieve maatregel, waaraan ze met uiteenlopende gevoelens hadden toegegeven. Degenen van wie men kon vermoeden dat ze schuldig waren, zij die onder druk van de bezetter waren benoemd, waren trouwens op de vlucht. Het publiek had op deze aanpak heel positief gereageerd. Alleen bepaalde kringen van de burgerij en zakenmilieus benadrukten de noodzaak, dadelijk een onderscheid te maken tussen individuele attitudes.

Tschoffen weidde vervolgens uit over zijn overeenkomst met de vertegenwoordigers van de pers. Reeds in Londen was het de bedoeling van de regering geweest, dat het missiehoofd Civiele Zaken geen gebruik zou behoeven te maken van de censuurbevoegdheid, hem toegekend voor de duur van de vijandelijkheden. Tschoffen had een beroep gedaan op de professionele discipline van de pers. Hij had benadrukt dat de overheid zo snel mogelijk tot een onafhankelijke pers wilde terugkeren. Hij had de concrete maatregelen toegelicht, met name in verband met papieraankopen. Dankzij deze regeringsmaatregel zouden de kranten dadelijk weer kunnen verschijnen. Over omstreden aangelegenheden, zoals de Koningskwestie, had hij de journalisten om discretie verzocht. Een lofzang zou zeker en vast een vloedgolf van kritiek ontketenen. Een periode van stilte was in het belang van het land en liep niet vooruit op de toekomst van een probleem, dat beter niet ter tafel kon komen zolang de Koning afwezig zou zijn. Het was niet de bedoeling van de regering de pers deze attitude dwingend op te leggen; ze suggereerde deze optie uitsluitend als een positiebepaling die iedereen het meest in zijn waarde zou laten. De rol van de regering beperkte zich praktisch tot verhindering of beteugeling van wat strafbaar zou zijn. De persbond had heel goed de haar gesuggereerde positie begrepen en besloten zich eraan te houden. Enkele uitzonderingen daargelaten hielden de kranten zich er maandenlang aan; de stilzwijgende afspraak om niets over de Koningskwestie te berichten, werd pas echt in april 1945 doorbroken.

Tschoffen besloot zijn uiteenzetting met te benadrukken dat de regering in Londen eindelijk haar taak had voltooid. Ze moest zichzelf niet ondermijnen door aan de macht te blijven. Het was tijd dat onze instellingen weer normaal functioneerden. In afwezigheid van de Koning moest er een regent worden aangesteld en de Kamers dienden bijeengeroepen. Nadat Pierlot aan de Kamers verslag over zijn beheer zou hebben uitgebracht, moest hij het ontslag van zichzelf en zijn collega's aanbieden. De volgende dagen moesten het bewijs leveren dat deze zienswijze steek hield.

Tijdens dit eerste overleg van de op Belgische bodem teruggekeerde regering was het op het ministerie van Binnenlandse Zaken een komen en gaan van bezoekers. Heel wat mensen kwamen uit pure vreugde en om hun hart uit te storten, anderen kwamen uit nieuwsgierigheid, iets wat samengaat met elk groot evenement in een mensenleven. Er waren ook overmoedige, angstige en hoopvolle lieden, en verder ook mensen die de toekomst probeerden te voorspellen afgaand op het gedrag van hen die als overwinnaars waren teruggekeerd. Alsof er niets gebeurd was, kwam baron van Zuylen, vóór de oorlog directeur-generaal Politiek op Buitenlandse Zaken en tijdens de bezetting inspirator van en medeplichtig aan de politiek van Laken, terug op het ministerie en stelde zich aan het hoofd van zijn dienst ter beschikking van Spaak. In januari 1941 had hij de Duitsers vervloekt om hun onbegrip niet te willen reageren op zijn openingen voor vredesoverleg. In 1944 keerde hij op zijn ministerie terug om met de geallieerden te herbeginnen wat hem niet met de vijand was gelukt. Zijn schuilnaam was *'l'homme noir'* en zijn fysieke verschijning was even krom als zijn geest kronkelig en slinks was. Een streep door zijn naam was voldoende om deze onaangename kwade geest te verjagen; de door Jean van den Bossche gewaarschuwde Spaak liet hem weten dat hij hem aan de deur zou zetten. Niet zonder tandengeknars verdween van Zuylen voorgoed van het toneel.

Toen Pierlot te voet van het ministerie van Binnenlandse Zaken naar het kabinet van de eerste minister terugkeerde om dit na zoveel jaren opnieuw in bezit te nemen, werd hij opgemerkt door baron Edmond Carton de Wiart, gewezen secretaris van Leopold II, die op het trottoir langs het park wandelde. Met zijn hoed in de hand stak Carton de Wiart de Wetstraat over om te trachten Pierlots gunsten te winnen. Hij behoorde tot het soort vrienden die door de wind worden aangevoerd en kwam uit een familie die zich een hoge positie bij de Staat had verworven door respectvol elke vorm van macht te dienen, op voorwaarde dat het om een gevestigde macht ging. In de navolgende dagen verminderde zijn hoffelijkheid mét zijn belangstelling. Naarmate hij de nutteloosheid van zijn hoffelijkheid ging inzien omdat de regering niet kwaadwillig was, lichtte hij steeds minder zijn hoofddeksel. Hij bracht nog nauwelijks de hand naar zijn hoed en groette uiteindelijk zelfs niet meer; er lagen grote kansen voor de oppositie.

In het kabinet van de eerste minister hervond Pierlot de trouwe staf die hem nooit had laten vallen. Lefébure, directeur van zijn diensten, kabinetssecretaris Scheuer, de adviseur bij de dienst algemene administratie André Molitor en haastig bijeenkomen personeel, zij allen wachtten hem met bloemen op. De tragische oorlogsperiode werd naar de achtergrond geschoven. Oog in oog met zijn mensen kon hij bijna de woorden van Luis de Léon herhalen toen deze zijn leerlingen terugzag na een jarenlange scheiding door de Inquisitie: *'Gisteren zeiden we dus...'*.

Nauwelijks had ik me in het kantoor geïnstalleerd van de kabinetschef van de eerste minister, tot voor enkele dagen nog bezet door de Duitse economische dienst, of het bezoek van graaf de Lichtervelde werd me aangekondigd. Hij was de vroegere kabinetschef van graaf de Broqueville en een oude vriend van Pierlot. Hij stotterde, maar deed daarmee zijn voordeel. Evenals zijn woorden gingen zijn gedachten sprongsgewijs, en met kleine sprongetjes ging hij af op het doel dat hem voor ogen stond. Zijn fysieke verschijning straalde zowel voorzichtigheid als durf uit. Hij had opvallende ogen, een rond hoofd met kortgeknipte haren en een snorretje dat z'n glimlach verborg. Hij was niet groot en gaf een goedaardige maar niet een onbeduidende indruk. Hij had verscheidene boeken over Leopold I en Leopold II geschreven, alsook een groot aantal artikelen, had een reputatie als specialist in de dynastiematerie en was een erkend verdediger van de traditionele deugden. Met zijn auteursreputatie was hij uiteraard geïnteresseerd in de rol van onze koningen. Dit was niet zijn enige reden om hierop nadrukkelijk te wijzen. Zijn geest was doortrokken van herinneringen aan de 19de eeuw die voortleven bij gezagsgetrouwe, conformistische mensen, ideeën van Bonald en de Maistre (Bonald was een Frans sociaal filosoof, en met de Maistre de voornaamste theoreticus van de contrarevolutie) over de reddende engel. Aan deze brokstukken van ideeën was nieuw leven ingeblazen door de theorieën van de Fransman Charles Maurras over sacramentele gratie aan de koningen bij de gratie Gods, aan de natuurlijke leider bekleed met de wijsheid en het gezag die beschouwd werden als de gaven behorend bij zijn functie. Waarom weid ik even uit over deze mentaliteit? Omdat dit aan de hele katholieke jeugd werd, en misschien nog steeds wordt ingeprent. Dit denkklimaat, op grond waarvan men later over de Koningskwestie moest oordelen, is verraderlijker dan de idee van het goddelijk recht[37]. Het geloof dat dit goddelijk recht oplegt, kan het ook beperken; Maurras' stellingen daarentegen, die in Leuven na de oorlog van 1914 zo sterk in de mode waren, streefden ernaar om aan de koninklijke macht een absolutisme toe te kennen, dat juist door de rationele onderbouwing des te aanvechtbaarder was. Indien de functie van koning in zichzelf alle deugden omvat die vereist zijn voor de uitoefening van deze functie, dan sluit dit elke vorm van controle uit. Een dergelijke idee werd ongetwijfeld nooit openlijk verkondigd, maar was impliciet vervat in het beeld dat men zich in België van de 'soeverein' maakte. Graaf de Lichtervelde had dit beeld niet zelf bedacht, maar accepteerde het. Als wetkenner stond hij niet alleen met een vooropgezette idee over de monarchie, een idee die hij als historicus wilde terugvinden in de feiten. Als jurist wilde hij deze opleggen aan de interpretatie van de Grondwet. In die zin en te goeder trouw deed hij het koninklijk gezag meer kwaad dan goed. Hij was vanuit de politiek naar de financiële wereld overgestapt. De eerbewijzen die hij in de wereld van de politiek vergaard had, bezorgden hem voordelen in financiële kringen. Toen hij het kabinet van de eerste minister een bezoek bracht, kwam hij zowel met gelukwensen als om informatie en met raadgevingen. Hij suggereerde dat de regering zonder verwijl een verklaring zou afleggen die de houding van de Koning onder de bezetting zou dekken. Het project dat hij overhandigde, was bedoeld om tegenover elkaar staande posities te verzoenen zonder steken onder water. Hij wenste ook dat zo snel mogelijk het nodige onderscheid zou worden vastgelegd tussen de van hun functie ontheven functionarissen. Hij drong aan op een gesprek tussen de eerste minister en Koningin Elisabeth en bood zijn goede diensten aan, die geaccepteerd werden. Tot slot een laatste punt en niet het onbelangrijkste: hij onderstreepte het belang van een publieke gelukwens vanuit de regering aan de financiers die, ondanks de vreselijke moeilijkheden van de bezetting, het bestaan van hun groepen hadden weten te redden ten bate van het algemeen welzijn. Volgens hem zou een goed doordachte zin het achtenswaardige gedrag van baron de Launoit moeten prijzen, de voorzitter van de groep Bank van Brussel. Moet gezegd dat graaf de Lichtervelde een van diens voornaamste en best betaalde medewerkers was?

Deze demarche in voorzichtige termen, die het stempel droeg van gezond verstand en naar het scheen van de realiteitszin van een gematigd man met een grote politieke ervaring, was symptomatisch voor de druk waarmee de regering te maken kreeg. Graaf de Lichterveldes pressie werd gevolgd door tal van andere, komend uit de meest uiteenlopende richtingen. Na enkele uren hoopten zich bij alle ministers de meest tegenstrijdige adviezen op.

Het staatsleven bestaat uit uitgebalanceerde tegenstellingen. Het is de regering die voor deze balans zorgt. De regering is een uitvloeisel der partijen, in het gehele land georganiseerde politieke partijen die zich via een meerderheid in het Parlement doen gelden. Dankzij procedures en instellingen kanaliseert de regering maatschappelijke druk in een zich geleidelijk ontwikkelende kracht. Het Parlement controleert voortdurend en de kiezer oordeelt met regelmatige tussenpozen.

Het is de grote en bewonderenswaardige kunst van de politiek – zozeer bekritiseerd door lieden die zichzelf zo graag op de zetel zouden zien van aan het bewind zijnde politici – om de zware en veeleisende staatsmachinerie op de rails van de tijd te laten voortrijden met behulp van een veelvoudig, voortdurend in balans gebracht en verbeterd pakket wettelijke actiemiddelen.

Bij haar terugkeer beschikte de regering nauwelijks over enige feitelijke macht. Het feit van haar bestaan schiep verplichtingen, maar ze stond zwak, waardoor ze aan deze verplichtingen niet kon voldoen. Ze stond oog in oog met allerlei tegengestelde groeperingen die zich reeds roerden, en kwistig met goede raad en wensen strooiden. In plaats van hun krachten te bundelen stonden deze klaar voor een botsing en de regering was niet bij machte hen in bedwang te houden.

Het eerste wat moest gebeuren was het herstel van de uitvoerende macht, die door afwezigheid van de Koning zonder leider was. In Londen had de regering verscheidene hypotheses voorzien. De waarschijnlijkste was de bevrijding van België vrijwel gelijk oplopend met Duitslands ineenstorting en een terugkeer van de Koning. In dat geval was er slechts het probleem van de hervatting van de uitoefening van de constitutionele macht door de Koning.

Het was niet deze hypothese die bewaarheid werd. Terwijl het nationaal grondgebied inmiddels geheel bevrijd was, scheen Duitsland bereid nog weken, misschien zelfs nog maanden de oorlog voort te zetten. Verantwoordelijk als de regering was voor de oplossing van een groot aantal ergernis wekkende problemen, kon er voor haar geen sprake van zijn om meer dan enkele dagen in functie te blijven zonder de macht over te dragen aan een nieuwe ploeg, of zonder opnieuw het vertrouwen van de natie te hebben gekregen. Hiertoe had de uitvoerende macht een leider nodig. In overleg met de kamervoorzitters en een groot aantal politieke kopstukken besloot de regering in het voorlopig vacuüm op de troon te voorzien door een regent aan te stellen.

Wie kwam hiervoor in aanmerking? Vóór elke andere kandidaat in elk geval een lid van de koninklijke familie. Voor de regering kwam Koningin Elisabeth nauwelijks in aanmerking. Haar populariteit was gedaald, men wist dat ze grillig was, intellectueel begaafd maar onweerstaanbaar aangetrokken tot alles wat origineel of geavanceerd was. Mensen met beperkte talenten zouden haars inziens aan alle eisen voldoen, en ze zou zelfs een goed musicus of arts als eerste minister hebben gekozen. Ze beschikte niet over politiek inzicht en had geen mensenkennis; een regentschap in haar handen was misschien op een minder prettig avontuur uitgelopen.

Wie overbleef was de graaf van Vlaanderen. Hij was vrijwel onbekend. Het heette dat hij eenzelvig was, terwijl over zijn intellectuele kwaliteiten tegenstrijdige berichten de ronde deden. Men wist dat hij tijdens de gehele oorlog 'anglofiel' was geweest. Rond deze reputatie was niet zozeer een beweging als wel een idee gelanceerd, of noem het een 'Carlistische' sympathie tegen de Duitsgezinde of afwachtende houding van de Koning in. Die lichte deining in de publieke opinie was in de ogen van 's Konings entourage voldoende gevaarlijk om deze aan het licht te brengen in de clandestiene brochure *La Belgique Loyale*. Dit werkje verscheen eind 1941 en was ongetwijfeld door de vorst ingegeven en goedgekeurd. Hierin werd geloofwaardigheid gesuggereerd aan een ongegrond gerucht. Op 7 juni 1944 werd de Koning naar Duitsland weggevoerd. De bezetter wilde eveneens Prins Karel gevangen nemen. Toen de bezetter zich bij het paleis van Brussel meldde, was de Prins ondergedoken. Hij had zijn onderduik langdurig voorbereid. Met een voorliefde voor geheimzinnigheid en de slimheid van een held uit een detectiveroman, een genre dat hij graag las, had hij wekenlang naar een manier gezocht om ongezien het paleis uit te geraken. Vijf keer had hij een andere combinatie geprobeerd. Elke keer liet zijn secretaris baron Goffinet bij de diverse rijkswachtershokjes vragen of de Prins in het Paleis was. Het antwoord luidde dat hij uit was. Men had hem steeds gezien. Een zesde poging lukte wel. Baron Goffinet vroeg waar de Prins was. Het antwoord luidde: in het Paleis. Niemand had hem het Paleis zien verlaten. Hij had dus de manier gevonden om onopgemerkt buiten te geraken. Deze manier gebruikte hij zodra de Koning en diens gezin in Laken gearresteerd werden. Kolonel Kiewitz, belast met de bewaking van de koninklijke familie, informeerde naar de aanwezigheid van de Prins ten Paleize. Alle paleiswachten antwoordden hem te goeder trouw dat hij aanwezig was. De kolonel gaf het verbod de Prins naar buiten te laten gaan. Toen de Duitsers zich aanboden om hem aan te houden, was hij reeds lang vertrokken. Niemand wist het, behalve baron Goffinet, die kon aantonen dat hijzelf reeds verscheidene dagen thuis was gebleven in zijn woning aan de Wetstraat en dat hij geheel buiten de zaak stond. De Prins leidde een zwervend bestaan, deed lange afstanden per fiets, verborg zich in de ene schuilplaats na de andere en verbleef, soms wel en soms niet herkend, bij verzetsgroepen waarmee hij de hele oorlog lang in contact was gebleven. Verbeten werd er door de Duitse militaire politie en de Gestapo naar hem gespeurd. De huizen en kastelen die hem misschien tot onderdak konden dienen, werden doorzocht. Baron Goffinet, met wie hij zoveel mogelijk in contact bleef, waarschuwde ten slotte de Belgische regering in ballingschap in Londen en vroeg in de loop van juli 1944, de Prins naar Groot-Brittannië te laten ontvoeren. In overeenstemming met de Britten nam de regering meteen de nodige maatregelen. Ze zond Wendelen, een van haar beste agenten, naar België om de ontvoering van de graaf van Vlaanderen voor te bereiden. Terzelfder tijd besloot de ministerraad, de Prins in vrij gebied met de aan zijn rang verschuldigde eer te bejegenen. Ze zou hem tevens adviseren zich te onthouden van elke vorm van politieke activiteit die aan het valse gerucht over een 'Carlistische' houding van zichzelf of van de regering geloofwaardigheid zou kunnen verlenen. Door de bliksemsnelle opmars van de geallieerden werd de voorbereiding van de geplande operatie stopgezet.

Uit een algemene bespreking met Tschoffen op 8 september concludeerde de regering meteen na haar terugkeer, dat de graaf van Vlaanderen voor het regentschap moest worden aangezocht. Het nieuws verspreidde zich als een lopend vuurtje onder de bevolking en *The Observer* bracht het als vaststaand in de editie van 10 september. Maar de Prins was nog steeds ondergedoken, niemand wist waar, terwijl baron Goffinet onvindbaar bleef. Op 9 september drong Spaak er bij de ministerraad op aan, zo snel mogelijk een regent aan te stellen om het bijeenkomen van de Kamers en de hernieuwing van de regering te bespoedigen. Werd Prins Karel niet teruggevonden, zo verklaarde Spaak, dan moest er een andere kandidaat worden aangeduid. Intussen deed eerste minister Pierlot via zijn neef Waucquez, schepen te Brussel, het onmogelijke om baron Goffinet te bereiken. De avond van maandag 11 september liet Waucquez aan de eerste minister weten dat het, ondanks vele zwerftochten, niet was gelukt in contact te komen met baron Goffinet, noch met baron de Maere, vleugeladjudant van de Prins en 'voor meerdere dagen op missie' noch met commandant de Pret, zijn ordonnansofficier. Plotseling dook baron Goffinet dinsdag 12 september overdag weer op. Terzelfder tijd werd bericht dat Prins Karel op 11 september weer in het paleis van Brussel was aangekomen en dat hij in voortreffelijke gezondheid verkeerde.

Men is er nooit precies achter gekomen onder welke omstandigheden de Prins uit de onderduik was teruggekeerd. Geheimhouding ten aanzien van zijn privéleven was altijd een obsessie voor hem geweest en hij verlangde dan ook een volledig stilzwijgen in verband met het hele avontuur. Maar hier volgt toch het verslag van een officier die deelnam aan de expeditie die de Prins moest terugbrengen. Uitsluitend baron de Maere, vleugeladjudant van de Prins, wist precies waar hij zich bevond. Toen de geallieerden op 3 september Brussel binnentrokken, begaven baron Goffinet en baron de Maere zich dadelijk naar de Britse staf. Zij eisten het voorrecht op om de Prins, die zich in de omgeving van Luik bevond, samen met andere Belgen te kunnen bevrijden. De Britse commandant stemde meteen toe en beloofde te helpen. Daar de aangeduide streek nog in handen van de Duitsers was, stelden de Britten voor om majoor de Maere te informeren zodra men de expeditie erop kon wagen. Majoor Dethy, ordonnansofficier van de Prins, ging intussen dagelijks met jonge officieren, onder wie de zoon van majoor de Maere, naar de nationale schietbaan om zich te trainen met revolver en stengun. Op 11 september vond de raid plaats. Drie auto's vertrokken in alle vroegte. In de eerste zaten majoor de Maere en baron Goffinet. In de tweede majoor Dethy. Het gehele groepje was in Belgisch uniform. Men moest over de noodbrug in Luik, waar men op een welbepaald uur moest zijn om zich in te voegen in de gesynchroniseerde beweging van op – en afrijdende konvooien. Voorbij Luik reed men op de weg naar Verviers mee in een rij Amerikaanse vrachtwagens. Al snel maakte het groepje zich los voor een kortere weg binnendoor. Maar majoor Dethy, gewaarschuwd door een verzetsman die hem een teken had gegeven, zag kans de eerste wagen in te halen voordat deze bij een bosje aankwam waarin zich nog Duitsers verscholen. Men moest naar de oude weg terug en de konvooien volgen. Aangekomen in een dorp klonken er plotseling knallen van achtergelaten vijandelijke stukken geschut, die ingehaald waren door de geallieerde opmars. De Belgen moesten schuilen. Majoor Dethy besloot om daarvandaan te vertrekken om de Prins te zoeken. Hij klom in een jeep van het Amerikaanse leger en kwam een uur nadien terug met de graaf van Vlaanderen die, volgens mijn informateur, waarschijnlijk in Spa had vertoefd. Na een hartelijke begroeting ging het onmiddellijk weer richting Brussel.

Maar nu moest Prins Karel nog worden overtuigd het regentschap te aanvaarden. Eerst ontmoette eerste minister Pierlot op dinsdagavond 12 september baron Goffinet. Hij had iemand tegenover zich die bereid was te helpen, maar wiens taak niet gemakkelijk was. De graaf van Vlaanderen, van nature weifelend en zeer bescheiden, schrok van de verantwoordelijkheid die men hem op de schouders wilde leggen. Liefst had hij geweigerd. Veel later zei hij me eens dat baron Goffinet hem letterlijk had gedwongen regent te worden en dat de baron tijdens de discussie had gedreigd, hem nooit meer een hand te geven als hij zich eraan onttrok. Overeengekomen werd, dat de eerste minister de volgende dag aan het eind van de namiddag naar het Paleis zou gaan om de Prins zijn aanstelling voor te stellen en diens laatste tegenkantingen te overwinnen.

Op 13 september ontmoette eerste minister Pierlot de voorzitters van de Kamers met hun bureaus. Iedereen was vóór het regentschap van de graaf van Vlaanderen; Van Cauwelaert verklaarde formeel dat de Prins het moest aanvaarden.

Toen de eerste minister op 13 september om half zeven 's avonds ten Paleize werd ontvangen, sneed hij de kwestie aan alsof er geen afwijzend antwoord mogelijk was. Hij wees de Prins op de plicht van een jonger lid van de koninklijke familie om op de achtergrond te blijven als de Koning er wél was en hem te vervangen bij diens afwezigheid. Een weigering zou ondenkbaar zijn. Het voornaamste probleem was, zich zo goed mogelijk van de tijdelijke functie van regent te kwijten. De graaf van Vlaanderen moest hiertoe kunnen rekenen op de medewerking van bereidwillige mensen die de Prins ook goedgezind waren. Pierlot verzekerde dat het hem hieraan niet zou ontbreken en vroeg hem met klem, vertrouwen in de toekomst te hebben.

Dit gesprek nam de aarzeling bij de Prins weg, hoewel hij toch aan zichzelf bleef twijfelen. Tijdens de ministerraad op 14 september kon Pierlot zijn collega's aankondigen, dat de graaf van Vlaanderen het regentschap zou aannemen indien het hem door de Kamers werd aangeboden.

Deze meteen bekend geraakte beslissing zorgde voor algemene tevredenheid. Het betekende de oplossing van een ernstig probleem; doordat er provisorisch een eind werd gemaakt aan het vacuüm op de troon, kon het publieke leven weer op gang komen binnen zijn wettelijk kader. Toch waren sommige lieden ontevreden. De Koningin had verondersteld dat zij wellicht een kans zou maken. Ze kon haar verbittering niet verbergen. De Prins ging bij haar op bezoek om haar het nieuws mee te delen, op het kasteel van Laken, bij valavond. Hij werd bij zijn moeder binnengelaten in een schemerdonkere kamer, waar hij haar in een zetel aantrof. De Prins kon haar nauwelijks onderscheiden en zag haar gelaat niet. Na een stilte hoorde hij haar toonloos zeggen: *'Zo, dus nu word je regent?'* Hij voelde dadelijk dat hij niet op haar zou kunnen rekenen, dat de ontgoocheling het wantrouwen slechts zou vergroten, wantrouwen waarmee ze hem altijd had bejegend en dat hem meteen al intriges toedichtte rond een functie die hij zich niet gewenst had.

Het is misschien zinvol hier even in te gaan op het pijnlijke onderwerp van de relaties tussen de Prins en zijn moeder. Ik kan me niet indenken dat ze niet van hem hield. Miss Hamersley, gouvernante van prinses Marie-José (de toekomstige Koningin van Italië) had veel waardering voor de graaf van Vlaanderen. Zij zei me eens dat Koningin Elisabeth een egoïstische vrouw was, gespeend van elk moederinstinct. Ik zou eerder het tegenovergestelde geloven.

Maar zoals het soms gaat op dit gebied, dat zo sterk aan de controle van de wil ontsnapt, had de vorstin al haar affectie aan haar oudste zoon geschonken. In haar ogen beschikte hij over alle mentale, gevoelsmatige en fysieke kwaliteiten. Bovendien moest hij koning worden. Hij was het die voorbereid moest worden, hij was het die hulp nodig had. De staatsraison versterkte dit gevoel. Dit resulteerde in een van die onrechtvaardigheden die de kinderjaren van de Prins vergalden. Hij hield er een diepgaande wrok aan over, want hij moest de moederliefde ontberen waarmee zijn broer zo openlijk werd bedeeld. Het hieruit voortvloeiende complex van kind-slachtoffer bleef hem achtervolgen. Zijn grieven waren merendeels gerechtvaardigd. Hierop ga ik niet verder in. Ze zijn gebaseerd op de klassieke tegenstellingen tussen overdreven toegeeflijkheid en systematische strengheid, tussen de voordelen van op niets gebaseerde voorrechten en schijnbaar ongegronde discriminaties, tussen bewonderen en afkammen. Het valt niet goed of af te keuren. Dit is van alle tijden. Ze spoken door de populaire verbeelding; Assepoester is een sprookje uit onze kindertijd.

Ongetwijfeld was koning Albert goed als koning, maar hij was zwak als echtgenoot. Hij reageerde absoluut niet en liet de opvoeding van hun kinderen aan zijn vrouw over. Bij Leopold III ontstond ten opzichte van zijn broer een gevoel van superioriteit waardoor hij geen enkel initiatief van hem duldde en deed alsof het zijn broer aan alle goede eigenschappen ontbrak. Bij de graaf van Vlaanderen groeide een bijbehorend minderwaardigheidsgevoel, waardoor hij zich totaal liet intimideren door zijn broer en waardoor alles wat hij deed wantrouwend werd bezien. Eerst leidde dit tot een verwijdering tussen de twee broers; later zouden ze hierdoor diametraal tegenover elkaar komen te staan.

De Koningskwestie was niet de aanleiding tot hun vijandigheid, stond er ook los van en was evenmin van invloed op de uiteindelijke oplossing. Toch compliceerde deze zaak het bereiken van een oplossing, want deze familiesituatie had vérgaande en blijvende gevolgen. Koningin Elisabeths gevoelens ten opzichte van Prins Karels regentschap werden niet uitsluitend gevoed door persoonlijke teleurstellingen of door verbazing over een in haar ogen weinig gemotiveerde keus, er speelde ook een zekere vrees mee. Zij kon zich niet inbeelden dat Karel zou kunnen slagen daar waar Leopold was mislukt. Zij kon niet verkroppen dat haar tweede zoon overweg kon met mensen en een regime die het been stijf hadden gehouden tegenover de oudste. Kortom, ze had angst voor de schade die de Regent de Koning zou kunnen berokkenen en verweet hem die bij voorbaat. De Prins zag in zijn moeders houding slechts de voortzetting van het wantrouwen uit zijn ganse jeugd. In de loop van het regentschap bleef de Koningin haar invloed aanwenden voor de terugkeer van de Koning, terwijl ze intussen in extase sprak over de verdiensten van de Regent. Deze had meermaals en zonder veel overtuiging getracht het met zijn moeder eens te worden en haar in te schakelen voor representatieve functies. Ten slotte wendde hij zich van haar af en besloot haar niet meer te zien.

De misnoegde reactie van de Koningin op de aanstelling van haar zoon, vanzelfsprekend en menselijk als men rekening houdt met haar persoonlijkheid, verleden en bange gevoelens, werd niet afgezwakt maar nog versterkt door de zienswijze van haar eigen entourage en die van de Koning en van alle aanhang in hun naaste omgeving.

Woedend zagen ze een regering met de stralenkrans van de overwinning uit Londen terugkeren, een regering die hen niet waardeerde en die zij altijd bestreden hadden. Hun reeds aanzienlijk ongenoegen doordat ze niet konden uitpakken met de aanwezigheid van de Koning, nam nog toe doordat de aanstelling van een regent nodig was. De aanstelling van de Koningin had hen kunnen troosten, want daarmee zou hun invloed behouden zijn. Er heerste onderling tussen de Koningin en de entourage een vertrouwen dat was gebaseerd op een identieke denk – en handelswijze, ik zou bijna zeggen op een langdurige verstandhouding die onder de Duitse bezetting beproefd was. Ze waren onthutst over de keuze van de Prins als regent. De graaf van Vlaanderen haatte hen. Hij verweet hun niet zonder reden, alle misstappen van zijn broer te hebben aangemoedigd; zij waren in zijn ogen verantwoordelijk voor de deplorabele toestand waarin de monarchie zich bevond. En zij, zij gingen het hem betaald zetten. Toen de regering in 1944 enkele inlichtingen over de graaf van Vlaanderen had gevraagd alvorens het nodige te doen voor diens overkomst naar Groot-Brittannië, antwoordden zij – dit waren hun eigen woorden – dat de Prins een dronkaard en een losbol was! Met hem zouden ze elke invloed op de Staat kwijtspelen. Sterker nog, ze wisten dat ze, gezien baron Goffinets sterke persoonlijkheid, voorgoed van elke macht en invloed zouden worden uitgesloten.

Hun teleurstelling was grenzeloos toen ze eenmaal beseften, dat alles koek en ei was tussen de Regent en de uit de Londense ballingschap teruggekeerde regering en dat het Politiek Testament van de Koning dode letter zou blijven. Niet alleen dat hun geloofwaardigheid ineenstuikte, dit gold ook voor de invloed van hun opvattingen. Voor het heden waren ze reeds bevreesd – nu begonnen ze ook te vrezen voor wat komen ging.

Al dadelijk begon een aantal mensen zich tegen het regentschap te verzetten; dit concentreerde zich in Laken en in de entourage van de Koning. Aanvankelijk ageerde men vooral heimelijk en in het verborgene. Maar de tegenstand nam toe, werd openlijker, won medestanders en buitte alle teleurstellingen uit die altijd inherent zijn aan de praktijk van de macht.

Hiervan kan ik getuigen. Zo het regentschap al een succes werd, dan was dit ondanks en in weerwil van machtige tegenstanders. Om zich te doen gelden bedienden zij zich van een heel scala aan gekonkel, complotten, intriges en laaghartig, heimelijk en verholen gestook. Zij zagen kans heel wat goedgelovige mensen over te halen: de aristocratie, vooral wat het Leopoldkwartier werd genoemd – een klein, maatschappelijk opzichzelfstaand groepje met ideeën even vluchtig, onbeduidend en talrijk als zeepbellen – alsook de grote groep conformisten en brave gelovigen. Nog nooit waren de troon en de kerk zo verbonden. Door zowel de intenties van de Prins als van diens medewerkers en ministers in twijfel te trekken, werden de gemoederen behoedzaam opgehitst. Men sprak van usurpatie, men stelde dat het bij het regentschap zou gaan om een heimelijk complot van linkse lieden tegen alle heilige, eerbiedwaardige en gevestigde waarden die zich met de Koning vereenzelvigden. In rechtse kringen werd een sfeer van terughoudendheid, reserve en vijandigheid gekoesterd. Deze sfeer zou het hele regentschap blijven duren. Laat ons echter oppassen voor een veralgemening. Bij rechts waren ook mensen die respectvol jegens de Prins waren, ze beseften het belang van de zaak die hij vertegenwoordigde; ze waren bereid om deze zaak te steunen en te helpen. Een aantal van hen was niet alleen gunstig gezind maar ook moedig. Ik zwijg er hier verder over, omdat ik geen goede en kwade geesten dooreen wil halen. Ik wilde slechts aanstippen wie verantwoordelijk waren voor omstandigheden die veel schade hebben aangericht.

Het is bekend welke attitude graaf Cornet, grootmaarschalk aan het Hof, aannam bij de overmaking van het Politiek Testament aan de Britten. Toen ik tot secretaris van de Prins-regent werd benoemd, ontving ik bezoek van graaf Gobert d'Aspremont-Lynden, adjunct-kabinetschef van de Koning. Naar het scheen had ik mij vroeger bewogen in kringen van de koninklijke entourage. Echter, door een functie in het Huis van de Prins te accepteren, zette ik al mijn toekomstkansen op het spel. Het was volgens hem spijtig voor mij, want ik had een zekere zaak laten schieten voor een onzekere. In elk geval werd ik tot grote voorzichtigheid gemaand.

Zelfs op de Regent werd druk uitgeoefend. Hij had zopas zijn functies aanvaard en zou door de Kamers worden aangesteld, toen graaf Capelle, secretaris van de Koning, meende te moeten optreden. Hij zond op 19 september 1944 een verraderlijke brief aan de Prins, waarin hij hem waarschuwde voor de regering van Londen en liet doorschemeren dat hij riskeerde als instrument in handen van zijn broers vijanden te worden gebruikt. Hij raadde hem ook aan, de instructies te volgen die de Koning voor zijn vertrek naar Duitsland had achtergelaten en voorzorgen te treffen tegen manoeuvres van de kant van 'politicasters' met wie hij te maken zou krijgen.

Deze tekst, die ik absoluut wil citeren, bevat een verdoken bedreiging, indirecte aanmaningen en ter afsluiting een hypocriete compassie ten opzichte van de onbekende elementen in de zware taak die de graaf van Vlaanderen niet aarzelt te aanvaarden.

Monseigneur,

Op het ogenblik dat de Kamers overgaan tot de aanstelling van een Regent maakt mijn gehechtheid aan de Koning en de Dynastie het mij tot een plicht aan Uwe Koninklijke Hoogheid volgende overwegingen voor te leggen:

1. Alvorens het land te verlaten, heeft de Koning aan de heren Jamar en Cornil een boodschap toevertrouwd met zijn inzichten over de belangrijkste kwesties die de zorg zouden moeten wegdragen van de politieke leiders bij zijn afwezigheid. Die boodschap is door de heer Cornil aan de heer Pierlot overgemaakt. De Prins zal wel, veronderstel ik, kennis hebben gekregen van die boodschap.

2. Sinds hun terugkeer zijn de Ministers overgegaan tot schorsingen, tot ontslagen en tot benoemingen (met name in het diplomatieke korps) die – ik ben ervan overtuigd – de Koning niet zou hebben geratificeerd. Zullen zij niet pogen zich te laten dekken door de Regent?

3. De Koning had twee nota's voorbereid die hij aan de nieuwe Regering wilde overmaken, inzake de toekenning van eretekens wegens oorlogsfeiten en inzake eventuele benoemingen van Ministers van Staat. Ik weet niet of de vraag van de beloning reeds zal rijzen vóór de terugkeer van de Koning. Indien wel, zou de Prins er dan geen belang bij hebben de inzichten van de Koning dienaangaande te kennen?

4. Talloze juristen zijn van oordeel dat de legitimiteit van het Regentschap buiten de Grondwet te vinden is, aangezien ons Charter de huidige toestand niet kent. De 'noodtoestand' kan het wel verantwoorden.

De parlementsleden en ministers lijken vastberaden om deze legaliteit te gronden op artikel 82 van de Grondwet.
Welnu, de voorbereidende werken en de tekst van bovengenoemd artikel maken duidelijk dat het geval, voorzien door de grondwetgevers, uitsluitend dat van de geesteziekte van de Koning is, die de uitoefening van zijn constitutionele rechten onmogelijk maakt; de verplichting, opgelegd door artikel 82 om in het regentschap en in de voogdij *te voorzien, bevestigt die stelling. Daarenboven, indien de politici aandringen om in artikel 82 de grondslag te vinden, is dat dan niet om* post factum *de legaliteit te bevestigen van de toepassing die ze ervan hebben gemaakt in 1940?*

Als besluit veroorloof ik mij de Prins mijn bewondering uit te drukken voor de toewijding en de belangeloosheid die hij aan de dag legt door die taak te aanvaarden die zich als verpletterend en vol valstrikken aandient.

Ik verzoek Uwe Koninklijke Hoogheid de trouwe getuigenis van mijn eerbied te willen aanvaarden.

Robert Capelle.
Brussel, 19 september 1944

Graag hadden we de inhoud geweten van de twee nota's waarvan graaf Capelle spreekt. Wellicht verdroegen zij het daglicht niet. Wat de verwijzing naar het Politiek Testament betreft: kan men juist bij de bevrijding het gewicht van dit Politiek Testament in nog dreigender bewoordingen bevestigen, alsmede de noodzaak hiermee bij het toekomstig beleid rekening te houden?

Alvorens af te treden moest de Londense regering nog verschillende taken afwerken. Tot de voornaamste behoorde de regularisering van de overeenkomsten tussen de Verenigde Staten en Groot-Brittannië enerzijds en bepaalde Belgische ministers anderzijds in verband met het uranium in Kongo.

Op 23 maart 1944 had Sir John Anderson, de Britse minister van Financiën, Gutt geconvoceerd en hem over een buitengewone rijkdom gesproken, te weten uranium, een mineraal dat overvloedig in onze kolonie aanwezig zou zijn.

De toepassing van dit mineraal zou naar het scheen van revolutionaire betekenis voor de toekomst worden en zou de bezitters van deze delfstof de heerschappij over de gehele wereld garanderen. Minister Anderson onthulde Gutt, dat er zeer vérgaande proefnemingen met atoomsplitsing waren gedaan en dat men tot elke prijs vermijden moest dat de grondstof in kwestie eventueel in slechte handen zou vallen. Men moest hiertoe de controle erover waarborgen. Gutt reageerde nogal fel op het woord 'controle' en tekende aan, dat dit in het Engels een andere en veel vérstrekkender betekenis had dan in het Frans. Het hield een volledige greep op iets in en was absoluut onverenigbaar met de Belgische soevereiniteit over Kongo. Sir John Anderson vroeg Gutt, het woord 'control' niet te letterlijk op te vatten. Anderson verduidelijkte dat het probleem zo belangrijk was, dat het beslist ter sprake moest komen tijdens de vredesconferentie en uiteindelijk internationaal geregeld moest worden. Voorlopig vroeg Sir John zijn Belgische collega om absolute geheimhouding. Hetgeen hij hem meedeelde, was uitsluitend bekend bij Roosevelt, Churchill en Winant, ambassadeur der Verenigde Staten in Londen. Sir John erkende de noodzaak om Pierlot, De Vleeschauwer en Spaak deelgenoot te maken van deze vertrouwelijke mededeling. Daar de uraniumlagen in Kongo in handen waren van de Union Minière, informeerde de Britse minister of de Belgische staat iets te zeggen had over deze onderneming. Gutt antwoordde bevestigend, zich hierbij baserend op het feit dat het Katangacomité, een regeringsorganisme dat van het Ministerie van Koloniën afhing, meerderheidsaandeelhouder was van de Union Minière. Sengier stond aan het hoofd van de Union Minière in de hoedanigheid van afgevaardigd beheerder en directeur-generaal met volledige delegatie van bevoegdheden van de Raad van Beheer. Ter behartiging van de ondernemingsbelangen was hij in New York gevestigd.

Gutt bracht eerste minister Pierlot, Spaak en De Vleeschauwer op de hoogte van het buitengewone nieuws van de minister van Financiën. Het had iets weg van een avonturenroman, maar werd het begin van zeer moeizame onderhandelingen, te meer daar de Belgische regeringsleden, gebonden door de strenge geheimhouding waaraan zij nooit hebben verzaakt, uiterst zorgvuldig te werk gingen bij het veiligstellen van alle rechten van België en de kolonie. De bescherming hiervan was hun verantwoordelijkheid, daar het volslagen onmogelijk was om het Parlement en de publieke opinie te raadplegen.

Het waren de elementen van deze situatie – het bestaan van een privé-onderneming (Union Minière), controle over deze onderneming door de Belgische regering, verzoek van de Britse en Amerikaanse regering – welke een overeenkomst dicteerden die er in augustus 1944 na tal van gesprekken kwam. Deze overeenkomst werd voor Groot-Brittannië geparafeerd door Eden, door Winant voor de Verenigde Staten en door Spaak voor België. De overeenkomst maakte voornamelijk onderscheid tussen enerzijds het contract afgesloten tussen de Union Minière onder controle van de Belgische regering en de regeringen van het Verenigd Koninkrijk en de Verenigde Staten, en anderzijds de voordelen die de overeenkomst diende op te leveren voor de Belgische gemeenschap. Volgens het contract kochten de Britse en de Amerikaanse regering voor een prijs die tijdens de eerste periode herzien kon worden, een welbepaalde hoeveelheid geproduceerd uranium en thorium. Op deze periode volgde een andere waarin ze een optierecht hadden op de geproduceerde delfstoffen.

De voordelen voor België waren een billijke participatie aan de commerciële en industriële exploitatie van gerealiseerde ontdekkingen. Tijdens de onderhandelingen was een derde periode overwogen met betrekking tot de delfstofproductie en -exploitatie; deze periode diende langer te zijn, maar de uitwerking van de regels hiervoor was uitgesteld. Deze waren namelijk afhankelijk van de internationale verplichtingen van België en de ratificering door het Belgische Parlement.

Het was overduidelijk dat de goedkeuring van de gehele regering vereist was, wilde de namens België geparafeerde overeenkomst volledig geldig zijn. Dit is de reden waarom op 20 september 1944 de ministerraad de kwestie in behandeling nam.

Om te beginnen benadrukte Spaak de noodzaak van absolute geheimhouding, waardoor het niet mogelijk was geweest de gehele ministerraad bij de onderhandelingen te betrekken, geheimhouding ook die een absoluut stilzwijgen ten aanzien van hun conclusies vereiste. Vervolgens verklaarde hij, dat België in Kongo over een uitzonderlijke rijkdom beschikte, die hij niet met name noemde en waarvan de toepassing voor een revolutie in de oorlogsvoering kon zorgen. Als energiebron zou de grondstof waarschijnlijk ook onze levensomstandigheden diepgaand kunnen transformeren. De proefnemingen waren overtuigend. In verband met de reikwijdte van de behaalde resultaten en het hieruit voortvloeiende gevaar, wensten de Amerikaanse en Britse regering dat de delfstof of delfstoffen in kwestie waarover wij in Kongo beschikten en die essentieel waren voor de productie van atoomenergie, niet in handen van vreemde grootmachten zouden vallen, die deze delfstoffen wellicht konden gaan gebruiken voor doeleinden in strijd met de belangen van de mensheid.

Dit was een legitieme bezorgdheid, waaraan de Belgische ministers om te beginnen voldoening hadden gegeven door de productie van een zekere hoeveelheid delfstoffen te garanderen voor de huidige oorlogsbehoeften van de Britten en Amerikanen, en in de tweede plaats door tien jaar lang een optierecht te verlenen op de gehele toekomstige productie. Er was een voorbehoud gemaakt ter veiligstelling van de Belgische belangen. Er was overeengekomen dat België betrokken zou worden bij alle toepassingen buiten het militaire gebied.

Daarop kwam eerste minister Pierlot tussenbeide om te preciseren dat de ministers de Britten en Amerikanen tien jaar lang een monopolie op de grondstof hadden toegekend, indien het tenminste om militaire toepassingen ging. Dit monopolie moest worden opgeheven bij gemengde toepassingen. We reserveerden dus een deel van de grondstof en een deel van de ertslagen voor de behoeften van onze industrie, maar we zouden er uitsluitend gebruik van maken met instemming van de Britten en Amerikanen.

In ruil voor de beperkte toepassingsvrijheid dienden wij op een billijke manier betrokken te worden bij alle industriële toepassingen van de grondstof. Dit verbond diende niet alleen begrepen te worden als een participatie in de winst, maar ook als een partnership ten aanzien van de werkzaamheden.

De eerste minister vroeg aan de ministerraad de aldus door vier ministers afgesloten overeenkomst te ratificeren. Hij verwees naar het door privé-eigenaars van het product met de Britten en Amerikanen gesloten contract onder beschermheerschap van de Belgische regering. Zonder de Union Minière te noemen, verduidelijkte hij dat deze privé-eigenaars altijd onder controle van de Belgische regering zouden staan; dat deze controle door hen geaccepteerd was, maar dat die controle indien nodig door de wetgever opgelegd zou moeten worden.

Na een korte discussie keurde de ministerraad de noodzakelijkerwijze sibillijnse uiteenzetting goed waarnaar ze zopas had geluisterd, alsmede de afgesloten conventie. De ministerraad gaf Spaak toestemming, de twee betrokken regeringen de brief te zenden met betrekking tot de ratificatiebrief over de door de vier ministers gesloten overeenkomst.

Waarom weid ik over deze zaak uit? De noodzaak tot geheimhouding maakte een schriftelijk verslag van de vergadering van de ministerraad op 20 september 1944 onmogelijk. Het enige spoor dat er nog van bestaat, is te vinden in de aantekeningen die ik die avond als secretaris van de ministerraad maakte[33]. Ze kwamen me van pas bij het opstellen van de voorgaande bladzijden. Die zijn wellicht nuttig om de ferme positie van de gehele Belgische regering vast te leggen en om de ratificatiebrief te rechtvaardigen die Spaak ongetwijfeld aan de regeringen van de Verenigde Staten en Groot-Brittannië gezonden heeft.

De Prins-regent werd ingelicht over de overeenkomst en gaf zijn goedkeuring. In toekomstige regeringen kenden de betrokken ministers de details en wisselvalligheden van de toepassing. Conform het initiële verzoek van de Britten en Amerikanen, dat daarna steeds gehandhaafd bleef, werd van Belgische zijde de strengste geheimhouding bewaard. Niet zo aan Amerikaanse en Britse kant; daar deden zich ogenschijnlijk ongevaarlijke lekken voor, die het altijd alerte wantrouwen opwekten van de communisten, de Sovjets en van iedereen die niet bij de overeenkomst betrokken was. Men trachtte de Belgische publieke opinie op te stoken; de ons opgelegde geheimhouding leidde tot fantastische verzinsels – het minste hiervan was de verkoop van Kongo aan de Britten en Amerikanen. De heropbouw van België werd zogezegd gefinancierd door onze koloniale heerschappij op te geven.

Hier was allemaal niets van waar. Alleen, het geheim was een voedingsbodem voor fabels. De noodzaak tot geheimhouding was begrijpelijk zolang de oorlog duurde en de atoombom nog niet gebruikt was. Toegegeven kon zelfs worden, dat het geheim stand hield zolang de Sovjets er nog niet achter waren gekomen. Eigenlijk waren de onderhandelingen van Anglo-Amerikaanse zijde gevoerd met het wantrouwen voor de Sovjet-Unie in het achterhoofd en met de bedoeling, het monopolie op atoomenergie zo lang mogelijk te handhaven. Het was nutteloos de Sovjetaandacht te vestigen op het bestaan en het exclusieve karakter van onze leveringen. Dat werd duidelijk tijdens de conferentie van Yalta in februari 1945. In die periode kreeg ik op een dag bezoek van Frank Aveling, ambassaderaad bij de Britse diplomatieke vertegenwoordiging. Ongerust kwam hij informeren hoeveel mensen van de overeenkomst afwisten en hoe ze heetten. Hij benadrukte het fundamenteel belang van geheimhouding gezien de omstandigheden van dat moment. Het was niet aangewezen de atmosfeer met geruchten te vertroebelen. De Sovjetrussische bondgenoot kon wel eens lucht krijgen van een bezigheid die zijn nieuwsgierigheid zou prikkelen. De USSR zou haar partners beslist verwijten deze bezigheid te verbergen en angstvallig exclusief te houden.

Al met al kon de eis van de Britten en Amerikanen tot geheimhouding van onze arrangementen op dat moment noodzakelijk zijn. Toen de Sovjets alles wisten, en ze wisten het al vrij snel, vroeg men zich af waarom die geheimhouding gehandhaafd moest blijven en aan wie het was om te verzwijgen waar iedereen uiteindelijk achter kwam. Niets richt zoveel schade aan als een door iedereen rondgebazuind geheim, dat uitsluitend bewaard moet worden door de mensen die er het fijne van weten. Dit gold des te meer daar het om een materie ging waarvan België absoluut geen mysterie hoefde te maken, terwijl de tijdelijke overeenkomst heel normaal en zeer positief was.

We hebben gezien dat er in België vóór de terugkeer van de regering een militair bewind functioneerde, met een afdeling Civiele Zaken die de belangen van de bevolking moest behartigen in overleg met het geallieerde opperbevel dat de bevoegdheid voor het geheel had. Door de bevrijding van zowat heel het land kon het werk van de afdeling Civiele Zaken beperkt worden tot de zone waar nog militaire operaties aan de gang waren. Het was in het belang van de geallieerden dat ze ontheven werden van de politieke en administratieve verantwoordelijkheid voor het besturen van België. Anderzijds was het voor ons niet minder belangrijk dat de regering zo snel mogelijk de volledige uitoefening van haar functies zou hernemen en de herwonnen soevereiniteit van het land zou bevestigen. Op 14 september kondigde de minister van Binnenlandse Zaken De Schryver in de ministerraad aan, dat wat betreft de civiele administratie het geallieerde opperbevel zijn gezag als beëindigd beschouwde en dat het aan de regering werd overgedragen. Terzelfder tijd installeerde SHAEF aan de Regentlaan in Brussel een delegatie voor de militaire behoeften. Ze moest door generaal-majoor Erskine geleid worden, ondersteund door een Amerikaanse adjunct, kolonel Sherman. Generaal Erskine beschikte over de juiste troeven om populair te zijn in een land waar de pro-Britse gevoelens geen grenzen kenden. Met zijn grote en stevige gestalte, blozende teint en blond haar was hij een flegmatische en goedig uitziende verschijning waarin heel wat temperament schuilging. Dat kwam hem met succes van pas, zowel bij de politiek als in zijn vrije tijd. Hij was trouwens zo min mogelijk met het eerste en zo veel mogelijk met het tweede bezig.

Ook op financieel gebied was alles gereed voor de toepassing van Gutts muntsaneringsplan. Maandenlang waren in Londen samen met het land onder de bezetting minutieus de voorzieningen bestudeerd. Er waren zes besluiten voorbereid. De financiële technici en de administratie waren het eens over de tenuitvoerlegging. Voor de start van de operatie was het slechts wachten op een nieuw kabinet dat hiervoor de verantwoording op zich zou nemen, en vooral was het wachten op de aankomst van de 30 miljard bankbiljetten, gedrukt bij Waterlow and Sons in Londen.

Wat de regering nog te doen stond, was aan het Parlement rekenschap van haar beleid afleggen. Er waren verscheidene formules uitgewerkt. Ter vermijding van ieder debat was eerst gedacht aan gelegenheidstoespraken van de twee voorzitters voor de verenigde Kamers. Er zou geen enkele gevaarlijke verklaring over de gebeurtenissen van 1940 gedaan worden. De regering zou zich beperkt hebben tot een schriftelijk verslag over haar werkzaamheden dat in commissie neergelegd zou worden. Deze formule werd terzijde geschoven toen de regering had kennisgenomen van het Politiek Testament. Gezien de geestesgesteldheid van Leopold III was de regering van oordeel, dat ze zich aan het Parlement moest presenteren om het vertrouwen van de Kamers te krijgen en na een openbaar en mondeling verslag in het Parlement.

De ministerraad was van oordeel dat de regering zich niet moest laten muilkorven. Als ze niets zei, zou ze de indruk wekken een uitleg uit de weg te gaan en haar ongelijk jegens de Koning te aanvaarden. De eerste minister moest een redevoering houden en vrank en vrij alle problemen ter tafel brengen. Eerste minister Pierlot legde op 18 september zijn tekst aan de ministerraad voor, die deze goedkeurde.

Op 19 september om 2 uur kwam het Parlement in plechtige zitting bijeen. 270 kamerleden en senatoren vulden de zaal van de plenaire vergaderingen van de Kamer. Het halfrond was met veel smaak en stijlvol opgesmukt. In de *Parlementaire Handelingen* wordt met genoegen melding gemaakt van de wandtapijten in dieprood fluweel en van de geallieerde en Belgische vlaggen, terwijl het standbeeld van Leopold I boven de vergadering uittorende. De tribunes zaten propvol. Je zag er afgevaardigden van de Belgische en geallieerde missies en van verzetsgroepen. Maar ook naar Brussel teruggekeerde diplomaten en het gemengde publiek dat naar Parlementszittingen komt, een tijdloos publiek zoals we dat reeds kennen van de *Agora* en het *Forum* en dat al eeuwenlang onverzadigbaar en met gemengde gevoelens het menselijke doen en laten van de macht gadeslaat.

Eerst sprak Kamervoorzitter Van Cauwelaert, gevolgd door Senaatsvoorzitter Gillon. De toespraken van Van Cauwelaert en Gillon tintelden van bravoure en de levenden en de doden werden er met lofzangen in bewierookt. Men wachtte op de verklaring van de eerste minister. De parlementsleden gaven hem een staande ovatie, hij kwam ten slotte overeind en beklom het spreekgestoelte. Voor hem was dit het vluchtige uur van een grote triomf. Hij hield een zeer fraaie redevoering. Het loont zeker de moeite zijn woorden nog eens na te lezen in de vergeelde annalen van de Kamerhandelingen.

Het gehele optreden van de regering in ballingschap, haar twijfels en hoop, haar verwezenlijkingen, projecten, strijd, tegenslagen en successen bijna vijf jaar lang, worden in die redevoering beschreven in precieze, betekenisvolle zinnen. De eerste minister schetste lyrisch in een groot overzicht een majesteitelijk landschap. Zijn kalme stem hield de storm in bedwang. Een emotie die onder beheersing bleef, zorgde voor een vleugje pathetiek. Die emotie voelde men vibreren in de woorden van de man die nooit met emoties te koop liep. Het was een vreugde zonder luid misbaar; iedereen leefde met deze intense vreugde mee. De eerste minister was een bescheiden man, die fouten niet verhulde; dezelfde bescheidenheid maakte de grandeur van het succes des te waardevoller.

De redevoering werd voortdurend door bijval onderbroken en deinde als het ware op een golf van goedkeurend gemurmel, van tijd tot tijd aanzwellend tot enthousiast gejuich. Moeiteloos werden de delicaatste onderwerpen aangesneden. Voor een oplossing van de Koningskwestie werd een aanzet gegeven met de stelling inzake de tegenstrijdige opvatting over wat, in 1940, de Koning als zijn plicht zag en de Regering als haar plicht beschouwde en die de Koning en zijn regering – die op dat moment onderling verdeeld waren – in wederzijds respect moesten verzoenen. Ook al werd deze passage minder enthousiast dan de rest door de vertegenwoordigers van de Natie onthaald, hij werd toch goedgekeurd. Het was een aanbod voor de toekomst.

Eerste minister Pierlot eindigde met de twee ideeën die hem dierbaar waren: een beroep op de politieke verantwoordelijkheden van de jeugd en zijn eigen wil om het beleid van de regering aan het Parlement voor te leggen met het oog op het fundamentele principe van de verantwoordelijkheid van de macht. Hierop barstte een formidabele ovatie los, waaraan het gehele halfrond deelnam. Onder de blikken van alle parlementsleden die als één man opstonden, keerde hij naar zijn bank terug. Hij toonde geen enkele zichtbare emotie. Later zei hij me dat hij het soort verbittering had gesmaakt, dat ver achter de meest luisterrijke overwinningen schuilt. Juist in het applaus beluisterde hij het 'vergeet niet dat je sterfelijk bent'. De lofprijzing overleeft niet het opzien dat zij baart.

Het was een grootse zitting, want onder de beroering der gebeurtenissen was de eerste harteklop te beluisteren van een klein land dat herleefde.

Teneinde geen discussie over de Koningskwestie op te roepen, een discussie die tot stellingnamen of misplaatste tussenkomsten geleid zou hebben, hadden de Kamervoorzitters en hun bureaus – in overleg met Parlement en regering – besloten om na de redevoeringen ieder debat uit de weg te gaan. Op deze wijze keurden de Kamers, met unanieme bijval voor het verslag van de eerste minister, het gehele beleid van de regering in ballingschap goed.

Ik zou niet verder op Pierlots toespraak ingaan als ik me niet verplicht voelde commentaar te leveren op een punt dat anders misschien in de vergetelheid geraakt. Het betreft de houding van het Vaticaan ten opzichte van de Belgische regering. Na de capitulatie op 28 mei 1940 tolereerden de Duitsers nog een tijdje de buitenlandse diplomaten in België. In juli liet de militaire gouverneur-generaal von Falkenhausen aan Mgr. Micara, apostolisch nuntius, weten dat het hele diplomatieke korps Brussel moest verlaten. De Nuntius vertrok op 19 juli.

Het is evident dat zijn plaats in de naaste omgeving van de Belgische regering was zodra deze zich in Londen geïnstalleerd zou hebben. Vrijwel alle neutrale of bevriende landen ter wereld begrepen deze plicht. Zij behielden of accrediteerden diplomatieke missies bij de regering-Pierlot, zoals wij die bij hen onderhielden. Nooit is de nuntius zijn opwachting komen maken. Hij gaf de regering zelfs geen teken van leven, met uitzondering van een in 1944 geschreven brief, lang na de geallieerde landing en toen de overwinning zeker scheen. Dit vier jaar lange stilzwijgen was des te ernstiger, omdat het Vaticaan als laatste de indruk had mogen wekken ons in de steek te laten. Wij beschikten slechts over de rechtvaardigheid van onze zaak. Was dit, vanwege het moreel gezag, voor de machtigste op deze aarde niet voldoende reden om aan onze zijde te staan? Dit meen ik oprecht. De mensen die van deze houding afwisten, waren gescandaliseerd. Ze zorgde voor diepe droefenis bij katholieken en voor scepticisme bij ongelovigen. De houding is nog onbegrijpelijker gezien het feit dat Nieuwenhuys, onze ambassadeur bij het Vaticaan, ter plaatse bleef. Ik weet niet wie voor het een en ander verantwoordelijk was. Mgr. Micara zelf veronderstel ik. Als hij had besloten in Londen zijn post in te nemen, had de Kerk hem dit volgens mij niet belet. Micara was een zwaarlijvige Italiaan met een omzichtige uitstraling. Zijn aanstellerige, kokette maniertjes gingen goed samen met zijn kronkelige geest. In Brussel werd hij 'permanent wave' genoemd. Zoals vele geestelijken die zich vol overgave bezighouden met wereldse zaken, hield hij van procedures, foefjes en machinaties, kortom van intriges. Met gespeelde argeloosheid en alsof hij ietwat in gedachten verzonken was, besteedde hij hieraan een grote dosis slimheid. Hij was altijd drukdoende met listigheden om niet te worden meegesleept in onomkeerbare situaties. De Kerk steunt rechtvaardige zaken maar houdt van een overwinning. *Victrix causa dies placuit...* (de zaak die gewonnen heeft, had de steun van de goden...). Mgr. Micara droeg België zeker en vast een warm hart toe, hij was er tenslotte reeds 25 jaar lang nuntius en telde er talrijke vrienden. Waarschijnlijk wilde hij zich niet compromitteren door geaccrediteerd te blijven bij een regering die, zelfs bij een geallieerde overwinning, in zijn ogen haar kansen had kwijtgespeeld door in conflict met de Koning te treden. Spijtig voor hem, maar zijn berekeningen bleken onjuist. Hij was zó overtuigd van zijn eigen gelijk, dat hij niet naar de uitdrukkelijke boodschappen vanuit de regering had geluisterd. Deze had hem meermaals gewezen op de redenen die de aanwezigheid van een pauselijk afgezant bij de regering vereisten. In 1944 vond de regering dat de situatie lang genoeg had geduurd. Op 26 april begaf ik me namens de eerste minister naar Mgr. Godfrey, pauselijk afgezant in Groot-Brittannië. In Wimbledon bewoonde hij een huis dat met de verrukkelijk hideuze smaak was ingericht van elke nuntiatuur. Omringd door vergulde houten beelden en kleurenfoto's, was deze Engelsman typisch rooms voorzichtig. Ik zei hem dat ik me met aandrang tot hem wendde opdat hij het Vaticaan zou laten verstaan, dat het dringend te hulp moest schieten om bij te dragen aan de overwinning. Hij was vriendschappelijk, vaderlijk en ontwijkend. Kort daarop werd er in het Dorchester hotel een lunch met Pierlot en hem gehouden. De eerste minister richtte zich in naam van België en ook als katholiek tot de pauselijk afgezant om hem nogmaals te wijzen op alle gevaren van een nog langere onthouding. Hij stelde voor dat de pauselijk afgezant in Groot-Brittannië tijdelijk als zaakgelastigde bij de Belgische regering zou worden aangeduid, zoals hij dat sinds 1943 ook bij de Poolse regering was. Spaak drong er ook bij Mgr Godfrey op aan. Hij was aan hem voorgesteld door een zekere kanunnik Dehoux, in de wereld van de geestelijkheid een infiltrant pur sang, die uitsluitend slinkse middelen kende. Er gebeurde niets. De heilige berg bleef zwijgen.

De Belgische regering had bij haar terugkeer een legitieme onvrede kunnen laten blijken. Pierlot was grootmoedig. De enige wraak die hij nam was met een allusie in zijn toespraak van 19 september 1944. Hij stelde vast dat, tijdens de oorlog, de Belgische soevereiniteit was 'erkend door meer dan veertig landen die bij de regering een ambassadeur, gevolmachtigd minister of zaakgelastigde hadden geaccrediteerd. Met zijn woorden *'Dat zij die niet getwijfeld hebben aan de wederopstanding van België hierbij dank geheten worden'* sloot hij het Vaticaan uit.

Eerlijk gezegd revancheerde hij zich meer persoonlijk toen Mgr. Micara zich na de bevrijding verstoutte op zijn post terug te keren. Hij arriveerde, onbeschaamd en daardoor ten slotte vanzelfsprekend, zijn handen uitgestoken in een zegenend gebaar, in ritselende purperen kledij en één en al glimlach. De Prinsregent ontving hem precies dertig seconden; Micara bleef na deze bliksemontvangst onthutst achter. Spaak was aimabeler, hij was namelijk onverschilliger. Vooral de katholieken waren verontwaardigd. De nuntius ontmoette eerste minister Pierlot op 8 november 1944. De eerste minister heeft van dit gesprek een verslagje gemaakt.

Ik laat hem aan het woord:

'Op 8 november 1944 heb ik Monseigneur Micara ontvangen.

Hij begon met me te zeggen dat hij teleurgesteld was over de minder hartelijke ontvangst dan hij had verwacht. 'Toch heb ik voor België alles gedaan wat ik kon', zo verklaarde hij, 'en ik heb tal van interventies ten gunste van uw landgenoten gedaan. U bent hiervan ongetwijfeld op de hoogte?'

Ik antwoordde ontkennend en gezien Mgr. Micara's verbazing voegde ik eraan toe: 'Het doet me genoegen te horen wat Uwe Excellentie me vertelt over Monseigneurs interventies tijdens de oorlog ten gunste van Belgen, maar Monseigneur zal me willen verontschuldigen dat ik niet op de hoogte ben van wat U heeft gedaan, gezien het feit dat onze relaties vierenhalf jaar onderbroken waren'.

Mgr. Micara antwoordde nogal fel en verzekerde me dat hij me meermaals geschreven had. Hij vroeg me: 'Hebt u mijn brieven niet ontvangen?'

Antwoord: 'Ik heb een brief ontvangen die Uwe Excellentie me kort voor de bevrijding van België gezonden heeft'.

- 'Daarop hebt u niet geantwoord. Waarom?'
- 'Ik moet Uwe Excellentie bekennen dat ik het er werkelijk zeer moeilijk mee had om de pen ter hand te nemen met in het achterhoofd, dat dit sinds het begin van de oorlog het eerste bericht was dat ik van Monseigneur ontving. Kort gezegd, ik had uw schrijven meer gewaardeerd als ik dit onder andere omstandigheden had ontvangen. We hebben smartelijke tijden beleefd; vooral in de nood leert men zijn vrienden kennen'.

Toch bleef Mgr. Micara volhouden dat hij voordien Zijn brieven had gezonden. Hij vroeg me of ik aan zijn verklaring twijfelde.

Ik antwoordde hem: 'Beslist niet, maar ik kan slechts betreuren dat Uwe Excellentie vier jaar lang geen enkele gunstige gelegenheid noch enig doeltreffend middel kon vinden om contact op te nemen met de regering waarbij Monseigneur geaccrediteerd was'.

Mgr. Micara merkte ook nog op: 'U bent in feite met het Vaticaan in contact gebleven, aangezien u daar een Ambassadeur had?'

Antwoord: 'Inderdaad, de heer Nieuwenhuys was Ambassadeur van België bij de Heilige Stoel en Uwe Excellentie vertegenwoordigde deze bij de Belgische regering. De Belgische regering verbleef in Londen en de meeste bij haar geaccrediteerde diplomaten hebben haar gevolgd of zich bij haar gevoegd'.

Vervolgens beriep Mgr. Micara zich erop, dat de reis onmogelijk was en merkte op, dat de Belgische regering – in navolging van de Poolse regering – om accreditatie van een gezant van de Heilige Stoel had kunnen verzoeken.

Mijn antwoord was, dat we zo'n suggestie hadden gedaan. Ik maakte een doorzichtige allusie op de demarche die we aan Mgr. Godfrey hadden gevraagd. Ik voegde eraan toe dat naar mijn mening een speciaal bericht van de Belgische regering hieromtrent nooit nodig was geweest, want het is normaal dat een diplomatiek vertegenwoordiger zich dáár bevindt waar de regering is gevestigd bij wie hij op post is.

Daarop veranderde ik van onderwerp. Ik sprak over Zijne Heiligheid Pius XII; dat ik gelukkig was dat er voor het Vaticaan geen gevaar meer dreigde, enz. enz.

Het gesprek over dit soort onderwerpen duurde lang en natuurlijk werd hierdoor de toon makkelijker dan aan het begin van het onderhoud.

Terloops sprak Mgr. Micara over het algemeen vijandig gevoel van de Italiaanse bevolking ten opzichte van Mussolini. Ik was zo vrij hem te vragen of dit gevoel ook zo sterk geweest zou zijn indien de oorlogspolitiek van de Duce met succes was bekroond. De Nuntius deed lichtjes verbaasd. Waarschijnlijk was hij van mening dat zijn positieve interpretatie vanzelfsprekend was.

Duidelijk met de bedoeling de vriendschapsbanden weer aan te halen, rekte Mgr. Micara het gesprek en bij zijn vertrek vroeg hij:

'En kan ik nu rekenen op goede en vriendschappelijke relaties?'

Antwoord: 'Uwe Excellentie kan altijd op mij rekenen voor de voortzetting van goede relaties tussen het Vaticaan en de Belgische regering'.

Repliek van Mgr. Micara: 'Ja, maar ik bedoel onze persoonlijke relaties: zijn we nog goede vrienden, zoals vroeger?'

Nieuw antwoord: 'Uwe Excellentie, weet dat U ontkend heeft tegen Uw overtuiging te zijn ingegaan. Aangezien U me zo'n rechtstreekse vraag stelt, kan ik U dan ook niet verhullen dat ik een pijnlijke herinnering bewaar aan de lange onderbreking van onze relaties tijdens die oorlogsjaren'.

Mgr. Micara: 'Ik ben werkelijk bedroefd. In die omstandigheden kan ik beter naar Rome terugkeren'.

Hierop bewaarde ik het zwijgen.

Mgr. Micara ging trouwens niet verder op zijn voornemen in en herhaalde bij zijn vertrek nog eens zijn plechtige verklaringen.

Bovenstaand verslag vat een heel lang gesprek samen, maar naar de vorm waren mijn verklaringen misschien wat minder nadrukkelijk. Trouwens, ik maakte Mgr. Micara niet hardop verwijten. Door de reserve waarmee ik zijn vragen beantwoordde en reageerde op de plechtige verklaringen die hij in zichtbare verlegenheid steeds bleef herhalen, gaf ik hem te verstaan hoe ik erover dacht.

Hij vereenvoudigde de dingen voor mij, in die zin, dat ik me maar met de rug tegen de muur hoefde te laten zetten om daardoor niet voor hem verborgen te kunnen houden wat ik dacht'.

Mgr. Micara vertrok niet en had hiervoor een goede reden. Zijn nuntiatuur mocht immers geen echec worden, want hij verwachtte de kardinaalshoed en deze zou uitsluitend de beloning voor een succes zijn. Hij slikte alles en bleef. Hij was alle schaamte voorbij en werd uiteindelijk kardinaal; zo'n positie was wel wat vernederingen waard. Hij kon ook tot zichzelf zeggen dat niemand iets te weten zou komen en dat door de stilte van de tijd het gehele avontuur in de doofpot zou worden gestopt. Om dit geraffineerde, berekenende eigenbelang te dwarsbomen, heb ik dit verhaal opgeschreven, maar eveneens voor de eer van katholieken als een Pierlot die het overwicht van het recht met betrekking tot de lafheden van de wereldse machten wisten te affirmeren en, ten slotte, als een les die men in tegenspoed onthouden moet: terwijl God er is voor de zwakkeren, kunnen alleen de sterken op de Kerk rekenen.

Mgr. Micara verliet België ten slotte eind 1945, bij zijn benoeming tot kardinaal. Hij vertrok beladen met eerbewijzen en spijtbetuigingen, getooid met een aureool van deugden, als prins van de Kerk en overstelpt met aardse goederen. Hij ging zijn rol van religieuze ballerina verder vervullen op talrijke podia her en der in de wereld: congressen openend als rechtstreekse afgezant van de paus, kerken inwijdend en gewijde deuren openend. Tijdens een verblijf in Rome in

1949 werd me gesignaleerd hoe belangrijk hij was in de curie. Zijn naam werd genoemd als kandidaat-paus. Ik maakte me geen zorgen. De Kerk heeft ergere rampen overleefd.

De dag na die memorabele 19 september kwamen Kamer en Senaat opnieuw bijeen voor de aanstelling van de Regent. De te volgen procedure was identiek aan die uit 1831 ter verkiezing van Surlet de Chokier. De kandidaat moest de absolute meerderheid behalen, niet uitsluitend van de aanwezige maar van alle parlementsleden, 368 in getal. De vereiste meerderheid was 185.

Er waren 270 kamerleden en senatoren aanwezig. Bij een eerste stemronde behaalde Prins Karel 169 stemmen. Er waren 100 blanco stembiljetten en 1 ongeldige stem. Bij de eerste ronde hadden de socialisten zich van stemming onthouden om hun verknochtheid aan het republikeins principe te tonen. De vereiste meerderheid werd niet bereikt, dus was een tweede ronde nodig. Hierbij stemden tal van socialisten voor Prins Karel. Er waren 217 stemmen voor, 45 blanco stemmen en 2 stemmen voor de Brouckère. De graaf van Vlaanderen was verkozen. Hij werd onmiddellijk tot Regent uitgeroepen – een deputatie van 10 Kamer- en Senaatsleden, aangevoerd door de twee voorzitters, begaf zich onmiddellijk naar het Paleis om de Prins zijn aanstelling mee te delen. Mevrouw Spaak, socialistisch senaatslid, de moeder van de minister van Buitenlandse Zaken en van oudsher een republikeinse, werd méé als lid van de delegatie aangeduid. Ze weigerde zeker niet. Bij de eerste ronde had ze conform haar principes blanco gestemd, bij de tweede ronde had ze haar eigen inzicht gevolgd en voor Prins Karel gestemd. Trouwens, dit gold voor heel wat socialisten. Zelfs zij die ook bij de tweede ronde blanco hadden gestemd, werden nooit onwelwillend. Rechts, dat als één man voor het regentschap had gekozen, moest zich er zonder sympathie bij neerleggen zodra de Koningskwestie zich verhevigde. Bij links daarentegen werd de steun steeds enthousiaster.

De Prins kon pas na de grondwettelijke eedaflegging in functie treden. Dit gebeuren vond plaats op 21 september ten overstaan van het Parlement, bijeen in de zaal van de plenaire vergaderingen van de Kamer. Het was een plechtige ceremonie in aanwezigheid van Koningin Elisabeth, Kardinaal Van Roey en de vertegenwoordigers van de gestelde lichamen. Alle vlaggen en al het fluweel waren tevoorschijn gehaald. Overal domineerde het rood, dat sinds mensenheugenis de hoogste macht symboliseert. Voor het bureau van de voorzitter was een troon geplaatst op een verhoging, en hierop lag een scharlakenrood tapijt. Koningin Elisabeth arriveerde om twintig minuten over twee, voorafgegaan door een deputatie die haar, evenals een deel van Haar huis, aan de ingang van het Paleis der Natie had ontvangen. De hele zaal stond op en applaudisseerde, terwijl de Koningin naar de gouden zetel met rood fluweel werd geleid die speciaal voor haar was voorbehouden.

Om half drie hield het geroezemoes op en werd het doodstil. Een bode kondigde de Regent aan. Prins Karel trad binnen, voorafgegaan door de deputatie die hem tegemoet was gekomen. Hij droeg het uniform van kolonel der Gidsen. Hij was zeer bleek en schreed langzaam voort, gevolgd door baron Goffinet, majoor de Maere en commandant de Pret. Terwijl hij het podium besteeg en links van de troon staande eerst zijn moeder groette en daarna het bureau en het Parlement, werd hij minutenlang begroet door een rumoer van bijval en toejuichingen. Baron Goffinet ging rechts van hem staan op een der treden van de verhoging, majoor de Maere links.

De secretaris van de Senaat, de heer Van Roosbroeck, las tegenover de Prins staand het decreet van de Verenigde Kamers voor dat de Prins tot het regentschap riep. Daarop verklaarde de Prins met een niet erg luide maar wel hoorbare stem: *'Ik schik mij naar de wenschen van de Vergadering'*.

Na het applaus dat op deze woorden volgde, nodigde de Kamervoorzitter hem uit de grondwettelijke eed af te leggen, hetgeen de Prins in de twee landstalen deed.

Daarop barstte opnieuw een lange ovatie los, terwijl de Prins verzocht werd plaats te nemen in 'de aan hem voorbehouden zetel', aldus de woorden van de voorzitter. Vervolgens las de Prins in het Frans en het Vlaams de door hem voorbereide redevoering voor. Het was een eenvoudige tekst, waarvan een eerste schets op papier was gezet door Henri Goffinet, neef van de secretaris van de Prins. Vervolgens had baron Holvoet hem bewerkt en ten slotte had minister Spaak hem nog herzien, maar zonder er nog veel in te wijzigen. In zijn tekst sprak de Prins over het streven om Belgen in binnen- en buitenland te verenigen en over vrijwaring van de positie van de Koning. Met weinig woorden omschreef hij het regentschap als een onderneming die zowel de wederopbouw als verzoening en dankbaarheid omvatten. Men luisterde belangstellend naar de tekst, die enthousiaste bijval kreeg. Toen de Prins in naam van de Koning de dank van België uitsprak aan allen die hadden meegewerkt aan de bevrijding van het land – geallieerden en Belgen, levenden en doden – stond hij op, hierin gevolgd door de Vergadering.

Aan het slot van zijn redevoering kreeg de lang ingehouden emotie de vrije loop. Luisterrijke plechtigheden waaraan het welzijn van een land valt af te lezen, waren in de sombere oorlogsjaren onmogelijk geweest. Nu stortte men zich des te enthousiaster in de eerste manifestaties van een officiële institutie, manifestaties die een aanwijzing waren voor de herwonnen vrijheid.

Na nogmaals Koningin Elisabeth, het Bureau en de Vergadering te hebben gegroet, trok de Regent zich terug, uitgeleide gedaan door de deputatie die hem had verwelkomd met aan het hoofd de twee voorzitters van Kamer en Senaat.

Tijdens de gehele plechtigheid was de Prins uiterst gespannen geweest. Hij scheen zich met inspanning te kwijten van een lang gerepeteerde les. In zijn niet aflatende pogingen zijn schuchterheid te overwinnen, die altijd zowel zijn charme als zijn handicap was, had hij bij het publiek dadelijk zozeer sympathie weten te wekken, dat het hem te hulp wilde komen. Dagen- en zelfs nachtenlang had hij de details van de plechtigheid herhaald, totdat het verloop bijna automatisch werd. De ordonnansofficieren hadden een schets gemaakt met de details van de Kamer van Volksvertegenwoordigers. De situatie was in de balzaal van het Paleis nagebouwd. Samen met baron Goffinet en andere leden van zijn Huis had de Prins daar elk gebaar, elke beweging en elk woord ingestudeerd. In het holst van de nacht werd soms majoor Bex opgetrommeld, een vriend van de Prins die in zijn secretariaat werkte. Keer op keer moest de redevoering worden beluisterd, vooral de Vlaamse tekst, gecorrigeerd en herhaald, totdat de gehele scène in het geheugen van de Prins gegrift stond. Hij wapende zich tegen zichzelf door moeizaam een reeks reflexen vast te leggen die bij het verloop van de ceremonie behoorden. Deze reflexen zouden goede diensten bewijzen indien zijn bewuste wil het liet afweten. Zodra hij in de openbaarheid kwam, overviel het hem steeds, een radeloos gevoel het niet aan te kunnen. Zoals een drenkeling zich vastklampt aan een vlot, zo klampte hij zich vast aan een minutieus voorbereid programma, aan een of twee gebaren die diep uit zijn herinnering opdoken als steuntje tegen een verlammende duizeling. Deze schuchterheid en de reacties hierop, de tirannie van het futiele detail, zijn bijna ziekelijke terughoudendheid, zijn ongelooflijke vindingrijkheid om publiek engagement te ontlopen of er zich aan te onttrekken, vormden een essentiële trek in zijn karakter en dit beïnvloedde of determineerde zelfs vrijwel het hele persoonlijke gedrag van de Prins tijdens het regentschap.

Op schilderijen van gelijkaardige plechtigheden treft de bijna toevallige relatie tussen de personages en de hoofdpersoon. Vaak bestaat die relatie slechts uit een verstrooide aanwezigheid of een bezigheid van ondergeschikt belang. Titiaans momentopname van het Concilie van Trente, Veroneses 'De Bruiloft van Kanaän' of Tintoretto's 'Laatste Oordeel' laten ons bisschoppen in gesprek zien, dienaars bezig met hun werk en de uitverkorenen die de toeschouwer recht in de ogen kijken. Het beeld van de eedaflegging door de Prins-regent verschilt hiervan niet. Zo de Vergadering in zijn totaliteit één homogeen geheel vormde, waren de aanwezigen individueel zowel aandachtig als lichtjes ontspannen. Die ontspannenheid gold voor iedereen, behalve voor de Prins zelf. Hij scheen zich door zijn geconcentreerde inspanning en al zijn ingestudeerde gebaren geheel met de hoofdrol in het tafereel te identificeren en gaf de indruk, dat er op dat moment niets anders bestond.

Wie het meest de aandacht trok was, rechts van de Prins, baron Goffinet, onbeweeglijk staand op een trede van de verhoging. Zeer mager, rijzig in zijn jacquet, met de zwarte ooglap over zijn knappe gezicht (hij had in de oorlog 1914-1918 een oog verloren), leek hij zó uit een schilderij van El Greco gestapt. Hijzelf was zowel aanwezig als afwezig. Aanwezig als een kracht, afwezig daar deze kracht nonchalant kalm was. Hij liet zijn helder oog over de tribunes en het Parlement glijden als een roofdier, dat kijkt zonder te zien. Terwijl ik hem zo bestudeerde, vond ik dat hij op een ridder op een ets van Dürer leek, omringd door allerlei symbolische personages, zo'n ridder met getekend gelaat met de dood op zijn hielen. De dood volgde hem reeds en telde zijn passen. Niemand twijfelde hieraan en zo hij het zelf al wist, dan deed hij of hij niets merkte. Met stevige pas liep hij verder tot het volgende ogenblik, waarop de dood hem een halt zou toeroepen.

Toen de Prins-regent het Parlement verliet, scheen het licht van die septembernamiddag op een ander man. Plotseling maakte het lot de jongste van het gezin, een even onopvallend als weinig gewaardeerd man, tot staatshoofd. Dit was ongetwijfeld een avontuur. En de toekomst zou uitwijzen dat het niet om een alledaags avontuur ging.

Hij keerde rechtstreeks naar het Koninklijk Paleis terug. Enige tijd later wandelde eerste minister Pierlot alleen door het Park en bracht de Prins de ontslagname van de Belgische regering uit Londen.

V De regering-Pierlot na de bevrijding

De politieke rivaliteit was na terugkeer van de regering uit Londense ballingschap weer opgelaaid en nam dadelijk een zeer speciale en persoonlijke wending. De vijandelijke bezetting en vier jaar oorlog hadden de vroegere positie van de partijen totaal vernietigd. Doordat de oorlog nog voortduurde, was er geen gelegenheid ideeën met elkaar te confronteren die in programma's konden uitkristalliseren. Er konden geen normale verkiezingen worden gehouden, want gezien de omstandigheden en bij gebrek aan bijgewerkte kiezerslijsten kon het kiezerskorps niet worden opgeroepen. Verder was er geen pers en ontbrak het aan voorafgaande discussies over strijdige standpunten, dus waarover hadden de kiezers zich moeten uitspreken?

Wie overbleven waren de ministers en parlementsleden uit de voorbije jaren. Normaal gesproken was het mandaat van het Parlement begin 1943 ten einde, maar de regering had het verlengd. Vele kamerleden en senatoren waren naar België teruggekeerd of in het land gebleven en hadden kans gezien uit handen van de bezetter te blijven. Zowat overal kwamen weer politieke groeperingen van de grond, zoals gebruikelijk na een periode van vervolging of lange stilte. Terzelfder tijd betraden nieuwkomers de arena, mensen die door hun inzet binnen het verzet gerechtigd waren om mee te werken aan de opbouw van de toekomstige samenleving, maar ook lieden die zichzelf verdiensten toedichtten om invloed naar zich toe te trekken.

Zelfs de samenstelling van de volgende regering leek vast te liggen. Alleen een regering van Nationale Unie zou haalbaar zijn, een regering die aan de zijde der geallieerden de oorlog zou voortzetten, de wonden van de bezetting helen en de heropbouw van het land voorbereiden. De communisten, die in het verzet een voorname rol hadden gespeeld, wensten – sedert de Sovjet-Unie in oorlog was – mee hun schouders te zetten onder deze uitdaging. Hun bereidwilligheid mocht niet ontmoedigd worden.

Deze situatie reduceerde het politieke spel tot een onderlinge rivaliteit om over de macht te beschikken. De uit Londen teruggekeerde Belgen moest het niet kwalijk worden genomen dat ze met zo weinig waren, dat ze tijdens de oorlog afwezig waren geweest en vooral dat ze gelijk hadden gekregen. Het etiket 'uitgewekene' gaf aan dit waardeoordeel een speciaal tintje. De Belgen die in het land waren gebleven, oordeelden dat zij als enigen in naam van het land konden spreken. Ze meenden dat ze de gemoedstoestand in het land beter konden inschatten, dan de anderen, omdat ze 's lands lijden en hoop aan den lijve hadden meebeleefd en gedeeld. Ze waren geheel bereid te erkennen dat de Belgen in Londen het land goede diensten hadden bewezen, op voorwaarde dat dit feit niet als een recht werd ingeroepen om aan de macht te blijven. De 'mannen van Londen' schudden het hoofd en spraken van ondankbaarheid. De 'mannen van Brussel' haalden de schouders op en spraken van onbegrip. Misschien hadden de 'mannen van Londen' geen ongelijk. Echter, dit groepje was maar klein en men heeft nu eenmaal niet in z'n eentje de wijsheid in pacht. De mannen van Brussel en de mensen in het land zelf hadden misschien ook gelijk, want het ging tenslotte om hèn. Deze tweedracht heerste in alle partijen, omdat van elke partij een aantal mensen was uitgeweken naar onbezet gebied, hoewel de meesten in bezet gebied waren gebleven. Spaak, om slechts één voorbeeld te noemen, werd door de socialisten slecht onthaald. Ze konden hem geen enkel welomschreven verwijt maken, behalve dat hij afwezig was geweest en toch minister gebleven. Zij waren het die de toekomstige leiding van het land claimden en hem adviseerden zich voortaan op de achtergrond te houden en 'weer gewoon partijlid te worden', zoals ze zeiden.

Een soortgelijk onthaal viel min of meer alle mensen van Londen te beurt en overtuigde hen definitief van iets wat ze eigenlijk al wisten: ze moesten zo snel mogelijk plaatsmaken voor de mensen die in België waren gebleven. Maar zelfs in die groep heersten heel wat tegenstellingen. Geen enkele man of vrouw stak er voldoende met kop en schouders bovenuit om voor iedereen aanvaardbaar te zijn. Ook al hadden ze zich onder de bezetting vaderlandslievend gedragen, het had zich in de clandestiniteit afgespeeld en was derhalve weinig bekend. De gebeurtenissen in een bepaalde regio hadden nauwelijks repercussies ingehouden voor de rest van het land. Ook al kunnen er door een oorlog nieuwe figuren opeens belangrijk worden, gezien de vijandelijke bezetting mag er aan hun daden geen ruchtbaarheid gegeven worden. Het verleden van de kandidaten werd uitgepluisd om, wie weet, een smet of zwak punt te ontdekken waardoor ze kansloos zouden worden. Men wilde van het vroegere politiek personeel af, want men hunkerde naar vernieuwing. De 'jongeren' werden terzijde geschoven omdat er nog niets over hun kwaliteiten bekend was. Bovendien botsten tegenstrijdige opvattingen gaande van onbuigzaam tot toegeeflijk over iemands vaderlandslievend gedrag tijdens de oorlog. Kortom, uit die verwarring kon geen regering ontstaan.

Ten slotte werd men het eens over een naam. Het was die van Moyersoen, een Aalstenaar, senator en oud-minister[39]. Zijn onbeduidendheid, die overal ronduit erkend werd, scheen alle bereidwillige mensen bijeen te moeten brengen. In de praktijk bleek de formule echter niet te werken. Hij mislukte totaal. De ministers van Londen, die niet bepaald gelukkig waren met wat ze hadden moeten ondergaan, wensten niet in een nieuwe regering te stappen. De anderen waren wel bereid de middelmaat aan de macht te brengen, maar wilden hieraan niet hun lot verbinden. Toen iedereen terugkrabbelde en met uitvluchten kwam, trok Moyersoen zich ietwat verbitterd terug.

Hierna bleek de situatie veel ingewikkelder dan men aanvankelijk dacht. In werkelijkheid was de Londense ploeg onmisbaar in de regering. Het ganse land kende hen. De radio had informatie over hun beleid uitgezonden. Het Londense team was op de hoogte van de problemen en had maandenlang gewerkt aan oplossingen hiervoor. Het had contacten met de geallieerden en wist hoe overleg met hen te plegen. Hierbij komt nog dat mensen macht verwerven doordat ze actief betrokken zijn bij de algehele gang van zaken. Terwijl de 'mannen van Londen' continu geïnformeerd bleven, was men onder de bezetting in België van informatie verstoken. De mensen die hier waren gebleven, werden opeens geconfronteerd met onvoorstelbaar grote moeilijkheden.

De Prins-regent en baron Goffinet waren zich zo sterk bewust van deze situatie dat ze Pierlot, nog vóórdat deze zijn ontslag indiende, onder druk hadden gezet aan te blijven. Om zeer goede redenen had Pierlot resoluut geweigerd. Vijf jaar lang had hij een regeringsploeg geleid die zijn zware taak goed had volbracht. Op de golf van een glorieuze overwinning keerde hij naar België terug, zonder nadien nog politiek op de voorgrond te willen treden. Men deed hem recht wedervaren; hij kon terugtreden. Iemand die niet wacht tot zijn macht taant, neemt een zeer wijs besluit, iets wat zijn beste vrienden bijtraden. Een van hen, graaf de la Barre d'Erquelinnes, een betrouwbaar en verstandig man, wees Pierlot erop dat men hem machtswellust zou toedichten als hij de opdracht voor een regeringsvorming aanvaardde. De toekomstige premier zou trouwens een slachtoffer worden. Hij stond voor een uiterst ondankbare taak en zou, vanaf het begin, af te rekenen krijgen met onbegrip en aanvallen. Succes was ondenkbaar, want hiervoor ontbraken de elementen. Men kon slechts het pad effenen voor een opvolger.

Pierlot had voor zijn land voldoende gedaan om niet van hem het offer te verlangen, zijn in het verleden verworven prestige in enkele weken of maanden teniet te doen. Niemand beter dan Pierlot zelf wist hoe waar dit was. Het was een man met een erg nuchtere kijk op het leven.

Hij bleef bij zijn standpunt ondanks de vermaningen van baron Goffinet, die hem heel vaak bleef opzoeken. Op diens advies werd Tschoffen tot formateur aangeduid. Aangezien Tschoffen deel had uitgemaakt van de regering in Londen, kon hij zowel de medewerking verkrijgen van zijn vroegere collega's als een verzoening bewerkstelligen tussen hen die in ballingschap waren gegaan en hen die in het land gebleven waren, zoals hijzelf tot in 1943. Tschoffen zette al zijn bekwaamheid in en slaagde bijna. Hij vormde een regering van negentien ministers waarin alle partijen en het verzet vertegenwoordigd waren. Op het laatste moment leed hij schipbreuk. Hij werd slachtoffer van roddels die naar het schijnt op niets berustten en achter zijn rug werden verspreid door de stokebrand, auditeur-generaal Ganshof van der Meersch, hoogcommissaris van 's Rijks Veiligheid. Hij was afgunstig op Tschoffens succes en kon het maar moeilijk verteren dat men hem destijds onder diens gezag had gesteld bij de militaire missie. Hij waarschuwde enkele invloedrijke personen over Tschoffens connecties met financiers of diens betrokkenheid bij zaakjes waarvoor de man wellicht vervolgd kon worden wegens collaboratie met de vijand. Tschoffen werd gewaarschuwd en trok zich terug, protesterend tegen het ongegronde en onrechtvaardige van de verdachtmaking die hem zijn politieke carrière kostte. Aangekomen in de haven leed hij schipbreuk.

Na deze twee vruchteloze pogingen zag men geen enkele mogelijke kandidaat meer. De tijd drong. Iedereen deelde Spaaks mening dat alleen Pierlot over het nodige krediet beschikte om een regering te vormen waarin alle partijen vertegenwoordigd waren en die algemeen erkend zou worden.

In de avond van 24 of 25 september tijdens een beperkte ministerraad, waarin de demissionaire regering de lopende zaken afhandelde, liet een bode aan Pierlot weten dat baron Goffinet hem dadelijk wenste te ontmoeten in een salon naast de vergaderruimte. De premier ging er onmiddellijk heen. De raad vergaderde zonder hem verder. Tien minuten later liet hij mij roepen en zei: *'Baron Goffinet wil u spreken'*. Goffinet begon met: *'Ik heb u laten roepen, opdat we samen één lijn zouden trekken. Alleen Pierlot kan een regering vormen. Hij moet accepteren. Help mij om hem te overtuigen'*. Ik antwoordde: *'Tot mijn spijt kan ik niet doen wat u me vraagt. Ik geloof dat het beter voor Pierlot is niet te accepteren. Ik kan niet ingaan tegen mijn diepste overtuiging. Echter, indien de premier besluit zich in dit avontuur te engageren, zal ik hem volgen.'* Pierlot keek me lang aan en vroeg vervolgens: *'Moeten we ons echt aan dit getouwtrek gaan wagen'?* Ik repliceerde: *'Dat hangt alleen van u af'*. Hij aarzelde nog, en wendde zich toen tot baron Goffinet: *'Goed'*, zei hij, *'morgen zal ik de Prins mijn definitieve antwoord geven'*. Baron Goffinet vertrok en wij keerden naar de ministerraad terug.

De volgende dag accepteerde Pierlot. Hij nam Tschoffens lijst vrijwel integraal over. Gutt, die tot dan geweigerd had, belastte zich met de portefeuille van Financiën. Dit was essentieel voor de invoering van de muntsaneringsmaatregelen. Iedereen die benaderd werd, reageerde positief.

Hieronder volgt de samenstelling van de nieuwe regering.

1	H. PIERLOT	Eerste Minister	Londen katholiek
2	P.H. SPAAK	Minister van Buitenlandse Zaken en Buitenlandse Handel	Londen socialist
3	M.VERBAET	Minister van Justitie	katholiek
4	M. E. RONSE	Minister van Binnenlandse Zaken	katholiek
5	Dr. A. MARTEAUX	Minister van Volksgezondheid	communist
6	V. de LAVELEYE	Minister van Openbaar Onderwijs	liberaal
7	C. GUTT	Minister van Financiën	Londen zonder partij
8	Graaf H. de la BARRE d'ERQUELINNES	Minister van Landbouw	katholiek
9	VOS	Minister van Openbare Werken	socialist
10	J. DELRUELLE	Minister van Economische Zaken	liberaal
11	A.VAN ACKER	Minister van Arbeid en Sociale Voorzorg	socialist
12	E. RONGVAUX	Minister van Verkeerswezen	socialist
13	F. DEMETS	Minister van Landsverdediging	liberaal
14	A. DE VLEESCHAUWER	Minister van Koloniën	Londen katholiek
15	L. DELSINNE	Minister van Bevoorrading	socialist
16	A.E. DE SCHRIJVER	Minister zonder portefeuille	Londen katholiek
17	CH. DE VISSCHER	Minister zonder portefeuille	katholiek
18	R. DISPY	Minister zonder portefeuille	communist
19	F. DEMANY	Minister zonder portefeuille	zonder partij

Vijf leden uit de Belgische regering in Londen bleven in functie. De Lavelye, de stem van de Belgen op de B.B.C., werd minister van Openbaar Onderwijs, terwijl Volksgezondheid naar Dr. Marteaux ging, uit Groot-Brittannië teruggekomen met de ambulanciers. Naast deze zeven uit den vreemde teruggekeerde Belgen waren er twaalf die de hele oorlog in België waren gebleven. Velen van hen hadden tijdens de bezetting moeten onderduiken en waren in het verzet actief geweest. Het verzet was vertegenwoordigd door De Visscher, Delruelle en Demany, die met de communistische partij sympathiseerde maar nog geen lid was geworden.

Op 26 september vond de laatste vergadering van de Belgische regering uit Londen plaats. Het werd geen plechtig afscheid, maar de emoties waren wel tastbaar. Vervolgens legden de nieuwe ministers de eed in handen van de Regent af en begon het verse regeringsteam aan zijn ambtstermijn, die ruim vier maanden zou duren, tot 12 februari 1945.

Hier dient iets gezegd over de man die zo moedig was de leiding van de nieuwe ploeg op zich te nemen.

Wanneer ik aan Pierlot denk, lijkt het of ik vleugels krijg, de vleugels van de engel der wrake, die zijn achtervolgers het liefst meedogenloos aan de schandpaal zou willen nagelen. Ik weet dat hij dit gevoel zelf niet zou koesteren en dat hij met zijn rechtlijnig geweten nooit aan rancune of wraak zou denken. Maar ik bezit zijn deugden niet en al beschamen deze zijn vijanden, zij zouden hun toch de kans bieden hem verwoed aan te vallen en daarbij zelf vrijuit gaan. De volgende versregels van Vergilius zouden op het leven van deze rechtvaardige man van toepassing kunnen zijn: '*Exoriare aliquis nostris ex ossibus ultor.* Sta uit onze as op als wreker, wie gij ook zijn moogt'. (Vergilius, Aeneis 4, 625). De beloning der sterken zal hem noch door mij noch door iemand anders, maar door de tijd worden geschonken: gerechtigheid. Maar dan zal hij dood zijn en voor deze schim temidden der schimmen zal de waarheid hard zijn, omdat wreedheden op aarde begaan onherstelbaar zijn.

Zijn gelaat was als uit hout gesneden. Boven zijn bolle voorhoofd was hij kaal. Hij had grijze ogen, zijn wangen waren getekend door twee diepe plooien. Zijn gelaatsuitdrukking was strak, verbeten en bijna in zichzelf gekeerd. Onder de grijzende snor strakke lippen, die bijna onzichtbaar werden als hij diep nadacht. Een typisch doorsneegezicht zoals er in de Middeleeuwen zoveel gebeeldhouwd zijn in Champagne of Picardië en die al eeuwenlang als profeten of boeren het portaal van onze kathedralen sieren. Hij was afkomstig uit de Ardennen en had een gedrongen, ietwat massieve gestalte. Een fijnbesneden gelaat op de gestalte van een buitenman.

Zijn karakter klopte met wat zijn gezicht uitstraalde. Krachtig, eerlijk, rechttoe rechtaan en zich verfijnd uitdrukkend, maakte hij op het eerste gezicht een zeer rechtschapen maar ook koele indruk. Hij was minutieus zorgvuldig en niets was futiel voor hem. Hij maakte geen verschil tussen kleine en grote zaken en de traagheid waarmee hij dingen uitdiepte, kostte hem veel tijd. Dankzij zijn rechtenstudie had hij een sterk logische manier van denken ontwikkeld, die zijn stijl afvlakte. Opvallend was zijn taalgebruik in gewone gesprekken vol beelden en reminiscenties aan het buitenleven.

Hij ontleende aan zijn katholiciteit, die tot in zijn diepste wezen doordrong, een veeleisendheid en zucht naar waarheid die hem haast onmenselijk leken te maken, terwijl hij toch van een zeer grote gevoeligheid was, die door niets kon worden getemperd.

Het was hem een genoegen de staat te dienen. Voor hem was het aardse bestaan een voorloper van het anderwereldse rijk. Dit aardse bestaan was steeds voor verbetering vatbaar en de middelen hiertoe waren goede wetten, een goed bestuur, respect voor het gezag, strikte toepassing van de grondwet waaraan hij gebonden was door de eedaflegging op de bijbel en de overtuiging dat deze structuur de beste was in een wereld waarin alles onvolmaakt is.

Hij was advocaat van beroep, maar had zijn bestaan aan de publieke zaak verbonden. Hij verstevigde de katholieke partij door de organisatie van de kaders te herzien en door een beroep op de jeugd te doen. Als minister van Landbouw besteedde hij evenveel zorg en energie aan de opsporing van de coloradokever als aan de reorganisatie van zijn administratie. Tijdens zijn premierschap bleef hij zich tevens tot in detail bezighouden met de administratieve hervorming, ondanks alle regeringszorgen in verband met een zo troebele periode. Zeer veel waarde hechtte hij aan de presentatie van telegrammen en nota's, aan spelling en punctuatie. Ik herinner me een ontwerp van besluit over het statuut van de veiligheidsagenten die we met correcties terugkregen. Op de laatste bladzijde stond in zijn hoekig linksneigend handschrift (door een blessure uit de Eerste Wereldoorlog was hij verplicht links te schrijven): 'Akkoord, maar let op het gebruik van hoofdletters, punten en komma's'. Onder zijn paraaf stond de datum: 9 april 1940. Die dag viel Duitsland Noorwegen binnen. Grote problemen of niet, altijd had hij aandacht voor de kleinste probleempjes.

Pierlot had een sterke behoefte zijn gedachten zo helder mogelijk uit te drukken en hierdoor bleef hij altijd ontevreden over de tekstvorm. Hieraan viel duidelijk af te lezen hoeveel moeite hij zich getroostte om al zijn gedachten optimaal te verwoorden. Als het hem lukte, was het resultaat voortreffelijk. Zo redigeerde hij tot in de perfectie enkele teksten die meesterwerkjes waren, opgesteld in een precieze en heldere stijl. Bij de ontvangst op 9 november van generaal Eisenhower in het Belgische Parlement was de eerste zin van zijn toespraak zo fraai en harmonieus, dat alle luisteraars aan zijn lippen hingen. De lezer oordele zelf: *'Het is een grootse bestemming militair aanvoerder te zijn die door zijn kwaliteiten tot de allerhoogste rang werd verheven, in een rechtvaardige oorlog een strijdtoneel van zijn niveau vindt, zijn troepen naar de overwinning leidt en niet de titel van veroveraar verdient, maar die van bevrijder. Generaal, deze bestemming is de uwe'.*

Pierlot was veeleer een voortreffelijk ambtenaar dan een politicus van formaat en vertrouwde op de instellingen. Toch was hij beslist wel een staatsman met persoonlijke inzichten, denkbeelden en een eigen wil. Hij wist en zei dat het voornaamste probleem van een regering een kwestie van mensen is, ook al stond zijn onbuigzaamheid soms een verzoening in de weg.

Als hij zich eenmaal een opinie had gevormd, meestal gebaseerd op een doorgedreven en diepgaande studie, bleef hij daarbij. Hij veranderde soms van mening, maar nooit als hij in zijn gelijk geloofde. Je moest hem eerst overtuigen. Kon je met een steekhoudend principieel of feitelijk argument komen dan won je het, maar hij was onverzettelijk als hij onder druk werd gezet.

Naast al zijn kwaliteiten had hij vanzelfsprekend ook gebreken en speciaal iemand als ik, die zo nauw met hem heeft samengewerkt, weet hiervan mee te praten. Wie hem goed kende, was erg op hem gesteld. Het type mens dat hij vertegenwoordigde, uit één stuk, puur, het tegendeel van een stadsmens, had voor mij als Vlaming, tevens vertrouwd met de klassieken, de fascinatie van een figuur uit de Oudheid. Toch een zegen dat ik in mijn jonge jaren intensief mocht omgaan met een man die mij leerde om tot elke prijs de waarheid te respecteren, de waarheid en waardigheid van de morele moed boven alles te stellen en ook de gewetensrust na te streven die voortvloeit uit een correct gedrag.

Het is begrijpelijk wat een drama de Koningskwestie voor deze man heeft betekend. Pierlots voorliefde voor de monarchie was zonder meer een gevolg van zijn diepste overtuiging. Geestdriftig had hij voor Leopold III gekozen. Tegen mij sprak de eerste minister meermaals over het koninklijke fata morgana waarvan hij jarenlang slachtoffer was geweest.

Na voortekenen en aanwijzingen die hem in verwarring brachten en waarvan hij perplex stond, werd hij in mei 1940 opeens geconfronteerd met een realiteit die lijnrecht tegen zijn principes indruiste. Het ideaal van de constitutionele monarchie werd totaal tenietgedaan door de man die in Pierlots ogen juist de verpersoonlijking van deze staatsvorm was. Ieder ander mens had geaarzeld en uit menselijke zwakte de Koning misschien boven zijn eigen plicht gesteld. Pierlot bood het hoofd aan de teloorgang van zijn illusies. Geconfronteerd met de onthulling van een persoonlijke stellingname die alles op de helling zette, te weten de grondwettelijke staatsvorm, de ethiek van ons handelen, het respect voor onze engagementen en de toekomst van ons land, weigerde Pierlot resoluut zich bij deze stellingname aan te sluiten. Hij accepteerde alle consequenties van zijn eigen houding en vertrok voor een rondtrekkend en onzeker bestaan, eerst beschimpt door zijn landgenoten, daarna in hun ogen gerehabiliteerd. Samen met Spaak werd hij in Spanje geïnterneerd, vanwaar hij op een hoogst avontuurlijke manier ontsnapte en naar Engeland overstak om daarvandaan de oorlog voort te zetten. Onder uiterst penibele omstandigheden, die een eerlijk verslag in de geschiedschrijving verdienen, handhaafde hij met zijn collega's vier jaar lang de soevereiniteit van België. Hij week niet af van de lijn die zijn geweten had uitgestippeld ondanks zijn persoonlijk verdriet: zijn twee oudste zoons kwamen tragisch om bij een treinbrand op weg naar het Ampleforth college, zijn broer kanunnik Pierlot stierf in een Duitse gevangenis, zijn schoonbroer François De Kinder werd door de vijand vermoord nadat hij zijn zending had volbracht met de overmaking van het regeringsschrijven aan de Koning, het verloor zijn meeste bezittingen, zijn fortuin en zijn positie.

Zodra hij mocht hopen dat de Koning door de gebeurtenissen weer wat verstandiger was geworden, gaf hij toe aan de logica van de staatsraison, namelijk de Koning hulp te bieden om zich, indien mogelijk, op de troon te handhaven. Wat hem bewoog was niet zozeer een gevoel van genegenheid dan wel het besef van een noodzakelijkheid en ook dit stoelde op zijn diepste overtuiging. Dit hield hij tot het einde toe vol. Zowel zijn vijanden als de Koning miskeken zich op zijn volharding. Wat een verstandige houding was ter vermijding van een crisis in België, beschouwden zij als een zwakheid. Ze geloofden dat Pierlot met zijn bereidwilligheid en stilzwijgen zijn ongelijk tegenover de Koning erkende. Ze bleven trachten hem tot een bekentenis te brengen en wilden zich absoluut wreken. Ze verweten hem zijn houding. Ze wilden hem op de knieën krijgen.

Ten slotte verbrak hij het stilzwijgen. Nadat de door de Koning opgerichte commissie-Servais haar rapport over de periode 1940-1945 openbaar had gemaakt, sloeg hij hard terug, beheerst, maar zonder pardon. In een reeks artikelen die hij in juli en augustus 1947 in de krant *Le Soir* publiceerde, een reeks die veel opzien baarde maar geen langdurig effect had bij gebrek aan een bundeling in boekvorm, gaf Pierlot uitleg bij de door hem ingenomen positie, alles wat hem hiertoe had aangezet en waarom hij het stilzwijgen had verbroken.

Zij die hem graag vernederd hadden gezien, konden de waarheid niet verdragen en woedend pakten ze tegen hem uit. Het werd een laaghartige campagne waaraan vrijwel de hele goegemeente actief of passief meedeed. *La Libre Belgique*, de grootste Belgische katholieke krant, onderscheidde zich door een felheid die niet zozeer Pierlot kwaad berokkende of blesseerde, dan wel een aanfluiting was van christelijke naastenliefde. Hij werd met beledigingen en laster overstelpt. Alles wat hij deed, hoe nietig of onbelangrijk ook, werd negatief geïnterpreteerd. Vergeten waren alle diensten die hij het land had bewezen, er werd uitsluitend naar misstappen gespeurd. De mensen binnen zijn partij trachtten hem uit te sluiten, iedereen keerde hem de rug toe, en men trachtte hem te boycotten in de advocatuur waarnaar hij was teruggekeerd na het verlaten van de politiek. Men wilde zijn kinderen treffen en een klooster ging zelfs zo ver dat het weigerde een van zijn dochters in te schrijven voor het internaat.

Kortom, hij werd beschuldigd van alle kwaad van de wereld. Heel wat katholieken – en zowel de christen-democratische partij als de geestelijkheid waren hun medeplichtigen – toonden in deze omstandigheden dat onrechtvaardigheid hun even makkelijk afging als een leugen. Zijn tegenstanders bleven hem hardnekkig op zijn nek zitten, want hij had hen teleurgesteld door zich niet te verlagen tot de speelbal van hun intriges. Daar zij iedere deugd ontzegden aan hen die niet met hun ondeugden behept waren, verweten ze Pierlot beschuldigend zijn rechtschapenheid, in hun ogen een dwaasheid. En het was inderdaad een vorm van dwaasheid, die hun vreemd was, maar die meteen ook hun veroordeling inhield.

Al snel restte Pierlot slechts een handvol vrienden, mensen die hem steunden en bleven verdedigen. Het was voor mij een hele eer ook tot dit groepje te behoren. Er was iets opwindends in om deze vijandige vloedgolf te zien aanstormen en stukbreken op het groepje dat standhield. We voelden een soort spontaan plezier, dat voortkwam uit minachting. Ik betreur dat ik er zoveel genoegen aan heb beleefd en bijna met een lachje de wolven telde die met gehuil een slachtoffer achtervolgden. Als ik aan hun woede terugdenk, een laffe woede gezien hun aantal en de anonimiteit, kan ik me er alleen maar over verheugen dat het leven mij bevoorrecht heeft met de gewenste vrienden en de vijanden die ik koos. Had ik zelf beide partijen moeten kiezen, dan zou ik dezelfde keus hebben gemaakt.

De eerste regering van de Regent stond voor een wel bijzonder omvangrijke taak. Het begin van het hoofdstuk over het Politiek Testament geeft hiervan reeds een eerste indruk. Het is niet mijn bedoeling accuraat en dag na dag verslag te doen van het regeringswerk. Liever bezie ik enkele hoogst belangrijke wederwaardigheden tot aan het eind.

De evolutie van de politieke situatie destijds in België valt niet los te zien van de militaire gang van zaken, die de rode draad vormt in het geheel, vergelijkbaar met een draad in een wandtapijt waarvan het patroon vastligt. Wie dacht de teugels van de politieke situatie in handen te hebben, volgde in werkelijkheid een lijn in een patroon waarvan men absoluut geen totaalbeeld had.

Van de drie legergroepen die oprukten voor de herovering van Europa, waren de twee die van het Normandische schiereiland Cotentin vertrokken, van rechtstreeks belang voor ons land. De eerste groep, de noordelijke legers (21th army group) aangevoerd door veldmaarschalk Montgomery, die niet alleen Britse en Canadese eenheden omvatte maar ook de in Engeland gevormde Belgische Brigade Piron, trok met grote snelheid op naar het noordoosten, richting Antwerpen. Het was van fundamenteel belang voor het toekomstig welslagen van de invasie om deze stad in bezit te hebben. De Britse strijdkrachten, die op 30 augustus razendsnel optrokken vanuit Vernon, hun bruggenhoofd aan de Seine ten zuiden van Rouen, overbrugden in 6 dagen de afstand van de ongeveer 350 km die hen scheidde van de Schelde en veroverden op 4 september Antwerpen. Dankzij de verzetsgroepen waren de Antwerpse haveninstallaties nog vrijwel intact. Op de 5de werd de haven vrijgemaakt. De Britten trokken vervolgens op naar het westen en veroverden Gent op de 6de, terwijl ze in het noorden de Nederlandse grens overtrokken en op de 12de de omgeving van Eindhoven bereikten. De tweede legergroep (12th army group) – het leger onder generaal Bradley, waarbij het Amerikaanse 1ste, 7de en 9de leger – voerde tegelijkertijd een spectaculaire bliksemoperatie uit. Vanaf zijn bruggenhoofd aan de Seine trok het 1ste leger snel richting Namen, Luik en het Ruhrgebied. Op 4 september trok dit leger over een front van ongeveer 100 km België binnen. Op de 11de waren heel België en Luxemburg bevrijd en stonden de Amerikanen voor Aken.

Vanaf dat ogenblik verhevigde zich de tot dan toe sporadische en slecht georganiseerde tegenstand van de vijand. In de beschutting van de Hollandse

Waterlinies en achter de Siegfriedlinie verzamelden de Duitsers al hun krachten voor de laatste verdediging van Germania's heilige bodem.

De geallieerden werden juist op dat moment met enorme moeilijkheden geconfronteerd. Meegesleept door hun geestdrift wilden de meeste bevelhebbers meteen hun successen verzilveren en steeds verder doorstoten. Veldmaarschalk Montgomery vroeg een maximum aan bevoorrading om aan één stuk door tot Berlijn op te rukken en de oorlog te beëindigen. Tijdens een conferentie op 10 september 1944 in Brussel verwierp generaal Eisenhower deze suggestie.

De opperbevelhebber werd immers geconfronteerd met een gigantisch en allesoverheersend probleem.

De lappendeken van veroverde gebieden breidde zich steeds meer naar alle kanten uit, met als gevolg steeds langere en meer versnipperde communicatielijnen. Hun enige vertrekpunt bleef het Normandische schiereiland. De landingsplaatsen en de 'mulberry port' van Arromanches hadden nauwelijks volstaan voor de bevoorrading van de 36 geallieerde divisies die de eerste slag aan de Atlantikwall hadden toegebracht. Er waren er nu meer landingsplaatsen[40]. De bewegingen van de divisies waaierden stervormig uit en geraakten verder en verder verwijderd van hun bases en overtroffen daarmee de meest optimistische verwachtingen. Het ging niet langer uitsluitend om het lossen van een 600 tot 700 ton per dag, het was ook de vraag hoe al die goederen onder een opererende divisie te verdelen. Pas op 19 juli, anderhalve maand na de invasie, werd Cherbourg ingeschakeld. Maar deze haven kon eind augustus dagelijks slechts 10.000 ton per dag verwerken. Tot het begin van die maand kwam alles via de korte Normandische stranden aan land, en 'alles' staat hier voor de energiereserve van het geallieerde leger in expansie[41].

Uiteraard buitte de Duitse strategie dit niet geringe probleem in het kamp van de aanvaller uit. 'Zorg ervoor dat de geallieerden de haven niet kunnen gebruiken, dan zien ze geen kans de gelande legers te ondersteunen'. Deze berekening was de eerste keer verijdeld dankzij de organisatie van de landingsplaatsen en de aanleg van de kunstmatige haven van Arromanches. Maar een tweede keer kon deze Duitse strategie misschien wel succes opleveren, gezien de discrepantie tussen de capaciteit van de bevoorradingsbases en de omvang van het veroverde gebied.

Het geallieerde offensief dreigde een golf te worden die in zijn eigen beweging tenonder zou gaan. Eisenhower stopte deze golf aan de Duitse grens. Zonder het plan te laten varen om de oorlog nog vóór de winter te beëindigen, besloot hij zijn overwinning te consolideren en een nieuwe, beslissende aanval voor te bereiden. Hiervoor had hij Antwerpen nodig. Hij had de haven intact in handen en als hij deze voorzag van de nodige uitrusting, zou hij via Antwerpen de verbindingslinie kunnen verkorten en reserves opslaan. Maar de Scheldemonding die nog steeds in handen van de Duitsers was, moest dan wel worden vrijgemaakt.

Voor zo'n nieuwe aanval – deels om een dekkingsfront voor Antwerpen te creëren en deels om veldmaarschalk Montgomery zijn zin te geven, die de middelen had gevraagd voor een opmars naar Berlijn – stemde generaal Eisenhower er tijdens de conferentie in Brussel op 10 september 1944 in toe, het schoonmaken van de vaarweg naar Antwerpen uit te stellen. In plaats hiervan wilde men proberen om aan de Nederrijn een bruggenhoofd te creëren.

Hiertoe moesten drie bruggen van vitaal belang worden veroverd, die bij Grave over de Maas, die van Nijmegen over de Waal en die van Arnhem over de Rijn. De keus viel op 17 september; het zou een grootschalige operatie worden met drie luchtlandingsdivisies en ondersteuningseenheden van de 21ste legergroep. Het werd maar gedeeltelijk een succes, terwijl de operatie in alle opzichten zeer veel kostte. De moordende en bloedige Slag bij Arnhem door de eerste Britse luchtlandingsdivisies werd een der meest heroïsche wapenfeiten van de oorlog. De havens van Maas en Waal werden ingenomen, maar niet die aan de Rijn. De resterende manschappen van de eerste Britse luchtlandingstroepen moesten zich in de nacht van 25 op 26 september terugtrekken na een verlies van 7.000 man. Aangezien het op dat ogenblik onmogelijk was door de linie langs de Nederrijn heen te breken, werd elke hoop op een offensief via die weg de bodem ingeslagen en was de vrijmaking van Antwerpen ineens hoogst urgent geworden.

In die moeilijke periode, waarin de geallieerde legers hun strategie aan hun successen en bevoorradingsmiddelen moesten aanpassen, keerde op 3 september de Belgische regering uit Londen terug. Op 26 september, de dag waarop de Slag bij Arnhem was afgelopen, trad de nieuwe regering Pierlot aan. België zat inmiddels barstensvol wapens. Het was de bedoeling het land in te schakelen als springplank voor het toekomstige offensief en het moest een enorme opslagplaats voor reservevoorraden worden. Vanaf dat moment moest alles in dienst staan van de minutieuze voorbereidingen van de laatste aanval op Duitsland. Op 14 september liet het geallieerde opperbevel weten, dat het de Belgische regering opnieuw bevoegd voor al haar functies beschouwde. Het opperbevel verzocht de regering om orde en hulp en zou de communicatie onderhouden via bemiddeling van een in Brussel gevestigd SHAEF-agentschap onder generaal Erskine. Het opperbevel benadrukte ook dat voor oorlogsbehoeften de allerhoogste prioriteit gold.

Het geschenk dat de teruggekeerde regering wachtte, had positieve maar ook negatieve aspecten. Onder voorzitterschap van de Regent vond op 27 september de eerste ministerraad plaats in de marmeren zaal van het koninklijk paleis. Het was de bedoeling om bij een traditie aan te knopen en een plechtig tintje te geven aan dit moment waarop de regeringsfuncties werden hervat op Belgisch grondgebied. Er stonden slechts twee onderwerpen op de agenda, de bevoorrading en de muntsanering. Hiermee wilde de regering de bevolking duidelijk maken, dat zij zich zonder uitstel met twee topprioriteiten ging bezighouden.

Door de Duitse bezetting was België in een vrijwel hopeloze monetaire situatie geraakt. De in omloop zijnde betalingsmiddelen beliepen ongeveer 186 miljard, tegen gemiddeld 63 miljard van 1936 tot 1938. De openbare schuld bedroeg 156 miljard, tegen 58 miljard in 1939, een vordering bij de Belgisch-Duitse clearing beliep 64 miljard. Allemaal sprekende cijfers[42].

De regering had in Londen een gedurfd plan uitgewerkt om de schade te beperken. Op basis van onze intact gebleven goudvoorraad van 22 miljard moest er om te beginnen een nieuwe pariteit van de frank in verhouding tot het Britse pond komen. Na heel wat discussie werd deze pariteit vastgesteld op 176,25 frank in plaats van op 125. Vervolgens moest in het bevrijde België het immense inflatiegevaar, een gevolg van de bezetting, worden bezworen. Dit wilde men proberen door de geldvoorraad te reduceren tot een correcte hoeveelheid in verhouding tot de toegestane devaluatie. Terzelfder tijd mochten de nominale salarissen niet zodanig stijgen, dat hierdoor de nieuwe wisselkoers in gevaar zou komen. Ook moesten de reële lonen aan de loontrekkenden een koopkracht verschaffen die niet veel zou verschillen van die in 1939. Dit vroeg zowel om een loon – en prijzencontrole als om bevoorrading van de consumptiemarkt en een strikte rantsoenering.

Behalve de gebruikelijke door de omstandigheden vereiste procédé's, zoals controle op de wisselkoersen, op Belgische tegoeden in het buitenland en op im- en export, had de regering ook een plan uitgewerkt zoals nog nooit eerder was vertoond. In grote lijnen kwam het neer op een algehele inventarisatie van alle bezittingen in het land, waarvan alle segmenten bevroren zouden worden. Ze zouden dan slechts geleidelijk in het financieel-economische circuit mogen instromen, en wel in hoeveelheden die verenigbaar zouden zijn met de waardehandhaving van de frank en overeenkomstig het volume aan transacties en de beschikbaarheid van consumptiegoederen. Er werden draconische maatregelen voorzien: aangifte en intrekking van alle bankbiljetten, slechts gedeeltelijke vervanging door nieuwe, blokkering van banktegoeden, alsook aangifte van verzekeringen en financiële waardepapieren aan toonder. Op die wijze wilde men niet alleen het overschot aan baar geld uit de omloop nemen, maar ook het wegmoffelen van biljetten in anonieme investeringen voorkomen en meteen ook de belastingheffing op oorlogswinsten voorbereiden. Vanzelfsprekend moest men conservatieven en liberalen op één lijn zien te krijgen voor een operatie, die een complete inventarisatie van het particulier bezit inhield en die zou resulteren in een formidabele staatscontrole over particulier bezit. Maar was de omwisseling van biljetten, een eenmalige en kortstondige maatregel, nog aanvaardbaar, de aangifte van waardepapieren zou zwaarwichtige gevolgen hebben. Immers, hiermee werd definitief de tot nog toe steeds afgewezen hervorming voorbereid om waardepapieren aan toonder om te zetten in effecten op naam.

Het gehele plan was vanaf 1943 langdurig en uitgebreid in Londen voorbereid. Minister van Financiën Gutt was de geestelijke vader van het project en gaf er ook zijn naam aan. Qua uiterlijk had de natuur Gutt minder goed bedeeld. Hij was klein van stuk, had een schorre stem, was een man van weinig gebaren maar wel innemend. Hij kleedde zich in kostuums van een onalledaags flessengroen of lichtbruin, maar zoiets origineels paste typisch bij hem. Gutt bestuurde graag een vliegtuig en deed dat heel bekwaam. Ik weet niet of hij goedhartig was, maar hij bleef zijn vriendschappen en vijandschappen trouw. De aversie tegen van Zeeland vormde in zijn leven een van zijn voornaamste drijfveren. Deze aversie ging terug tot 1934, toen van Zeeland eerste minister werd. Bij het ministerie van Financiën volgde hij Gutt op en voerde hij de devaluatie door die Gutt in de regering-Theunis had trachten te voorkomen. Om het kwalijke hiervan uit de weg te gaan, riep van Zeeland terzelfder tijd een onderzoekscommissie in het leven in verband met de omstandigheden die tot de devaluatie hadden geleid. Zijn voorganger moest voor deze commissie verschijnen en zich onder tamelijk onbillijke omstandigheden verdedigen. Dit heeft Gutt hem nooit vergeven. Hij werd een constant, hardnekkig en gelukkig tegenstander. Hoewel van Zeeland heus wel gevoelig was voor kritiek van een rechtschapen man, kende Gutts haat geen grenzen. Je kunt je misschien afvragen wat de reden van zijn bestaan was voordat deze haat ontstond. Hij lag er wakker van, gaf hem bij ziekte de energie weer op te krabbelen en stimuleerde hem in zijn streven naar hoge functies, waarin hij een machtig vijand kon blijven. Gutt beschikte over een analytische geest, was soms moeilijk te volgen in zijn methoden maar altijd helder in zijn uiteenzettingen. Hij was een harde werker en verzot op schrijven. Ontelbaar zijn de brieven van zijn hand; men deed hem onrecht door zijn vluchtig genoteerde ideeën te bestempelen als definitief en wijdverbreid. In zijn begintijd als journalist had hij geleerd zijn gedachten meteen op papier vast te leggen. Voor zijn vrouw koesterde hij een grote tederheid, dit was de beminnelijke kant van zijn karakter. Discretie in het uiten van zijn gevoelens ging gepaard met grote morele moed, waardoor hij als mens niet erg makkelijk te benaderen was. Hij verloor twee zonen in de oorlog, terwijl daarna zijn vrouw overleed; bewonderenswaardig was de moed waarmee hij dit verdriet droeg. Tijdens een ministerraad ontving hij een briefje met het bericht dat zijn zoon die piloot was, door de vijand was neergeschoten. Hij ging verder met zijn uiteenzetting; het droeve nieuws kwam zijn collega's via anderen ter ore. Hij was een stoïcijn. Moedig bleef hij glimlachen. Diep in Gutt huisde een sterke en hartstochtelijke natuur, maar hij zou niet snel het achterste van zijn tong tonen. Verder stond hij boven beproevingen, die hij zonder opstandigheid aanvaardde. Wel was hij nogal met zichzelf ingenomen, waardoor hij in zijn verhalen steeds naar voren kwam als de hoofdrolspeler in allerlei gebeurtenissen. Zijn medewerkers loofde hij zoals men het goud looft waarin een edelsteen gevat is. En de edelsteen, dat was hij. Hij had een hoge dunk van zichzelf, maar dan toch in nederigheid.

Bij de uitwerking van het muntsaneringsplan werd Gutt in Londen door enkele specialisten bijgestaan, van wie vooral baron Boël en Hubert Ansiaux dienen genoemd. De eerste, een belangrijk zakenman, was voor de duur van de oorlog benoemd tot regeringsadviseur. Hij koesterde een onbedwingbare hoop om in de regering-Pierlot onderstaatssecretaris te worden. Baron Boël was een intelligente, capabele en zeer actieve man maar miste gevoel voor humor. Hij maakte deel uit van de consultatieve raad, een soort parlement van Belgische notabelen, door de regering niet alleen geïnstalleerd als adviesorgaan, maar ook om hiermee een tribune te verschaffen aan critici en hen zo te neutraliseren. René Boël nam zwijgend maar oplettend aan de vergaderingen deel, zijn fijnbesneden gelaat ingebed in een vetlaag die uitliep in een driedubbele onderkin. Ooit zei Buset boosaardig over hem: *'Hij ziet eruit als een verse koeienvl... die in de zon ligt.'* Een suggestief maar nodeloos onheus beeld.

Hubert Ansiaux op zijn beurt was een van de meest vooraanstaande Belgische jonge overheidsfunctionarissen, onderdirecteur van de Nationale Bank en gezegend met een opvallend scherpzinnig intellect. Met hem leken alle opdrachten eenvoudig en hij voelde zich als een vis in het water als hij werd geconfronteerd met de technische kant van de lastigste problemen. Ansiaux was een uitmuntend, voorzichtig en vastberaden onderhandelaar, die met een goed oog voor details toch de zaken in hun geheel overzag; zijn medewerking was dan ook van onschatbare waarde. Genoemd zij ook de steun van de Studiecommissie voor de Naoorlogse Vraagstukken (S.C.N.V.) – (C.E.P.A.G.: Commission pour l'Etude des Problèmes d'Après-Guerre), een soort *brain trust* onder voorzitterschap van van Zeeland en onder beschermheerschap van de regering opgezet door Jef Rens, tevens secretaris-generaal van de C.E.P.A.G.

Toen het algemene concept van het plan vastlag, besloot Gutt competente mensen in bezet België te raadplegen. Dit deed hij door bemiddeling van het comité 'Gilles', min of meer het officieuze contactorgaan van de regering, met Charles De Visscher als voorzitter en praktisch geleid door Loppens, toekomstig voorzitter van het Militair Gerechtshof, een onvoorstelbaar moedig man. De grote lijnen van het plan werden meegedeeld aan betrouwbare financiers en zakenmensen zoals de gouverneur van de Generale Maatschappij Galopin, wiens vaderlandslievende standvastigheid en groot verantwoordelijkheidsgevoel boven alle lof verheven waren, of Albert-Edouard Janssen, de stille kracht in de katholieke partij, alsook enkele anderen. Het plan kreeg een zeer gunstig onthaal; na bestudering kwam men tot ongeveer dezelfde conclusies als de Belgen van Londen. Steunend op deze bijval zette Gutt zijn werk voort; van april tot in juni 1944 bediscussieerde de regering zijn plan en keurde het daarna goed.

Alles was gereed. In de eerste week na terugkeer van de regering liet Gutt het akkoord bevestigen door de voornaamste financiers, zakenmensen en economische specialisten in België zelf. Zijn ambtenaren beoordeelden nog zorgvuldig de zeven bijbehorende besluiten en schrapten er eentje. Nu kwam het erop aan ze ten uitvoer te brengen.

Bijna had een moeilijk detail alles op het spel gezet. Wilde de operatie kans van slagen hebben, dan moest ze snel en in één keer worden uitgevoerd. Snel, omdat door een tamelijk lange termijn een situatie kon ontstaan, waarin de pariteit van 176 ten opzichte van het Britse pond niet viel te handhaven, pariteit die de Britten en Amerikanen in mei 1944 hadden geaccepteerd. In één keer, omdat men absoluut niet kon toestaan, dat er een tijdje nog oude naast nieuwe biljetten in omloop zouden zijn.

In werkelijkheid kon de operatie alleen dan starten als ze ook in één ruk kon worden voltooid. Uitgangspunt hiervoor was de aflevering van nieuwe biljetten aan de verschillende verdeelcentra. Echter, de dertig miljard biljetten die de regering in Engeland had laten drukken, arriveerden niet.

Het militair opperbevel, zich niet bewust van het gevaar en ten prooi aan zijn eigen transportproblemen, reageerde niet op het aandringen van het ministerie van Financiën. Een week, twee weken gingen voorbij. Wanhopig richtte Gutt zich rechtstreeks tot majoor Desmond Morton, een van Churchills naaste medewerkers. Deze beschikte over voldoende verbeeldingskracht om te beseffen wat er op het spel stond. Er werd een order verstrekt, waarna honderdtwintig ton bankbiljetten, geladen op 'landing crafts', op de Normandische stranden werden gedeponeerd. Op 24 september arriveerden de biljetten in Brussel, in één ruk aangevoerd door vrachtwagens die twintig uur per etmaal zo snel mogelijk moesten doorrijden. Ze maakten gebruik van eenrichtingswegen, zogeheten wegen met een rode bal, 'red ball highways', een wegennet dat de geallieerde legers hadden georganiseerd. Tachtig ton biljetten bleven nog steeds in Londen, maar desondanks kon het systeem van financiële besluiten in werking komen, want de Nationale Bank kon bijkomende biljetten drukken. Als beslissende datum werd maandag 9 oktober gekozen. Een termijn van ruim twee weken was nog nodig voor het vervoer van de biljetten naar alle verdeelcentra in het land en voor een correcte toepassing van de zeer precieze voorschriften die dwingend voor de gehele operatie golden.

In deze periode vergaderde de ministerraad vrijwel dagelijks en volgde nauwlettend het verloop der gebeurtenissen. De eerste etappe was de aangifte van biljetten, banktegoeden, waardepapieren en verzekeringen, samenvallend met het intrekken van de oude geldmiddelen. Pas later moesten de oude biljetten ingeleverd worden. Miljoenen formulieren waren in alle gemeenten over in totaal 2.300 kantoren verdeeld.

Van alle aangegeven bedragen samen zou later 60% definitief geblokkeerd blijven. Hierdoor kon de waarde die zij vertegenwoordigden niet meer als inflatie-element meespelen. Pas later zou men over de bestemming van de geblokkeerde gelden beslissen. Men wilde proberen ze door belastingen en leningen op te slorpen. Naargelang van de mogelijkheden van de economie zouden de resterende 40% stukje bij beetje worden vrijgegeven. Op die 40% werd een kleine fractie dadelijk vrijgemaakt om te voldoen aan de eerste levensbehoeften. Op het moment van de declaratie konden privé-personen 2.000 frank tegen nieuwe biljetten omruilen en bleef 10% van de banktegoeden beschikbaar. Speciale modaliteiten waren voorzien voor de wedden en lonen, deze moesten dadelijk integraal worden uitbetaald.

Na de eerste maatregelen kondigde Gutt op 27 oktober in de ministerraad aan, dat er 56 miljard frank in omloop was. Daarom stelde hij een nieuwe vrijmaking van 3.000 frank per persoon voor, waardoor het in circulatie zijnde geld tot 100 miljard zou stijgen, terwijl de 40% tijdelijk niet beschikbare middelen vrijgegeven zouden worden. Dit was het maximaal verenigbare met de pariteit van 176 tegenover het Britse pond.

De monetaire transfusie verliep uitstekend. Er was in de gehele wereld belangstelling voor. De Belgische bevolking reageerde positief, ondanks het vooruitzicht van een amputatie van 60%. Het behoudsinstinct won het, althans in de aanvang, van persoonlijke onvrede. Voor kleine rekeningen of bepaalde groepen mensen, zoals slachtoffers, golden trouwens uitzonderingen en versoepelingen in verband met de 40%-grens. Ook de geestelijkheid, met wier politieke invloed men rekening moest houden, genoot grote voordelen. Aan werken van weldadigheid en culturele organisaties werd vrijmaking toegezegd van dàt deel van hun tegoeden, nodig voor hun activiteit. Zonder enige burgerzin maakten priesters en vooral kloosterordes misbruik van dit voorrecht. Een enorme hoeveelheid biljetten die hun eigenaars – collaborateurs of oorlogsprofiteurs – niet durfden declareren, werd door kloosters opgehaald en aangeboden als hun eigen bezit. Een aantal kerken werd zelfs opengehouden zodat mensen de biljetten op het altaar konden leggen. Men ging zelfs zo ver, dat beleggingsaankopen geantidateerd werden door nagebootste inschrijvingen. Zolang dit geld tot God weerkeerde, deed het er weinig toe waar het vandaan kwam. Voor deze gelovige fraudeurs zat er geen luchtje aan. Toch kwam het een en ander aan het licht en deze zwendel, waarbij Mammon de plaats van de Heer innam, leidde nadien tot aanzienlijke schandalen.

Het eerste succes van de financiële maatregelen kon slechts geconsolideerd worden als door 's lands bevoorrading het geld zijn koopkracht behield en het prijspeil gehandhaafd bleef.

Op 5 oktober had de minister van Economische Zaken Delruelle de grenzen afgebakend waarbinnen de regering moest slagen in een prijsbeheersingsbeleid waardoor er een correcte verhouding bewaard bleef met de gemiddelde prijzen van de jaren 1936-1938.

De algemene indexcijfers werden als volgt bepaald:

150 voor kleinhandelsprijzen;

160 voor de kosten van levensonderhoud;

175 voor salarissen;

200 voor groothandelsprijzen.

Aangezien het geld met ongeveer 65% was gedevalueerd, mochten de prijs- en salarisstijgingen deze verhouding niet overschrijden. Zou dit toch gebeuren, dan moest er een subsidiebeleid komen. De regering wilde slechts subsidies invoeren voor enkele basisproducten, zoals steenkool, boter, margarine en granen. De prijs hiervan moest op de officiële markt hoog genoeg zijn om deze goederen buiten de zwarte markt te houden. Tegelijkertijd kwam er een scherpe controle. De groothandelsprijzen in de industriële sector werden in verhouding tot de basis van 1939 verhoogd met 65%. Waren ze te laag om de productie veilig te stellen, dan kon een prijsreguleringscommissie een verhoging toestaan, op voorwaarde dat de groothandelsprijzen in hun totaliteit niet de gemiddelde prijsindex overschreden zoals vastgelegd door het ministerie van Economische Zaken.

Heel deze organisatie was gebaseerd op een tweevoudig axioma: de beschikbaarheid plus circulatie van handelsgoederen en de mogelijkheid tot invoer. Op een intergeallieerde conferentie in Atlantic City in de V.S. was in november 1943 de basis voor de bevoorrading van bevrijde landen gelegd. Het Amerikaanse leger, dat over geweldige voorraden beschikte, werd in principe voor de duur van zes maanden met de bevoorrading van de West-Europese landen belast. Na deze 'militaire periode' zou een internationale instantie genaamd U.N.R.R.A. (United Nations Relief and Rehabilitation Administration) in werking treden. De U.N.R.R.A. zou de algehele verantwoordelijkheid dragen voor de voorziening in de behoeften van de arme landen. Voor landen met voldoende hulpbronnen – zoals België – zou de rol van de U.N.R.R.A. zich beperken tot de toewijzing van de nodig geachte hoeveelheden. De begunstigde landen zouden zich, binnen de grenzen van de hun toegewezen hoeveelheden, op de internationale markt dienen te bevoorraden. Deze organisatie was al ingewikkeld op zichzelf, maar werd extra log door de vervlechting van militaire en civiele diensten. En ze werd nog veel ingewikkelder door de tussenkomst van andere geallieerde organismen, zoals het Britse *Ministry of Food* of de *Combined Boards*, Brits-Amerikaanse instellingen in Washington met als opdracht de controle over en verdeling van grondstoffen in de hele wereld. Dit alles leidde tot een doolhof van competenties en diensten en een verlammende papierwinkel. De Belgische regering had getracht om, los van deze massa, ook voorraden in vrije landen aan te leggen. Ze had in 1941 in Canada 200.000 ton tarwe aangeschaft, die volgens vooroorlogse maatstaven goed waren voor tien weken witbrood. In Argentinië was flink wat vlees aangekocht. Men had ook kans gezien om, voorzover verenigbaar met oorlogsprioriteiten, in Kongo een behoorlijke voorraad palmnoten, aardnoten en andere basisgrondstoffen voor de voedselproductie aan te leggen.

Dit alles zou zinloos zijn als het niet gekoppeld kon worden aan voldoende adequaat vervoer. Maar niet alleen was hieraan een tekort, ook had het verloop van de oorlog niet geleid tot de bevrijding van de Atlantische havens. Zolang deze niet ter beschikking stonden, kon zelfs het bevoorradingsplan voor de zogeheten 'militaire periode' slechts mondjesmaat van de grond komen. Alleen al aan voedsel zouden we voor het eerste halfjaar 440.000 ton aan uiteenlopende producten moeten ontvangen. Onnodig te zeggen dat dit absoluut niet haalbaar was. De programma's die het geallieerde opperbevel successievelijk uitwerkte, werden steeds meer afgeslankt. Eind november was men al aan het vierde programma toe.

Op papier werd een rantsoen voorzien van gemiddeld 2.100 calorieën per dag per hoofd van de bevolking. Begin februari 1945 hadden we slechts zowat 90.000 ton voedsel ingevoerd. Nooit werd er zoveel over de ideale mens gesproken, gevoed met denkbeeldige hoeveelheden die statistisch borg stonden voor een prachtgezondheid. Nooit had men ook zoveel z'n toevlucht moeten nemen tot lapmiddelen. Naar verluidt is het onmogelijke de grens van het genie; de vindingrijkheid van de mens kent geen grenzen.

Het reële verloop van de oorlog ondergroef de prachtigste plannen van de mens voor het bevoorradingsvraagstuk en gooide alle prognoses overhoop die talloze mensen van plan waren tot in detail uit te voeren.

Onmiddellijk na de Slag bij Arnhem gooide het geallieerde opperbevel zich op het vrijmaken van de toegangswateren tot de Antwerpse haven. Het ging om de verovering van de eilanden Zuid-Beveland en Walcheren, die de Scheldemonding beheersten. Daarna kon men beginnen met de ontmijning vanaf de Scheldemonding tot aan Antwerpen, een karwei dat minutieus moest worden voorbereid. De actie van marine en landtroepen moest worden gecoördineerd, daarna moest er een landing volgen op sterk teruggelegen posities. Na het september-debacle hadden Duitse eenheden van het 15de leger enkele dagen in

Noord-Vlaanderen rondgezworven, waarna ze zich ter versterking hadden gevoegd bij de reeds op de Zeeuwse eilanden gelegerde garnizoenen. Er manifesteerden zich aan één stuk door groepjes vijandelijke militairen, die zich met hun wapens en artillerie wilden overgeven. Door gemeentelijke autoriteiten werden ze van hot naar her gestuurd en ten slotte doorverwezen naar het Canadese of Britse leger. In die vreemde en verwarde situatie kwam het tot de meest onvoorziene incidenten. Verzetsmensen hadden gevangenen gemaakt. In het dorp Eksaarde bijvoorbeeld waren langstrekkende Duitsers bij verrassing ontwapend en opgesloten in een geïmproviseerde gevangenis. Men moest nog steeds vrezen voor een offensieve terugkeer van de vijand, maar ook voor doortrekkende groepen op de terugtocht die, wie weet, hun ongelukkige kameraden zouden ontdekken en bevrijden. De dorpelingen waren erg verstrikt geraakt in hun plotselinge heldhaftigheid. Er werd besloten de gevangenen, die tot een represaille konden leiden, uit de weg te ruimen. De zoon van de dorpssmid, een onguur type, kreeg opdracht ze af te maken. Onmiddellijk kwamen er menslievende lieden in actie en het kostte heel wat moeite om te voorkomen dat er in de ontreddering een moord gepleegd zou worden die de gevolgen van een onbezonnen daad moest neutraliseren. Gelijkaardige dingen speelden zich waarschijnlijk op tal van plaatsen af. Daarna nam de ontreddering af en zagen restanten van het Duitse leger kans om de Schelde over te steken. Samen met de onderdelen bij wie ze zich voegden, vormden ze een strijdkracht die verbeten tegenstand zou bieden aan het geallieerde offensief, want ze beseften terdege wat er op het spel stond.

De amfibie-aanval voor de vrijmaking van Antwerpen begon zowat midden oktober en werd door de Britten en Canadezen ingezet. Ze isoleerden eerst Zuid-Beveland van het vasteland door de verbindende landtong door te steken. Een convergent manœuvre van Canadezen en Britten, geholpen door de Britse marine, dwong Zuid-Beveland en daarna Walcheren tot overgave. Als gevolg van het doornatte terrein en het slechte weer werd het een uiterst lastige en zeer dure operatie. 28.000 manschappen lieten het leven, meer dan bij de verovering van Sicilië. Op 9 november was alles voorbij en kon de schoonmaakoperatie van de Schelde starten. Het kostte twee weken om alle mijnen te vegen. Op 26 november 1944, twee maanden na de bevrijding van België, konden de eerste geallieerde schepen in Antwerpen aanmeren.

Voor de Duitsers was het van fundamenteel belang de bereikbaarheid van de Antwerpse haven te verhinderen, want anders zou een vloedgolf van geallieerd materieel over het continent losbarsten. Daarom begonnen ze V-wapens te lanceren op de haven en ook op Luik, een vooruitgeschoven depot voor het offensief tegen Duitsland. Reeds op 18 oktober had generaal Erskine de regering gewaarschuwd dat, volgens welingelichte bronnen, de grote agglomeraties het doelwit zouden worden van 'rockets'. Hij had aangedrongen op bescherming of evacuatie van de bevolking. De bombardementen waren inderdaad intensief. Dagelijks wemelde het op de kaarten van Antwerpen en Luik en omgeving van zwarte stipjes die stonden voor een ontplofte V-1 of V-2. Er vielen tamelijk veel slachtoffers en de schade was aanzienlijk, terwijl de spanning onder de mensen groeide wat de algemene situatie nog ingewikkelder maakte. Maar noch de bewegingen in de Antwerpse haven noch de activiteit van het Luikse depot werden ernstig gehinderd.

Gezien deze moeilijkheden kon de politieke positie van de regering er alleen maar hachelijker op worden. Die regering was na lang marchanderen tot stand gekomen. Toen de ministersploeg zich op 3 oktober aan het Parlement voorstelde, was het onthaal koeltjes. Nog voor de eerste beleidsdaad was er kritiek op de regering. De vertrouwensstemming was dan wel unaniem geweest, maar er was ook veel achterdocht. Regeringen van Nationale Unie zijn veeleer een verzameling zwakheden dan een concentratie van krachten. Door de heterocliete samenstelling, een weerspiegeling van de verschillen tussen de partijen, ontstaan er allerlei wrijvingen. Bij gebrek aan een oppositie in de kamers die de meerderheid consolideert, ondermijnt de verdeeldheid de steun aan de macht zelf. Iedere partij wil om zijn eigen doelstellingen te realiseren zijn voordeel doen met de ministers uit eigen rang. In zulke situaties zijn de ministers het slechts eens over het enige doel waarvoor een regering dwingend vereist is. In dit geval: voortzetting van de oorlog. Deze fundamentele noodzaak dekt meningsverschillen, maar neemt ze niet weg. Integendeel, door de ernstige problemen van dat ogenblik kwamen ze nog feller aan het licht.

Om in die omstandigheden te voorkomen dat de regering verlamd zou worden door een constant vergaderend parlement en om zich beter op haar taak te concentreren, kwamen regering en kamers overeen hun vergaderingen te beperken. Dit was mogelijk dankzij een wet van 7 september 1939, die de regering buitengewone bevoegdheden verleende; een wet die in december 1944 nog werd uitgebreid. De regering wilde echter graag dat het controlerecht van de wetgevende macht – de kamers dus – geëerbiedigd bleef en had de intentie hiermee in contact te blijven door middel van gewone parlementaire commissies en een buitengewone commissie van 20 leden voor algemene zaken. Probleemloos accepteerden de volksvertegenwoordigers dit systeem; ze begrepen wel dat ze lang niet allemaal nog echt het volk vertegenwoordigden. Ze behoorden tot een parlement met een verlengd mandaat en de institutie zelf voelde de noodzaak van een vernieuwing in de ogen van de publieke opinie, die het machtsmisbruik van het parlement voor de oorlog streng had veroordeeld.

Maar wijsheid is meestal van korte duur. De Kamers vergaderden verscheidene maanden lang slechts sporadisch en accepteerden een discrete rol. De kamerleden zelf en de partijen daarentegen ontplooiden, hoewel minder openlijk, driftig een resem activiteiten. Het Parlement biedt een goede tribune voor verklaringen aan het land; het Paleis der Natie is een der beste oorden om de publieke opinie te polsen. Regelmatige stemrondes zorgen voor een stroom van gemotiveerd vertrouwen en verjagen de miasma's van machinaties, gefoefel en vreemde intriges. Doordat er slechts met grote tussenpozen werd vergaderd, verloor de regering de steun en het contact, dingen die niet gecompenseerd werden door individuele ontmoetingen met andere politici. Ook ontbrak er een informatiebron – de regering kon die niet in de pers vinden. En geconfronteerd met aanvallen door diezelfde pers ontbrak het haar aan het soort buffer gewaarborgd door constante parlementaire steun. De kranten verschenen zo goed en zo kwaad als het kon; hun medewerkers waren verbitterd. Klein formaat, kleine ideeën. Slechte inkt, slechte standpunten. De regering kon zich nog zo inspannen om de journalisten te lijmen, ze had niet de middelen het de pers, die de regering voortdurend op de nek sprong, naar de zin te maken. Pas veel later, na het verdwijnen van de oorlogssituatie die hen muilkorfde, draaiden de media weer bij.

Het gebrek aan contact met de publieke opinie, of het nu via het parlement, de pers of de radio was, leidde beslist mede tot de val van de regering-Pierlot. De eerste minister was een man die in stilte werkte. In Richelieu's tijd kon deze Franse staatsman bevestigen dat het Franse volk sliep in de schaduw van zijn wachters, maar tegenwoordig dient men te weten – en dat is niet meer dan billijk – wie deze wachters zijn en wat hun resultaat is.

Het moet ook gezegd dat die paar maanden na de bevrijding de vreemdste en onevenwichtigste periode vormden die je je kunt indenken. Je moet het zelf beleefd hebben om het te beseffen. Plotseling was het land weer onafhankelijk, na verlost te zijn van vier jaar steeds knellender tirannie. Het land ervoer zoiets als de wonderbaarlijke gewaarwording van een uit zijn boeien verloste gevangene, de schok van de opeens genezen zieke. Tussen de vrije en de bevrijde wereld was er zoiets aan de hand als met twee meren van verschillend niveau waartussen de dam is weggehaald, zodat ze plotseling met elkaar in verbinding staan. Wekenlang was de ontmoeting tussen de vrije en bevrijde wereld een en al bruisende onstuimigheid, een werveling die het aanschijn van de dingen veranderde. Plezier, profijt, wraak, drama's, het ging allemaal samen met een algemene beroering en ontregeling totdat de kalmte zou weerkeren. Wie deed niet mee aan dit frenetiek levensritme? Als je terugblikt is het maar goed dat er mensen waren, onder wie de eerste minister, die een rots in de branding bleven, het hoofd koel hielden en een toonbeeld waren van vastberadenheid. De geallieerden waren in België met een waanzinnig enthousiasme onthaald en dit weerklonk tot in Churchills toespraken en later ook in de memoires van de grote legeraanvoerders. De vreugde-uitbarstingen leidden tot uitzinnig vertier. De bevrijder werd aan alle kanten door de bevolking beloond. De mensen toverden uit geheime hoekjes allerlei lekkers tevoorschijn voor een feestelijk onthaal en ontzegden de bevrijders geen enkel pleziertje waarmee men overwinnaars verwent. Onder de bezetting was er een leven in de marge van de wet ontstaan. Dit vond zijn vervolg in de marge van de moraal. Aangezien het gevaar nog niet was geweken, was alles geoorloofd met de geallieerden. Mensen denken dat hetgeen ze doen in een voorbijgaande roes, geen blijvende gevolgen zal hebben. Volgens een auteur uit de Oudheid wakkert de nabijheid van de dood de aantrekkingskracht van kortstondig genot aan. Die dood was misschien niet ver af voor soldaten die weer moesten vertrekken en de bereidwilligheid voor hen was bijna een must. Meermaals kneep de kardinaal een oogje toe. Hij zag veel te goed wat er zich afspeelde in milieus wier uitspraken fraaier waren dan hun daden. Er kwamen aanbevelingen en mandementen om de hang naar vertier te matigen. Ook al wilde men zich verzetten tegen de roes van het moment, dan nog viel het te vergeven als iemand door de knieën ging. De Amerikanen en Britten stonden absoluut perplex en waren verrukt van zo ontzaglijk veel sympathie, een sympathie die ze zich nog jarenlang zouden herinneren. Maar de bevolking verwaarloosde intussen haar eigen belangen niet. Een leger van een half miljoen manschappen brengt heel wat risico met zich mee voor het leegzuigen van het land, maar kan ook een stroom goederen binnenbrengen. Onder de vijand was de zwarte markt een zegening geweest, die zeer goed regulerend werkte als de officiële bevoorrading mank liep. Ook in de tijd van de geallieerden bleef er een zwarte markt, maar niet alleen ter compensatie van de schaarste aan levensmiddelen en allerhande producten, maar ook en vooral om grove winsten te bezorgen aan profiteurs, terwijl intussen ook het rantsoeneringsysteem werd verstoord. Ten slotte raakte zowat iedereen er goedschiks of kwaadschiks bij betrokken. De handigheid van de Belgen om de wet te ontduiken is bijna miraculeus. Maar dit mirakel wordt bij ons wel erg opzichtig als het geweten het met eigenbelang op een akkoordje gooit. Met je vrienden zwarte handel drijven leek de normaalste zaak van de wereld te zijn. Zelfs het Angelsaksische puritanisme ging hiervoor door de knieën. Burgers en militairen gingen onder één hoedje spelen en hierdoor was er op de zwarte markt van alles te koop wat op de witte markt onvindbaar was. Generaal Eisenhower spreekt in zijn memoires met ontzetting over de knevelarij- en corruptiepraktijken die het leger waren binnengedrongen en hij citeert een gerucht, waarmee een gehele divisie wordt beschuldigd van betrokkenheid. De hemel zij dank bleek uit een onderzoek dat deze vergrijpen zich tot enkele mensen of geïsoleerde groepen hadden beperkt. Een der meest fantastische technische hoogstandjes van de oorlog was de aanleg van pipe-lines voor het benzinetransport vanuit Engeland onder het Kanaal naar het Europese vasteland. Een van de pipe-lines kwam uit in België. Langs deze pijpleiding wisten hordes parasieten, als vlooien op een hond, de kostbare vloeistof af te tappen om aan privé-personen door te verkopen. Hoe verontwaardigd de verklaringen van de civiele en militaire gezagsdragers ook klonken – het was diefstal van het bloed der overwinning – geen enkele vermaning, preek of maatregel kon de broederlijke inwoners van België verhinderen auto te rijden op benzine van de geallieerden. De Belgische zwarte markt werd al vlug in de gehele wereld een spreekwoordelijk instituut. Met een zekere verbijstering en ironie bezag de wereld hoe een normaliter rechtschapen land vrij en blij zondigt onder het vaandel van de deugd. Je was bijna gaan geloven dat dit gedrag stoelde op de filosofie dat moreel welzijn slechts mogelijk is bij materiële welvaart. Door die materiële welvaart met alle middelen na te streven hoopte men ongetwijfeld bij het eerste uit te komen.

In die tijd, toen eerlijk werk weinig opbracht en ingenieuze luiheid zeer veel, die tijd van gemakkelijk vergaarde rijkdom en onherstelbare miserie, tijd ook van het altijd hemeltergende contrast tussen de overdaad en spilzucht der nieuwe rijken en de ontberingen van de massa, die tijd werd nog meer vertroebeld door de verscheurdheid en pijn als gevolg van de repressie der collaboratie met de vijand. De repressie werd geëist door het collectieve geweten, was voorbereid in Londen en energiek voortgezet door het militair gerecht onder leiding van auditeur-generaal Ganshof van der Meersch, een moedig man en onverstoorbaar magistraat. In de aanvang leek die repressie te zwak; met het verstrijken van de tijd leek ze te hard. Om te beginnen voorkwam ze persoonlijke afrekeningen die in andere landen veel bloed deed vloeien. Maar aangezien de repressie, naast de gewone criminaliteit in onze maatschappij, nieuwe misdadigers en een legioen verdachten creëerde, zorgde ze voor een immense verwarring. Globaal gezegd: straffen is nodig, maar ook erg gevaarlijk. Het is een laatste uitweg indien men misstappen wil vermijden. De collaboratie met de Duitsers had kwalijke vormen aangenomen, had niet alleen een aanslag gepleegd op de instellingen, op het leven en bezittingen van de Belgen, maar ook voor een unanieme verontwaardiging gezorgd – en die moest gekalmeerd worden. De voorbije wanorde was opgelost, maar voor de toekomst schiep men een andere. De impact van de rechtspraak was niet snel en doeltreffend genoeg. Het gerecht werd plotseling met een zee van aanklachten overstroomd (op 15 december opgelopen tot 102 000) en een serieuze behandeling kostte zoveel tijd, dat de publieke opinie het beu werd. Tal van verdiende veroordelingen waren hierdoor in tegenspraak met de heersende sfeer en kregen het etiket onvoldoende of overdreven opgekleefd. Het gratiebeleid was een onmisbare maar beperkte gelegenheidsregulator. Een massa verdachten werd geïnterneerd in afwachting van het onderzoek van hun zaak. Herbergden de gevangenissen normaliter ongeveer 4 500 mensen, nu was hun aantal opeens aangegroeid tot ruim 70 000. Om hen te huisvesten moest men provisorische kampen opzetten, waarin vaak lamentabele levensomstandigheden heersten. Aan dit soort onrechtvaardigheden wordt het werk van justitie getoetst. Een aantal schokkende misbruiken, willekeurige aanhoudingen, niet-gemotiveerde interneringen, onwettige procedures, ondoordachte beschuldigingen en chantage op de overheid om straffen te eisen, wierpen een onverdiend diskrediet op de repressie. Zij die op de een of andere manier met een rechtsvervolging of voorlopige hechtenis te maken kregen, verweerden zich vanzelfsprekend zoveel mogelijk. Bij de 200 000 min of meer wegens collaboratie geviseerde mensen moet men ongeveer nog een miljoen tellen in hun familie- en vriendenkring. Die bewogen hemel en aarde voor steun van verwanten, klanten of beschermers. De beschuldigden gingen op zoek naar mensen die ze bij hun zaak konden betrekken: naar medeschuldigen met macht, naar mensen die borg voor hen wilden staan en adviseurs. Ieders verleden werd uitgekamd om de zwaarste individuele tekortkomingen in een algemene, onduidelijke en vage schuld te verdrinken. Hierdoor ontstond een verwarring met vèrstrekkende gevolgen, waarbij ook nog een menselijk heraanpassingsprobleem kwam. Hoe kon men deze massa zowel op civiel als politiek vlak opnieuw in het normale bestaan integreren? Het ging om een aanzienlijke groep die was getroffen door strenge toepassing van de wet, waarbij dan nog hun verwanten kwamen die indirect werden getroffen door veroordeling of bestraffing van de hoofdschuldige. Toch was repressie onvermijdelijk, al viel te betreuren dat ze noodzakelijk was. De onbestrafte vergrijpen zouden de maatschappij meer schade berokkend hebben dan een ontoereikende remedie.

De verwarde en onstabiele toestand van het land speelde in het voordeel van mensen die in troebel water visten. De communisten maakten hier handig gebruik van. Pierlot had lang geaarzeld ze in zijn regering op te nemen. De eerste minister besloot het erop te wagen gezien hun aandeel aan het verzet en de positie van de Sovjet-Unie aan de zijde der geallieerden. Maar hij deed het vooral op aandrang van de socialisten, die voor een verzwakking of opslorping van hun linkervleugel vreesden als de communisten in de oppositie zouden zitten. Het was voor het eerst dat de communisten ja zeiden op deelname aan de macht. Hun ministers waren Dr. Marteaux, Dispy en Demany. Marteaux was een beste man met een groot hart, scheutig met vulgaire opmerkingen en lijkend op een dikke jakhalskop; Dispy leek op een karikatuur van Leonardo da Vinci en trok steeds grimassen, terwijl Demany veeleer Jacobijn dan communist was. Alledrie plooiden ze zich dadelijk naar de regeringsdiscipline en hielden zich strikt aan de voorgeschreven vormen en het protocol, beter dan rechts, nochtans zo veeleisend als het gaat om de beleefdheid van anderen. Het overleg van de ministerraad is volstrekt geheim, normaal gezien maakt niemand er aantekeningen, behalve dan de secretaris van de ministerraad voor zijn verslag. Bij de eerste bijeenkomst van de raad in het paleis met de communistische ministers erbij, maakten de laatsten toch notities. Toen hen bij vertrek gevraagd werd ze in te leveren, met uitleg over de gebruiken, deden ze dit zonder morren. Ze waren in hun suggesties beslist het meest progressief, maar ze gebruikten hiervoor een gematigde en hoffelijke stijl die contrasteerde met hun theorieën. Al snel besefte men echter dat de communisten, niet gehinderd door de contradictie in hun gedrag, zowel munt wilden slaan uit hun ministersposities als genieten van oppositievoordelen. De ongelooflijke moeilijkheden waarmee België kampte, boden hen kansen die ze niet wilden missen. Eerst waren er hun bezwaren tegen de financiële maatregelen in verband met uitzonderingen die zogenaamd goed waren voor de minstbedeelden, maar die volgens de communisten in werkelijkheid het gehele economische systeem te gronde zouden richten. Vervolgens kwam er kritiek op de bevoorrading. Hun blad *Le Drapeau Rouge* (Nederlandstalige versie *De Rode Vaan*) stelde de regering waartoe ze behoorden verantwoordelijk voor een feitelijke situatie, ontstaan in en door de oorlog. Het blad klopte de ontevredenheid op en weet de schaarste aan vele zaken, die vooral voortvloeiden uit de omstandigheden, aan de slapheid en onbekwaamheid van een minister. De rest van de pers wilde niet achterblijven en nam het idee over, de politici werden nerveus, terwijl de bevolking begon te morren. Door een reeks handige manoeuvres lukte het de communisten, met een vraag trefzeker op de gemoederen in te spelen en gingen de mensen geloven dat de communistische voorstelling van zaken de juiste was.

Een eerste en heftig incident was veelzeggend voor hun methode. Tegen eind oktober ontving Pierlot uit handen van de communistische ministers zelf een brief van Lalmand, secretaris-generaal van de partij. Het was een intelligente man, die er zwak uitzag en een spichtige gestalte had. In deze brief laakte Lalmand in naam van zijn partij het falen van de regering en schoof haar alle mankementen van de situatie in de schoenen. Zijns inziens was er een reeks urgentiemaatregelen nodig en hij vroeg het regeringshoofd om een antwoord middels de communistische ministers. Zonder de geadresseerde om toestemming te vragen, publiceerde hij de brief tegelijkertijd in *Le Drapeau Rouge*. De eerste minister was verbijsterd door de schaamteloosheid van deze manier van doen. Hij bracht de zaak meteen in de ministerraad. Niet alleen wees hij de hem gemaakte verwijten af, verwijten die als partijpropaganda moesten dienen, ook vroeg hij hoe de houding van zijn communistische collega's met de ministeriële solidariteit te rijmen viel. Want zij keurden enerzijds het regeringsbeleid goed, maar vertolkten anderzijds de verwijten van hun partij aan zijn adres. Hij maakte duidelijk dat hij niet als een onnozele in een val wilde trappen die binnen de regeringsploeg werd gezet. Evenmin wilde hij zich neerleggen bij de publieke beschuldiging van zijn collega's als zouden de ellendige tijdsomstandigheden hen koud laten. Pierlot wilde absoluut geen polemiek met zijn ministers noch rechtstreeks antwoorden aan Lalmand gezien diens procedure. Daarom vroeg de eerste minister aan Marteaux en Dispy, die hem de brief hadden overhandigd, hoe ze dachten uit het door hen geprovoceerde incident te geraken. Op die aanval bliezen de geviseerde ministers voorzichtig de terugtocht. Het was nog geen tijd om te breken en het terrein was niet veilig. Zij getuigden dat ze te goeder trouw waren, minimaliseerden de reikwijdte van de grieven in de brief en van hun bemoeienis en verklaarden zich gelukkig te behoren tot een regering die alles in het werk zou stellen voor een verbetering van de gehele situatie. Ze kwamen met een resem sussende commentaren, maar Pierlot bleef onwrikbaar. Hij herhaalde dat zijn collega's hem hadden overvallen door een mededeling openbaar te maken waarin ze een regering laakten waartoe ze zelf behoorden. Ofwel moesten ze hun mededeling herroepen en de brief afkeuren, ofwel moesten ze uit de regering stappen. In de raad ontstond enige commotie. Spaak redde de situatie door te zeggen dat de onervarenheid van de communistische ministers misschien de verklaring voor hun gedrag was. De schuldigen grepen de uitgestoken hand en de pers werd geïnformeerd dat de gezamenlijke regering, met inbegrip van Marteaux en Dispy, de verwijten in de brief van de communistische partij niet aanvaardde. Het was niet de eerste minister die gezichtsverlies had geleden.

Maar de klap was aangekomen. Pierlot voelde dat het ging om een onderdeel van een afwisselend heimelijke en openlijke campagne die zich bij elke geschikte kans zou uitbreiden. Met het probleem van de ontwapening van het verzet dachten de communisten het ideale ondermijningsinstrument te hebben gevonden.

In de strijd tegen de Duitse bezetting hadden zich zowel in België als elders in bezet Europa verzetsgroeperingen gevormd. In het begin waren ze nog niet talrijk, erg verspreid en hielden ze zich vooral bezig met sabotage of het doorspelen van inlichtingen. Ze hadden een netwerk van routes dwars door Frankrijk, de Pyreneeën, Spanje en Portugal uitgebouwd voor een internationale koeriersdienst en de doortocht van contactpersonen naar Engeland of de evacuatie van in België gestrande geallieerde piloten. Toen in 1942 de oorlog nog steeds aanhield en Duitsland zich uitputte om op alle fronten actief te blijven, kwamen er grotere en meer vertakte verzetsgroeperingen van de grond. Ze vormden een extra vijand van binnenuit, naast alle vijanden die Duitsland reeds aan de grenzen van zijn veroveringen moest bevechten. Op regionaal vlak en naargelang van de opvattingen over het verzet ontstonden er tamelijk grote bewegingen, die uiteenlopende elementen bundelden, ex-officieren en ex-soldaten rekruteerden en aantrekkelijk bleken voor jonge mensen die door de oorlog werkeloos waren of een tijdelijke, weinig gewaardeerde job hadden. Al heel snel werden deze groepen aangemoedigd door de Britse geheime dienst en de Belgische regering, die alle twee contact met hen onderhielden. Zo ontwikkelde zich de illegaliteit. Behalve kleine groepjes zoals de Gewapende Partizanen of de Nationale Koningsgezinde Beweging werden vooral twee organisaties belangrijk, het Geheim Leger en het Onafhankelijkheidsfront. Gezien de noodzaak tot geheimhouding waren de conglomeraten van lokale cellen min of meer ondergeschikt aan provinciale comités en een nationaal comité of nationaal hoofd. Aan het Geheim Leger deden vooral oud-militairen mee. Het werd ondersteund door de 2de sectie[43] van het ministerie van Landsverdediging in ballingschap te Londen en door de Engelse dienst 'Action' die ressorteerde onder Lord Selborne, minister van Economie onder oorlogsomstandigheden. De reputatie van het Geheim Leger was uitgesproken conservatief; de organisatie neigde ertoe zich als het onzichtbare onderdeel van het reguliere leger te beschouwen. Het Geheim Leger had zonder twijfel liever over een soort wettelijk monopolie beschikt waaraan de andere bewegingen zich hadden moeten onderwerpen. Het Onafhankelijkheidsfront omvatte veeleer civiele elementen en was links georiënteerd. Het genoot de steun van de Britse Intelligence Service en de Belgische Staatsveiligheid en ressorteerde in Londen onder het ministerie van Justitie. Ook al hadden de twee grote groeperingen en hun satellieten hun krachten tegen de bezetter gebundeld, er bestond duidelijk een wedijver in ideologieën. Deze strijd had zijn weerslag tot in Londen, veroorzaakt door tegenstellingen tussen verschillende Belgische diensten en zelfs tussen de Britse diensten. Los van iedere politieke intentie namen de laatsten het op voor de beweging waarmee ze voornamelijk in contact stonden. De regering had altijd energiek geweigerd één bepaalde groep voor te trekken of een militair monopolie toe te kennen. Voor de regering bestond er slechts één enkel Belgisch leger, dat van de natie. Het verzet was een spontane en illegale reactie die door aanvoerders gestructureerd werd. De regering wilde het verzet wel zoveel mogelijk steunen, de verzetslieden het statuut van reguliere strijders verlenen en ze zelfs in het leger integreren. Echter, ze kon niet toestaan dat privé-groepen wel het gezag erkenden maar in de praktijk hieraan ontsnapten en zich ieder apart tot staatsleger uitriepen met uitsluiting van alle andere. De regering had als uitgangspunt dat in de algemene onderdrukking waaronder België gebukt ging, ieder verzet steun verdiende, vanaf de meest bescheiden innerlijke opstandigheid die samengaat met passief verzet tot aan de mensen die individueel of collectief in actie komen.

Maar men moest zorgen voor evenwicht, zorgen voor 'gelijke maten, gelijke gewichten' tussen de burgerorganisaties die zich tegen de vijand vereenden. De regering moest er alert voor zijn dat de geallieerde overwinning niet als triomf door een bepaalde groep zou worden geclaimd, hoe groot de verdiensten van die groep ook waren. Waarom beklemtoon ik dit zo sterk? Dit evenwicht was van kapitaal belang voor het welzijn van de gemeenschap. Kort na de bevrijding werd dit idee zowel te goeder als te kwader trouw versluierd en liep de staat serieus gevaar. De staat moest tijdig verstandige voorzorgsmaatregelen treffen om zoiets te voorkomen, mochten er zich in de toekomst analoge omstandigheden voordoen. De mogelijke rol en het statuut van het verzet moesten worden bestudeerd en zijn bevoegdheid, activiteit en banden met het legitieme gezag vastgelegd.

Toen de regering geregelde contacten met de verzetsorganisaties begon uit te bouwen die zowel de regeringserkenning als -medewerking wensten, waren de omstandigheden intussen veranderd. De regering kreeg te maken met reeds bestaande groepen, die min of meer nauwe banden met de Britse geheime diensten onderhielden. Deze hadden zowat overal bereidwillige mensen weten samen te brengen. Er waren tal van kleine groepjes ontstaan, maar ze slaagden er niet meer in een eenheid te vormen. Aan Belgische zijde probeerde men te komen tot een wettige bekrachtiging en een formatie waarin de ene beweging de andere niet zou overvleugelen. De regering werd dan ook gevraagd tussenbeide te komen, iets waarvan ze altijd gedroomd had maar wat om vele militaire of politieke redenen hangende was gebleven. Het staat vast dat ze de verzetsbeweging liever anders had uitgetekend en ze zou dan hebben geprobeerd het ontstaan te voorkomen van elkaar vijandige politieke facties gekoppeld aan het verzet tegen de bezetter. Om de controle te houden over datgene wat was ontstaan zonder officieel initiatief van bovenaf, accepteerde de regering hetgeen reeds bestond. Om eenheid te brengen in de acties en ter neutralisering van rivaliteiten probeerde ze allereerst, in België, een coördinatie tussen de verschillende bewegingen van de grond te krijgen. Hiertoe kwam er een Nationale Verzetsraad, die onder impuls van Londen redelijk functioneerde. In Groot-Brittannië zelf deed de regering haar uiterste best weer greep op de dingen te krijgen. Hiermee wilde ze bereiken, dat de bestaande verdeeldheid niet nog sterker het verschil in opvatting tussen de diensten op het terrein zou accentueren. Met het statuut van regulier verzetsstrijder wilde de regering hen tevens de bescherming waarborgen zoals de conventie van Den Haag die toekent aan soldaten van legers in oorlog.

Uit hoofde van al deze motieven richtte de regering in Londen een Algemeen Bevel Binnenlandse Strijdkrachten op onder leiding van kolonel Yvan Gérard, die de generaalsrang kreeg. Het was een moedig en ijdel man, met ergens in het achterhoofd politieke ambities. Hij had een rol gespeeld bij de oprichting van het Geheim Leger en behoorde tot de staf, alsook tot de staf van de Verzetsraad. In de ogen van de Duitsers was hij 'aangebrand', daarom werd hij naar Groot-Brittannië gekidnapt met een motorboot die hem aan de Bretoense kust oppikte. Naar verluidt overdreven zijn wapenbroeders het gevaar dat hij liep om zich van een kladdocument te ontdoen. Gérard was een weinig ruimdenkend man, die in zijn functies veeleer subtiliteit dan energie aandroeg.

Tegen begin 1944 was het de regering gelukt om aan de realiteit een min of meer bevredigende structuur te geven. Feitelijk was er geen eenheid, maar in principe wel. En die werd nog sterker met de organisatie van de SHAEF. Het geallieerde opperbevel nam alle verzetsbewegingen op het continent onder zijn bevel. Het opperbevel beschouwde ze als een onderdeel van de strijdkrachten voor de herovering van Europa. Uitsluitend voor militaire doeleinden werden middelpuntvliedende en particularistische krachten stevig in de hand gehouden. Maar tegelijkertijd zag de Belgische regering zich haar toch al zwakke controle ontglippen, terwijl een ander vraagstuk steeds dringender werd, namelijk de verdeling van wapens aan het verzet. In feite was dit vraagstuk beslist niet nieuw. De Britten waren steeds doorgegaan met een genereuze wapenbevoorrading van iedereen die van ver of nabij de Duitsers te lijf konden gaan. De regering had heel duidelijk getoond gereserveerd te staan tegenover deze nonchalante en voor de toekomst erg gevaarlijke handelwijze. Met klem had ze gevraagd: 'houd ons op de hoogte van wapendroppings per parachute, van de wapenopslag en -verdeling'. Ze had de Britten erop geattendeerd de ontvangers niet allemaal over een kam te scheren. Ook zou zij zich als regering op een bepaald moment gedwongen zien respect voor de orde te eisen na alle aan de bevrijding voorafgaande beroering. Correcte burgers zouden hun wapens inleveren, niet correcte lieden zouden ze blijven gebruiken. Waartoe diende het winnen van de oorlog als men daarna de gehele bevolking zonder onderscheid des persoons van wapens moest voorzien? De regeringsprotesten hadden nauwelijks effect opgeleverd. De houding van de Britse diensten werd door het Britse kabinet gedekt en door Churchill goedgekeurd. Uitsluitend het heden telde en men dacht niet aan de consequenties zolang men de Duitsers maar een tegenstander kon bezorgen. Morgen zou er weer een dag zijn en dan zag men wel verder. Door de SHAEF-interventies verslechterde de situatie en arriveerden er enorme hoeveelheden wapens op het Europese vasteland zonder dat de betrokken regeringen van iets wisten. In heel wat gevallen moest deze politiek tot desastreuze gevolgen leiden.

Bij de invasie in juni 1944 kwamen de binnenlandse strijdkrachten, reeds gemobiliseerd ter voorbereiding van het terrein, overal in actie. Er ontstond een geweldige beweging, voortgestuwd door een kolkend elan, dat zich onder de jarenlange tirannie had moeten intomen. De landen onder de bezetting waren een enorm maquis geworden met een netwerk dat de Duitsers verlammend insloot toen het moment van vechten was aangebroken. De rol van het verzet was fundamenteel in de materiële ontregeling en de morele aftakeling van de vijand. Iedereen die meedeed, voelde zich herboren worden. Het was een grote euforie die in haar kolkende maalstroom de vuiligheden van de bezetting meevoerde en aan de naties wat van de romantische geest terugschonk waar geen land buiten kan.

Toen de regering met de geallieerden het land binnenkwam, gaf ze dadelijk de indruk van een boeman die zogenaamd de toestand weer zou normaliseren, maar het verzet zou gaan uitbuiten en het zo de vruchten van zijn opoffering ontnemen. Daarbij kwam dat de vijand uit het land werd verjaagd. Zelfs al was hij nog niet overwonnen, de illegaliteit was in ieder geval voorbij en het was niet langer de rol van de binnenlandse strijdkrachten rechtstreeks de vijand te bevechten. In plaats hiervan dienden ze het leger te assisteren bij de vernietiging van een andere vijand. Opeens moesten verzetsmensen helpen bij openlijke en roemloze zaken, instaan voor ondersteunende taken zoals escorte van konvooien, surveillance van het achterland en het bewaken van verbindingslinies. Dit zorgde voor een immense teleurstelling, die nog bitterder smaakte door de hen opgelegde ontbinding. De oorlog ging verder, maar dan met soldaten die in wapengebruik en nieuwe methodes waren getraind. Het verzet werd gevraagd zijn groepen te ontbinden, waarna de mensen apart werden ingelijfd bij de kaders van een leger dat hen nog moest trainen, terwijl ze al zoveel strijd hadden geleverd. Het was alsof hun onbaatzuchtigheid elk perspectief had verloren, alsof hun heldhaftigheid van geen belang was geweest.

We moeten goed beseffen wat de mentaliteit was van een hele jeugd die de vrijheid hervond. Volgens de Franse schrijver François Mauriac was er veel kunstmatigs in de tegenstellingen die een aantal mensen wilde creëren tussen de generatie van de 'défaite' – de benaming voor Frankrijks nederlaag in de Frans-Duitse oorlog van 1870 – en die van de Tweede Wereldoorlog. Hij was van oordeel dat de onrust die elke generatie jongeren kwelt, veeleer te maken heeft met de adolescentie en de zoektocht naar een identiteit. Zijns inziens verschilden alleen de omstandigheden; bij de 'défaite' kon je, aldus Mauriac, de jeugdige onrust toeschrijven aan de schaamte over de nederlaag, na de Tweede Wereldoorlog aan de teleurstellingen van de overwinning. Eerlijk gezegd is dit volgens Mauriac het alleenrecht van alle jongeren; ze ontstaat uit de eerste blik waarmee de mens, nauwelijks de kindertijd ontgroeid, zichzelf en de wereld beziet[44].

Er was echter heel wat meer aan de hand en het getuigt van onbegrip om het fenomeen van een welbepaalde periode uitsluitend terug te voeren tot iets zo algemeens als het menselijk incasseringsvermogen. Jarenlang hadden jonge mensen die wellicht eerst hadden geloofd dat alles afgelopen was, zich roekeloos in het avontuur gestort. Buiten de wet, los van hun gebruikelijke vredige bestaanskader was er een ander leven ontstaan. Het was een nieuwe, illegale wereld met zijn eigen regels, die zich in de marge, in de schaduw en tegen de andere wereld in ontwikkelde en door die andere wereld werd vervolgd omdat deze in vijandelijke handen was. Het avontuur voedt zichzelf, vooral als het steunt op idealen en hoop. Het was een constante roes om naar buiten toe de schijn op te houden en in realiteit een totaal ander bestaan te beleven. Alles werd door het doel getransformeerd. Misdrijven werden gezien als deugden en in de revolte stak het goede. Zo werd uit vrees het praktisch existentialisme geboren, ontstaan uit de greep die men op zichzelf had in zeer riskante acties. Ook moet gezegd dat individuen zich makkelijker plooien onder de dominantie van een klein groepje, waarvan ze uit vrije wil de harde en bijzondere eisen en beperkingen hebben aanvaard, dan de wet te gehoorzamen. In minder dan geen tijd, laat ons voor België zeggen in enkele dagen en voor Frankrijk in enkele weken, stond de wereld van het verzet met lege handen. De jonge bewoners van een schemergebied doken hieruit weer op, regelrecht in het felle licht van de reguliere maatschappij. Dit was een pijnlijke ervaring. Opeens moesten ze van de joyeuze strakke discipline van een bende overstappen op de strenge vrijheid van de wet. Het is lastiger een burger te zijn die aan zijn eigen lot is overgelaten, dan een soldaat die slechts moet gehoorzamen; de centurio uit het Evangelie wist dit heel goed toen hij de Heer aangaf hoe eenvoudig het kan zijn een uitgestippelde weg te volgen.

Want ik ben zelf een ondergeschikte met soldaten onder mij, en ik zeg tot één van hen: Ga heen en hij gaat heen, en tot een ander: Kom, en hij komt, en tot mijn slaaf: Doe dit, en hij doet het[45].

Jarenlang hadden de door hen gekozen en geaccepteerde aanvoerders hun gezegd: *'Ga daar en daar heen!'* en dan gingen ze, *'Kom!'* en dan kwamen ze, *'Doe dit of dat!'* en dat deden ze.

Ze gaven de voorkeur aan strakke eisen en welomschreven beperkingen, die ze door een ideaal rechtvaardigden, dan aan een anonieme wet die hun vrijheid beperkte. Naast de nostalgie voor wat ze loslieten en waarmee ze hadden kunnen overleven, deed zich nog een ander probleem voor. Al deze mensen moesten opnieuw de wettelijke en maatschappelijke structuur aanvaarden die een eind aan het avontuur maakte en hen de op het eerste gezicht nogal middelmatige vrede bracht. De Franse schrijver Péguy zag als hoogste deugd van de oorlogstijd dat de dag van morgen als een onbeschreven blad is[46]. Het verzet had deze deugd toegepast. Plotseling werd de mensen gevraagd weer onder de paraplu van de wettelijke veiligheid en het wettelijke determinisme te kruipen. Heel wat jongeren walgden hiervan en deze pijn bleef nog lange tijd nazinderen. Het is een pijn van de 20ste eeuw – een eeuw waarin de mensheid op zoek ging naar een nieuwe wettelijke en maatschappelijke orde die verenigbaar was met de herinnering aan een groots avontuur. De teleurstellingen van de overwinning vertaalden zich vooral in het onvermogen om voor de oude structuur te buigen, structuur die zich zoetjesaan weer installeerde alsof er geen oorlog was geweest en of oorlog ook definitief verleden tijd was. In het hart van de beste elementen bleef een kiem van revolte actief, een bewijs hoe vitaal hun aspiraties waren. Een kiem ook die een belofte voor de toekomst inhield. Een aantal mensen kon niet besluiten voortaan niet meer buiten de wet te leven en vluchtte in ophefmakende zaken. Terwijl enerzijds alles in het werk werd gesteld om de normale orde te herstellen, werd diezelfde orde geprovoceerd door mensen die hier huiverig voor waren. Dit manifesteerde zich in een heel scala dingen: van erotiek in de literatuur of existentialisme in het gedrag tot het op losse schroeven zetten van de meest essentiële dingen. Weg met het onschendbare! Leve het onschendbare! Weg met het absolute! Leve het absolute! Op zich is deze afwijzing nihilistisch noch communistisch. Het is een gevoel van een ten top gedreven opstandigheid, een genereus en prijzenswaardig gevoel. Want al behoort de wereld niet de opstandigen toe, hij wordt gelukkig wel door hen geïnspireerd.

Het verzet was een tastbare realiteit geweest die men nog niet kon loslaten. De communisten wilden hier politiek voordeel uit halen. Zowel het moment als het terrein waren hiervoor gunstig. De regering had besloten om in diverse etappes de binnenlandse strijdkrachten te ontbinden, hetzij door hun leden in het leger op te nemen, hetzij door ze weer in de burgermaatschappij in te schakelen. Deze opdracht werd aan generaal Gérard toevertrouwd. Om te beginnen werden half september de verzetsgroeperingen erkend die tot aan de bevrijding onafhankelijk en actief waren opgetreden, wat echter niet zonder moeilijkheden verliep. Bij sommige gevallen was dit optreden evident, zoals bijvoorbeeld bij grote verzetsgroeperingen, bij andere echter wat minder. Al gauw raakten de verzetsbewegingen onderling verdeeld: welke kandidaten zouden ze steunen, want wie van hen beantwoordde aan hun politieke kleur? Na eindeloos heen en weer gepraat werden uiteindelijk negen groeperingen officieel erkend[47].

Vervolgens moest er een lijst van de leden van het verzet worden opgesteld. Onnodig te zeggen dat hun aantal met de tijd aangroeide. In principe verstond men onder 'verzetsman' iemand die vóór 3 september 1944 tot een erkende groep had behoord. Dit was de uiterste datum, waarna men terecht kon aannemen dat de risico's op vijandelijkheden op bevrijd gebied van de baan waren. Er werden stapels valse attesten uitgereikt, vooral door extremistische bewegingen zoals de *Gewapende Partizanen* (communisten) en de *Nationale Koningsgezinde Beweging* (NKB)[48]. Het aantal van zo'n 7 tot 10 000 mannen die echt actief waren geweest in het verzet, was eind oktober opeens aangezwollen tot 50 000 personen, laattijdige toetredingen buiten beschouwing gelaten.

Generaal Gérards leiding over de coördinatie en registratie vertoonde zo'n gebrek aan inzet dat beide een totaal fiasco werden. Zwak van karakter als hij was, zag hij veel dingen door de vingers om maar niemand voor het hoofd te stoten. Hij viel al spoedig ten prooi aan de grootste heethoofden die zich, in afwachting, intussen uiterst links opstelden om enkele jaren later naar rechts om te zwaaien. In plaats van de verzetsbeweging vreedzaam te laten opgaan in de nationale gemeenschap, werd Gérard al gauw geconfronteerd met steeds grotere eenheden die hun onderlinge rivaliteiten slechts onderdrukten om samen de regering in het nauw te drijven. Als bevelhebber van de binnenlandse strijdkrachten had generaal Gérard een illusoir gezag over hen.Opgewonden als een doldraaiende motor troonde hij in een gebouw aan de Regentlaan en legde in vredestijd een koortsachtige activiteit aan de dag alsof het nog volop oorlog was. Terwijl hij alle tijd nam om maar vooral niet te slagen, namen de communisten die te baat om de dingen te laten begaan en om een feitelijke toestand te consolideren waarin hun pretorianen langzaam maar zeker de macht in handen zouden nemen. Zij zaten in de regering en kenden haar onmacht. Tegenover tegenstanders zonder scrupules is het altijd riskant slechts het recht aan zijn kant te hebben. De minister van Landsverdediging, Demets, beschikte voor gans het land over 8 000 rijkswachters, nagenoeg zonder wapens of vervoersmiddelen. Hij wilde hun aantal opvoeren tot 12 000 en vervolgens tot 18 000 man en ondernam herhaaldelijk stappen bij de geallieerden voor de levering van stenguns en vrachtwagens. Maar deze werden volledig in beslag genomen door hun eigen behoeften en hoewel ze aanvankelijk zo gul waren geweest met wapenleveranties aan het verzet, waren ze nu opeens veel minder vrijgevig voor de wettelijke regering. Er was ook een zekere reserve te bespeuren in de houding van de SHAEF die neutraal wilde blijven ten aanzien van interne conflicten, zowel in België als in de andere bevrijde gebieden. Het militaire opperbevel scheen te willen ontsnappen aan het verwijt te interveniëren door steun aan of het dwingend opleggen van een regering die uit ballingschap terugkeerde. Zonder rechtstreekse steun te verlangen, vroeg de regering dat haar op z'n minst de kans werd geboden haar opdracht uit te voeren. Zij was van oordeel dat als de SHAEF haar hielp met de recuperatie van de onder de bevolking verspreide wapens en deze aan de rijkswacht doorspeelde, dit alleen maar een evenwicht zou herstellen dat de geallieerden zelf in gevaar brachten.

Temidden van deze halfslachtigheid en dit zwak machtsvertoon nam de verwarring toe. De facties, die de verzetsbewegingen hadden vervangen, bleven steeds meer op hun eisen staan. Dit eisenpakket werd op de ministerraad ondersteund door Marteaux en Dispy, en vooral door Demany, die oogkleppen opzetten telkens wanneer er sprake was de zaken weer te normaliseren. Ze hadden het over een complot van politiek onbetrouwbare personen en kwaadwilligheid van de regering. In hun ogen bestond er een systematische vijandigheid die er op uit was de resultaten van de verzetsacties te minimaliseren. Gérards onbekwaamheid, de trage opbouw van het Belgische leger, allerhande problemen die ter discussie stonden, verleenden een schijn van waarheid aan deze aantijgingen. De teleurstelling en de ontmoediging van de mensen die tijdens de oorlog aan de goede kant hadden gestaan, was koren op de molen voor onrustzaaiers. Terzelfder tijd maakten de binnenlandse strijdkrachten zich bij de bevolking zeer onpopulair. Deze strijdkrachten kostten de schatkist zes miljoen per dag, waarbij ieder lid dagelijks 40 frank soldij ontving. De soldaten van de Brigade Piron (Belgische 1ste Groepering) daarentegen, die aan de Duitse grens vochten, ontvingen slechts 25 frank. Door ge- en misbruik te maken van een vorderingsrecht dat men tevergeefs had proberen te beperken, installeerden de groeperingen en hun diensten zich daar waar het hen goed uitkwam. Benzine en transportmiddelen waren schaars, maar niet voor hen. Zo'n beetje overal zag je ongemanierde en gewapende kerels lanterfantend rondlopen, iets wat eigen is aan militairen maar altijd onrustbarend bij militieleden. Zij zagen eruit alsof ze ergens hun slag gingen slaan. Men had het over willekeurige arrestaties, folteringen en allerlei gewelddaden. In deze troebele tijden leek de zwarte markt te floreren aan de duistere kant van een soort verzet, dat bezig was de herinnering aan het echte verzet te overschaduwen. Kortom, de bevolking was het beu. Men eiste maatregelen op die enerzijds tegemoet moesten komen aan de legitieme eisen van hen die gevochten hadden en anderzijds het land moesten bevrijden van bendes die alleen maar aangroeiden met gevaarlijke elementen. Maar de regering, die zelfs tot in de kern onder druk werd gezet, werd tot toegevingen gedwongen. In afwachting van een aftreden dat uitbleef en een integratie in het leger waarvan de communisten niets wilden weten, werden de verzetsstrijders in kazernes ondergebracht of werden hen aanvullende politietaken toevertrouwd. Dit verschafte hen voorlopig een verdere reden van bestaan en zo werden ze op deze manier toch weer in de maatschappij ingeschakeld.

Bezorgd over een agitatie in hun achterhoedes besloten de geallieerden uiteindelijk te reageren. Generaal Eisenhower publiceerde op 3 oktober een dagorder waarin hij de verzetslieden bedankte voor hun heldhaftige efficiëntie en hen aanried hun vaderland te dienen door de nieuwe taken net zo goed te volbrengen als ze onder de bezetting hadden gedaan. Op grond van deze proclamatie richtte de eerste minister op 6 oktober een brief aan de vertegenwoordigers van het verzet. Hierin verzocht hij de verzetslieden zich in te schrijven en stelde voor geleidelijk tot hun ontwapening over te gaan in afwachting van een opheffing van de verzetsgroeperingen door generaal Gérard. De genoemde vertegenwoordigers van de verzetsgroepen gingen hiermee akkoord, maar er gebeurde niets. De registratie van de verzetsstrijders verliep uiterst traag, wapens werden niet ingeleverd en er was nauwelijks iemand die zich inschreef bij het leger... Generaal Gérard coördineerde in het luchtledige.

Intussen werden bepaalde groepjes steeds actiever en hun rangen leken razendsnel aan te groeien.

Naar aanleiding van dit lijdelijk toezien van de regering, waarvoor zij trouwens zelf aansprakelijk was, overhandigde generaal Erskine op 31 oktober eerste minister Pierlot een brief van generaal Biddle-Smith, chef-staf van generaal Eisenhower. Kort samengevat stond in de brief dat het geallieerde opperbevel geen gewapende burgers meer op zijn verbindingslinies kon tolereren. De eerste minister werd verzocht een einde aan deze gevaarlijke situatie te maken. Generaal Erskine verklaarde er niets op tegen te hebben als de brief aan de ministerraad werd voorgelegd en hij vroeg de eerste minister hem diezelfde dag nog de uitvoeringsmaatregelen mee te delen welke de regering dacht te nemen.

Het werd een woelige zitting in de ministerraad en dit zou niet de laatste keer zijn. Pierlot zette er uiteen dat de interventie van de geallieerden zich liet rechtvaardigen omdat België niet in staat bleek het verzet te ontwapenen. De instructies van 6 oktober waren dode letter gebleven. Men moest snel iets doen, wilde de regering niet door een militair regime vervangen worden.

De meeste ministers oordeelden dat de maat nu vol was en dat er onmiddellijk gedemobiliseerd moest worden. Het milde karakter van Spaak neigde eerder tot omzichtigheid. De communistische ministers reageerden hoogst verontwaardigd. Zij insinueerden dat het bevel van generaal Biddle-Smith weleens door de Belgische autoriteiten ingefluisterd kon zijn, wat misschien niet helemaal onwaar was. Zij waren fel tegen demobilisatie. De onderlinge samenhang van de verschillende groeperingen moest worden bewaard en ze mochten niet worden ontbonden voordat de verraders en collaborateurs opgespoord en eruit gegooid waren. Maar de eerste minister hield voet bij stuk, waarna de ministerraad een communiqué publiceerde waarin werd benadrukt, dat de regering door middel van vrijwillige indiensttreding 40 000 verzetsstrijders wilde opnemen in het leger, bij de hulptroepen van de rijkswacht of de politie en bij overheidsdiensten. Alle wapens moesten bij de overheid worden ingeleverd. Generaal Erskine werd meegedeeld dat hij uiterlijk op 10 november over het resultaat van de genomen maatregelen ingelicht zou worden. Er werden achttien aanwervingsbureaus geopend, die 1500 indiensttredingen per dag konden verwerken.

En men wachtte. Vergeefs... Op 10 november kwam de ministerraad weer bijeen en stelde vast dat men na twee weken nog geen stap verder was gekomen. Er was nog steeds geen sprake van vrijwillige indiensttredingen en de wapens waren evenmin ingeleverd. Integendeel, sommige groepen veroorloofden zich steeds meer, profiterend van de onmacht van de regering haar besluiten aan de bevolking op te leggen. Er werd gedreigd met machtsovername. Een zekere commandant Pilaet de Turnhout – merkwaardig hoe expressief namen van huurmoordenaars en hun handlangers in revolutionaire tijden zijn – had zijn mannen verboden hun wapens in te leveren omdat ze deze weldra nodig zouden hebben.

Wellicht betreurden de verstandige elementen uit het verzet deze stand van zaken. Zij waren vooral talrijk in het Geheim Leger of bij het Onafhankelijkheidsfront, maar –zoals altijd– werd hun goede wil verlamd door een handjevol heethoofden die alle anderen meesleurden.

Pierlot verklaarde heel gedecideerd dat het nu afgelopen moest zijn. De regering zou niet alleen haar gezicht verliezen, maar ook de controle over de steeds ernstiger wordende toestand. Alle ministers vielen hem bij, behalve de communisten, die zich nu wel moesten blootgeven tegenover de vastberadenheid van hun collega's. De communisten waren tegen individuele integratie in het leger van de verzetsstrijders. Zij vonden dat verzetsgroeperingen alleen 'en bloc' in het leger opgenomen konden worden en op voorwaarde dat ze hun eigen structuur konden blijven behouden. De ministerraad ging hier niet op in en er werd besloten dat acht dagen later, op zaterdag 18 november om twaalf uur 's middags, de termijn vastgesteld voor vrijwillige indiensttreding, zou verstrijken. Na die datum zou iedereen die niet in dienst getreden was, weer gewoon burger worden; wapenbezit zou als illegaal worden beschouwd en zwaar bestraft. De minister van Landsverdediging nam onmiddellijk uitvoeringsmaatregelen. In een radiotoespraak legde hij het besluit in grote lijnen aan de bevolking uit, terwijl hij tevens een omzendbrief aan zijn diensten stuurde. Deze omzendbrief en genoemd besluit werden tegelijkertijd door generaal Gérard aan de diverse groeperingen doorgegeven, waarbij hij met name nadruk legde op de 'buitengewone eer' die de regering het verzet bewees door het in het leger op te nemen.

Daar de communisten er niet in waren geslaagd hun standpunt aan de ministerraad op te dringen, gingen ze, voor het blok gezet, de straat op. Zo'n beetje overal organiseerden ze betogingen; hiermee wilden ze de alom heersende onvrede aantonen. De communistische minister Dispy ging zelfs bij generaal Gérard op bezoek om hem vanwege de eerste minister, het valse bevel te geven, het besluit niet toe te passen en de omzendbrief niet te versturen ondanks formele instructies van de minister van Landsverdediging.

Daar, ondanks alles, de uitvoering van de maatregelen toch langzamerhand op gang kwam, lieten de communistische ministers weten dat ze niet meer akkoord waren en op 14 november werd de ministerraad in spoedzitting bijeengeroepen. Ze kregen onmiddellijk het woord en gingen heftig in de aanval. De communisten zeiden dat het besluit en de omzendbrief van de minister van Landsverdediging de door de regering op 10 november geuite intenties geweld aandeden. Ook betichtten ze de diensten van Landsverdediging ervan vol te zitten met fascisten, saboteurs en verraders. Volgens een bij agitatoren geliefde tactiek probeerden ze alle zaken dooreen te halen. Ze verweten de regering haar financieel beleid, haar laksheid in verband met de voedselbevoorrading, haar slapheid in verband met de repressie en haar algehele inertie. Ze eisten meer macht voor het verzet, dat het land had gered en dat buiten al deze zaken werd gehouden.

Pierlot luisterde. Zijn keuze was bepaald en hij voelde de breuk aankomen. Hij liet zich niet uit het lood slaan. Toen het requisitoir van de drie communistische ministers was afgelopen, reageerde hij koeltjes met de woorden dat het geen tijd meer was om ultimatums te stellen. En evenmin het moment voor het zaaien van verwarring om het probleem in de kiem te smoren. Het besluit van de minister van Landsverdediging en diens omzendbrief weerspiegelden perfect de gedachten van de ministerraad. Het had geen zin ambtenaren te beschuldigen. Zij hadden slechts opdrachten uitgevoerd. De eerste minister dekte alles. De termijn voor vrijwillige indiensttreding van voormalige verzetsstrijders zou, binnen vier dagen, op 18 november verstrijken en deze termijn zou worden gerespecteerd. De regering had bevolen en men moest haar gehoorzamen. Alle ministers vielen hem bij. Vervolgens verklaarde Demany dat de regering dan maar moest opstappen. Daar kwam de aap uit de mouw. Het ging erom een vacuüm te scheppen om de chaos te verhogen. De eerste minister antwoordde dat de regering dan gewoon verder zou gaan zonder degenen die het met haar oneens waren. Eens te meer moesten de communisten in het zand bijten; na de ministerraad verscheen een communiqué waarin werd herhaald dat de indiensttredingen of ontslagnemingen vóór de vervaldatum van 18 november moesten plaatsvinden.

Daags erna, op 15 november, ondernamen de communisten een nieuwe aanval. Pierlot had aan de ministerraad een toespraak ter lezing gegeven die hij diezelfde avond nog voor de radio dacht te houden. Hierin zou hij voor eens en altijd de positie van de regering uiteenzetten. Demany verklaarde meteen dat hij hierin een aanval op de binnenlandse strijdkrachten zag. Hij was ook ziedend omdat er een betoging was verboden waarbij hij tegen de houding van de regering zou ingaan. Volgens Demany paste dit verbod in een door de eerste minister aangemoedigd vijandig klimaat tegen het verzet. Hij vroeg alle maatregelen in te trekken. Dispy deed hier onmiddellijk nog een schepje bovenop. Niet alleen eiste hij voor de verzetsgroeperingen het recht onafhankelijk te blijven, tenzij men, op hun eigen verzoek, indiensttredingen 'en bloc' toestond. Ook eiste hij opeens het deblokkeren van banktegoeden tot twintigduizend frank en garanties voor een energieke vervolging van collaborateurs. Al deze eisen stelde hij als voorwaarde om aan te blijven in de regering.

Toen schoot De Visscher, minister zonder portefeuille, uit zijn slof. Beter dan wie ook kon hij er aanspraak op maken de geest van het verzet te vertegenwoordigen. Eerst complimenteerde hij de eerste minister, verklaarde vervolgens volledig met hem akkoord te gaan en zei ten slotte dat indien men het moest hebben van halfzachte adviezen, hij zich genoopt zag zijn ontslag te nemen, want hij wenste niet meer te behoren tot een regering die naam onwaardig.

Zijn betoog kreeg bijval van de hele ministerraad. *Pierlot* herhaalde nog eens dat hij voor 100% bij zijn standpunt bleef. *'Bij alles wat er is gebeurd'*, zo zei hij, *'wil ik op z'n minst op één fout wijzen: dat ik te lang geduldig ben geweest. Ik heb alle alternatieven onderzocht om met mijn collega's de heren Dispy, Demany en Marteaux tot een vergelijk te komen. Te oordelen naar het resultaat was het beoogde doel allemaal tijdverspilling. Er zijn heel wat dubbelzinnigheden die lang genoeg hebben geduurd. De heren Dispy, Demany en Marteaux waren het eens met alle door de ministerraad genomen beslissingen in verband met het verzet, behalve met de tenuitvoerlegging. Het spelletje is nu uit.'*

Na deze woorden verklaarden de heren Demany, Dispy en Marteaux – Marteaux met moeite – dat hun aanwezigheid in de ministerraad geen zin meer had en boden hun ontslag aan. Pierlot antwoordde zonder aarzelen dat hij dit aan de regent zou melden.

Er viel een stilte. Je kon verwachten dat de zitting nu wel opgeheven zou worden. Maar Pierlot wachtte: zonder de communisten wilde hij de zitting voortzetten. Hij bleef strak en gespannen voor zich uit kijken De communistische ministers hadden het begrepen. Ze stonden op, schudden hun collega's de hand en vertrokken. In die tijd werden de zittingen van de ministerraad nog op het Ministerie van Buitenlandse Zaken gehouden, rond een grote ovalen tafel, in een ontvangstsalon op de hoek van de Wetstraat en het Parlementsplein. Twee grote schilderijen van Leopold I en Louise-Marie van Orléans, kopieën van Winterhalter, keken vanuit de hoogte neer op dit bijzondere en mime-achtige tafereel. Het leek alsof de eerste Belgische koningin, geheel in het zwart en met haar kroon een tikkeltje scheef op haar chignon, even opkeek van het papier in haar hand en afkeurend op het incident neerzag.

Toen de deur achter de aftredende ministers dichtviel, wendde Pierlot zich tot zijn collega's en stelde hen voor hun taak te hervatten. Het vertrek van de communisten veranderde niets aan de politieke koers van de regering die, volgens de eerste minister, gezien de huidige omstandigheden niet het recht had er de brui aan te geven. Iedereen stemde hier unaniem mee in. Alleen Spaak verklaarde dat hij het niet geheel eens was met het gebeurde. Door zijn afkeer voor oplossingen onder dwang deed hij soms te grote concessies. Hij was melancholisch en diep in zijn binnenste minder krachtdadig dan de anderen. Niet erg enthousiast zei hij, bereid te zijn door te gaan. Enthousiasme was voor hem trouwens niet absoluut noodzakelijk. Als men er anders over dacht, dan stapte hij liever op. Pierlot en Spaak waren erg op elkaar gesteld. Deze beide zo verschillende mannen hadden een diepe band met elkaar. Met het conflict tussen de onverzettelijke vastberadenheid van de een en de wat al te milde toegeeflijkheid van de ander had Pierlot wellicht moeite. Hij antwoordde Spaak dat hij mocht blijven of kon opstappen, maar dat zijn vertrek de val van de regering zou betekenen.

De regering bleef overeind. Vastbesloten zich noch door protestmarsen te laten beïnvloeden noch door het eindeloos gechanteer op ministeriële beraadslagingen, bereidde de regering zich erop voor om de agitatie het hoofd te bieden met de weinige middelen die zij had. Zij beschikte over een slecht getrainde rijkswacht en te weinig manschappen. De rijkswacht bestond uit ongeveer achtduizend man van wie slechts een paar honderd gewapend was en dan nog onvoldoende. Tevergeefs had de regering de geallieerden meermaals om geschikt materiaal en adequate uitrustingen gevraagd. Militaire prioriteiten en een zeker voorbehoud hadden, zoals ik al eerder zei, aanleiding gegeven tot leveringstermijnen die onhaalbaar waren. Het was evident dat de tactiek van de tegenstanders erop gericht was, de al zo schaarse strijdkrachten nog meer te versnipperen door in het hele land en onder diverse voorwendsels onrust te zaaien. Zagen de communisten kans van deze versnippering te profiteren, hun slag thuis te halen en verwarring te zaaien, dan zouden zij de regering kunnen omverwerpen. Vervolgens konden ze dan in naam van het verzet de macht grijpen door te bewijzen, dat ze die *de facto* reeds bezaten. Dit plan had grote kans van slagen zolang de diverse verzetsbewegingen nog over hun wapens beschikten en als ze maar genoeg opgestookt werden om het tot een uitbarsting te laten komen.

Al was de regering kwetsbaar, toch had zij een aantal troeven in handen. Hoewel de geallieerden neutraal wensten te blijven, waren zij de Belgische regering gunstig gezind. Wie de situatie meester zou blijven, kon op hun hulp rekenen. De meeste burgers, geïrriteerd door een agitatie waarin ze geen heil zagen en waarvan ze de afloop vreesden, verlangden een gezag dat voor handhaving van de wet zorgde. Ten slotte was er zelfs binnen de verzetsbewegingen een flink aantal brave lieden, meer geneigd tot gehoorzaamheid dan tot opstandigheid, die er fel tegen gekant waren oorlogsheroïek politiek uitgebuit te zien. Zij hadden bevel gekregen hun wapens in te leveren, bij het leger in dienst te gaan of weer naar hun gezin terug te keren. Zij waren bereid te luisteren naar degenen die, in hun ogen, in staat leken het land te besturen.

Het was dus op dit zo moeilijke moment van wezenlijk belang dat de regering zich niet van haar zwakke zijde zou tonen door onzekerheid uit te stralen. Even belangrijk was dat zij positie koos overeenkomstig haar middelen en dat zij, als het zover moest komen, haar beslissing met kracht zou afdwingen. Na diepgaande discussies besloot de regering het verzet te ontwapenen. Zo voegde zij zich naar de duidelijk uitgesproken wil van de geallieerden en naar de unanieme wens van de bevolking. Tevens handhaafde zij de uiterste datum van 18 november voor inlevering van wapens en indiensttreding bij het leger. Tegenover de heftige reacties die zij kon verwachten, besloot de regering betogingen en meetings in het land niet te verbieden. Zij zou dit toch niet hebben kunnen voorkomen, maar zonder alle manschappen in de provincies volledig aan de rijkswacht te onttrekken, concentreerde zij zich vooral op het centrum dat beslist het belangrijkste doelwit zou zijn. Dat wil zeggen de neutrale zone van Brussel, een grote vierhoek waarbinnen bijna alle gebouwen van de uitvoerende macht liggen. Vanaf het koninklijk paleis loopt het traject via de Hertogstraat en de Leuvenseweg en gaat dan via de Koningsstraat en een deel van de Wetstraat met het Paleizenplein weer terug naar het paleis. Door een gebruik dat wordt erkend, maar dikwijls overtreden, zijn betogingen in deze zone verboden. Het is duidelijk waarom: de serene uitoefening van de macht mag immers niet worden verstoord door druk van buitenaf. Dit neemt niet weg dat de volkswoede zich al, sinds de bevrijding, een paar keer had gemanifesteerd. Ik herinner me hoe ik in oktober 1944, de nieuwe ambassadeur van de Verenigde Staten, Sawyer, die een eerste bezoek aan Pierlot bracht, via een deur aan de Hertogstraat naar buiten had moeten loodsen. Een protestmars – in verband met de voedselvoorziening, de financiële muntsaneringsmaatregelen of het verzet? – was door de Wetstraat getrokken en had de deuren van de ministeries geblokkeerd.

Gezien de gevaarlijke situatie kondigde de regering aan dat zij geen enkele betoging binnen de neutrale zone meer zou toestaan. Door deze plechtig verklaring wilde zij niet alleen teruggrijpen naar de traditionele regel die al te vaak met voeten was getreden, maar zij bakende hiermee tevens het terrein af. Zo zouden de door de communisten georganiseerde betogingen overal elders in het land niet als 'ordeverstoring' worden opgevat, aangezien ze niet verboden waren. Slaagden ze er daarentegen in de verboden zone binnen te dringen, dan zouden ze hiermee de onmacht van de regering aantonen en hun eigen kracht bewijzen. De macht zou toebehoren aan hen die kans zouden zien deze af te dwingen of deze te grijpen op het voor de strijd gekozen toneel.

Onmiddellijk na hun vertrek gingen de drie aftredende ministers steun zoeken bij de geallieerde autoriteiten. Op 17 november wees generaal Erskine hen beleefd de deur. Hoewel de communisten beloofden een conflict met de geallieerde strijdkrachten te vermijden, gingen ze tot rechtstreekse actie over. Er werd tot manifestaties opgeroepen in het hele land op zondag 19 november alsook tot een staking, die in de Borinage begon onder het mom van bevoorradingsproblemen en zich tot het hele land dreigde uit te breiden. De situatie was kritiek, en ze werd nog kritieker toen diezelfde zondag een handjevol betogers de verboden zone binnendrong zonder op tegenstand van de rijkswacht te stuiten. Blijkbaar verrast over hun eigen vermetelheid en succes, trokken ze er gewoon doorheen zonder te blijven stilstaan of de ministeries te bestormen. Het hoofd van de rijkswacht die, ondanks formele instructies, gewoon had toegelaten dat ze door de versperringen braken, werd door Pierlot meteen ontslagen en vervangen door kolonel Leroy. Gepaard met tal van dreigementen hadden er vanaf 19 november de hele week meetings en optochten plaats. De regering hield voet bij stuk. Haar vastberadenheid begon al wat vruchten af te werpen. 16000 leden uit het verzet, die van hun recht van prioriteit gebruik hadden gemaakt, waren bij het Belgische leger in dienst getreden; 10000 wapens waren bij de rijkswachtpost gedeponeerd, zonder de wapens mee te rekenen die al bij de geallieerden waren ingeleverd.

Wilden de communisten slagen, dan moesten ze voortmaken. Er werd een massameeting in het Sportpaleis aangekondigd voor 25 november. Voorafgaand hieraan zou er nog een optocht door de straten van Brussel moeten komen. De organisatoren gaven de te volgen route aan die langs de Regentlaan liep, dus rakelings langs de verboden zone. Ze beloofden deze zone te respecteren en zegden ook toe dat er zonder wapens betoogd zou worden. Onder deze beide voorwaarden werd de manifestatie toegelaten. Zo demonstreerde op zaterdag 25 november, aan het begin van de namiddag, een opgewonden mensenmassa met spandoeken als 'wij willen Boter en Steenkool', 'weg met de Zwarten' en 'leve het Verzet'. De mensen voelden opeens dat hun toekomst van hun woede afhing. In deze stemming manifesteerden 5 tot 6 000 mensen in de straten van Brussel. Het was een donderwolk die al rommelend overgedreven zou zijn zonder in een hagelbui los te barsten, ware het niet, dat enkele verhitte oproerkraaiers zonder scrupules deze luidruchtige manifestatie in een volksopstand hadden veranderd. De kleine gewelddadige minderheid die altijd revoluties weet te ontketenen was een heterocliet troepje, bewerkt door onruststokers die van chaos weten te profiteren. Deze optocht liep volgens het voorgeschreven traject de Regentlaan op en kruiste vreedzame voetgangers die op deze zachte zaterdagnamiddag wat rondkuierden. Een groepje mannen in uniform liep in gesloten gelederen aan het hoofd van de colonne en leek deze te leiden. Ter hoogte van de Wetstraat en in plaats van gewoon de Regentlaan rechtdoor te blijven volgen, zoals de organisatoren van de manifestatie hadden beloofd, sloeg het stelletje raddraaiers plots de Wetstraat in. Een van hen maakte zich van de bende los, haalde een hoorn tevoorschijn en gaf het sein tot de aanval. Duidelijk gehoorzamend aan een wachtwoord stormden ze in looppas de verboden zone binnen. De menigte aarzelde een ogenblik. Ze werd door de opwinding voortgestuwd en op die manier de lege Wetstraat ingedreven. Met luid gejoel kwamen ze aanstormen.

Pierlot was naar Cugnon, ergens in Luxemburg, vertrokken waar zijn familiewoning was. Ik zat op kantoor in het kabinet van de eerste minister. Een rijkswachter kwam me waarschuwen. Ik haastte me naar het kantoor zelf van de eerste minister. Gelegen op de hoek van de Wetstraat en de Hertogstraat kon je door de ramen het hele terrein overzien. In allerijl liet ik kolonel Leroy de instructies van de regering toekomen die, tot elke prijs, een manifestatie in de neutrale zone had verboden. Hij bevond zich in de lege Wetstraat achter zijn troepen en gaf me van ver een teken van verstandhouding.

De horde kwam eraan. Na een politiepost op de Regentlaan en de Hertogstraat opzijgeduwd te hebben, braken ze ook nog eens door het dubbele kordon van de rijkswacht die de toegang tot de Wetstraat versperde vanaf de muur van het Kabinet van de eerste minister tot de hekken van het Park. Zich op de grond schrapzettend probeerden de rijkswachters de enorme druk van de steeds aangroeiende menigte in bedwang te houden. Er vlogen projectielen door de lucht, de hekken rond het Park werden heen en weer geschud en vielen om. Weinig of geen geschreeuw, slechts een verbeten geduw om de versperringen te doorbreken. In het midden weken de rijkswachters terug. Hun kordon rekte zich uit tot slechts een strak gespannen lijn. Het leek op een reusachtige breuk die van de Wetstraat tot voor het Théâtre du Parc liep. Er kwamen steeds meer bestormers en door de kracht van ieder individu helemaal achteraan in de straat, zwart van de mensen, concentreerde de druk zich in de fuik waarin de rijkswacht geïsoleerd zat. Kolonel Leroy wilde de spanning waaronder zijn troepen gebukt gingen, wat verminderen en liet daarom pantserwagens en een rupsbandauto met een machinegeweer op de menigte inrijden. Dit was een korte afleidingsmanoeuvre. Het kordon van de rijkswacht sloot zich opnieuw, terwijl de betogers zich als mieren op een tarwekorrel rond de pantserwagens verdrongen. Plots klonken er enkele schoten, blijkbaar zonder dat iemand werd geraakt, maar het vormde toch een symptoom van toenemend geweld. De mensenmassa bleef maar doorduwen. Zoals er in warme vloeiende lava stromen zijn die door hun grote hitte vloeibaarder zijn, zo glipten de meest opgewonden elementen tussen de pantserwagens door, isoleerden deze en kwamen terug om de versperringen omver te duwen. De pantserwagens waren als boten die op de menigte dobberden. Een van deze wagens zat vol rijkswachters die deze kolkende mensenstroom rondom hen bezagen. De betogers maakten zich ten slotte meester van een voertuig en gebruikten dit als stormram om de versperringen te doorbreken en via de ontstane opening door te stoten. De situatie was onhoudbaar. Vanuit mijn raam besefte ik als in een flits wat er op het spel stond. Als de verboden zone werd ingenomen, de ministeries werden bezet en geplunderd, zou niet alleen de regering maar het hele regime dit niet overleven. Als een banaal oproer voldoende was om de macht te verlammen in zijn meest elementaire functie, namelijk de ordehandhaving, dan zou de hele juridische en sociale structuur van A tot Z gewijzigd moeten worden. Flarden herinneringen flitsten door mijn hoofd en ik stelde me 10 augustus 1792 voor, toen een handjevol individuen in een rustig Parijs zich van de Tuilerieën meester had gemaakt. Ik zag dat verfrommelde stukje papier weer voor me in het Carnavalet-museum, waar, in een bibberig handschrift, de slappe Lodewijk XVI de Zwitsers verboden had zich te verdedigen en hem te redden: 'De Koning gelast de Zwitsers hun wapens onmiddellijk neer te leggen en zich in hun kazernes terug te trekken.'

Als de rijkswachters zich niet meer konden beheersen en de instructies van de regering, zelfs met gebruik van geweld, niet werden uitgevoerd, dan was alles verloren. Ik had slechts één wens en die was 'schieten', en één wil en die was 'standhouden', wát de gevolgen ook mochten zijn. Juist op dat moment zag ik kolonel Leroy zijn sabel trekken. Hij liep op zijn manschappen toe, tikte met de vlakke kant van zijn sabel tegen de schouder en de rug van enkele rijkswachters en duwde ze zo naar voren. Werd er een order gegeven? De rijkswachters zetten de kolf van hun stenguns tegen hun heup en plots barstte er een salvo los. Ze schoten eerst in de lucht en daarna schoten sommigen op de keien. Je zag dat de betogers begonnen te aarzelen en achteruit gingen. Zowat op hetzelfde moment vloog er een zwart voorwerp door de lucht richting pantserwagen vol rijkswachters, die in het hart van de menigte stond. Een jonge rijkswachter bukte zich en met een snel gebaar wierp hij de granaat – het was er wel degelijk een – terug in de richting vanwaar hij kwam. Opeens: een doffe knal en een gat in de menigte. Aan de versperringen werd niet meer gerukt en plots was het een algemeen ' redde wie zich redden kan'. In een paar seconden was de Wetstraat weer leeg. Het was voorbij. Het oproer dat een opstand had moeten worden, was slechts een fikse rel geweest.

Met wat overblijvers van de manifestatie had daarna de meeting plaats. Dit was dè gelegenheid voor opruiende taal en Demany was hierin de onverbeterlijke specialist. Die ellendige regering, zo zei hij, die het vuur had geopend op patriotten in plaats van oorlog tegen de Duitsers te voeren, moest aan de kant worden gezet. Maar een beweging die in een mislukte opstand opeens al haar waardigheid had verloren, kon niet meer met woorden worden opgepept. De maat was vol. Pierlot, onmiddellijk teruggeroepen, wendde zich diezelfde avond nog tot de bevolking. Voor de radio bracht hij een samenvatting van het gebeurde. Een half uur waanzin had de Staat in gevaar gebracht en op straat 45 slachtoffers gemaakt, waarvan er 37 waren getroffen door granaatscherven en 8 door andere projectielen. Er waren vijftien rijkswachters gewond geraakt. Door een gelukkig toeval waren er geen doden gevallen. Geen doden die de communisten politiek konden uitbuiten. Bovendien had men onder de betogers een aantal verdachten aangehouden, onder wie professionele betogers of relschoppers, een Duitser, een rexist en collaborateurs die werden gezocht.

De eerste minister kondigde aan dat hij vastbesloten was om, tegen om het even welke prijs, de orde te doen respecteren en nooit toe te laten dat een gewapende minderheid met onwettelijke middelen de macht zou grijpen. Tevens verbood hij verdere manifestaties en concentreerde onmiddellijk twaalfhonderd rijkswachters in Brussel, het maximum van de beschikbare politie.

Daags erna verzamelden de communisten in Bergen vrachtwagens beladen met gewapende mannen om naar Brussel op te trekken. Ze werden onmiddellijk uiteengedreven.

Op dat moment lukte het Pierlot, die een interpellatieverzoek van de communisten voorzag, met spoed het Parlement bijeen te krijgen. Hij werd op dinsdag 28 november in de Kamer door iedereen toegejuicht. Uit het enthousiasme van de volksvertegenwoordigers bleek hun grote opluchting. Ze stemden met alles in en kwamen meermaals met aanmoedigingen. Mevrouw De Geer-Adère, de voorlopige Jeanne d'Arc van de communistische partij, kwam haar vlammend betoog doen voor een leeg halfrond.

Ook de geallieerden waren bezorgd. Ze merkten wel degelijk dat ultralinkse elementen in alle bevrijde landen last veroorzaakten. Het was alsof een onzichtbare hand een georganiseerde beweging op gang had gebracht waarin de lokale invloeden varieerden. In Griekenland, Frankrijk, Italië, kortom overal, ontstond er een soort intimidatie over de toekomst, wat op het moment van de vrede gegarandeerd problemen zou opleveren. Het militair opperbevel was vrijwel zeker dat het binnenkort de overwinning op Duitsland zou behalen en dat dit in Europa tot complicaties kon leiden. Er moest gehandeld worden. In Griekenland had er een rechtstreekse interventie plaats. In België had de regering de situatie stevig in handen. De geallieerden konden zich beperken tot morele steun en machtsvertoon door middel van patrouilles enkele dagen lang. Ten slotte werd, na de vertraging waarop vooral de ordeverstoorders zo gehoopt hadden, dan toch de uitrusting van de rijkswacht aangevuld. Na het echec van de betogers klopten deze zelfs om steun bij bevriende organisaties in Groot-Brittannië aan. Op 8 december had er in het Britse Lagerhuis een debat over een motie plaats 'die de Britse interventie in Griekenland en andere delen van het bevrijde Europa betreurde'. De Belgische regering wachtte ongerust af hoe een en ander zich zou ontwikkelen. Een vage of onvolledige beschrijving van de gebeurtenissen en min of meer verholen kritiek konden haar geloofwaardigheid tenietdoen. Churchill manifesteerde zich op dat moment als een fulminerende Jupiter. Door één frons van zijn wenkbrauwen namen de dingen een andere wending. Hij fronste ze inderdaad en was zowel ironisch als meedogenloos voor deze 'vrienden van de democratie', die onder het voorwendsel de democratie te redden, haar juist kapotmaakten. Hij verhoogde het niveau van de discussie met een analyse van functie en plaats van het verzet in de verschillende landen. De feiten stroomden naar zijn lippen als schapen van een kudde en plots was hij de herder die met een aanval wordt geconfronteerd. In een paar zinnen vatte hij het ongeveer als volgt samen: *'Wanneer een land bevrijd is, volgt daaruit nog niet dat zij die onze wapens hebben gekregen, deze kunnen gebruiken om zich met geweld, moord of bloedvergieten onze instituties inclusief tradities toe te eigenen; dit is een langzaam opgebouwd bestaanscontinuüm dat bij iedereen hoog in het vaandel staat. Als de actie van 'vrienden van de democratie' bestaat uit staatsgrepen, beraamd door criminele bendes, als deze bestaat uit de ijzeren regel opgelegd door nietsnutten die zich van de macht meester proberen te maken zonder maar ooit een stem in de wacht gesleept te hebben, als dat de schijnvertoning van democratie is, denk ik dat het Lagerhuis zoiets als belachelijk afdoet. Aan hen die verklaren dat de mannen die met onze wapens in het verzet gingen, als beloning het recht hebben complexe gemeenschappen als België, Nederland of Griekenland te besturen, aan hen zeg ik, dat ik hun aanspraak hierop verwerp. Ze hebben hun land goed gediend, maar het is aan de Staat, en niet aan hen, te oordelen wat hun beloning moet zijn. Het is niet aan hen de Staat als hun eigendom op te eisen'.* De motie van wantrouwen werd met 279 stemmen tegen 30 verworpen.

Zo, het vonnis was geveld en de vastberadenheid van de regering had gezegevierd. Na dit alles kon men weer opgelucht ademhalen. Drie dagen na de manifestatie van 25 november werden 15 000 wapens, 2 miljoen patronen en … 3 000 granaten aan de Britten teruggegeven. Verder werden 2 000 wapens aan de Amerikanen teruggegeven en 11 000 wapens bij de rijkswacht ingeleverd. Bovendien hadden 25 000 verzetsstrijders zich bij het leger laten inschrijven. Maar de kern van het probleem was daardoor nog niet opgelost. Spaak had gelijk met te denken dat het om meer ging dan louter ordehandhaving op straat. Nu men de toestand weer meester was, moest er een systeem worden gevonden om de legitieme verlangens in te willigen. Hiertoe, en op voorstel van Spaak, werd generaal Gérard aan de kant gezet en werd er een nieuwe Nationale Verzetsraad opgericht waarin vertegenwoordigers van alle erkende verzetsbewegingen werden opgenomen. Op 28 december werden de statuten hiervan goedgekeurd en werden er tussen raad en regering contacten gelegd. De Verzetsraad kon uitgebreid initiatieven nemen en, onder zijn beschermheerschap, werden de problemen minder nijpend en losten zich allengs op.

Er bleef echter een diepe morele ontreddering heersen. Ik zei het al: het verzet was aanvankelijk een soort mystiek met martelaars, voordat het een politiek werd met een aantal profiteurs. Maar ook al werd het verzet in een zwart daglicht gesteld door excessen die het beging en werd het omlaag gehaald door de haat die het opriep, toch bleef het een fantastische, ik zou zelfs zeggen unieke beweging. Terwijl elke oorlog een solidariteit tussen soldaten heeft opgeleverd, ging het hier voor alles om een internationale van slachtoffers. En dit was en is het verzet gebleven. Zijn naam dekt de ultieme impuls van iedereen die, in het diepst van de afgrond, zijn ellende koppelt aan levensdrang in opstand tegen de ergste der tirannieën. Het begrip 'verzet' vereent Duitsers en Joden, Fransen en Sovjets, mensen uit alle landen, met alle soorten filosofische en religieuze overtuigingen, en ondanks alle leeftijden en verschrikkingen, alle slachtoffers van gevangenschap, foltering en concentratiekampen. Het doet er weinig toe of ze nu ambitieus of onbaatzuchtig waren. Los van individuele reacties stond men in deze ellende schouder aan schouder. Los van het begrip 'vaderlandslievendheid' schaarde men zich achter een menselijk ideaal. Ik zou willen dat er op een hoge berg in Europa slechts één enkel monument stond, opgedragen aan het verzet. Zoals de *Dag* van *Michelangelo* zou dit een onvoltooide reus moeten zijn die, in een inspanning zich te verheffen, in zijn nog lege oogkassen het licht zal ontvangen. Op de sokkel zou ik de vreugdekreet van de wachter van Argus graveren, toen hij het vuursignaal zag flikkeren dat de glorieuze afloop van een lang conflict aankondigde: 'Gegroet, goddelijke fakkel, die middenin de nacht de dag geboren laat worden'.

Het verzet belichaamde het collectieve bewustzijn van de mensen die om te overleven een metamorfose doormaakten. Je kunt het verzet dan wel op zijn excessen aanvallen, je dient op z'n minst zijn principes te respecteren: die hadden vèrstrekkende gevolgen. En ik denk aan die zin uit de 'Apocalyps' die door een anonieme gedetineerde in een cel van de gevangenis van Fresnes met zijn eigen bloed geschreven werd: 'Ik heb voor u een deur geopend die niemand kan sluiten'.

Terwijl de regering met deze problemen worstelde, zat zij intussen niet stil. De naderende winter stelde een urgent probleem: steenkool. In september 1944 was de steenkoolproductie gedaald tot 170 000 ton in plaats van zo'n 2 400 000 ton, die vóór de oorlog maandelijks werd ontgonnen. Hiervoor waren diverse redenen, zoals een gebrek aan mijnhout en het gedaalde aantal mijnwerkers. De voornaamste oorzaak was dat België nog steeds weinig uit het buitenland kon betrekken en dat het geen hout uit Noorwegen kon importeren of buitenlandse arbeiders naar hier halen. Er werden Duitse krijgsgevangenen tewerkgesteld. In oktober steeg de productie tot 700 000 ton en in november tot 1 miljoen ton. Maar door de vitale behoeften van industrie en spoorwegen, waaronder aanzienlijke transporten voor de geallieerden, bleef er maar belachelijk weinig over voor huishoudelijk gebruik. Hiervoor moest men dus nog even geduld oefenen zoals ook gold voor de voedselbevoorrading.

De regering vestigde evenwel al haar hoop op verbetering en het woord bij de daad voegend stelde zij op 26 november de haven van Antwerpen weer open voor de scheepvaart. Zij wilde de binnenlandse schaarste verlichten door invoer van grote hoeveelheden voedsel en grondstoffen. Ter verhoging van de efficiëntie besloot Pierlot een nieuwe minister aan te stellen, die in het buitenland aankopen moest centraliseren van alles waaraan het land dringend behoefte had en wat op buitenlandse markten te vinden was. Ook het transport van dit alles viel onder zijn bevoegdheid. Voor deze functie suggereerde hij Kronacker aan de regent en de ministerraad. Dit was een kleine man van vijfenveertig jaar en bruisend van energie. Achter een bruusk voorkomen gingen een warm hart en een grote kameraadschappelijkheid schuil. Kronacker was zeer succesvol geweest in handel en industrie en onderhield uitstekende contacten over de hele wereld. Zijn opdracht was zeer algemeen en hij volbracht deze zo goed mogelijk.

Dankzij zijn activiteit geraakte het land enkele maanden later uit de problemen, maar toen was de regering reeds gevallen.

Terzelfder tijd ondernam de regering meerdere pogingen om over enkele schepen te kunnen beschikken. Zo zou zij de door haarzelf gevormde reserves hebben kunnen vervoeren. Tevens drong zij erop aan dat het militaire bevoorradingsprogramma integraal werd uitgevoerd, zonder beknibbelen. Het geallieerde opperbevel luisterde maar met een half oor naar deze klachten, want het werd volledig in beslag genomen door het offensief in voorbereiding en wilde zich hierop qua aandacht en middelen geheel concentreren.

Nadat generaal Eisenhower zijn formidabele opmars had moeten staken, zette hij de Duitse verdediging voortdurend onder druk. Terwijl hij reserves liet aanleggen, werd er doorgevochten langs een immens front dat zich uitstrekte van de monding van de Rijn tot aan Zwitserland. Hierbij ging het vooral om grondgevechten waarin tijdens de herfstmaanden werd geprobeerd de verworven stellingen te consolideren of verbeteren. De operaties waren vooral in omvang toegenomen in twee zones, namelijk in Zuid- en Midden-Frankrijk. In de tweede helft van november verdreef de legergroep van generaal Devers, bestaande uit het Franse 1ste leger en het Amerikaanse 7de leger, de Duitse troepen uit Lotharingen, de Elzas en de Vogezen. Uit Luik trokken het Amerikaanse 1ste en 9de leger onder bevel van generaal Bradley richting Rijn op. Op 21 oktober gaf Aken zich over. Na een adempauze gingen ze op 16 november opnieuw tot de aanval over met manschappen gaande tot 17 divisies, waarna de Amerikanen, na zeer harde gevechten, op 3 december naar het Ruhrgebied optrokken. Terzelfder tijd leidde generaal Bradley het Amerikaanse 3de leger onder bevel van generaal Patton naar het Saargebied, dat tegen half december vrijwel was veroverd. Zo openden alle manschappen van generaal Bradley een dubbele aanval ten noorden en ten zuiden van deze zone, terwijl voor de Ardennen een kalm front van 120 km tussen Monschau en Trier in handen was van vier divisies, oftewel iets meer dan zestigduizend man.

Het ritme van de Amerikaanse aanvallen begon weldra af te nemen. De vijand bleef hardnekkig weerstand bieden. Het weer, dat de hele herfst al slecht was, werd begin december afschuwelijk met dikke mist en sneeuwval. De geallieerden kampten bovendien met een ernstig probleem: de vervanging van manschappen. Er werd eerst besloten de strijdkrachten te hergroeperen. Hierna zou het offensief worden hervat. Dit werd gepland voor 19 december en zou beginnen met een aanval van het 3de leger van Patton in het Saargebied. Werd dit een succes, dan zou men hieruit munt slaan. Was het resultaat na een week niet doorslaggevend, dan zou samen met het 1ste en 9de leger het offensief op het Rijngebied geconcentreerd worden. Vergelijk het met een bokser die om beurten zijn linker- en rechtervuist uittest om te kijken met welke vuist hij zijn tegenstander KO kan slaan.

Maar op 16 december, drie dagen voordat dit plan van start zou gaan, zette maarschalk von Rundstedt, de man die door Eisenhower zijn meest formidabele tegenstander werd genoemd, als eerste de aanval in. Eerstgenoemde had het zwakke punt van de vijand gevonden, namelijk het front voor de Ardennen waar de manschappen van vier Amerikaanse divisies nauwelijks alert waren.

Het was een complete verrassing. De geheime inlichtingendienst was weliswaar op de hoogte van troepenverplaatsingen van de vijand, maar had geen kans gezien hun bewegingen te lokaliseren. Op die mistige zaterdag werd België onverwachts opnieuw overrompeld door drie Duitse legers, die vierentwintig divisies vormden waarvan tien gemotoriseerd. Von Rundstedts plan was eerst naar Antwerpen door te stoten, wat de geallieerden van hun belangrijkste bevoorradingsbasis zou beroven, ze dan van hun bevoorradingsbronnen af te snijden en hun manschappen uiteen te drijven om ze pas daarna in de pan te hakken. Het was de poging der wanhoop, ondersteund door een maximale inzet van de luchtmacht en sabotagedaden die zich tot Parijs uitstrekten.

Ook al had Eisenhower, ondanks alles wat men er achteraf over kan zeggen, de hem toegebrachte slag niet verwacht, toch reageerde het geallieerde opperbevel hier razendsnel op. Omdat Eisenhower onmiddellijk het vitale belang van von Rundstedts aanval herkende, zette hij al zijn middelen in, *'zodat deze aanval'*, zo zei hij zelf, *'eerder een kans was dan een catastrofe'*. Alle voorbereidselen voor een offensief werden stopgezet, alles wat bijkomstig leek, werd opgegeven zonder het essentiële uit het oog te verliezen. De door von Rundstedt gedreven wig splitste de legergroepen van het midden in tweeën. Generaal Eisenhower zette het Amerikaanse 1ste en 9de leger onder bevel van maarschalk Montgomery in, terwijl het 3de leger onder bevel bleef van generaal Bradley die het vanuit Luxemburg aanvoerde. Het was van fundamenteel belang dat beide scharnieren van de bres de Duitse pressie zouden weerstaan. Indien de vijand hier doorheen brak, dan zou er een sneeuwbaleffect ontstaan. Terwijl het geallieerde opperbevel alle mogelijke versterking naar beide flanken zond, Bastenaken in het zuiden en St.-Vith in het noorden, boden de Amerikaanse 101ste luchtlandingsdivisie en 7de pantserdivisie wanhopig weerstand tegen de inval van de nazi's die hen probeerden in te sluiten. Door deze wapenfeiten (één van de mooiste in deze oorlog) konden de twee flanken van de geallieerde verdediging definitief worden geconsolideerd. Men begon ook retranchementen achter de Maas aan te leggen, terwijl generaal Eisenhower inderhaast gevormde reservedivisies inzette, die nog in opleiding waren. Doordat het weer omsloeg (eindelijk was de mist opgetrokken) nam de tot 22 december ongelijke strijd geleidelijk een andere wending, met het begin van een tegenoffensief van het 3de leger dat vanuit Aarlen optrok.

Terzelfder tijd kon de luchtmacht grootscheeps worden ingezet. Op 26 december werd de opmars van de Nazi-vijand gestopt. Kort daarna lag het initiatief bij de geallieerden, maar het was pas in januari dat de vijand definitief werd teruggedrongen. Op hun terugtocht lieten de vijandelijke troepen die tot Celles, vlakbij Dinant, waren geraakt, een spoor van verwoesting en vernieling achter.

Aan de euforie van de bevrijding kwam plots een einde en het masker van de vreugde versteende in een grimas van afgrijzen. Er kwamen weinig vluchtelingen uit de zo plots getroffen gebieden, maar de mensen voelden zich bedreigd en er ontstond een lichte paniek.

De regering, die er niet aan had gedacht Brussel te verlaten, alhoewel er voorzorgsmaatregelen waren getroffen voor het vertrek van de SHAEF, trachtte de bevolking tot kalmte te manen. Iedere dag hield kolonel De Fraiteur, de toekomstige minister van Landsverdediging, de eerste minister op de hoogte van het verloop van de operaties. De bevolking begon pas begin 1945 te herademen, na de grote luchtraid waarbij de Duitsers op 1 januari 200 toestellen verloren. Dit spectaculaire verlies leek te wijzen op het beslissende teken van de overwinning.

Zodra hij kon, ging Pierlot half januari 1945 naar de verwoeste Ardennen. Wij vertrokken samen. Deze droeve tocht bracht ons eerst van Aarlen naar Bastenaken. De weg vol gaten lag bezaaid met wrakstukken, maar de sneeuw verzachtte een beetje het hallucinerende beeld van dit landschap waaruit de furie van de strijd verdwenen was. In Bastenaken zette de burgemeester de eerste minister uiteen hoe deze tien dagen waren verlopen en hoe zijn gemeente, in hartje winter, een door de vijand omringd eilandje was geweest. De Amerikaanse bevelhebber, generaal Mac Auliffe, gesommeerd zich over te geven, had gereageerd met 'nuts' en zich samen met de inwoners schrapgezet op een terrein dat steeds meer slonk totdat ze werden bevrijd. Voor onze ogen was alles een en al vernieling of voorlopig onderkomen. De mensen die we er ontmoetten, keken afwezig, nog volledig in beslaggenomen door het zojuist gebeurde en wat ze nog niet hadden verwerkt.

Behalve de ingestorte gebouwen vormde ook de straat een danteske aanblik. Over de kasseien trok een onafgebroken stroom tanks met zwaar materieel naar het front, terwijl een paar kilometer verderop een kanon bulderde. Het was een hels en continu kabaal. Een tafereel, een van de talloze, is mij bijgebleven. Op oude gravures zie je dikwijls een herder die op een fluit speelt in een hoekje van een vreedzaam landschap met ruïnes. Zo zat een Amerikaanse soldaat op een groot stenen blok met zijn handen in zijn zakken en met bengelende benen voor zich uit te fluiten. Hij staarde naar de grond zonder waarschijnlijk aan iets te denken. Terwijl ik hem zo gadesloeg, zijn wangen bol van een deuntje dat je niet kon horen, vroeg ik me af welke macht deze onverschillige jongen ertoe gebracht had misschien te moeten sterven zo ver van huis, in een verloren gat, waarvan het bestaan hem een paar dagen voordien nog totaal onbekend was. Symbool van een oorlog die op de grommende wolk van een gewapend ideaal nieuwe legioensoldaten meesleurde. Zij hadden beseft dat, wie weet als gevolg van welke overredingskracht, hier een solidariteit speelde waarin je, zo'n zesduizend kilometer van huis, voor andere landen opkwam en dat zoiets je lot bepaalde. Pierlot keerde van Bastenaken terug via Laroche: één eindeloze opeenstapeling van puin onder het kille schijnsel van de maan. In Houffalize werd nog gevochten.

Het eerste resultaat van von Rundstedts aanval was dat het geallieerde offensief met zes weken werd vertraagd. Het was uitgesloten de oorlog nog voor de lente te beëindigen. Het tweede gevolg hiervan was de val van de regering-Pierlot. Deze was onvermijdelijk.

De maatregelen ter verlichting van een toestand die in december op springen stond, veronderstelden immers verdrijving van de vijand van ons grondgebied en een verbeterde bevoorrading. In plaats daarvan drongen vijandelijke troepen België weer binnen en werden de beperkingen nog knellender. Er was verbetering beloofd; in plaats daarvan werd alles er alleen nog maar slechter op. Rampen stapelden zich op. Door de ijzige koude ontstond er bovendien een schrijnend gebrek aan steenkool, terwijl de miserabele 250 kilo die per maand per gezin werd toegekend, zelfs niet eens altijd kon worden gedistribueerd. De muntsaneringsmaatregelen kwamen door de vijandelijke inval op de helling te staan en het militaire bevoorradingsprogramma moest opnieuw worden besnoeid. De problemen bleven zich opstapelen en uit het ene probleem vloeide het andere voort. Dit maakte de toestand ondraaglijk, een toestand die men alleen tolereerde met het vooruitzicht op een spoedig einde. De regering kreeg van alles de schuld en moest allerlei verwensingen incasseren. In die maanden kregen de ministers anonieme brieven met woedende klachten en beledigingen in hun brievenbus. De politieke klasse, die altijd direct met een negatieve of positieve reactie klaarstond, begon nu te aarzelen. De meerderheid viel uiteen. Half november veroorloofden de rechtse senatoren, die voor hun materiële vrees durfden uitkomen, zich de luxe om hun grieven te uiten in een brief gericht aan de eerste minister. En aangezien zij alles hadden voorspeld, had deze groep vervolgens groot leedvermaak. De regering werd ook nog door anderen afgevallen en al snel vroeg men om een nieuwe. De tegenslag van het von Rundstedt-offensief bezorgde het kabinet een fiasco waar het niet tegenop kon. De volgende beleidsploeg mocht oogsten wat de regering-Pierlot had gezaaid.

De hele maand januari sleepte de regering-Pierlot zich voort. In haar inspanningen om de steeds nijpender voedseltoestand te verbeteren kwam ze voor een onmogelijke taak te staan. De oorzaak hiervan was dat de geallieerden zich moesten herpakken en voorbereidingen treffen. Hun leveranties vet, graan, suiker en vlees stelden niet veel meer voor en bedroegen minder dan door de SHAEF was toegezegd. Wat de geallieerden voor eigen gebruik aan steenkool en groenten inhielden, was niet gering. België vroeg om schepen. Deze waren niet beschikbaar; was onze totale vooroorlogse invoer 2 600 000 ton per maand geweest, nu haalden we in vier maanden nog geen 90 000 ton.

Spaak stelde voor, een dringende oproep aan Londen en Washington te doen om te benadrukken dat het land bijna was leeggebloed en dat in dergelijke omstandigheden geen enkele regering nog behoorlijk kon functioneren. Tevens suggereerde hij de bevolking met de feiten te confronteren.

Maar het was allemaal te laat en zelfs zinloos. De evenementen hadden hun tol geëist, daar kon geen goede wil tegenop. Er waren geen schuldigen, maar er moest een slachtoffer worden gevonden. De socialisten gaven de regering de genadeslag. Op 1 februari 1945 eisten ze een kabinetswijziging. Terzelfder tijd kondigden zij aan dat ze de regering zouden interpelleren over haar falende beleid.

Pierlot weigerde een kabinetswijziging om principiële redenen. In afwachting van het resultaat van Spaak in Londen en Washington, trachtte hij uitstel van interpellatie te krijgen. Het bureau van de socialistische partij verzocht toen zijn ministers ontslag te nemen. In plaats van over dit manoeuvre te struikelen, verkoos de eerste minister de val van de regering in het openbaar, na een debat in het Parlement. Hij aanvaardde 6 februari als datum voor de interpellaties.

Hij was als een veroordeelde die naar het beklaagdenbankje gaat. Hij gaf niet zozeer een antwoord dan wel een uiteenzetting voor de toekomst. Hij was lang van stof, tot vervelens toe, minutieus en nauwelijks nog te volgen. Vollediger kon het niet en hij beschreef tot in de details het werk van de regering evenals de oorzaken van haar val die hij als vrijwel zeker beschouwde. De aandacht van de aanwezigen begon steeds meer te verslappen en ze vonden in zijn overdreven lange uitweidingen een rechtvaardiging hem verdere steun te onthouden. Ik twijfel er ook aan of het wel zo verstandig was om deze eindeloze uiteenzetting te houden, bedoeld als bijdrage aan de geschiedenis. Lange toespraken zijn als dikke boeken waarvan Lodewijk XVIII zei dat deze zich tegen zichzelf beschermen. Zij rusten in vrede en zeldzaam zijn de lezers die ze weer tot leven brengen.

Een man als Spaak had de situatie misschien kunnen redden. Hij zou het voornaamste hebben genoemd en zich hard hebben gemaakt voor een overwinning. Pierlot had de kansen van het heden voorbij laten gaan. Hij had al zijn vertrouwen en zijn werk in dienst gesteld van de wederopbouw, die nabij was, maar hij zag ervan af de vruchten hiervan te plukken. Zoals de bijen van Vergilius had hij niets voor zichzelf vergaard. Op die slaapverwekkende namiddag was hij als een schip dat tergend langzaam zinkt, maar dat met gehesen vlag in de golven verdwijnt. *'Ik wens onze opvolgers'*, zo zei hij, *'de glimlach van de lente toe samen met die van de overwinning. Ze mogen van mij vergeten dat onder het huis, dat zij weer moeten opbouwen en dat al boven de grond uitsteekt, reeds stevige funderingen liggen. Maar ze dienen wel te beseffen dat degenen die ze hebben gelegd, zich hiervoor geweldig hebben ingespannen. Dit was een ondankbaar, hard en onzichtbaar werk, maar misschien niet zonder verdienste.'*

Er vond zelfs geen stemming plaats. De twee vleugels van de meerderheid wilden geen verdeeldheid brengen in de steun die zij van plan waren aan een toekomstige regering te verlenen. Ze wilden twee dingen voorkomen: enerzijds, een motie van vertrouwen van rechts en anderzijds een motie van wantrouwen van links. Na vleiende woorden en applaus van degenen die hem niet meer steunden, bood Pierlot tegen de avond de Regent het ontslag van de regering aan.

Bedroefd en lichtjes verbijsterd leek de Prins het nieuws te aanvaarden. Al een tijdje gaven de relaties tussen regering en Paleis aanleiding tot ongerustheid. Besluiten kwamen met vertraging getekend terug, de beantwoording op vragen liet op zich wachten en de gewoonlijk zo actieve baron Goffinet was onbereikbaar. Er werd gezegd dat hij griep had. De relaties tussen beide takken van de uitvoerende macht waren altijd al delicaat geweest. Een bepaalde terughoudende toon had Pierlot een ogenblik doen vrezen dat de gewoonten van het kabinet van de Koning ook bij het kabinet van de Regent ingang zouden vinden. Hij was bevreesd dat de entourage van de Prins als schild zou fungeren tussen de regering en het staatshoofd. Pierlot sprak er heel eerlijk over met de Prins die hem van zijn goede voornemens wist te overtuigen. Die waren oprecht; dat ze eerder geïnspireerd waren door een zekere verwarring dan door een politieke intentie, zullen we hierna trachten duidelijk te maken.

Terwijl de eerste minister de lopende zaken afhandelde tijdens de periode van administratieve lethargie die het interval tussen twee regeringen kenmerkt, ontving ik op donderdag 8 februari een telefoontje van baron de Maere d'Aertrycke, vleugeladjudant van de Regent. Deze was een toegewijd militair, scrupuleus en gesloten. Hij verzocht me tegen twaalf uur 's middags naar het Paleis te komen. Bij mijn aankomst verklaarde hij dat de Prins mij wenste te zien en dat dit gesprek strikt vertrouwelijk moest blijven. Ik was zeer geïntrigeerd, maar maakte me er niet te druk over. Ik had de Prins al een paar keer voordien ontmoet, met name op de eerste ministerraad van het Regentschap, verder in de Belgische ambassade in Londen tijdens zijn reis in december 1944 en ook toevallig een keer toen hij het kantoor van baron Goffinet binnenkwam. Ik had hem ook telefonisch op de hoogte gehouden van het verloop van de incidenten in verband met het verzet. Tijdens deze oppervlakkige contacten was er van mijn kant een beleefde nieuwsgierigheid. Ik stond oog in oog met een man die bewust op de achtergrond wilde blijven, met een heldere, bijna transparante blik, een zachte stem en een innemende vriendelijkheid. Zijn charme verhoogde het aura rond zijn hoge positie.

Vanwege zijn functies en de mijne had ik een nauwer contact met baron Goffinet. Deze contacten waren bijna dagelijks geworden dankzij een wederzijdse sympathie waarbij we mensen en problemen vanuit eenzelfde invalshoek bekeken. Goffinet had een originele kijk op de dingen, die hij met een zekere terughoudendheid wist te verwoorden. Hij was ietwat afstandelijk, maar achter zijn havikachtig uiterlijk ging een grote gevoeligheid schuil. Zijn gezicht (en vooral zijn neus) deed me denken aan de buste van 'de grote Condé' en werd nog eens benadrukt door de zwarte ooglap en het lichte trillen van zijn gezichtsspieren. Als hij je met zijn strakke blik aankeek, doorboorde hij je met zijn enige groene oog en voelde je zijn enorme bezieling. Hij was ongeveer zestig jaar. Dertig jaar lang was hij de leermeester of beter gezegd de metgezel van prins Karel geweest. Baron Goffinet was van nature lichtgeraakt en wantrouwig; dit worden kwaliteiten in de weinig interessante hofkringen waarin hij zich bewoog en vormen een bijna noodzakelijke bescherming voor superieure geesten. Hij had aan zijn pupil een geest van argwaan doorgegeven die hem zowel goed van pas kwam als ook kwaad berokkende.

Door zijn compromisloze integerheid en ontembare energie moet hij altijd in een staat van innerlijke opwinding hebben verkeerd. Hij deed zijn plicht, maar gaf ook kritiek. Als eeuwige vrijgezel, zonder vrouw in zijn leven – maar wel, zo meen ik althans, met een oude ongelukkige liefde achter zich – had hij zich gedwongen tot de hardste aller disciplines, die van het zwijgen. De rechte streep van zijn dunne lippen was de enige lichamelijke expressie van de constante inspanning die hij zichzelf oplegde. Als deze toornige aartsengel het geluid van zijn brede vleugels kon doen verstillen en boven het menselijk landschap kon zweven, was hij van een lucide en koele sereniteit, pessimistisch doordat hij zoveel had meegemaakt, maar doordat hij zo sterk wist te blijven, toch niet bedroefd.

Hij werd gewaardeerd door koning Albert, gehaat door koningin Elisabeth, gevreesd door Leopold III en graag gezien door de graaf van Vlaanderen met een genegenheid die niet altijd gespeend was van opstandigheid. Goffinet voelde voor hem een onweerstaanbare en diepe vriendschap, zonder illusies.

De neiging van Leopold III tot persoonlijk gezag, de onbekwaamheid en pretenties van diens entourage, zijn dubbelzinnige politiek onder de bezetting, dit alles werd door Goffinet streng veroordeeld, terwijl hij voor de toekomst rampen voorspelde. Na de bevrijding had Goffinet grote invloed. Hij was het die de graaf van Vlaanderen ertoe overhaalde het regentschap te aanvaarden. En hij deed dit niet uit persoonlijke ambitie of voor de glorie van zijn pupil; hij deed het vóór alles omdat hij beter dan wie dan ook wist waar de interne zwakke punten van de koninklijke familie lagen.

Voor het vorstenhuis, dat verwikkeld was in een ernstig politiek conflict, was er maar één manier om uit het probleem te geraken dat de toekomst stelde. Het moest opnieuw in aanzien komen door zijn taak scrupuleus en met de nodige gereserveerdheid te vervullen. Dit kon slechts met tijd, tact en geduld.

Noch Koningin Elisabeth noch Koning Leopold III hadden dit begrepen. De Prins had dit daarentegen wonderwel aangevoeld en Goffinet wist dit. In diens ogen was de graaf van Vlaanderen een laatste kans, misschien wel de enige, die de terugkeer en het eerherstel van de Koning mogelijk zou maken. Voor het regentschap nam hij de Britse monarchie tot voorbeeld; hij ving het gebrek aan ervaring van de Prins op door de leiding van Zijn Burgerlijk Huis op zich te nemen. Staand achter de regent woonde hij de belangrijke audiënties bij, maar mengde zich alleen in het gesprek als dit nodig was. Tijdens de herfst en begin winter 1944 zag je hem overal. Hij liep van het ene ministerie naar het andere, discreet, hoffelijk, zich steeds op de achtergrond houdend en zich informerend zonder ooit maar iets te eisen. Herhaaldelijk begaf ik me naar zijn kantoortje op het Paleizenplein. Een van zijn ideeën die hem erg na aan het hart lag, was de noodzaak om links nog meer bij de nationale aangelegenheden te betrekken. Door een normale ontwikkeling moest het socialisme erin slagen zijn aspiraties binnen de staat te ontplooien, hoewel het er in oorsprong juist tegen was geweest. Hiertoe moest het regime politiek en maatschappelijk gezien voor de socialisten aanvaardbaar zijn en moesten zij tevens bij de macht worden betrokken en verantwoordelijkheid krijgen. Dan zouden ze binnen de regering kunnen waarmaken wat ze in de oppositie zo lang hadden opgeëist. De oorlog, het verzet, een immens algemeen en nog niet bezworen gevaar hadden een solidariteit geschapen die zich in vredestijd moest voortzetten door middel van een politieke coalitie gebaseerd op gemeenschappelijke doelstellingen. Deze coalitie kon voor een transformatie zorgen in de traditionele en achterhaalde configuratie van de partijen en misschien in de toekomst leiden tot een nieuw nationaal evenwicht.

Sinds begin 1945 was baron Goffinet onzichtbaar gebleven. Vergeefs had ik geprobeerd in contact met hem te komen. Vanuit Engeland had ik voor hem een soort thee meegebracht waar hij van hield en die in België destijds niet te krijgen was. Hij had me een bedankbriefje geschreven en verontschuldigde zich mij niet te kunnen ontvangen daar hij griep had. Uiteindelijk vroegen Pierlot en ik ons af of deze afwezigheid niet een excuus was om zich los te maken van een regering die op het punt stond te vallen.

Terwijl ik wachtte tot ik bij de Prins zou worden ontboden, vroeg ik baron de Maere of hij nieuws had over baron Goffinet. Hij antwoordde me dat deze ziek was en het bed moest houden. Ik zei hem hoezeer mij dat speet en hoezeer Goffinets afwezigheid duidelijk maakte hoe onmisbaar hij was.

'Zijn ziekte is geheim', onderbrak de Maere.

Min of meer verbaasd antwoordde ik dat iedereen wist dat Goffinet ziek was.

'We weten niet hoe erg', hernam de Maere, *'we denken dat het om een gemene griep gaat.'*

'Is zijn leven in gevaar?', vroeg ik.

De Maere maakte een ontwijkend gebaar. Hij wilde er verder niets over zeggen. Ik was met stomheid geslagen. Het was begrijpelijk dat het gerucht over een ernstige ziekte van baron Goffinet niet verder werd verspreid, maar was het niet eenvoudiger geweest de eerste minister vertrouwelijk hiervan op de hoogte te stellen? Sinds een maand functioneerden de diensten van het Paleis onregelmatig. Dit feit leende zich tot allerlei interpretaties, maar de eigenlijke oorzaak werd verzwegen.

Een huisknecht kwam ons verwittigen dat de Prins op mij wachtte. De Maere begeleidde me. Ik begon het onderwerp van de audiëntie te voorvoelen. Zodra ik in zijn kantoor werd binnengeleid, kwam de Prins me tegemoet. Hij zag er moe uit.

'Zoals u weet', zei hij, *'is baron Goffinet heel ziek. Dit bedroeft mij ten zeerste. Hij is een oude metgezel en voor mij onmisbaar. Toch moeten we hem tijdelijk vervangen, want het werk moet doorgaan en ik wil niet dat de incidenten van vóór de oorlog met Fredericq in verband met een persoonlijk beleid van het kabinet van de Koning zich herhalen. Baron Goffinet en ik hebben vaak gedacht dat u ons zou kunnen helpen. Anderhalve maand geleden had ik bijna aan Pierlot gevraagd goed te vinden dat u voor mij werkt. Baron Goffinet zei mij toen dat ik u niet bij de eerste minister kon weghalen. Nu er sprake is van een crisis, is er geen bezwaar meer tegen en stel ik u voor de functies van baron Goffinet over te nemen zonder de bijbehorende titulatuur en dit tijdelijk tot hij weer is hersteld. Ik zal voor u een bureau naast het mijne laten installeren. U hoeft mij niet meteen te antwoorden, maar binnen vierentwintig uur.'*

Door de val van de regering was ik vrij. Voor mij lagen diverse opties open. Ik vroeg de Prins of ik hem onmiddellijk kon antwoorden en nam zijn aanbod aan. Hij bedankte me, hief de audiëntie op en zei me dat hij me wel een seintje zou geven. Ik keerde terug naar het kabinet van de eerste minister en bracht Pierlot op de hoogte. Hij stemde ermee in en deed mij enkele aanbevelingen voor de toekomst.

Daags daarna, vrijdag 9 februari, verzocht baron de Maere me om tegen 6 uur 's avonds naar het Paleis te komen. Hij verwachtte me op het aangeduide uur.

'We gaan naar baron Goffinet', zo zei hij me, *'hij wenst u te zien. Schrik niet, want hij is erg veranderd. Hij is volkomen helder van geest en u kunt vrijuit met hem spreken.*

We zullen naar zijn huis gaan in de Wetstraat. Om niet op te vallen zullen we met mijn auto gaan.'

We vertrokken. Baron Goffinet woonde in een bescheiden woning tegenover het klooster van Berlaymont. De knecht die opendeed sprak zachtjes. Wij begonnen ook zachtjes te spreken. Baron de Maere liet me even alleen om te informeren of Goffinet mij kon ontvangen. Ik wachtte op een bank in de hal. Hij kwam terug en fluisterde *'kom'*. Ik volgde hem. Wij gingen naar de eerste verdieping van het stille huis. De Maere liet me binnen in een werkkamer vol papieren en boeken en daarna gingen we een slaapkamer binnen. Uitgestrekt op een van beide bedden lag baron Goffinet, stervende. Zijn uitgemergelde arm, die uit zijn roze zijden pyjama stak, had hij achter zijn hoofd op het hoofdkussen gelegd. Zijn gelaat, dat zoals altijd ontzag inboezemde met de zwarte ooglap over zijn linkeroog, leek tekenen te vertonen van een naderend einde. Hij was bijna vel over been, uitgemergeld, van zijn gebogen havikachtige neus bleef alleen nog de uitstekende neusrug over. De baron keek voor zich uit. Ik ging naar hem toe. Hij draaide zijn hoofd naar mij toe en zei me met zachte maar vaste stem:

'Oh! Daar bent u, m'n beste, wat ben ik blij u te zien. Ga zitten.'

Ik ging op een stoel tussen de beide bedden zitten. Hij stak zijn magere arm naar me uit en pakte mijn hand vast die hij niet meer losliet.

'Ik ben op. Ik ga het eindige voor het oneindige verruilen en ik zal klaar zijn te aanvaarden wat de Voorzienigheid voor mij zal reserveren. Maar alvorens heen te gaan, wil ik enkele aardse problemen regelen. De Maere zei me dat u heeft aanvaard mij bij de Prins te vervangen. Ik ben daar blij om en het stelt mij gerust. Dien hem zo goed u kan. Ik vertrouw u hem toe.'

Hij stopte. Ik fluisterde hem toe dat ik het zo goed zou doen als ik maar kon, maar dat ik hem nooit zou kunnen vervangen.

'Wilt u mij beloven', zo vervolgde hij, *'steeds aan zijn zijde te blijven?'*

Ik aarzelde. Een stem in mij waarschuwde: 'Pas op voor een ondoordachte belofte gedaan aan een stervende. Bind je niet voor immer, maar zorg dat de band die je aanvaardt oprecht is.' Ik voelde ook dat het nutteloos was een zo vastberaden en zo lucide man te misleiden en ik antwoordde hem in alle openheid.

'U zegt me dat u gaat sterven, Baron. Ik kan geen belofte doen waarvan ik niet zeker ben of ik die kan nakomen en waarvan niemand mij zou kunnen ontslaan. Ik beloof u voor de Prins mijn uiterste best te doen zolang ik bij hem in dienst zal zijn.'

Hij glimlachte en drukte mijn hand. Daarna beschreef hij me gedurende zo'n twintigtal minuten wat mij allemaal zoal te wachten zou staan. Zijn stem was zwakjes maar duidelijk verstaanbaar en deze monoloog zou mij in de toekomst voortdurend houvast bieden en uiterst waardevol voor mij blijven.

Aanbevelingen van baron Goffinet aan André de Staercke:
'U zult het heel goed doen. Maar pas goed op, blijf aan zijn zijde, laat u niet door iemand misleiden. Blijf steeds bij hem in de buurt; werk naast hem. U zult zien dat hij het waard is, hij is goed en vol goede wil. Werk belangeloos voor hem door uzelf weg te cijferen en probeer niet een groot kabinetschef te zijn, want zonder het te beseffen zult u dit worden. U bent intelligent en bezit een grote mensenkennis, maar pas op voor uw impulsiviteit want u bent jong. Weet te lachen en altijd dynamisch te zijn. Prinsen moet men vastberaden, maar respectvol adviseren, respectvol, maar vastberaden. Wees eerlijk, zeg altijd wat u denkt, maar kies daarvoor het juiste moment. Als u bepaalde dingen moet weigeren, weiger ze dan. Speel nooit iemand in de kaart, zet u alleen in voor de Prins, het land. Ontmoet Holvoet niet te vaak. Hij zal u willen misleiden en inpalmen. Holvoet is een deceptie, maar er is niets aan te doen. Tracht dingen recht te zetten. U kunt bouwen op de Maere. U moet gedrieën standhouden, de Prins, de Maere en u. Ga te rade bij mijn neef Henri Goffinet die veel politieke feeling heeft, bij Hayoit de Termicourt die trouw is en een man met een zeer goede kijk op de zaken. Ze hebben hem foutief beoordeeld, op een dag zal hij terugkomen.'
Uittreksel uit de door de Staercke geredigeerde nota na het laatste gesprek met baron Goffinet op 8 februari 1945.

'Men moet de Prins', zo eindigde hij, *'vastberaden, maar respectvol adviseren.'* Hij herhaalde *'respectvol maar vastberaden'*. *'Van mijn kant,'* zo vervolgde hij, *'heb ik voor mijn arme Prins gedaan wat ik kon. Het enige wat mij bedroeft, is hem nu in deze zo moeilijke ogenblikken alleen achter te laten.'* Hij weende; tranen gleden langs zijn uitgemergelde gelaat. *'Enfin, ik heb gedaan wat ik kon. M'n beste vriend, ik ben blij u weer gezien te hebben, ik wilde dat al zo lang en als ik moet sterven, ga ik rustig sterven.'*

Tijdens dit hele gesprek was de Maere tegenover mij blijven staan, naast het nachtkastje. Af en toe zei hij zachtjes tegen Goffinet dat hij wel weer zou herstellen. Van mijn kant probeerde ik een man, die overduidelijk de ernst van zijn toestand inzag, over zijn laatste aardse zorgen gerust te stellen. Ik hoefde er geen doekjes om te winden. Wat mijn toewijding betreft, kon ik hem geruststellen. Opnieuw drukte hij mijn hand en ik beantwoordde zijn gebaar.

De Maere onderbrak ons en maakte een eind aan ons gesprek. De zieke mocht niet te veel worden vermoeid:

'Tot ziens, m'n beste', zei Goffinet me, *'als het weer beter met me gaat, zal ik u nog terugzien. En anders, vaarwel.'*

Ik stond op, gaf hem een laatste keer een hand en verliet de kamer. Wij kwamen weer terug op het Paleis, ik nam mijn auto en ging naar het kabinet van de eerste minister waar ik Pierlot een uitvoerig verslag deed van de momenten die ik zopas had doorgemaakt.

'Wat een tragisch verhaal', zei hij, *'en wat heeft die oude baron allure'*.

Hij waarschuwde me ook voor het risico, uit overdreven grootmoedigheid mijn ganse leven in te zetten voor één man. Met zijn gebruikelijke diepzinnigheid maakte hij nog wat opmerkingen waarin hij de omstandigheden en de situatie analyseerde. Het klonk allemaal zeer verstandig maar was toch niet gespeend van enthousiasme. Tot slot gaf hij me de raad op te schrijven wat ik zojuist had meegemaakt. Dat heb ik dadelijk gedaan en het vormt een deel van de aantekeningen die ik hier heb overgenomen.

De dag daarop, zaterdag 10 februari, werd ik tegen de avond op het Paleis ontboden. Baron de Maere zei me dat de Prins me meteen na baron Moyersoens vertrek zou ontvangen. Terwijl wij intussen wat aan het praten waren, ging de telefoon en de Maere antwoordde aan zijn gesprekspartner dat het nieuws juist was. Ik begreep dat baron Goffinet was overleden. Ik vroeg het de Maere en hij bevestigde dat baron Goffinet aan het begin van de namiddag de laatste adem had uitgeblazen. Heel kort na mijn bezoek was hij in coma geraakt en hij was niet meer bij bewustzijn gekomen.

Ik werd bij de Prins binnengeleid en sprak hem niet over het verlies dat hem zojuist had getroffen. Dit oversteeg het banale van troostende woorden en formules van deelneming. Hij zei er evenmin iets over. Hij ging zitten en wees me de zetel naast zijn bureau. Hij had moeite met het vinden van zijn woorden:

'Ik heb u onmiddellijk nodig'. Kunt u', vroeg hij, *'met mij gaan samenwerken nog voordat de regeringscrisis is opgelost?'* Ik antwoordde hem bevestigend, waarna wij ons over de problemen van de dag bogen.

Toen ik de Regent verliet, vroeg ik de Maere of het mogelijk was om afscheid van Goffinet te nemen. Hij vergezelde me. Zonder te letten op de mensen die bij baron Goffinet waakten, bleef mijn blik in de rouwkamer verwijlen bij het stoffelijk overschot van degene die Robert, Théodule, Adelin baron Goffinet was geweest, hoofd van het Burgerlijk Huis van de Prins-regent. Zijn geest hing nog in de kamer en sprak nog tot mij. Eerlijk gezegd bleef zijn geest, in de daarop volgende jaren, immer aanwezig en kwam mij altijd te hulp. Zijn geest was als de vleugels van de Heer waardoor de psalmdichter in vervoering geraakt, in wier schaduw men steeds beschutting vindt tegen stormen, vijandelijkheden en valstrikken.

Door het overlijden van baron Goffinet rees de vraag over mijn definitieve statuut. De Regent benoemde mij tot zijn secretaris. Dit werd het begin van een hechte samenwerking die meer dan vijf jaar zou duren. Wellicht moeten we ons hier de figuur van de Prins even voor de geest halen, zo vaag achter de geheimzinnige sluier die hem tegen de buitenwereld heeft beschermd. Hoe kan ik hem correct schetsen zonder dat de afstand der jaren van invloed is? Hoe houd ik het midden tussen een te mild en te streng oordeel?

Voordat ik de pas oversteek die mij naar een andere en onbekende bestemming in het leven leidt, wil ik toch even stilstaan en terugblikken op het kronkelige pad dat ons samen door lieflijke en dorre landschappen heeft gevoerd. Wanneer ik dit pad van bovenaf overschouw, spijt het me evenmin het beklommen als het verlaten te hebben. Ook al waren de etappes dikwijls lastig, in mijn herinnering versmelten de vele problemen en enkele mooie momenten uiteindelijk tot een harmonieus beeld. Je moet wellicht het verleden waarderen naar wat het je geschonken heeft wanneer de herinnering eraan vervaagt: *non plumbum sed alas*: geen lood maar vleugels.

Hiervoor ben ik dankbaar en dit heeft niets uitstaande met achting, maar eerder met genegenheid. De Prins behoorde tot een dynastie van Atriden. Het noodlot dat de andere leden van de dynastie zo hard trof, spaarde hem. Al ging hij gebukt onder een rol die aanvankelijk niet voor hem was weggelegd, hij werd desondanks overladen met het succes dat de vriendschap der goden is. Het is niet een van de minste contrasten in dit karakter dat zoveel dingen afwees, dat hij een lichtend spoor naliet van een gelukkige periode, waarin België een groeiende welvaart beleefde dankzij een prachtige opbloei en een groot prestige. De Regent heeft samengewerkt met politici die over meer beschikten dan simpelweg aanleg voor politiek of die boven de middelmaat uitstaken. Hij wist ze te herkennen of voor zich te winnen, hij streefde immers naar het allerbeste, ook indien dit niet viel te realiseren. Ook al miste hij op een aantal terreinen deskundigheid en was zijn karakter verre van volmaakt, hij wist toch Churchills sympathie te wekken, het broederlijk vertrouwen van Salazar te winnen en de starre onverzettelijkheid van de Gaulle te doorbreken. Hij wist de Paus te bekoren, hij werd bewonderd door de koning van Engeland, verdedigd door koningin Juliana en geprezen door president Truman. Diplomaten die hem benaderden voelden een zwak voor hem en admiraal Kirk, ambassadeur van de Verenigde Staten, schreef me dat de Regent in zijn ogen het model van de constitutionele monarch was. Dit hoge aanzien is niet uitsluitend een teken van het positieve vooroordeel dat prinsen en staatshoofden doorgaans te beurt valt. Hij verdiende het ook, omdat hij twee hoogst zeldzame eigenschappen bezat, die heel wat gebreken goedmaken: gevoel voor proportie en een gevoel van levensangst. De Regent hechtte niet veel betekenis aan deze complimenten. Hij had een lichtvoetige en subtiele humor en groot begrip voor delicate situaties. Als scherp analyticus ontleedde hij tot op het bot vraagstukken die hem interesseerden. Zijn opmerkingen waren nimmer pretentieus; zijn gesprekspartners stonden vaak verbluft van zijn frisse kijk op reeds veelbesproken problemen. Ook wist hij de onaangename gewoonte van staatshoofden om een banaal, dom of belachelijk oordeel te geven en zogenaamd gevat te antwoorden, bijna altijd te vermijden.

Wie is zonder zwakheden en volhardt er niet in? De uitstraling van de Prins was nu juist de niet aflatende wens ze te overstijgen. Het is het *amari aliquid,* het bittere iets dat bleef opborrelen en waaruit bleek dat zijn inzicht sterker was dan zijn wil. Dit moet nogmaals bevestigd. Voor de functie die hij uitoefende, bood zijn karakter een goede middenweg tussen persoonlijke zwakheden en representatieve kwaliteiten. Al kunnen eerstgenoemde onze nieuwsgierigheid prikkelen, buitenstaanders moeten zich hierover van een oordeel onthouden. Kwaliteiten roepen bij de burgers slechts bewondering en erkenning op. Voor de rest past stilzwijgen.

De Prins maakte me nieuwsgierig naar Hamlet. Hij was het die me dit stuk liet ontdekken. Lezend in dit koningsdrama voelde ik hoezeer de prins van Denemarken zich in gefilosofeer inspon om aan de verstikkende greep van de realiteit te ontsnappen. Deze melancholische wijsheid was niet een wereldbeschouwing, maar een middel om de wereld te ontvluchten. Een hele reeks aforismen over de lotsbestemming reflecteerde slechts een compassie met zichzelf. *To be or not to be that is the question* drukte een droef verlangen uit en ik zag dat een filosofisch zelfbeeld slechts een invulling gaf aan het drama omdat dit niet in het personage zelf huisde. Kenmerkend voor de Regent was dat hij sterk was in zijdelingse en pessimistische reflecties, die een geest gericht op tot niets leidend zelfonderzoek verrieden. De algemene uitspraken waren als een erkenning tussen persoonlijke roeping en officieel functioneren. Urenlang kon hij zich overgeven aan soms rake, dikwijls cynische beschouwingen. Ze begonnen bij hemzelf om zich dan te veralgemenen en op de mensheid in haar totaliteit te slaan en uit te kristalliseren in kernspreuken. Zo had hij af en toe, volgens de woorden van Bossuet, kernachtige gezegden die de inspanningen onthullen van een bewogen gemoed. Ze onthulden zijn ware persoonlijkheid.

Hij was niet religieus maar kende wel een zekere existentiële twijfel. Hij accepteerde vaag een algemene wijdverbreide filosofie die hem in God, astrologie en dromen deed geloven. Hij geloofde dat er tussen de doden en de levenden een soort communicatie bestond: *'De doden'*, zo zei hij, *'steunen je doordat je aan hen denkt. Het zijn bakens. Ze helpen je doordat ze hebben geleefd.'*

Iets over de veertig werd hij Regent. Hij was een kwetsbare persoonlijkheid die altijd een eenzaat zou blijven. Voor hem geen betuigingen van populariteit of uitbundige menigten. Als kind en ook in zijn jeugd had hij geen genegenheid gekend, zijn grootmoeder en broer en dat wat men zijn entourage noemt, reageerden zonder veel enthousiasme op zijn regentschap. Een vijandige maatschappij had het op hem gemunt zonder hem zelfs maar te kennen. Zijn al extreme timiditeit maakte hem alleen nog maar terughoudender en tijdens de twee laatste jaren van zijn regentschap liet hij zich nauwelijks zien. Door een soort compensatie van het lot, nam zijn prestige hierdoor alleen maar toe en hoe minder over hem bekend was hoe meer zijn reputatie toenam over alles wat niet van hem bekend was.

Ooit zei de Vauvenargues: 'Luiaards hebben altijd zin om iets te gaan doen'. De goede voornemens van de Prins waren ontelbaar. Hij had stapels min of meer serieuze, min of meer uitvoerbare projecten waar hij de hele dag mee rondliep. Zittend voor de werktafel van Leopold II, in een Napoleonzetel waarvan de leeuwenkop op het eind van de leuning nog sporen vertoonde van ongeduldige potloodkrassen van de Keizer, hield hij eindeloze conversaties, monologen die hij na een onderbreking weer hervatte.

De politici vonden hem heel charmant. Hij ontving hen altijd hoffelijk, sprak van mens tot mens met hen, met een bescheidenheid waarmee hij bij voorbaat hun bekwaamheid erkende. In zijn zinnen gebruikte hij graag vergelijkingen, iets waar hij verzot op was. De lichtgeel behangen muren van zijn kantoor waren gewijd aan schutspatroons die hij meer vereerde dan navolgde. Voor hem Karel V en achter hem Maria-Theresia. Aan zijn rechterhand, de jeugdige Leopold II. Aan zijn linkerhand een interessant portret van Leopold I in burger dat voor hem het overwicht aangaf van politieke taken op militaire plichten. Tussen al deze grote schilderijen tal van gravures met Karel II naast Marlborough of erotische prenten uit de 18de eeuw. Op de tafels, allerlei tabaksdozen, miniaturen en bibelots die hun vaste plaats hadden. Een appartement inrichten, houtwerk of deuren in felle kleuren schilderen, meubilair verplaatsen, ingelijste schilderijen ophangen, dat was zijn meest geliefde tijdverdrijf. Hij had een echte aanleg voor binnenhuisinrichting; met grote en kleine middelen en door een aangeboren maar niet aangeleerde smaak wist hij de mooiste met de lelijkste dingen te combineren. Hij hield van moderne muziek en jazz en kon talentvol improviseren. Op het vlak van de schilderkunst hield hij alleen van portretten mits ze er maar oud uitzagen.

We kunnen niet zeggen dat hij knap was, maar hij was goed gebouwd. Hij was trots op zijn lengte. Zijn uiterlijk, ietwat apathisch en droefgeestig, was niettemin karakteristiek vanwege zijn hoogblonde haar en zijn bijna fletse blauwe ogen. Vijftien jaar bij de Britse marine hadden hem erin getraind er altijd tiptop uit te zien. Hij bewoog zich soepel en gedroeg zich onopvallend zonder enig uiterlijk vertoon dat op zijn afkomst zou kunnen duiden.

Bij links was hij geliefd, ten eerste omdat hij door rechts werd verguisd, maar ook omdat links voelde dat hij dichter bij hun gedachtegoed stond. In ieder geval wist hij tot in de nuances zijn rol perfect te vervullen. Tussen voor- en tegenstanders van de Koning probeerde hij niet de broer maar de Regent te zijn. Zijn onpartijdigheid vereiste dat hij zich vooral moest verdedigen tegen velerlei openlijke en bijna bedreigende druk van proleopoldistisch rechts en niet zozeer tegen de affectie of goede verstandhouding met links, dat de Koning vijandig gezind was. Want rechts omvatte een heel scala groeperingen, zoals de stem van de geestelijkheid, van diverse kranten, allerhande facties, de indrukwekkende stem van de massa, en verder van een sociaal milieu waar de ijdele eigendunk van de aristocratie zich ronduit het meest heerszuchtig liet gelden. Links, daarentegen, had zoals gewoonlijk slechts één stem, meer een stem van het volk, soms overtrokken, soms onhandig, steeds gesmoord en misprezen. Maar toch een en al leven en ten dienste van een fundamenteel rechtvaardige zaak en een streven naar vrijheid. Voor die stem had het regentschap beslist sympathie. Al weerstond de Regent in een kalme en serene onthouding alle pogingen om hem te laten deelnemen aan het kamp van de machthebbers, de Regent was evenmin van plan een voorkeur in een actieve stellingname te transformeren. Dit was een moeilijke positie, waarin de Regent voortdurend voorzichtig, vastberaden, oplettend en steeds onder spanning moest manoeuvreren. Anderen dan ik kunnen later oordelen over de waarde en de resultaten. Laten we eerlijk zijn: als we van mening zijn dat het regentschap een succes was, dan is dit te danken aan tweeërlei steun. Enerzijds die van linkse politici, anderzijds van de beste rechtse politici, van hen die zowel vanwege hun scherpzinnigheid als vooral vanwege hun moed grote staatslieden waren.

De Prins stond nauwelijks de gang van zaken in de weg. Ik herinner me geen gevallen waarbij hij beroep deed op zijn prerogatieven behalve tijdens de laatste kabinetscrisis in het regentschap, toen de Kamers ontbonden moesten worden. Hij geloofde vast in zijn moreel gezag en hij had gelijk. Door zijn ietwat vleiende en altijd hoffelijke manier van optreden kreeg hij trouwens meer gedaan dan door alleen op zijn rechten te staan. Terwijl zijn broer politici wantrouwde, vond de Prins dat je de vriend moest zijn van mensen met wie je moet samenwerken en het was hem voldoende ze discreet te leren kennen en waardering bij hen te ontmoeten. Bovendien haatte hij het in het openbaar te spreken of teksten te schrijven om de publieke opinie te sensibiliseren en dat kwam hem alleen maar goed uit, want geen nieuws betekende goed nieuws. Hij verklaarde maar al te graag dat uitblinken in wat in de tijd van Leopold I of Leopold II als het summum gold, nu juist het genie van beiden was geweest. De eerste, voorstander van het absolutisme, had zich een geraffineerd diplomaat getoond; de tweede, voorstander van de kapitalistische expansie, een groot zakenman. Tegenwoordig zou hun optreden anders zijn geweest, want een goed staatshoofd moet vóór alles een bruggenbouwer zijn; hij moet volgens wettelijke of traditionele procedures een evenwicht tussen de verschillende maatschappelijke krachten weten te bewerkstelligen, waarvan het antagonisme de kern van het moderne politieke leven vormt. Deze gedachte, inherent aan het regentschap, vormde steeds zijn leidraad bij het samenbrengen van partijen of althans dominerende of gelijkaardige trends uit diverse partijen. Een dergelijke opvatting sloot perfect bij de omstandigheden aan. Ten eerste na de bevrijding, maar zolang de oorlog voortduurde vereiste de situatie dat men de handen ineensloeg voor het gemeenschappelijk belang van het land; vervolgens voor de periode van de wederopbouw van België en de structurering van Europa. Want de problemen op nationaal en internationaal vlak gingen de mogelijkheden te boven van een enkele politieke organisatie en vergden de inzet van krachten waarover de verschillende partijen gezamenlijk beschikten. Al dicteerden juist de behoeften deze rol van bruggenbouwer aan de Prins, diezelfde behoeften sloten ook de terugkeer van een Koning uit die er niet meer in slaagde de symbolische en daadwerkelijke bruggenbouwer te zijn om wie iedereen zich kon scharen.

Leven met de Regent was geen sinecure. Wegens de wispelturigheid niet zozeer van zijn gevoelens als wel van zijn temperament, schommelde hij voortdurend tussen euforie en depressie. Hij was nu eens vleiend, dan weer onvriendelijk en bejegende de leden van zijn entourage of uiterst wellwillend of bijna beledigend afstandelijk. Slechts drie of vier van hen lukte het zijn wisselvallig karakter te verdragen ten koste van hun zenuwgestel; ze moesten soms heel wat verschrikkelijke woedeuitbarstingen trotseren. De clou was hoe voor hem onmisbaar te worden en hem dus weinig te zien, terwijl je altijd voor hem klaar moest staan mocht hij je nodig hebben. Sommige mensen in intieme kring waren een gedwee werktuig van zijn grillen en verwierven zich door hun onderdanig gedrag een steeds precair vertrouwen; anderen probeerden zijn grillig humeur te trotseren met een soort kordaatheid, hopend dat die niet vaak nodig zou zijn en alleen dan als alles op losse schroeven kwam te staan. De kunst was de formule te vinden waarbij je op een redelijke afstand bleef om afstandelijk te lijken en dicht genoeg in de buurt om direct paraat te zijn. Het kwam er in de relaties met de Prins vooral op aan telkens opnieuw die bepaalde afstand te bewaren. Lukte dit min of meer, dan kon je rekenen op een trouwe vriendschap. Afgezien van dit wankel evenwicht, was je volledig overgeleverd aan affectieve onzekerheid. Zijn bruuske en onredelijke reacties van het moment, bepaald door een schijnbaar minuscuul voorval, kon de meest verstandige beslissing of meest gemotiveerde houding van de dag voordien volledig op zijn kop zetten.

Ik durf echter zeggen dat de complexe omstandigheden en het gecompliceerde karakter van de Prins de herinnering aan een periode verfraaien die thans ten einde is. Kleine en grote, verloren en gewonnen oorlogen onderhouden en verlengen die spanning nog, die zo fraai 'leven' wordt genoemd; spanning die zich schuilhield achter de vriendelijke wellevendheid van de functies. En wat een schatten heb ik ook ontdekt tijdens al die uren van wachten! In de antichambre heb ik Bossuet en Plutarchus verslonden. Plutarchus, o mijn Plutarchus, hoeveel van die boekjes van uitgeverij Arthème Fayard had ik niet bij me, diep weggestoken in mijn zak! Deze cultuur die ik op goed geluk in mijn verloren uurtjes heb opgedaan, zit verankerd als koraalriffen in een oceaan. Soms was dat tijdens een kabinetscrisis, in het Titiaansalon, zo genoemd omdat Danaë zich, onder het penseel van de meester, overgaf aan de gouden regen van Zeus. Soms mijmerde ik tijdens het wachten, met half gesloten ogen, boven een Grieks vers. Soms wist ook de zoete droefheid van een miniatuuruitgave met teksten van Omar Kayam de vergankelijkheid van aardse bezigheden te verzachten, terwijl ik op de gang heen en weer liep voor het kantoor van de Prins en onder de starre blik van de marmeren keizers bij elke stap telkens de gouden bloemen van het tapijt vertrapte. Ik was de ministers bijna dankbaar voor hun lange audiënties.

Bij het afscheid van het regentschap dat zijn naam gaf aan een gelukkige periode of althans een tijd zonder tegenspoed, wil ik, zoals Horatio aan Hamlet, aan degene die het regentschap gestalte gaf een toegenegen en wellicht melancholische groet brengen: *'Good night, sweet Prince!'*

VI De regering-Van Acker en de gesprekken in Sankt Wolfgang

Het is met enige aarzeling dat ik aan dit hoofdstuk begin, want ik heb nooit geloofd dat de geschiedenis alleen uit anekdotes bestaat. Toch zijn het juist die kleine feitjes waardoor je een beter inzicht krijgt in de loop der gebeurtenissen, die anders bijna noodlottig zou lijken. Heel wat mensen willen maar al te graag wat in het verleden onafwendbaar was, terugvoeren op belangrijke oorzaken die pas achteraf werden ontdekt. Zij vergissen zich waarschijnlijk evenzeer als zij die denken dat het lot van de wereld afhangt van de neus van Cleopatra. Dit neemt niet weg dat wat Bossuet de broze en bedrieglijke schoonheid van het lichaam noemde, toch belangrijk kan zijn. Dit moge uit de volgende bladzijden blijken. Het warnet van menselijk handelen valt nagenoeg niet te ontrafelen. Wie dit toch wil doen, moet maar denken aan het onzichtbare werk van mieren waardoor dijken kunnen bezwijken en aan het misplaatste zelfvertrouwen van dijkenbouwers. Zuiver determinisme en pure vrijheid bestaan niet. Denk maar aan een rivier, waarin enerzijds kleine obstakels de richting van de majestueuze stroom kunnen veranderen of die anderzijds gigantische obstakels kan meesleuren. Toch blijft zij altijd doorstromen, omdat de tijd nooit stilstaat. We kunnen proberen haar te volgen en alleen maar hopen dat we de bewegingen van de stroom kunnen verklaren. Uitgaand van deze overpeinzing moet ik dan maar mijn scrupules opzij durven zetten en talloze details vertellen die misschien onbelangrijk zouden lijken als ze niet bijdroegen tot een beter begrip van het geheel.

Ook kan men zich afvragen of het wel zo geslaagd is feiten aan het licht te brengen die al genoeg schade hebben aangericht toen men er nog geen weet van had en die alleen nog maar meer schade aanrichten als ze aan het licht komen. Hierbij herinner ik even aan wat kardinaal Retz ooit ergens schreef: *'Het hele volk betrad het heiligdom: daar lichtte het een tipje van de sluier op die altijd alles dient toe te dekken wat men kan zeggen, alles wat men kan geloven over het recht der volkeren en over dat der koningen die elkaar nooit zo goed vinden als in het zwijgen.'* Maar dat is het nu juist: bij de Koningskwestie werd het mysterie verloochend waarover de politieke ervaring altijd wijselijk had geleerd dat dit bevorderlijk was voor het instituut van de monarchie. De Koning trad opeens uit de beschuttende schaduw die de grondwet hem bood en wilde allereerst een houding opleggen, die vervolgens rechtvaardigen en ten slotte iedereen die het hier niet mee eens was, in het nauw te drijven. Dit leidde tot een meedogenloze campagne waarbij leugens het masker van de waarheid opzetten. Waarom zouden we het reeds ontwijde heiligdom dan niet schenden? Ik geef toe dat ik niet erg gevoelig ben voor zoiets als discretie die slechts wordt ingeroepen om vergissingen te verdoezelen. De staatsraison is volgens mij wel een bijzonder slecht argument wanneer deze zo duidelijk het onrecht dient.

Bovendien is het zo dat zij die bepaalde dingen van dichtbij hebben meegemaakt, niet al te veel illusies meer koesteren over de monarchie in ons land noch veel achting hebben voor degenen die deze belichamen. Het oude idool van respect, zo zei Renan, was voor heel wat mensen verbrijzeld. Als voorbeeld voor de toekomst is het wellicht nuttig te weten waarom koningen van het toneel verdwijnen.

De paar maanden die in dit hoofdstuk en het volgende worden beschreven, zijn van beslissende invloed geweest op de Koningskwestie. Ze lopen van het begin van de regering-Van Acker, februari 1945, tot de dagen die volgden op de stemming van de wet van 19 juli 1945, die het einde van de onmogelijkheid om te regeren moest regelen. Alles wat daarna is gebeurd, was al in de kiem aanwezig tijdens de gesprekken in Sankt Wolfgang en lag besloten in de beslissingen die hieruit voortvloeiden.

Door een gelukkig toeval had ik begin 1945 in een boekhandel in de Londense Sloane Street Londen een rood lederen opschrijfboekje gekocht waarop ik mijn initialen had laten graveren. Van half maart tot half juli schreef ik er elke dag een paar regels in op, waardoor het een waardevol dagboek is geworden. Eerst dacht ik deze aantekeningen als zodanig in hun beknopte en bijna telegramstijl te reproduceren, maar hierdoor zouden ze onleesbaar en zelfs onbegrijpelijk geworden zijn. Ik heb de voorkeur gegeven aan een doorlopend relaas en desnoods hier en daar het rode opschrijfboekje met de spontaan neergepende opmerkingen zelf aan het woord te laten.

De kabinetscrisis van 6 februari 1945 was van korte duur. Pierlot werd door Van Acker opgevolgd. Laatstgenoemde had beslist op dit moment gewacht en vandaag weet ik eigenlijk niet zo zeker of hij de val van de regering waarin hij minister van Arbeid was, niet ietwat heeft bespoedigd. Tijdens de oorlog was hij in België gebleven en moest hij vanwege zijn anti-Duitse gezindheid onderduiken. De financier baron de Launoit, die dacht dat de zaken nooit beter floreren dan met invloed in de politiek, had ervoor gezorgd dat hij ergens kon onderduiken. Van Acker, die in vroeger tijden arbeider was geweest en min of meer succesvol allerlei beroepen had uitgeoefend, was gewiekst en had ondanks zijn eerder goedig uiterlijk een sluwe blik. Doordat hij totnutoe goed uit allerlei perikelen was geraakt, dacht hij dat hij onder een gelukkig gesternte geboren was en dit zelfvertrouwen was een van de redenen van zowel zijn successen als zijn tegenslagen. Hij was autodidact, leerde steeds bij en had over alles een oppervlakkig oordeel. Hij wekte de indruk over een enorme wilskracht te beschikken omdat hij zich verbeten hield aan wat hij eenmaal had besloten. Toch kon men zijn beslissingen een bepaalde richting uitsturen, want zoals ieder mens die al te zeker van zichzelf is, was hij uiterst beïnvloedbaar. Deze zwaargebouwde, schele en lispelende Bruggeling van om en nabij de vijftig, die gebrekkig en niet correct Frans sprak, moest wel in de smaak vallen bij rechts, die in hem een natuurkracht zag. Rechts wilde zich naar hem voegen om hem te gebruiken de gevaarlijke agitaties onder controle te krijgen die altijd weer de trieste nasleep van een oorlog zijn.

Rechts hoopte de goed van pas komende orde die het zelf niet kon verkrijgen op straffe voor reactionair te worden uitgemaakt, veilig te stellen onder de bescherming van een energiek man van links. Door de politieke macht zou Van Acker tot matiging worden gedwongen zonder dat dit bij de arbeidersklasse tot ontevredenheid zou leiden. Het is de bekende rekensom van de conservatieven die ten slotte steeds verkeerd blijkt uit te pakken. Zij pretenderen de socialisten te leren hoe ze socialist moeten zijn. Onder die voorwaarde erkennen ze hun bestaan. Spijtig genoeg voor hen is men socialist, maar dan niet noodzakelijk op de manier zoals rechts zich dat wenst. Dan roepen de mensen van rechts 'verraad', omdat zij graag willen bedriegen, maar niet zelf bedrogen willen worden.

Van Acker had clandestien deelgenomen aan colloquia tussen vertegenwoordigers van werkgevers en van arbeiders die een hervorming van de sociale wetgeving hadden uitgewerkt voor na de oorlog. Hij kwam uit de oorlog met een prestige waardoor hij, beter dan wie ook, was aangewezen voor de realisatie van projecten die hij had helpen voorbereiden. In de bevrijdingsregering werd hij een uitstekende minister van Arbeid. Hij had in alle stilte veel werk verzet en met vruchtbaar resultaat. Het sociale zekerheidsstelsel, dat hij begin 1945 met bijna unanieme instemming invoerde, deed niet onder voor de beste buitenlandse projecten. Het kostte veel, maar rechts had toegegeven en was blij met wat het had kunnen redden, terwijl het links gelukt was het welzijn en de sociale zekerheid van de arbeidersklasse aanzienlijk te verbeteren. Dankzij dit soort compromissen kon men enkele jaren lang werken aan evenwicht en voorspoed.

Toen de regering-Pierlot aan het eind van haar krachten was gekomen, bereidde Van Acker zich handig op de opvolging voor. Binnen zijn eigen partij heeft hij vast en zeker druk uitgeoefend om de eerste minister bedenktijd te weigeren die hem trouwens toch niet meer had kunnen redden. In zijn ongeduld om de post van eerste minister in te nemen die weldra vacant zou zijn, onderschatte hij echter de obstakels. De katholieke partij, die de meeste zetels in het Parlement had, wilde per se haar gezicht redden alvorens een socialistische eerste minister te aanvaarden. Hypocriet beschuldigde de katholieke partij links ervan de regering omvergeworpen te hebben, die zij zelf slechts steunde na haar verdwijning. De katholieke partij maakte ook luidkeels kenbaar dat er geen sprake meer van kon zijn de communisten nog langer in de regering te dulden na al hun pogingen om de problemen in verband met het verzet politiek uit te buiten. Van Acker zette echter door, vastbesloten eerste minister te worden en de communisten weer in de regering op te nemen. Het scheelde niet veel of hij had alles verknoeid, omdat hij buiten de valse schaamte van rechts had gerekend. Rechts was van plan huichelachtig komedie te spelen voordat het zich geweld liet aandoen. Pierlot kwam zijn opvolger te hulp en predikte een regering van Nationale Unie. Na een crisis van zes dagen presenteerde Van Acker op 12 februari de Regent een vierpartijenregering van achttien ministers, waarvan hieronder de lijst:

12 februari 1945

REGERING VOORGEZETEN DOOR ACHILLE VAN ACKER

1	A. VAN ACKER	Eerste Minister en Minister van Steenkool
2	SPAAK	Minister van Buitenlandse Zaken en Buitenlandse Handel
3	Burggraaf Ch. DU BUS DE WARNAFFE*	Minister van Justitie
4	A. VAN GLABBEKE*	Minister van Binnenlandse Zaken
5	Dr A. MARTEAUX*	Minister van Volksgezondheid
6	A. BUISSERET*	Minister van Openbaar Onderwijs
7	G. EYSKENS*	Minister van Financiën
8	L. DELVAUX*	Minister van Landbouw
9	H. VOS	Minister van Openbare Werken
10	A. DE SMAELE*	Minister van Economische Zaken
11	L. TROCLET*	Minister van Arbeid en Sociale Voorzorg
12	E. RONGVAUX,	Minister van Verkeerswezen
13	L. MUNDELEER*	Minister van Landsverdediging
14	E. DE BRUYNE*	Minister van Koloniën
15	E. RONSE	Minister van Voorlichting
16	E. LALMAND*	Minister van Bevoorrading
17	H. PAUWELS**	Minister van Oorlogsslachtoffers
18	P. KRONACKER	Minister zonder portefeuille

* legden op 12/02/1945 de eed af

** legde op 22/02/1945 de eed af.

De eerste minister kwam op het juiste moment. Er was dan ook al een begin gemaakt met de oplossing van de problemen. De orde was hersteld, de nationale eensgezindheid herwonnen en het strijdtoneel naar Duitsland verplaatst. Waar het vooral op aankwam, was aanzetten tot de discipline vereist voor het stimuleren van de productie, anders zouden alle totnutoe geleverde inspanningen vergeefs zijn. Van Acker beschikte over de nodige energie en het vertrouwen. Hij wist een soort gezaguitstralend magnetisme rond zichzelf te creëren dat reikte van boven tot onder aan de sociale ladder. De 'kolenslag' verklaarde hij voor gewonnen nog voor de strijd was geleverd en hij won die ook daadwerkelijk. Met hem leek alles eenvoudig, gemakkelijk bijna. Met zijn naïeve gezond verstand had hij voor alles een formule. Al snel bleek de oogst enorm. De moeite die de vorige regering zich had getroost, werd beloond door steeds betere resultaten, die tevens te danken waren aan het ministeriële optimisme dat charmant een harde vuist en een steeds verder om zich heen grijpende geleide economie verhulde. Met welvaart in het vooruitzicht raakte België in de ban van een verwoede werklust. Het was het begin van een opbloei die de wereld verbaasd zou doen staan.

Precies op dat moment kwam de Koningskwestie weer boven. Als een eeuwig spookbeeld liep deze zaak parallel aan de overwinning. Onder de regering-Pierlot was de kwestie weinig ter sprake gekomen. De pers had trouw woord gehouden door er niets over te schrijven en de partijen hadden voorzichtig een stilzwijgende wapenstilstand in acht genomen. Af en toe zorgde een onbezonnen figuur voor opschudding, al gauw gevolgd door wat dreigend gesputter. Daarna keerde de rust weer die niemand wenste te verstoren. In november 1944 haalde de Brusselse burgemeester Van de Meulebroeck het tijdens een reis naar Londen in zijn hoofd om tegenover de Britse pers zijn vurig vertrouwen in Leopold te verklaren, een vertrouwen dat, naar zijn zeggen, het hele land deelde. *La Dernière Heure* (liberaal) en *Le Drapeau Rouge* (communistisch) reageerden onmiddellijk door te verkondigen dat een algemene terughoudendheid niet moest worden opgevat als een unanieme goedkeuring in verband met de houding van de Koning. Maar algemeen genomen bleef het kalm. Wellicht broeide er onrust, maar die kwam niet in de openbaarheid.

Van Cauwelaert, voorzitter van de Kamer van Volksvertegenwoordigers benaderde op een dag het probleem zijdelings, zoals hij dat gewoonlijk zo graag deed, naar aanleiding van een gesprek met me over een totaal ander onderwerp en liet zijn bezorgdheid doorschijnen. De eventuele terugkeer van de Koning zou niet zo eenvoudig zijn. Tenzij, zo verklaarde hij zuchtend en zijn ogen ten hemel slaand, hij vermoord zou zijn door de nazi's, want die waren tot alles in staat. Dan zou de Koning door iedereen als een martelaar worden beschouwd, zo vervolgde de voorzitter, terwijl hij me peinzend aankeek. Ik vroeg me af op wie hij rekende, op God of de duivel, om ons dan uit dit lastig parket te helpen. *'Pas op'*, zei hij snel, *'niet dat ik dat wens, hoor.'* Hij leek altijd zo oprecht. Een grijzend kinbaardje gaf zijn gezicht iets zacht ernstigs. Het was hem niet aan te zien dat hij bijna zeventig was. Als hij bijgedachten had, werden zijn geelbruine ogen wat lichter. Dan leken ze, volgens een opmerking van de Prins, op pisgaatjes in de sneeuw.

Naarmate de militaire operaties elkaar sneller opvolgden, werd de kwestie hoogdringend. De geallieerden, hersteld van von Rundstedts onverwachte aanval, lanceerden op 8 februari in de richting van de Rijn het begin van hun definitieve offensief tegen nazi-Duitsland. Het was duidelijk dat het einde van de oorlog in Europa in zicht was. Volgens de meest waarschijnlijke hypothese hield dit ook in dat de Koning zeer binnenkort zou worden bevrijd. In bepaalde rechtse kringen begon men onrustig te worden. Ter verdediging van een zaak die nog niet openlijk ter sprake was gekomen, stelden deze kringen zich onmiddellijk extreem leopoldistisch op. Al in januari werd in de Antwerpse katkolieke krant *La Métropole* het samenzweerderige stilzwijgen rond de Koning aangeklaagd. Kardinaal Van Roey, die ik dinsdag 27 maart ontmoette, betreurde het ontbreken van koningsgezinde propaganda. *'Het is'*, zo zei hij me, *'te stil rond de Koning.'* Hier moet even iets gezegd in verband met de houding van deze prelaat, een voortreffelijk theoloog, maar een erbarmelijk politicus. Hij draagt een zware verantwoordelijkheid voor de crisis die ons land trof. In 1940 was hij medeplichtig aan de houding van de Koning die hij vanop de kansel verdedigde, hij was rechtstreeks betrokken bij het illegale van diens huwelijksinzegening, en je treft hem op alle beslissende momenten in deze moeilijke jaren aan, klaar om dubbelzinnigheden te steunen mits ze maar 'koninklijk' waren. Deze gewoonlijk zo kille en zwijgzame man, van wie je – gezien zijn positie – eerder een apostolische zachtmoedigheid zou verwachten, liet zich in zijn gepassioneerdheid zelfs zover gaan dat hij het in een onmogelijke brief had over het 'gebraak' van zijn tegenstanders. Door zijn strikt conformisme schaarde hij zich automatisch achter het gezag, zelfs als dit fout zat en vooral wanneer hij zich samen met dat gezag had gecompromitteerd. Ik veronderstel dat hij geheel te goeder trouw Christus als revolutionair zou hebben veroordeeld en in alle oprechtheid zou doen wat de hogepriester Kajafas met zijn troebele snode geest had gedaan. Dat is steeds de reactie van de conservatieve priesterkaste, de reactie die iemand als de grootinquisiteur uit de droom van Ivan in *De Gebroeders Karamazov* deed betreuren dat Jezus op aarde was teruggekeerd, want zijn terugkeer dreigde al het zendingswerk van zijn discipelen teniet te doen.

Het kon niet anders of de omstandigheden en het gewicht van dergelijke uitlatingen maakten gevoelens los ten gunste van Leopold III. De Prins-regent was hiervoor bevreesd, want hij was beducht voor een boomerang-effect. Ten aanzien van zijn broer was hij altijd voorstander geweest van matige lof, zodat Leopold III ook minder hard zou worden verguisd. Helaas vond hij hiervoor noch begrip noch waardering. Eind maart werd er een nieuwe katholieke krant in Brussel opgericht onder leiding van Julien Kervyn de Meerendré. Deze krant heette *Le Quotidien* en werd financieel gesteund door Léon Bekaert, een paternalistische en een tikkeltje autoritaire industrieel, die tijdens de bezetting min of meer fout was geweest, omdat zijn draadtrekkerijen in Zwevegem voor de Duitsers hadden gewerkt. *Le Quotidien* was een kort bestaan beschoren, maar had heel wat invloed. In het tiende nummer, van 5 april 1945, werd onder de titel 'Leve de Koning', de stilte rond de Vorst als een betreurenswaardige en niet terechte lacune gestigmatiseerd. Het blad veronderstelde dat 'de meerderheid zich aansluit bij de eensgezindheid van het volk' en beweerde dat 'koning Leopold III zich jegens het Vaderland zeer verdienstelijk heeft gemaakt'. Tegelijkertijd werd aan iedereen die de Koning had aangevallen of aan hem had getwijfeld, de 'mannen van Limoges', de 'mannen van Londen', de slappelingen en de sceptici, gevraagd ongelijk te erkennen.

Als gevolg van dit als een loflied opgestelde artikel dat naar een lange reeks verwijten verwees en bedoeld was als een afrekening, sloeg de vlam in de pan. Victor Larock, politiek directeur van het socialistische *Le Peuple* en een geducht polemist voor de katholieken, want hij had de elegantie van een klassieke en rechtlijnige denkwijze, verfijnd door een opleiding bij de jezuïeten, riposteerde op 10 april met wat hij een 'dringende waarschuwing' noemde. Hij waarschuwde de leopoldisten tegen misplaatste en onhandige propaganda die alleen maar voortijdig een zeer ernstig debat zou uitlokken.

De pers en de publieke opinie speelden hier onmiddellijk op in. Iedereen sprak en schreef voor en tegen de Koning. Tegelijkertijd kwamen de partijen in beweging. Op 7 maart was het Amerikaanse 1ste leger, deel uitmakend van de legergroep onder bevel van generaal Bradley, de Rijn ten zuiden van Bonn overgestoken via de brug bij Remagen, die als bij wonder ongeschonden in handen van de geallieerden was gevallen.

Op 1 april wonnen de geallieerden de slag om de Rijn. Onder de aanvallen van de Britten, Amerikanen en Russen was nazi-Duitslands ineenstorting nog maar een kwestie van weken. Er kon dus op ieder moment nieuws van Leopold III en diens gezin worden verwacht. Wat zou er dan gebeuren? Zou de Koning, indien hij gezond en wel werd aangetroffen, onmiddellijk naar België terugkeren? Zou het Regentschap dan automatisch ten einde lopen? Onder welke omstandigheden zou de aanvaarde oplossing realiteit kunnen worden? Welke steun zou ze ervaren en welke tegenstand? Kon men de gebeurtenissen lukraak op hun beloop laten, juist nu er zich zowel gunstig als vijandig gezinde stromingen in het land manifesteerden?

De eerste reactie van de regering en de officiële kringen was onzekerheid en verwarring. In tegenstelling tot wat men denkt, is regeren zeer weinig vooruitzien. Men had het probleem liever niet aangesneden zolang het zich niet stelde. Begin maart echter moest men het wel serieus nemen. Het is beslist niet met een opgewekt gemoed dat de eerste minister en zijn collega's zich erover bogen. 'Er is niet één Belg die hier niet mee verveeld zit', zo verklaarde Spaak, waarmee hij een algemeen heersend gevoel verwoordde. Graag had iedereen de lijdensbeker opzijgeschoven, maar hij moest goedschiks of kwaadschiks worden geledigd.

Intussen werd vernomen dat het bewuste Politiek Testament in september 1944 aan de Britten was bekendgemaakt. Deze daad buiten medeweten van de regering-Pierlot en duidelijk met de bedoeling haar te schaden, ontstemde in hoge mate iedereen die de inhoud ervan kende. Het was duidelijk dat de terugkeer niet zonder incidenten zou verlopen, zowel wegens de aanspraken van de leopoldisten als de reacties van hun tegenstanders.

Maart ging voorbij zonder dat er iets gebeurde, terwijl de geallieerden verder oprukten en de publieke opinie onrustig werd. Met instemming van zijn ministers besloot de Regent op de 15de om graaf Cornet, grootmaarschalk van het hof, op wachtgeld te stellen vanwege het feit dat hij het Politiek Testament had doorgespeeld, maar hij kreeg al gauw spijt van zijn besluit. Na een kort verblijf in Ciergnon, waar de Regent, zoals altijd, over het geringste eindeloos had zitten piekeren, vroeg hij zich op 22 maart af of deze strafmaatregel wel verstandig was geweest. Was het wel de moeite waard, terwijl de gebeurtenissen elkaar intussen steeds sneller opvolgden en men aan de terugkeer van de Koning en het einde van het regentschap moest gaan denken? De gedachte dat zijn broer had gehandeld zoals de Engelse koning Karel I door steun te zoeken bij een regering van een andere mogendheid tegen zijn eigen regering in, kalmeerde voor een moment de scrupules van de Prins, maar de dag daarop moest hij opnieuw worden bemoedigd. De daarop volgende dagen bleef hij onzeker. Hij vreesde scènes en ruzies met zijn broer en wilde zich nergens meer toe verbinden noch zich vertonen.

Tegelijkertijd begonnen onverantwoordelijke figuren, die absoluut een rol wensten te spelen, zich zo'n beetje overal met van alles te bemoeien. Saint-Simon noemt dit soort individuen de pest der staten. Zij zijn als vliegen die voortdurend rond de macht zoemen, maar die pas echt hinderlijk worden als de zaak scheef gaat lopen. Graaf Capelle die zich sinds september 1944 op de achtergrond had gehouden, had de gelegenheid gegrepen weer ten tonele te verschijnen. Hij voelde zich weer de secretaris van de Koning worden en schreef baron Holvoet, kabinetschef van de Prins, een aantal opmerkingen over lange persmededelingen die na de ministerraad verschenen. Tevens adresseerde hij een brief aan baron Moyersoen, voorzitter van de rechtse fractie in de Senaat en een kleurloos partijkopstuk, hem verzoekend om een parlementaire motie die zou pleiten voor snelle vrijlating van de Koning. Aldus hoopte hij door deze – in zijn ogen handige – manœuvre bij voorbaat de oppositie tegen zijn baas uit te schakelen. Om zijn enthousiasme wat af te remmen, ontbood de eerste minister hem op 21 maart in aanwezigheid van Spaak. Het werd een moeilijk gesprek waarin Capelle zijn veelvuldige nalatigheden uit het verleden nog eens arrogant goedpraatte. Na deze berisping trok hij zich achter de schermen terug, maar ging wel door met intrigeren. Andere lastposten die zich tot dan toe tevreden hadden gesteld met in de modder te wroeten en bij het geringste gerucht zwegen, werden steeds brutaler en irritanter. Zij die zich na de Duitse bezetting in een voorzichtig stilzwijgen hadden gehuld, hervonden plots hun stem alsof de terugkeer van Leopold III hun revanche zou zijn. Ze gedroegen zich koningsgezinder dan de Koning zelf om hem nog beter naar hun hand te kunnen zetten. Baron van Zuylen, '*l'homme noir*' (zijn codenaam tijdens de oorlog), die in september 1944 door Spaak was verjaagd, zon op wraak. Op 20 maart ontmoette hij baron Holvoet en onthulde hem dat hij in mei 1944 door de vorst was ontvangen drie weken vóór diens wegvoering. Destijds was zijn vijandige houding ten aanzien van de Belgische regering in ballingschap in Londen niet veranderd. De genoegdoening die de vorst toen zinnens was van de ministers te eisen, zou hij nu nog sterker laten klinken, zo bracht van Zuylen uit. Want aan de oude grieven ten aanzien van de regering zou hij nieuwe verwijten toevoegen. Dit gold met name voor de minachting waarmee men zowel zijn instructies als zijn medewerkers en aanhangers zou hebben behandeld.

De omvang van deze reactie verontrustte de voornaamste politieke waarnemers. Charles De Visscher was diep verontwaardigd. Voor hem was het reeds een aanwijzing voor de vorm die het toekomstige regime zou aannemen. Hij vroeg zich af of er iemand in staat zou zijn hieraan het hoofd te bieden en hij was uiterst fel in zijn oordeel over de Koning: *'Ik hoop'*, zo zei hij me op 2 april, *'dat die man nooit meer terugkeert!'* Hij was van mening dat het aanstaande vertrek van Spaak voor de conferentie van de V.N. in San Francisco, gezien de huidige omstandigheden, slecht uitkwam. Spaak was de enige minister van Londen die nog in functie was. Hij moest aanwezig zijn op het moment dat de Koning naar België zou terugkeren. Pierlot van zijn kant was zeer pessimistisch. Op de hoogte gebracht van Capelles vreemde bokkesprongen beschouwde hij de Koning als verloren wegens het machtsmisbruik van zijn entourage en zijn getrouwen. Hij wilde voorkomen dat rechts niet ondoordacht een zaak zou steunen die het niet waard was een scheuring in de katholieke partij te veroorzaken. Tijdens een vergadering van enkele 'wijzen' op 20 maart werd de kwestie aangekaart. Senator Van Overbergh, die gezien zijn leeftijd en ervaring over invloed beschikte, adviseerde voorzichtig om niet te ver te gaan in de toegevingen aan Zijne Majesteit. Baron Moyersoen retorqueerde dat als de Koning zou vertrekken, de dynastie verloren was. Op zijn beurt verklaarde Pierlot dat de dynastie verloren was als de Koning zou terugkeren. Ontredderd gingen we uiteen. De stellingen die het land nog jarenlang zouden ondermijnen, waren nu reeds met elkaar in botsing gekomen. Eerste minister Van Acker was wat genuanceerder. Hij dacht dat er een manier te vinden moest zijn om tot een onmiddellijke regeling met de Koning te komen, maar dat de moeilijkheden zich pas na een paar weken zouden voordoen als de 'ultra's' erin slaagden hun standpunt op te leggen.

Ook buitenlandse diplomaten, met name de Britse en de Amerikaanse ambassadeur, lieten niet na zich voor een probleem te interesseren dat zoveel stof deed opwaaien. Op 19 maart polste Sir Hugh Knatchbull me over de maatregelen als het tot een terugkeer kwam. Hij wenste zijn regering hierover in te lichten die daarna zelf de militaire autoriteiten in Duitsland moest verwittigen. De Britse ambassadeur, met wie ik erg goed kon opschieten, liet in ons gesprek doorschemeren dat hij een hogere dunk had van prins Karels intelligentie dan van die van koning Leopold. Hij vreesde dat de terugkeer van de Koning aanleiding zou geven tot onrust, iets wat de Belgische wederopbouw zou kunnen schaden. Hij kwam oprecht voor zijn mening uit. Zonder ooit zijn mening te verloochenen, bleef Sir Hugh toch altijd strikt onpartijdig in zijn optreden. Hij was een uiterst scherpzinnig diplomaat met een bedrieglijke en beminnelijke nonchalance. Hij had veel succes geboekt in Perzië, China en ten slotte in Turkije, waar hij tijdens de oorlog de tegenstander van von Papen was geweest en de Brits-Turkse alliantie had gered. Sir Hugh had, vaak onder dramatische omstandigheden, een geslaagde carrière uitgebouwd zonder krachtsvertoon en met een ironisch gemak dat de hoogste kwaliteit is bij een diplomatencarrière. Voor hij met pensioen zou gaan, kreeg hij ter beloning als laatste post Brussel toegewezen. In plaats van rust, trof hij er een hachelijke situatie aan. Hij wist zich er zonder kleerscheuren doorheen te slaan. Zijn vriendschap werd mij zeer dierbaar, vooral wegens zijn trouw, maar ook door de morele steun die ik van hem ontving en zijn scherp inzicht dat mij altijd bijzonder van pas kwam. Ik zag hem minstens twee keer per week, wij hielden allebei van al het goeds en zoets op deze aarde en wij keuvelden hier met oneindig veel plezier over. Hij bezat veel talenten, die hij in Eton en Oxford had ontwikkeld en die prettig samengingen met zijn meedogend inlevingsvermogen in de mens. Hij schreef soms aardige verzen, speelde voldoende goed piano om meer serieuze muziek aan te kunnen zonder echter zijn voorkeur te willen opleggen. Voorts was hij een verdienstelijk aquarellist. Hij was een levensgenieter, maar met mate; hij was door een lange traditie gevormd, had een grote culturele bagage en deed denken aan een Brit uit de 18de eeuw, ietwat sceptisch en flegmatisch en met veel gevoel voor humor.

Op 27 maart werd ik door Sawyer, ambassadeur van de Verenigde Staten, ontboden die me vroeg of er voor de eventuele bevrijding van de Koning iets was voorbereid. Als de Amerikaanse troepen hem vonden, moesten zij immers over precieze instructies kunnen beschikken. In ieder geval was de ambassadeur van mening dat de regering de plicht had de situatie goed in de hand te houden. Was het niet aanbevelenswaardig dat een delegatie zich prompt tot bij de Koning zou begeven? Deze zou hem op neutraal gebied, bijvoorbeeld in Zwitserland, kunnen ontmoeten en hem verslag uitbrengen over hoe de situatie er momenteel in België uitzag. Het was overduidelijk dat beide ambassadeurs zich allerminst in een interne en zo delicate aangelegenheid wensten te mengen. Wel wilden ze een stevige positie innemen die hen niet bond.

Al die onrust, van gefluister tot dreigend gerommel, wees erop dat er storm op komst was. De Prins was ervan overtuigd dat hij zich moest voorbereiden. Op een wandeling samen in Ciergnon op 29 maart sprak hij me over de modaliteiten in verband met de terugkeer van zijn broer. Er waren uiteraard veel hypothesen maar hij ging er op dat moment alleen van uit dat men zijn broer gezond en wel zou aantreffen. Het leek hem een goed idee de Koning eerst naar Zwitserland te laten komen alsook om hem tegemoet te gaan, voordat al te ijverige aanhangers de Koning zouden ompraten. Hij verheelde niet dat het botte karakter van zijn broer de gesprekken weleens zou kunnen bemoeilijken. Om me dit te demonstreren en zich tegelijkertijd moed in te spreken, begon hij een dialoog waarbij hijzelf de rol van Koning speelde, terwijl ik Spaak vertegenwoordigde. We zeiden de meest onaangename dingen tegen elkaar die de Koning en Spaak elkaar waarschijnlijk nooit naar het hoofd geslingerd zouden hebben en het eind van het spelletje was dat wij woedend op elkaar waren! De volgende dag ontmoette ik de eerste minister. Deze beloofde me na te denken over wat ons te doen stond. Ik dineerde met Spaak. Hij verwierp de gedachte zijn vertrek naar San Francisco te annuleren en leek verveeld met de plannen die men koesterde. Realistisch als hij was, hield hij er niet van op problemen te anticiperen en verkoos een afwachtende houding tot hij niet meer onder het probleem uit kon. Drie dagen later kon hij het probleem echter niet meer ontlopen.

Op maandag 2 april kwamen de Britse en de Amerikaanse ambassadeur vergezeld van generaal Erskine, hoofd van de verbindingsmissie van de SHAEF in Brussel, bij de minister van Buitenlandse Zaken informeren naar de voorbereidingen van de Belgische regering in verband met de terugkeer van de Koning. Zij uitten hun bezorgdheid, wilden iedere vorm van instabiliteit in het achterland van het geallieerde offensief vermijden en stelden voor dat een eventuele ontmoeting tussen de Koning en een delegatie uit België op het hoofdkwartier van generaal Eisenhower zou plaatsvinden. Door deze demarche kwam er, althans op één punt, een eind aan de besluiteloosheid.

's Morgens 3 april kwamen de Prins, Van Acker en Spaak overeen dat een delegatie zich prompt tot bij de Koning zou begeven. Deze delegatie zou voorlopig bestaan uit de Prins-regent, de eerste minister, Spaak en baron Holvoet. Beide ambassadeurs werden verwittigd en Spaak liet Sir Hugh weten, dat de terugkeer van de Koning in algehele kalmte slechts haalbaar zou zijn, mits Leopold III de voorstellen uit de brief van de Belgische regering in Londen, in januari 1944 door François De Kinder overhandigd, zou aanvaarden. Ik verklaarde nog aan de Britse ambassadeur dat de Regent, om politieke redenen, niet wenste dat prinses van Retie terzelfder tijd als de Koning terugkeerde.

Op 6 april meldde een adjunct van generaal Erskine, kolonel Williams-Thomas, zich bij mij aan om de modaliteiten voor de eventuele reis te bespreken. Wij hielden hierover regelmatig contact en voerden tevens een administratieve correspondentie die 'top secret' en uiterst minutieus was. Achter deze officiële façade groeide er tussen ons een aangename vertrouwelijkheid. Deze 32-jarige blozende Brit, zoon van een glazenier, vriendelijk en welgemanierd, bleek een efficiënte en begripvolle verbindingsagent.

Zodra was besloten een delegatie naar de Koning te sturen, begon de Prins weer te tobben over samenstelling en taak. En al snel wenste hij baron Holvoet te vervangen door Cornil, procureur-generaal bij het Hof van Cassatie, want baron Holvoet was volgens hem te formalistisch en Cornil had het ontegenzeggelijke voordeel een van de bewaarnemers van het Politiek Testament te zijn geweest. Terzelfder tijd dacht hij mij op de lijst te zetten om een van zijn vertrouwelingen bij zich te hebben. Hij zag al het hele scenario voor zich van de terugkeer van zijn broer die via Luik zou verlopen. Luik was immers de minst koningsgezinde stad. Om het royalisme daar wat aan te wakkeren, moest Leopold III de Vurige Stede eer aandoen door daar samen met de koningskinderen voor het eerst weer voet op vaderlandse bodem te zetten. Bovendien zouden de voorzitters van Kamer en Senaat er de Koning officieel verwelkomen. In de verschillende toespraken zou een ondertoon van niet bedreigende vreugde doorklinken. De Koning zou zich vervolgens naar het Parlement begeven waar hij de gelukkige indruk van in het begin zou versterken. De hoofdzaak was niet om iedereen tevreden te stellen, maar om niemand ontevredener te stemmen. Enthousiasme was gevaarlijk, want dit zou beperkt zijn en sterk bekritiseerd worden: een beredeneerde instemming behoorde nog tot de mogelijkheden. Zo liet de Prins zijn gedachten dwalen in het prettige vooruitzicht van een innige omhelzing, hoewel zijn politiek gevoel hem zei dat hij dit waarschijnlijk wel kon vergeten. Hij liet zelfs zijn afscheidsspeech aan het Parlement en een bedankbrief aan zijn ministers voorbereiden waarvan de nutteloze kladversies zich in mijn papieren bevinden. De eerste minister en Spaak gingen er onmiddellijk mee akkoord baron Holvoet door Cornil te vervangen en mij aan de delegatie toe te voegen. Na moeizame discussies met de Prins en generaal de Maere werd mij opgedragen aan SHAEF te vragen de tamelijk omvangrijke expeditie te willen voorbereiden. Deze moest de verschillende stromingen in de ministerraad vertegenwoordigen, terwijl de Koning en op zijn minst zijn oudste zoon mee naar België moesten kunnen terugkeren. Op 7 april vroeg ik aan Williams-Thomas een berekening van de preparatieven te maken op grond van de volgende cijfers, die een idee gaven van de omvang van de delegatie. Het zou in totaal gaan om twaalf personen, zes voertuigen en een drietonner voor de bagage en zonodig voor proviand.

Spaak was diezelfde dag naar San Francisco vertrokken en had zich erbij neergelegd terug te keren indien zijn aanwezigheid nodig bleek. Intussen was procureur-generaal Cornil door de Prins ontboden met de vraag of hij deel wilde uitmaken van de delegatie. Deze joviale man die geen moeilijkheden zocht, was liever van deze geduchte eer verschoond gebleven. Hij vroeg vierentwintig uur bedenktijd en was het bijna vergeten als baron Holvoet hem er niet aan had herinnerd dat de tijd om was. Ten slotte aanvaardde hij 10 april en kwam de dag daarop om met de Regent zijn rol te bespreken. Cornil wilde slechts fungeren als juridisch bemiddelaar die iedereen zijn goede diensten zou aanbieden. Het scenario van de terugkeer leek hem wel uitvoerbaar; voor de procedure inzake het einde van het regentschap suggereerde hij terug te gaan tot het precedent in 1831. Tijdens deze audiëntie werd ik ontboden en er werd afgesproken dat ik Cornil zou helpen bij zijn opzoekwerk en het uitwerken van zijn adviezen. Ook Hayoit de Termicourt, advocaat-generaal bij het Hof van Cassatie, die altijd reeds grote invloed had in het land aangezien hij over een gelukkige combinatie van integriteit en vaardigheid beschikte, had reeds ingestemd met het plan hem door de Prins tijdens een onderhoud op 9 april 's avonds voorgelegd. Met de hem eigen overdreven beleefdheid uitte Hayoit zijn bewondering voor de charmante en doeltreffende subtiliteit van de hele onderneming. De terugkeer van de Koning via Luik zonder de prinses van Retie en het ontslag van 's Konings hele entourage behalve misschien dat van Fredericq, waren volgens hem goede maatregelen. Volgens hem zou het niet eenvoudig zijn de Koning naar het Parlement te krijgen, maar wenselijk was het wel. In tegenstelling tot wat ik dacht zag Hayoit de toekomst optimistisch tegemoet. Op zijn beurt vond ook Van Cauwelaert, die eveneens op 10 april bij de Prins was ontboden, het scenario zeer bevredigend.

Met zoveel en zulke gerenommeerde peetvaders gingen we onmiddellijk aan het werk. Het Staatsblad van 20 en 21 juli 1831 werd bovengehaald en bracht overvloedige details aan het licht over de wijze waarop het regentschap van

Surlet de Chokier de plaats had geruimd voor het koningschap van Leopold I. Tijdens de volgende dagen werd alles rond de terugkeer minutieus geregeld. Het had iets weg van militaire plannen die uitgaand van een basisgegeven de realiteit in hun greep houden, waar deze alleen uit kan geraken in geval van een overwinning.

Alles lijkt evident, eenvoudig en logisch en toch zijn we verslagen. Waarschijnlijk komt dit omdat zowel het bedrijven van politiek als van oorlog vaardigheden zijn waarbij alles draait om de uitvoering en dat wat men als verworven beschouwt, eerst verkregen moet worden.

Al deze voorbereidingen gebeurden in het grootste geheim. De Prins en de eerste minister hadden hierbij de teugels in handen en slechts enkele personen, die ik hierboven heb genoemd, waren op de hoogte. De Britse en Amerikaanse ambassadeurs werden over de intenties van de regering ingelicht evenals SHAEF, die zijn goede diensten moest verlenen. Het was duidelijk dat de publieke opinie hier niets over mocht vernemen. Nog voor het probleem zich werkelijk voordeed zou dit immers discussies hebben uitgelokt, wat de toekomstige oplossing in gevaar zou hebben gebracht. Evenzo was het zowel voor de Koning als voor de uitvoerende macht belangrijk dat Leopold III eerst door de regering werd ingelicht over de gevaren die aan zijn situatie waren verbonden en over de middelen waarmee ze konden worden bezworen.

Dit inzicht won nog aan kracht door een gebeurtenis die de sfeer nog meer vertroebelde. Begin april werden de eerste concentratiekampen in Duitsland bevrijd. De enkelingen die deze kampen hadden overleefd, begonnen terug te keren. Zij waren als slechts door talloze ontroostbare doden geëscorteerde schimmen. Het tafereel van deze uitgemergelde, nauwelijks nog op een mens lijkende wezens, gehuld in gestreepte gevangenisplunje, bracht een vreselijke schok teweeg. Wat opnieuw opdook was de sinds mensenheugenis diep in het collectieve bewustzijn van de mens verborgen existentiële angst. De angst van het ene volk om door het andere, overwinnende volk vernietigd te worden. De dood, waaraan de beschaving waardigheid heeft toegekend en die hiermee de laatste individuele daad is geworden die de persoonlijkheid bezegelt, was gereduceerd tot een brutaal, collectief en beestachtig feit, even banaal als een grondverschuiving. Toen ik bij het ziekbed stond van oud-minister Soudan, gedeporteerd door de Duitsers en geïnterneerd in Buchenwald, legde hij me uit waarom hij het had overleefd en refereerde aan een gedachte van Goethe, er ongeveer op neerkomend dat de dood slechts een gebrek van de wil is om te leven. Ik wist dat hij ongelijk had. Deze broze grijsaard had zijn leven noch aan zichzelf noch aan een wonder te danken maar aan stom geluk dat weinig uitstaande had met geestkracht, maar dat zowel de zwakken als de sterken kon overkomen. De bevolking kon het maar nauwelijks vatten. Ze kwam tot het inzicht dat door de duivelse uitvinding van concentratiekampen hele gemeenschappen vernietigd konden worden, zoals door een triviaal cataclysme dat de evolutie van duizenden jaren denken en moraal overboord zette. Zij reageerde met het instinct tot zelfbehoud. Het was minder het aantal doden dat de mensen choqueerde maar meer het nieuwe systeem om mensen om te brengen. De dreiging die van nu af aan boven de toekomst hing, wakkerde alleen nog maar de woede aan veroorzaakt door alle onthullingen over de actualiteit. Een golf van verontwaardiging barstte over België los. Dit leidde tot een ware explosie van aanslagen op collaborateurs of op lieden die als zodanig bekendstonden. Zo'n beetje overal werden aanslagen gepleegd, en vooral in Oost- en West-Vlaanderen. Deze repressie ging gepaard met alles wat een spontane uitbarsting begeleidt: hoeves werden in brand gestoken, huizen geplunderd, granaten werden in gebouwen gegooid, mensen werden afgetuigd en verdachte personen door gewapende groepen ontvoerd. De regering maakte zich zeer ongerust over dit plots losbarstende lokale geweld. De ministerraad kwam verschillende malen bijeen met name op 3 en 8 mei en zelfs nog aan de vooravond van het vertrek van de delegatie richting Leopold III. In verband met een zo controversiële kwestie als de terugkeer van de Koning waren de ministers er meer dan ooit van overtuigd dat agitatie tot elke prijs vermeden diende te worden. En vooral nu, waar de latente subversie door het minste of geringste alleen maar meer zou worden gevoed en de toch al zo geïrriteerde bevolking extra zou ophitsen. Meer dan ooit zag de eerste minister de noodzaak in van een voorafgaand contact met de Koning, zodat deze de situatie met kennis van zaken kon beoordelen. Daarom werd de delegatie in het diepste geheim voorbereid. Op 24 april was alles rond. De personen die zouden meegaan, waren wel aangeduid maar nog niet verwittigd. De op verzoek van de eerste minister door kolonel Williams-Thomas voorbereide instructies waren of moesten worden overgemaakt aan de geallieerde militaire bevelhebbers die de Koning zouden moeten bevrijden. Deze moesten instaan voor het contact tussen de Koning en de delegatie die naar hem toe zou reizen. Ook moesten ze verhinderen dat wegens een coördinatiefout (wat wel het summum van idiotie geweest zou zijn) de Koning opeens onverwacht in België zou arriveren terwijl de Prins en zijn ministers juist naar hem onderweg waren. Als we deze instructies lezen in het licht van de bezorgdheid die hieraan ten grondslag lag, dan lijken ze adequaat en eenvoudig. De leopoldisten gaven er een kwaadwillige interpretatie aan, zich baserend op het waas van geheimzinnigheid waarin ze waren gehuld en op de beperkte bekendmaking. Zij zagen hierin het bewijs van een vreselijk complot, bekokstoofd door de geallieerden en door de eerste minister om de terugkeer van de Koning te verhinderen. Het zij gezegd dat de geallieerden niets met deze zaak uitstaande hadden. Zij hebben de desiderata van de regering correct ingewilligd. Het is alleen maar terecht ze hiervoor te bedanken en vrij te pleiten van ieder verwijt van inmenging. Wat Van Acker betreft, werd hierboven reeds uiteengezet waarom hij het als een absolute plicht beschouwde in gezelschap van collega's uit alle politieke partijen de eerste te zijn om met de Koning in contact te treden. Voor het overige volstaat het de documenten te raadplegen om zich een objectief oordeel te kunnen vormen.

In de namiddag van 24 april kwam er nieuws binnen van het agentschap Reuters dat men de Koning in Zwitserland verwachtte. In een mum van tijd deed het gerucht de ronde. Toen besefte men pas goed wat er zou zijn gebeurd als de regering de kern van het probleem in afwezigheid van de hoofdpersoon ter sprake had gebracht. Het simpele gerucht dat de Koning was bevrijd veroorzaakte een agitatie die onmiddellijk uitwaaierde. Er officieel voor uitkomen dat er een probleem was, zou deze opwinding alleen maar opgevoerd hebben tot een algehele frenesie. Al werd het nieuws nadien niet bevestigd, toch verspreidde het zich onder allerlei oncontroleerbare vormen. Hoe kon het ook anders. Het militaire avontuur liep ten einde.

Op 25 april ontmoetten de Amerikaanse en Sovjet-Russische legers elkaar aan de Elbe. Het waren de laatste stuiptrekkingen van nazi-Duitsland. In het sinds 20 april door de Russen belegerde Berlijn beleefde Hitler zijn tragedie in de bunker van de Kanselarij. Afgesneden wrongen de legers van het Reich zich nog in allerlei bochten, wachtend op het bevel geen tegenstand meer te bieden. Ieder moment kon het gerucht over de Koning en diens gezin dus worden bevestigd en gezien de aannemelijkheid hiervan namen de geruchten alleen nog maar toe. Het eerste wat men moest doen ingeval de Koning onverwachts in Zwitserland arriveerde, was zich bij hem voegen. Door tussenkomst van SHAEF werden hiertoe onmiddellijk demarches ondernomen en tot een goed einde gebracht. De Belgische delegatie beschikte over een vliegtuig en zou op Zwitsers grondgebied worden onthaald. Daar men de Koning niet tegen zijn wil kon vasthouden, was de enige oplossing naar hem toe te gaan voordat hij überhaupt kon vertrekken. Maar hiertoe moest hij worden ingelicht zodra hij de Zwitserse grens overstak. SHAEF beloofde hiervoor het nodige te doen.

Het nieuws van het agentschap Reuters lokte niet alleen emoties uit maar leidde ook tot allerlei reacties en initiatieven. Fredericq, kabinetschef van de Koning, haastte zich naar baron Holvoet met het verzoek of hij onmiddellijk naar Zwitserland mocht vertrekken. Personen van wie men nog nooit eerder had gehoord, liepen opeens over van ijver. Zij achtten zich onmisbaar. Een zekere Bolle, die bij het Rode Kruis werkte, beweerde met een mandaat van Fredericq bekleed te zijn en wilde direct met zijn auto naar Zwitserland vertrekken om de Koning naar België terug te rijden. Heel wat lieden kwamen met plannen en tal van redenen om zich ermee te bemoeien. Alle reisvergunningen naar Zwitserland moesten tijdelijk worden ingetrokken en men moest allerlei mensen buiten spel zetten die meteen riepen dat indien er van hun diensten geen gebruik werd gemaakt, men het op de Koning had gemunt. Terzelfder tijd bestookte een zwerm journalisten het paleis en het kabinet van de eerste minister, zich uitslovend iets te ontdekken wat niemand wist. De secretaris-generaal van het ministerie van Buitenlandse Zaken graaf de Romrée, specialist in het leveren van kritiek, ontving op informatie gespitste diplomaten en deed zijn beklag bij hen dat hij niet op de hoogte werd gehouden. Nieuwsgierige wandelaars plantten zich voor het paleis en de ministeries in een poging enige inlichtingen op te vangen. Politici begonnen op en neer te rijden tussen het bureau van hun partij en de Wetstraat en overlegden welke maatregelen er getroffen moesten worden.

Door al die beroering voelde de eerste minister – hoewel nog steeds even kalm – dat zijn optimisme begon te wankelen. Op 25 april zei hij me dat hij hoffelijk en rechtdoorzee met de Koning zou spreken. Hij zou hem zeggen dat, gezien de huidige stand van zaken, zijn handhaving op de troon – mogelijk overkomelijke – problemen zou scheppen, die men kon vermijden als hij niet terugkeerde. De keuze zou aan hem zijn. Wat Fredericq betreft, achtten de Prins en Van Acker het normaal en correct hem op te nemen in de delegatie die de Koning prompt tegemoet zou gaan. De eerste minister stelde hem op 30 april hiervan op de hoogte. Intussen bepaalden de politieke partijen en kranten hun standpunt. De socialistische fractie liet aan de voorzitters van Kamer en Senaat weten, dat zij zich niet zou aansluiten bij de manifestaties ter ere van Leopold III. Op 28 april preciseerde het bureau van de algemene raad van de BSP zijn standpunt ten opzichte van de Koning in een motie, die aanvankelijk nog geheim gehouden werd, maar waarvan de antileopoldistische strekking bekend was. Bij de socialisten overheerste het gevoel dat als de Koning terugkeerde dit ''s Konings proces' zou openen. Op 2 mei was het een activiteit van jewelste. Nog steeds deden valse berichten de ronde. De liberale, socialistische en rechtse kamerfracties vergaderden afzonderlijk. De socialisten en liberalen wilden hun conclusies nog niet bekendmaken, terwijl rechts pleitte voor de terugkeer van de Koning. Terzelfder tijd werkten de bureaus van Kamer en Senaat aan de uitwerking van telegrammen die Leopold III moesten gelukwensen met zijn bevrijding. Nog diezelfde dag hadden de Prins en de eerste minister het vreemde idee opgevat, een ministerraad bijeen te roepen op het Paleis onder voorzitterschap van de Regent. Om de publieke opinie te bewijzen dat de opwinding niet op de Olympus was overgeslagen, stond op de agenda uitsluitend de bespreking van het Antwerpse havenbeleid. Bij dit bericht was er niet één Belg die hieraan geloof hechtte. Iedereen was ervan overtuigd dat de regering uitsluitend over de Koningskwestie had gesproken.

Uittreksel uit het rode opschrijfboekje
Woensdag 2 mei
10 uur. Moyersoen. De Koning zet zijn troon op het spel, moet alles vergeten. Heeft tegen zich de communisten, de socialisten, de liberalen (voor een deel) en de katholieken van Limoges, indien niet vriendelijk...
Prins aan Holvoet: Mijn broer heeft overal verwarring gezaaid. Er moet orde op zaken komen. We slagen er met de grootste moeite in en hij zal alles weer ongedaan maken. Het feit dat hij is gebleven, heeft tweespalt gezaaid. De hele economische collaboratie verschuilt zich eerst achter zijn woorden en vervolgens achter zijn stilzwijgen.

Daags daarna, op 3 mei, begaven de rechtse fractieleiders graaf Carton de Wiart en baron Moyersoen zich officieel naar de eerste minister. Namens hun politieke vrienden drongen zij met klem op strikte toepassing van de grondwet aan. Hierin werd gesteld dat de Koning onmiddellijk na zijn bevrijding automatisch zijn prerogatieven zou hernemen. Iedere andere regeling van de situatie zou, volgens hen, tot ernstige moeilijkheden leiden. Maar achter deze mondelinge onverbiddelijkheid school enige aarzeling. De dag voordien had baron Moyersoen mij niet verheeld dat de Koning zijn troon op het spel zette. De communisten, de socialisten, een deel van de liberalen en de katholieken van Limoges zouden allemaal tegen hem zijn. De enige uitweg die hem nog kon redden was zijn wrokgevoelens opzij te zetten.

Nadat de socialisten de demarche van de twee katholieke fractieleiders hadden vernomen, maakten ze de motie bekend die ze tot dan toe geheim hadden gehouden. Hierin werd verklaard dat de partij zich verzette tegen de automatische machtsoverdracht en een initiatief wenste te ondernemen of te steunen dat ertoe strekt van de Koning de beslissing tot troonsafstand te bekomen.

De liberalen hielden zich wat meer op de vlakte. Maar om niet achter te blijven, kwamen zij op hun beurt op 8 mei met een motie, juist voordat de Belgische regeringsdelegatie zou vertrekken. Omdat de liberalen zich niet uitspraken voor de terugkeer van de Koning kozen ze in feite partij tegen hem. In bedekte termen betreurden ze het dat de kwestie op het tapijt was gekomen, ze erkenden nu wel dat het bestond en drongen erop aan dat de Koning onpartijdig zou worden geïnformeerd, zodat hij een beslissing kon nemen. Diezelfde dag liet ook de communistische partij haar mening weten. Onverbiddelijk verzette zij zich tegen zijn terugkeer.

Zo werden door de agitatie van de bevolking de partijen ertoe gedwongen om binnen iets meer dan een week, zonder iets te weten over het lot van de Koning en buiten de regering om, een standpunt in te nemen waar tot aan het eind van de Koningskwestie niet meer van afgeweken zou worden. Achter de façade van leopoldistische vastberadenheid die de katholieke troepen en later ook de christen-democratische partij moest opzwepen, school het scepticisme van de kopstukken en de heimelijke overweging zelf aan invloed te winnen door zich achter de Koning te scharen, maar tevens de onaangenaamheden van de controverse te ontlopen. Voor de socialisten betekende oppositie nog geen oorlog. Voor de liberalen betekende een afwachtende houding slechts wachten op een overwinnaar. Om de vooroordelen te ontkrachten en weer terrein te winnen, was er een begripvolle, edelmoedige en soepele verzoeningspolitiek nodig. Het was het moment, volgens een gedicht van Byron, *where the Fates change Horses*. Nodig, nodig…, maar als de Koning toen in staat was geweest het nodige te doen om een einde aan de Koningskwestie te maken, is het heel goed mogelijk dat hij dan niet had voltooid waaraan hij was begonnen. Tegenover de eerder ophefmakende dan ernstige verklaringen van de partijen stond het gebrek aan oordeelsvermogen en de koppigheid van de Koning die zich gedroeg alsof hij de situatie meester was, terwijl het er juist om ging deze te herstellen. De ingenomen standpunten zouden zich onherroepelijk uitkristalliseren. Eenmaal de weg na de laatste herberg ingeslagen, was geen terugkeer meer mogelijk. Ieder krijgt zijn verdiende loon.

De kranten die lang hadden gezwegen, stortten zich vol elan in de strijd. Met een heftigheid grenzend aan onverantwoordelijkheid vergleed het van een gematigde behandeling van het probleem naar persoonlijke aanvallen over en weer. Het publiek volgde dit allemaal uiteraard op de voet. Opeens bleken de belangen van de bevolking weer volop mee te tellen.

Hierdoor ontstond het gevaar voor wat men kost wat kost had moeten bezweren, namelijk dat de Koningskwestie, zoals in de strijd tussen de Horatii en de Curiatii, tot gevreesd en uniek symbool werd voor 's lands verdeeldheid. Al gauw raakte de pers in verschillende kampen verdeeld. Hieronder volgt het verslag zoals destijds opgetekend door het kabinet van de Regent:

We zien dat *Le Soir* nog gunstig stond tegenover de terugkeer van de Koning. Deze houding was conform het beleid van het grootste dagblad van België dat zich beroepshalve onpartijdig opstelde. Dus was er in deze krant verder geen discussie over het probleem; het kwam niet ter sprake, omdat men het normaal achtte dat de Koning zijn prerogatieven zou hernemen. Maar door de ongelofelijke blunders van de aanhangers van de Koning veranderde de redactie van mening. Door zijn gematigde toon werd de krant onverschilligheid verweten. Op 3 juni zette de hoofdredacteur, Fuss, de puntjes op de i. Wilde de Koning terugkeren, dan moest men zijn houding in het verleden negeren. Het debat openen zou een veroordeling van deze houding betekenen. *La Libre Belgique* voer heftig uit tegen deze stelling en ging meermaals in de aanval. *Le Soir* was verloren voor de Koningskwestie. Deze kentering had een aanzienlijke weerslag op de publieke opinie.

Alsof de agitatie in het binnenland nog niet genoeg was, kwam een telegram van onze ambassadeur in Parijs gedateerd 3 mei, de situatie nog verergeren. Generaal de Gaulle had baron Guillaume ontboden.

De generaal had met hem de mogelijkheid bezien de Koning via Frankrijk te laten terugkeren en zich bereid verklaard de Koning te onthalen alsook de delegatie die de Koning tegemoet zou reizen. 'De generaal – zo vervolgde het telegram – vraagt om hem zo snel mogelijk te informeren over de exacte wensen van de Belgische regering voor de eventuele doortocht van de Koning. Men zou de Koning er met name op kunnen wijzen dat het voor Hem wenselijk ware eventueel te wachten tot de komst van de delegatie uit Brussel.' Toen dit document rond vijf uur 's namiddags werd ontcijferd, vroeg graaf de Romrée me naar het ministerie van Buitenlandse Zaken te komen. Ik werd binnengebracht bij Vos, minister van Openbare Werken, die in Spaaks afwezigheid interim-minister van Buitenlandse Zaken was. Graaf de Romrée was er met adjunct-kabinetschef De Ridder. Al vroeg het telegram om meer precisie, wij waren unaniem van mening de Franse regering te vragen zich niet met deze bijzonder netelige kwestie in te laten. Het enige wat we van de Franse regering moesten bereiken, was dat zij zo snel mogelijk de doortocht van de Koning over haar grondgebied zou vergemakkelijken. Samen gingen we naar de eerste minister om hem het hele probleem voor te leggen. Hij keurde onze conclusies goed en er werd meteen een gecodeerd telegram naar baron Guillaume doorgebeld. Rond 11 uur 's avonds deelde graaf de Romrée mij de door de socialisten bekendgemaakte motie mee waarin ze zich tegen de terugkeer kantten. Onmiddellijk stuurde hij een samenvatting naar onze ambassadeur om te benadrukken hoezeer hier voorzichtigheid was geboden. Om 1 uur 's morgens was de rust weergekeerd. Baron Guillaume telegrafeerde dat de demarche van generaal de Gaulle slechts bedoeld was als een hoffelijk gebaar en dat hij het vanzelfsprekend eens was met een eventuele doortocht van de Koning over Frans grondgebied.

Om aan deze hoogst hectische sfeer te ontsnappen, verbleef de Prins zoveel mogelijk in Ciergnon. Hij was bereid om bij het geringste signaal naar Brussel terug te keren en ik hield hem telefonisch op de hoogte. De eerste minister had minder geluk; hij moest ter plaatse blijven en de hooggespannen sfeer van deze chaotische uren verduren. Toch ging hij een of twee keer naar Brugge om in zijn bibliotheek rust te vinden. Nog altijd deden de meest uiteenlopende geruchten de ronde, maar het bleef bij geruchten. Op 4 mei echter werd er een duidelijker gerucht de wereld ingestuurd door Field Marshall Alexander als zou de door SS'ers bewaakte Koning zich op zo'n tien kilometer ten zuiden van Liechtenstein bevinden. Als dit nieuws klopte, zou hij door de Franse troepen van generaal de Lattre de Tassigny worden bevrijd en zou hij waarschijnlijk vandaaruit direct naar Zwitserland gaan. Maar dit was een loos gerucht zoals alle vorige.

Deze grote raadselachtigheid was toch wel bijzonder onrustwekkend. Duitsland was geheel veroverd. Sinds begin mei waren er onderhandelingen over een wapenstilstand begonnen nadat de Duitse legers uit elkaar waren gevallen en de troepen zich massaal hadden overgegeven. Het was op zijn minst bevreemdend dat elke serieuze aanwijzing over het lot van de Koning nog steeds ontbrak. Op 8 mei 1945 om 2.41 uur 's nachts werd de onvoorwaardelijke capitulatie van Duitsland in Reims getekend. Ik bleef de hele dag in contact met SHAEF, uit op nieuws wat niet kwam. Van mijn kantoor ging ik naar huis om daar op een eventueel telefoontje te wachten. Ik herinner me die avond nog. Een vriend kwam even bij me langs. Hij had haast omdat hij zich in het feestgewoel wilde storten. Ik bleef alleen. Mijn emotie van dat moment had als kader de schemer waarin de nacht afdaalde.

Van ver weg klonk de doffe echo van het enthousiaste feestgedruis van de menigte. Zou dit rumoer de doden bereiken? Pas nu kon je je verliezen overzien en je wonden likken. Dit was dan mijn overwinningsroes.

Ik ging slapen zonder het geringste nieuws. Om 4.30 uur 's morgens telefoneerde Jean van den Bossche me, destijds adjunct-kabinetschef van de Regent, met de vraag of ik iets had gehoord van een communiqué uit New York. Hierin zou staan dat de Koning en zijn gezin gezond en wel bij Salzburg waren aangetroffen. Ik wist van niets. Om 5 uur belde journalist de Landtsheere me wakker met vragen over hetzelfde onderwerp en gaf ik hem hetzelfde antwoord. Er waren zoveel valse geruchten dat ik het zinloos vond de Prins of de eerste minister te waarschuwen voordat ik een officiële bevestiging ontvangen had. Deze kwam om 9 uur van SHAEF. Williams-Thomas was verwittigd door het Hoofdkwartier, dat de Koning zojuist door de Amerikaanse strijdkrachten van het 7de leger onder bevel van generaal Patch was bevrijd. De Koning bevond zich, gezond en wel, samen met zijn gezin en zijn entourage aan de oevers van de Sankt Wolfgangsee in de omgeving van Salzburg. Dit betekende dat de delegatie de volgende dag moest vertrekken.

Onmiddellijk ging ik naar het Paleis en bracht de Prins en de eerste minister op de hoogte. De hele ochtend moesten de vele mensen die de informatie uit New York wilden verifiëren, vriendelijk de deur worden gewezen. Ik beantwoordde uitsluitend de telefoon van kanunnik Leclef, secretaris van de Kardinaal met de geest van een intrigant zoals mondaine geestelijken, maar zonder hun galanterie en scherpzinnigheid. Leclef was een oud-rexist en deed of hij dit had afgezworen maar dit was slechts schijn. Hij viel op door een overdreven aanbidding van de koninklijke functie en persoon en iedereen die hieraan niet meedeed, beschouwde hij als een vijand van de orde en de Kerk. Hij belde me vanuit Mechelen namens Zijne Eminentie, zo beweerde hij, en was erg opgewonden. Hij voelde dat het nieuws over de bevrijding van de Koning waar was, maar wenste hiervan een bevestiging en hij wilde vooral weten welke maatregelen men zou nemen, om hierover nadien rekenschap te verlangen. De waarheid is slechts verschuldigd aan degenen die er recht op hebben. Ik was gehouden tot discretie, terwijl kanunnik Leclef duidelijk buiten zijn boekje ging, zoals hem dat wel vaker overkwam. Dit zei ik hem niet zo, maar ik antwoordde ontwijkend op al zijn vragen die bijna als een sommatie klonken. Mijn reactie schoot bij hem in het verkeerde keelgat en hij heeft het me nooit vergeven.

Om 12 uur nam Williams-Thomas contact met mij op. De delegatie zou de volgende dag om 6.30 uur 's morgens vertrekken. We zouden met de auto tot Heidelberg rijden, waar een vliegtuig ons naar Salzburg zou brengen. De Koning, op de hoogte gesteld van de komst van de Prins en de eerste minister, verwachtte hen. Van Acker had het nieuws over de bevrijding van de Koning aan zijn collega's meegedeeld. Tijdens de ministerraad die om 18 uur 's namiddags moest beginnen, zou hij de leden van de delegatie verwittigen voor 'een bespreking van de zaken in verband met de terugkeer van Zijne Majesteit'. Intussen waarschuwde ik de andere leden van de delegatie.

Na de ministerraad rond 22.30 uur ontving de Prins de eerste minister die hem meedeelde dat de regering akkoord ging met het vertrek en de samenstelling van de delegatie. Deze was als volgt samengesteld:

De Prins-regent;
Van Acker, eerste minister, socialist;
Burggraaf du Bus de Warnaffe, minister van Justitie, katholiek;
Mundeleer, minister van Landsverdediging, liberaal;
Lalmand, minister van Bevoorrading, communist;
Cornil, procureur-generaal bij het Hof van Cassatie;
Generaal de Macre, hoofd van het Militair Huis van de Regent;
Fredericq, kabinetschef van de Koning;
De Staercke, secretaris van de Prins-regent;
Kolonel Williams-Thomas, verbindingsofficier.

Dit lijstje moest nog met Spaak worden aangevuld, naar wie was getelegrafeerd in San Francisco met de vraag onmiddellijk terug te komen en zich zo snel mogelijk bij de delegatie te voegen.

Er was overeengekomen dat de eerste minister zou vragen Leopold III onmiddellijk na de Prins te ontmoeten en vóór Fredericq, die deze voorwaarde had aanvaard voor zijn deelname aan de delegatie. De Regent stemde onmiddellijk met deze modaliteit in omdat hij het normaal vond dat het regeringshoofd, als vanzelfsprekend raadgever van de Kroon, na hem de eerste was voor een onderhoud met de Koning. Tevens was in de kabinetsraad overeengekomen dat elke minister de Koning vrij en niet in het bijzijn van anderen zou ontmoeten en oprecht met hem spreken om zowel zijn persoonlijke standpunten als die van zijn partij uiteen te zetten. De eerste minister zou de Koning de contradictoire situatie in het land uitleggen evenals de gunstigste voorwaarden waaronder hij eventueel kon terugkeren. In feite lag er geen enkel standpunt definitief vast. Men ging een onbekende en het onbekende tegemoet en hoopte mede door een positieve instelling van de vorst, een gemeenschappelijke gedragslijn te kunnen uitstippelen na deze ontmoeting.

De volgende morgen op 9 mei om 6.30 uur waren de aangeduide personen en auto's in de tuinen achter het paleis verzameld. De Prins wachtte in gezelschap van de eerste minister in zijn kantoor tot iedereen er was. Lalmand was te laat, waardoor de Regent uit zijn humeur raakte. De minister van Bevoorrading arriveerde om 6.45 uur. De Prins verscheen meteen, groette de delegatieleden en gaf het teken tot vertrek. Het konvooi ging richting Namen en Luxemburg. Het was een mooie dag en het beloofde warm te worden. De Prins zat in de eerste auto samen met generaal de Maere. Van tijd tot tijd stopte hij om een minister of een ander delegatielid in zijn auto te nemen. Ik maakte het me gemakkelijk, alleen met mijn trouwe chauffeur Denys in een immense Chrysler bestemd om de Koning of diens zoon terug te brengen. Na Namen werd de weg bijna onbegaanbaar en richting Bastenaken zat de weg vol kuilen. Langs een greppel lunchten we, smullend van Amerikaanse 'C rations' ('kaakjes'). Na Luxemburg werd de reis afschuwelijk. Het was drukkend heet, de wegen waren zeer slecht en onze rit werd vertraagd door eindeloze konvooien die we moesten inhalen of laten voorgaan. We reden door een hallucinerend landschap met ruïnes; Trier was zo verwoest en platgegooid dat je over de muurrestanten tot aan de horizon kon kijken. In Kaiserslautern kwamen we op de autosnelweg en na aarzelingen en omwegen eindigden we ten slotte rond 18 uur niet zoals voorzien in Heidelberg, maar in Mannheim waar ons een vliegtuig wachtte.

We stapten het vliegtuig in, moe van elf uur in de auto; een uur later, rond 19 uur, landden we in het frisse groen van Salzburg. Een Amerikaanse compagnie stond in het gelid ter begroeting van de Prins. Hitlers gepansterde voertuig, dat zojuist in beslag was genomen, werd de Regent ter beschikking gesteld. Hierin konden hij, de eerste minister, generaal de Maere en ikzelf plaatsnemen, terwijl de rest van de delegatie in de andere voertuigen stapte. Twee gepantserde voertuigen reden voor en achter ons, belast met de bescherming van ons konvooi. Deze veiligheidsmaatregelen waren gewettigd omdat de wapenstilstand net die dag was ingetreden. Wij reden een gebied binnen waar nog geïsoleerde gevechten en zuiveringsoperaties konden plaatsvinden. En zo zaten we dan weer in de auto ter voortzetting van de reis. Na door Salzburg gereden te zijn namen we de weg naar Salzkammergut. Wegens het dubbele zomeruur was het nog heel licht. Het was een prachtige avond. Gelukkig beschik ik over de gave in het hier en nu te kunnen verwijlen en me af te sluiten voor alle beslommeringen en zo ging ik geheel in de schoonheid van het moment op. Terwijl de Prins en de eerste minister achterin de auto weer eindeloos over het eeuwige probleem spraken en het vanaf het begin hadden hernomen, verslond ik met mijn ogen Oostenrijk dat voor mij langsgleed in de zachtheid van de valavond. Het land was vrijwel intact en tintelend van lentefrisheid. Dorpen rond de barokkerkjes staken wit af tegen de bergen en koeien rustten in de weiden vol bloemen. Er heerste een soevereine stilte. De aarde leek eindelijk voor een ogenblik verlaten door alle geesten van goed en kwaad en leek er uitsluitend voor de mensen te zijn. Het deed me denken aan een gezegde uit *Ondine* van Giraudoux dat ongeveer zo luidt: 'voor het eerst proefde ik eenzaamheid, de menselijke eenzaamheid'. Deze woorden resoneerden in mijn hoofd als een verklanking van mijn gemoedsgesteldheid. En toch was het nog steeds oorlog, tastbaar en zichtbaar in de lamentabele resten van een immens leger dat zich over de wegen voortsleepte. Berchtesgaden was niet veraf en wij bevonden ons in de nationale vluchtschans vanwaaruit Hitler zijn laatste tegenstand had willen organiseren. Voor ons waren resten van het Duitse 1ste en 19de leger op zoek naar de kampen waar ze zich konden overgeven. De manschappen waren zo talrijk dat de Amerikanen ze noch konden vasthouden noch verplaatsen. Ze liepen in de richting die men hen had aangeduid en volgden de borden met de namen van de plaatsen waar ze zich moesten verzamelen.

Uitgeputte soldaten, gewonden in het verband, talloze mensen onder het bloed in armoedige, voddige kleren gingen opzij om ons te laten passeren. Ze keken ons zelfs niet aan; hun moedeloosheid was totaal. Bij een bocht reden we langzaam, in verband met een noodbrug over een ravijn. En precies daar zag ik iemand met leven in zijn ogen. Twee soldaten droegen een berrie waarop een lijkbleke kameraad lag; misschien was hij al dood... De eerste drager keek me recht in de ogen en tussen ons flitste een boodschap van mens tot mens.

Door het bijna ongehoorde contrast tussen zoveel miserie en zoveel pracht begon een ander thema in mijn hoofd te hameren. *'Hij viel tussen de bloemen, Siegfried de held'* Dit vers uit de Nibelungen riep het beeld op van een kapot Duitsland in de romantische zachte lente. Daarna moest ik beurtelings denken aan Mozarts lichtvoetige dartelheid en Wagners dramatische tumult.

Voorbij Sankt Gilgen waar bij de fontein op het pleintje de jonge Mozart nog steeds de vogels betovert die roerloos op zijn strijkstok zitten, zagen we opeens het meer van Sankt Wolfgang. De weg volgde het meer maar liep er niet rakelings langs. Bij elke bocht zagen we de donkere vlek van het water in de schemering. Al vlug hielden we stil bij een laan die op de weg uitkwam. Toen we de laan wilden oprijden vroeg de Prins waar we naartoe gingen. We riepen naar de voor ons rijdende geblindeerde auto; een van de reisgenoten kwam ons zeggen dat we in Strobl waren en het park binnenreden van het landgoed waar de Koning zich bevond. We waren op luttele honderden meters van het huis. De Prins wilde hier niet verder doorrijden. Met de gehele delegatie na zo'n lange reis meteen naar de koninklijke villa gaan, dat was volgens hem onmogelijk. Tijdens zijn eigen ontmoeting met de Koning zouden de ministers ongetwijfeld eindeloos moeten wachten. We konden beter eerst naar het hotel gaan en ons verfrissen. Daarna zou de Prins zijn broer bezoeken, mits het nog niet te laat was. Anders zou hij de volgende ochtend vroeg gaan. De Amerikaanse kolonel aan het stuur wees er met klem op, dat hem was opgedragen de Prins rechtstreeks naar de koninklijke villa te rijden. De Regent bleef bij zijn standpunt. We maakten dus rechtsomkeert. Na ruim een kilometer arriveerden we in het dorp Sankt Wolfgang en stapten uit voor het hotel, 'Gasthaus im Weissen Rössl' (het Witte Paard), dat niet veel veranderd was sinds in die goede oude tijd Franz-Josef hier – in een operette van Franz Lehar – had haltgehouden.

Het hotelpersoneel droeg onze bagage naarbinnen en wees ons onze kamers toen burggraaf Gatien du Parc, huisonderwijzer van de koningskinderen, ten tonele verscheen. Hij had zich van de koninklijke villa naar het hotel gerept en wilde weten, waarom ons konvooi niet naar de villa was doorgereden. Eerst trachtte hij iets over de voornemens van de delegatie te weten te komen van kolonel Williams-Thomas, vroeg hem of graaf Capelle was meegekomen en onthulde dat de Koning erg nerveus was. Dan wendde hij zich tot de Prins, die om informatie over zijn broer en gezin vroeg. Burggraaf du Parc bracht meteen ook een boodschap van de Koning over. Deze wenste de Prins dadelijk te ontmoeten. Eerst weigerde de Regent. Hij was doodmoe en wilde iets eten. Burggraaf du Parc hield echter aan: in de villa van zijn broer wachtte hem een diner. Hierop stelde de Prins voor dat de Maere hem vooruit zou gaan en beloofde nadien ook te komen. Vervolgens bedacht hij zich en ging meteen mee, ontevreden dat men hem had geforceerd. Dit dan wel in samenspraak met de Maere; hij wilde voorkomen dat wegens allerlei geaarzel, Fredericq als eerste de Koning zou ontmoeten. Toen de Prins was vertrokken, zond Van Acker ons naar onze kamers. In totaal beschikten we over zes vertrekken. Op de eerste verdieping lag de zeer comfortabele kamer van de Prins, maar hij wilde naar de tweede, naast die van de Maere en mij. Cornil en Fredericq deelden een kamer op de eerste verdieping. De eerste minister moest een kamer met Spaak delen. Lalmand had een eigen kamer alleen en burggraaf du Bus de Warnaffe en Mundeleer hadden samen een kamer. De Maere, Williams-Thomas en ikzelf waren tesamen ietwat eng behuisd in één kamer op de tweede verdieping. We trokken naar boven, smeten onze valiezen op bed en wachtten op het vervolg. Vanuit ons venster hadden we uitzicht op het meer. Het was een fraai landschap. De dagen daarop zouden we er minder onbevangen van genieten. Mijn blik gleed langs een flauwe ietwat golvende helling van een heuvel parallel aan het meer, die zich als het ware losmaakte van de hogere bergen in de verte. Lang bleef ik in gedachten verzonken bij dit natuurbeeld, het grifte zich in mijn geheugen. Vaak heb ik er mijmerend aan teruggedacht, maar soms vraag ik me af of ik het totaalbeeld niet haat.

Ik weet hiet meer hoe laat het was en mijn rode opschrijfboekje geeft me hierover geen uitsluitsel. De avond viel slechts langzaam in. De rust van het ogenblik en van de natuur, de opwinding van de reis, het onverwachte van het avontuur en de zalige ontspanning na een lange rit brachten me in een zeer aangename stemming, waaraan ik me gezien mijn positie niet volledig kon overgeven. Ik ging even naar buiten en liep tegen G.I.'s op die ook in het hotel verbleven. Uit hun hele houding sprak opluchting, ze hadden niet veel te doen en straalden als jonge overwinnaars iets joligs uit. Op het pleintje voor het hotel was het een drukte van belang. Door de stroom vluchtelingen was de bevolking van Sankt Wolfgang op zijn minst verdubbeld. Duitse gewonden herstelden er langzaamaan van hun letsels. De zachte avond had iedereen naar buiten gelokt. De subtiele relatie tussen mensen en dingen stak als een schaduw tegen het wegdeemsterende licht af en vagelijk kon je in de schemering een soort in zichzelf besloten ordening van de wereld waarnemen, die niet het gedruis en felle licht van de dag verdraagt.

Bij mijn terugkeer in het hotel was het avondmaal gereed. We gingen allemaal door elkaar aan tafel zitten. De eetzaal stak als een rotonde boven het meer uit. Aan de wanden hingen schilderijen in een sombere, lelijke 1900-stijl die de mirakelen uit het leven van Sankt Wolfgang verhaalden, omringd door bloemenmeisjes, waternimfen, wouden en rotsen. In een vriendschappelijke sfeer aten we de smakelijkste conserven van het Amerikaanse leger. Het gesprek ging over van alles, behalve over het gevaarlijke onderwerp. Bij de koffie stak de eerste minister zijn pijp op en lieten we ons onderuitzakken.

Van Acker had besloten de terugkeer van de Prins af te wachten. Tegen kwart voor elf kwam Wilson, de Amerikaanse kolonel die hier de baas was, de eetzaal binnen en vroeg me: *'Are you Mr Fredericq?'* Ik antwoordde ontkennend en wees naar Fredericq. De kolonel zei hem: *'The King wants to see you.'* Eventjes waren we verrast. Fredericq stond op voor overleg met de eerste minister, van mening dat hij zich naar de wens van de Koning moest voegen. Van Acker herinnerde hem aan de voorwaarde waaronder hij in de delegatie was opgenomen en die luidde, dat Fredericq de Koning niet vóór de eerste minister zou ontmoeten. Fredericq antwoordde vinnig dat hij er niet op uit was de Koning nu meteen te ontmoeten, maar dat hij een oproep niet kon weigeren. Hierop mengde ik me in het gesprek en raadde Fredericq aan de moeilijkheid te omzeilen en eerst te verifiëren of de Koning dit wel echt wenste. Ging hij dadelijk naar de koninklijke villa, dan zou hij zijn woord niet houden. Hiermee zou hij de Prins, die zich bij de eerste minister garant had gesteld voor bedoelde volgorde, in een moeilijk parket brengen. Fredericq herhaalde dat voor hem de wensen van de Koning orders waren die hij niet kon overtreden en vertrok. De eerste minister was furieus. Hij had de indruk dat hij werd beetgenomen. *'Dat begint slecht,'* zei hij me, *'en als dit zo doorgaat hoeven ze op mij niet meer te rekenen.'* Ik stond perplex en begreep niet hoe de Koning, die waarschijnlijk in gezelschap verkeerde van de Prins, die hem ongetwijfeld de afspraak over Fredericq had meegedeeld, zijn kabinetschef had kunnen laten roepen. Hierin stak een vreemde manoeuvre. De volgende dag bracht ons de oplossing van het raadsel. De vraag was niet van de Koning gekomen, het ging om een initiatief van de prinses van Retie die kolonel Wilson had gevraagd aan Fredericq te zeggen, dat de Koning hem wenste te ontmoeten.

Door dit pijnlijke incident brak het gesprek af: de eerste minister besloot dadelijk naar bed te gaan. We gingen naar boven. Ik las nog een beetje, praatte wat met Williams-Thomas en viel in slaap. Opeens werd ik wakkergeschud door generaal de Maere, met de boodschap dat de Prins me verwachtte. Het was 1.30 uur 's nachts. Ik schoot in mijn kamerjas en ging naar de overloop. De Regent had de eerste minister reeds naar zijn kamer gehaald en overlegde met hem tot 02.00 uur. Na Van Ackers vertrek mocht ik binnenkomen. De Prins zag eruit als een gebroken man; bovendien scheen hij zeer verontwaardigd over en persoonlijk gekwetst door Fredericqs uiterst onbeleefde handelwijze.

Ik zal niet verder uitweiden over het eerste onderhoud van de Prins met zijn broer en me beperken me tot enkele aantekeningen uit mijn opschrijfboekje. Nadere uitleg overbodig:

'Desastreuze ontmoeting. Koning blijft bij al zijn vroegere standpunten. Wat te denken over regentschap? Wat heeft men gedaan? Verontschuldigingen Pierlot, opheldering Limoges. Wie tegen? Spaak, Van Cauwelaert, socialisten. Zo zal het niet gaan. Zal nadenken. Zal spreken met de eerste minister wanneer hij dit wil.'

Toen de Prins zijn verhaal had gedaan, wilde ik weer naar mijn eigen kamer terug maar hij vroeg me of ik bij hem in zijn kamer wilde komen slapen. De Prins was volledig van slag en wenste iemand om zich heen. Ik suggereerde dit plan tot morgen uit te stellen, het was immers al laat, mijn bed was veel te zwaar en we zouden het hele hotel wakker maken. Hij wilde niet luisteren, stapte mijn kamer binnen en begon aan mijn bed en matras te sleuren. De Prins was sterk en wellicht had hij in zijn eentje kans gezien beide zaken tot in zijn kamer te slepen. De Maere en ik schoten te hulp; de nog half slapende Williams-Thomas keek ons onthutst na.

Ik installeerde me zo goed mogelijk terwijl de Prins zich uitkleedde. Onderwijl praatte hij door en liet zijn gedachten hardop de vrije loop. Op de uitspraken van zijn broer die geen tegenspraak duldden, had hij nauwelijks gereageerd. De Prins had zijn broer erop gewezen hoezeer diens entourage schade had aangericht en hem duidelijk onder ogen gebracht, dat de huidige problemen de rancunes van het verleden overstegen. Maar oververmoeidheid en het complex waaronder hij gebukt ging zodra hij met zijn broer werd geconfronteerd, hadden hem al snel in hun greep gekregen. Oog in oog met een prikkelbaar en geïrriteerd man had hij slecht gepleit.

Wie vermoeid is, krijgt weleens orakelachtige gedachten. Soms heb je dan een helderheid van geest waarbij je door de slaperigheid je lichaam niet meer voelt en een soort willoosheid ervaart. Ik had de indruk dat de Koningskwestie vanaf het begin een doorgestoken kaart en een verloren zaak was, alsof door een wreed lot de race met een valse start was vertrokken. *'The mills of God grind slowly'*. Ik hoorde het eerste geknars van de goddelijke molenstenen en het was onmogelijk ze nog te stoppen. Ze zouden een poederfijne bloem malen, dat bittersmakend brood zou opleveren. Het ging slechts om enkele onbelangrijke vergissingen en beoordelingsfouten, maar de komende ochtendstond zou zijn licht werpen op een slecht aangevangen zaak. Dit alles zei ik niet aan de Prins. Ik zei hem slechts dat ik een soort ongerustheid voelde. Ik wist niet tot hoe ver zijn bewegingsvrijheid ging. Natuurlijk zou hij bijvoorbeeld een trap kunnen geven tegen een steen bovenaan een helling, maar deed hij zoiets dan had hij de consequenties niet meer in de hand. Onvermijdelijk zou de in gang gezette beweging verdergaan. Het zojuist voorgevallene voorspelde niets goeds. Na dit algemeen commentaar bemerkte ik, dat het al over drieën was en ik liet me eindelijk door de zo broodnodige slaap overmannen.

We stonden op 10 mei op met stralend weer, maar ook met al onze angstige voorgevoelens en onzekerheden. Om half negen ontmoette ik de eerste minister, die ik bezorgd maar niet vooringenomen vond. In zekere zin prefereerde hij wat er nu gebeurde, zo zei hij me. We zouden al vlug weten waar we aan toe waren. Want was in feite het doel van de delegatie? De Koning over een situatie verslag uitbrengen en hem vragen naar zijn standpunten. Deze waren zopas aan het licht gekomen. Het waren de standpunten van iemand wiens gevoelens in mei 1940 waren blijven stilstaan en die door het exil – dat hem buiten de loop der gebeurtenissen had gehouden – was blijven steken in een artificiële onverzettelijkheid. We moesten erachter zien te komen of hij z'n been zou stijf houden of zich aanpassen. Ontboden of niet, de eerste minister zou in ieder geval naar de koninklijke villa gaan en dan zou hij vanzelf wel merken of hij werd ontvangen.

Burggraaf du Parc, de heen en weer flitsende boodschapper van de Koning, arriveerde om 09.30 uur met gevleugelde pas en een onschuldig gezicht. Van beide kanten werd er met geen woord over Fredericq gerept, die bijna heimelijk zijn bagage was komen halen en stilletjes naar de koninklijke villa was weggeglipt. De Prins en de eerste minister werden bij de Koning ontboden. Samen besloten ze dat eerst Van Acker zou gaan. De Prins, de Maere en ikzelf zouden na een half uur volgen.

Wij gingen erheen in een *station car* begeleid door een tank ervoor en erachter. In traag tempo kwamen we bij de koninklijke villa aan. Het was een groot chalet omgeven door dennenbomen en met uitzicht op het flonkerende meer. We volgden de Prins de trap op en kwamen de eetkamer binnen, waar Prins Boudewijn en de eerste minister waren. Prins Boudewijn, een vijftienjarige fijngebouwde en magere adolescent had zich aan zijn knie bezeerd en werd door burggraaf du Parc verzorgd. Op een stoel in een hoek wachtte de eerste minister zwijgend. De Regent vroeg hem waarom hij niet bij zijn broer binnen was. Van Acker antwoordde dat hij reeds enkele ogenblikken was ontvangen, maar dat de Koning het gesprek om een of andere reden had onderbroken en hem gevraagd had te wachten. De Prins leek geërgerd door de nonchalance waarmee de eerste minister werd behandeld. Met een welsprekende uitdrukking had de laatste mooi zeggen dat het geen belang had, de Prins liet zich dadelijk bij zijn broer aankondigen en na enkele tellen werd Van Acker gehaald.

Terwijl we wachtten, voegde Weemaes, de privésecretaris van de Koning, zich bij ons. Na de gebruikelijke plichtplegingen die de ontmoeting vereiste, probeerde hij iets van ons los te krijgen over de bijbedoelingen van de delegatie. De behoedzaamheid was hem duidelijk aan te zien en ik voelde tenslotte echt een soort onbehagen bij de terughoudende aarzelingen in het gesprek. Van Fredericq geen spoor te bekennen. Spoorloos achter de schermen in rook opgegaan. De Regent kwam al snel terug, Van Acker bleef bij de Koning en zou in het chalet blijven lunchen. De Prins zelf werd na Van Ackers vertrek tussen 16.00 en 17.00 uur 's namiddags bij de Koning verwacht. Terug in 'Gasthaus Weisses Rössl' vertelde hij ons, dat hij zijn broer diens lompheid ten aanzien van de eerste minister had verweten. De Koning had grote ogen opgezet, want voor hem was het normaal een gesprek te onderbreken als hij dingen moest regelen die zijn aandacht vroegen.

Die dag kwam Spaak om 15.00 uur 's namiddags aan. Hij was in drie aaneensluitende etappes van San Francisco naar Salzburg gevlogen (via New York, Londen en Brussel) en wenste slechts één ding: uitrusten. Het speet hem dat hij de interessante eerste conferentie van de Verenigde Naties met alle bijbehorende genoegens had moeten laten schieten voor deze reis naar een Oostenrijks wespennest. Ons deed het genoegen dat de delegatie nu compleet was. Elke afleiding was welkom om ons gevoel van ledigheid te verdrijven. Wachtend op de grillen van de Koning, van wie ons nog geen enkele intentie was meegedeeld, moesten we ons zo goed mogelijk zien bezig te houden.

Om te beginnen waren er de wandelingen, al moesten we in de buurt blijven want we konden elk moment geroepen worden. Dichtbij het hotel stond op een rotspiek boven het meer een prachtige schilderachtige barrokkerk. Een versleten trap leidde erheen. Rondom de kerk was een galerij uit de bruine rotswand gehouwen, met daarin rudimentair gemodelleerde spitsbogen. Het was allemaal tamelijk traditioneel, zoals zo vaak in Duitsland, Oostenrijk en Zwitserland. Maar door elke spitsboog keek je uit op een verrukkelijk landschap.

We hadden ook een motorbootje ontdekt. Hiermee konden we onder leiding van een G.I., maar altijd in het zicht van het hotel blijvend, een paar uitstapjes maken. Kaartspelen was ook nog een goed tijdverdrijf. Ik had een kaartspel meegebracht en daarmee legde ik patiences. Op het houten hotelterras stonden tafels. Tussen de latten van het plankier en voor ons flonkerde het meer. Het water veraangenaamde ons verblijf. De eerste keer dat ik mijn kaarten op een rood-wit geblokt tafelkleedje uitlegde, bekeek iedereen me jaloers. Na zijn aankomst pakte Spaak me meteen mijn kaarten af. We vonden al snel een ander spel, organiseerden een bridgetafel en de hele delegatie speelde graag mee.

De Prins praatte nu eens ongedwongen met enkele ministers en dan weer met Cornil, in afwachting van zijn bezoek aan de Koning die zoals we weten hem zou ontvangen na Van Acker. Hem werd duidelijk gemaakt dat we onmogelijk eindeloos in Sankt Wolfgang konden blijven. Het was wenselijk dat de Koning zo snel mogelijk de delegatie ontving of een of ander gebaar naar de delegatie maakte, zelfs als de vorst bedenktijd wenste om nadien zijn keuze te bepalen. Daar Van Acker rond vijf uur nog steeds niet terug was, ging de Prins met de Maere en mij op weg, geëscorteerd door twee tanks. Onderweg kruisten we de eerste minister op zijn terugrit per auto. De prins liet stoppen, liep even wat heen en weer met Van Acker die tevreden scheen, en ging weer verder naar de koninklijke villa waar hij rond halfzes aankwam. Daar wachtte hem een onaangename verrassing. Majoor Gierst, ordonnansofficier en lotgenoot van de Koning in diens krijgsgevangenschap, ijsbeerde voor de trap. Toen de Prins naderbij kwam, boog hij diep en eerbiedig en legde Zijne Koninklijke Hoogheid uit, dat de Koning hem tot zijn spijt niet kon ontvangen. Gezien zijn vermoeidheid had hij zich teruggetrokken. Van woede trok de Prins wit weg. Waarom had men hem dan laten komen, zo vroeg hij de majoor. Uitsluitend om hem de toegang tot het chalet te ontzeggen? Iemand zo onbehoorlijk behandelen, grensde aan het onbeschofte. Majoor Gierst luisterde in gedachten verzonken en afwezig. We stonden sprakeloos, niet begrijpend. Als de Koning geen kans had gezien de Prins tijdig te laten verwittigen om hem een nutteloze verplaatsing te besparen, waarom had hij hem dan niet even kunnen ontvangen in plaats van hem door een officier te laten afschepen voor de deur van zijn huis? Geïntrigeerd waren de Amerikaanse escortesoldaten naderbij gekomen. De Prins stapte weer in zijn auto onder de meewarige blik van G.I. John F. Sammons uit Watkinsville, Georgia, die was toegesneld om het portier te openen. Tijdens de trage terugrit spraken we geen woord. De Sankt Wolfgang-gesprekken namen een wel zeer vreemde wending en ik was erg benieuwd wat er tussen de Koning en Van Acker was voorgevallen.

In het Gasthaus liet de Regent zich woedend gaan; de perplexe en verbijsterde ministers verdrongen zich rond hem, ze trachtten hem zo goed en zo kwaad als ze konden te kalmeren na de vorstelijke ongemanierdheid van zijn broer. Toen de kalmte ietwat was weergekeerd en de Prins zich had teruggetrokken, ging ik met de eerste minister naar diens kamer. Hij deed me een uitvoerig relaas van zijn dag. Hij was zeer openhartig met de Koning geweest, trachtend zijn gesprekspartner door een houding van hoffelijke beminnelijkheid te ontspannen. Hij had hem uitgelegd dat de situatie allesbehalve eenvoudig was, maar dat opklaring van de hele sfeer vooral van de Koning afhing. Diens terugkeer zou ongetwijfeld voor problemen zorgen die niet één-tweedrie waren op te lossen en die steeds opnieuw de kop zouden kunnen opsteken. Ongetwijfeld moest men rekenen op spanningen en onrust, die des te nadeliger waren omdat alle krachten van het land gebundeld dienden te worden voor de eenheid en de arbeid waarvan 's lands welzijn afhankelijk was. Maar de monarchie was in België zo'n evidente noodzaak, dat de vertegenwoordiger hiervan niet moest wanhopen het verloren terrein te herwinnen. Juist of onjuist, een deel van de bevolking uitte grieven tegen de Koning. Deze mensen moesten gekalmeerd worden door een gebaar waaruit de ongegrondheid van die grieven zou blijken. Zo luidde het dat de Koning de Grondwet niet steeds voldoende had gerespecteerd. In verband hiermee werden de omstandigheden genoemd waarin de vorst zich in 1940 van zijn regering had gedistantieerd. Het zou vanaf de aanvang van belang zijn deze indruk te ontkrachten door een verzoening van de Koning met de ministers in ballingschap te Londen. Het gerucht werd verspreid dat de Koning het Parlement minachtte en het bewijs hiervoor werd gevonden in zijn weigering om op 10 mei, op het moment van de invasie, naar Kamer en Senaat te komen. Zijn vader had in 1914 precies andersom gehandeld. De Koning moest vastberaden getuigen van zijn democratische houding door zich meteen na zijn terugkeer naar Kamer en Senaat te begeven. Allerlei vooral gevoelsmatige motieven hadden bij de bevolking gezorgd voor een pijnlijke indruk ten aanzien van het huwelijk van de Koning. Om deze indruk af te zwakken ware het verstandiger als de prinses van Retie zich voorlopig niet in het openbaar zou vertonen en het ware tevens beter als de Koning als eerste met de koningskinderen terugkeerde. Er was veel kritiek op de entourage van de Koning. Begrijpelijk, na een zo woelig tijdperk als de vijandelijke bezetting, waar bij iedere stellingname een controverse had opgeroepen. Zonder over de grond van het probleem te spreken, had de eerste minister hem aangeraden om andere raadslieden te kiezen. Aan het slot van zijn betoog had Van Acker verduidelijkt dat de oorlog had aangetoond, dat neutraliteit een achterhaald begrip was. Er was een duidelijke verklaring nodig omtrent de morele en juridische solidariteit van België met de geallieerden in oorlogs- en vredestijd. De ongerustheid dienaangaande bij de meerderheid van de publieke opinie en in het buitenland zou slechts gekalmeerd worden door de definitieve goedkeuring van de akkoorden en het beleid van de regering in ballingschap te Londen en van het regentschap.

Ik begreep uit het relaas dat Van Acker dit alles naar voren had gebracht in eenvoudige bewoordingen en op gemoedelijke toon, wat op zichzelf al kalmerend had gewerkt. Hij had het gesprek opgesierd met anekdotes en details ter vermijding van een stroeve discussie of een schrikaanjagende uiteenzetting. Toen een verzoening met de regering van Londen ter sprake kwam, had de Koning geschokschouderd. Geconfronteerd met deze reactie had de eerste minister dadelijk de naam van Pierlot uitgesproken, benadrukkend dat een ontmoeting en een verzoening met hem noodzakelijk waren. Hij had in badinerende stijl enkele voorvallen aangehaald die moesten aantonen, dat de vroegere eerste minister niet zo ontoegankelijk was als zijn reputatie luidde. Vervolgens had hij over Spaak gesproken, verduidelijkend dat de Koning gelegenheid zou krijgen hem te ontmoeten daar Spaak speciaal hiervoor uit San Francisco naar Sankt Wolfgang zou komen. Ook hierop waren een schokschouderen en een afwijzend gebaar gevolgd. En ook daar had Van Acker zijn best gedaan een evidente animositeit weg te nemen.

Hij verhulde me niet, dat over het geheel gesproken de Koning diep getroffen scheen door het onderhoud. 'Het had hem naar de keel gegrepen', zei de eerste minister letterlijk. Toch vleide hij zich met de gedachte dat hij, dankzij zijn geruststellende openhartigheid zonder vertoon, op weg was naar een goed resultaat. In afwachting had zijn gesprekspartner slechts één enkele conclusie getrokken. Hij had zich afgevraagd of, gezien de door de eerste minister omschreven omstandigheden, onmiddellijke terugkeer opportuun was.

Zoals we hierna zullen zien, had dit eerste onderhoud niet datgene opgeleverd waarop Van Acker had gehoopt. Het had alleen maar de illusies van de Koning gekwetst. De vorst stelde zich een realiteit voor die voor zijn wil moest buigen. In het isolement van zijn krijgsgevangenschap en, zoals gevangenen, in een kringetje ronddraaiend, had hij zich hoogstwaarschijnlijk verlustigd in het mogelijke onheil van zijn tegenstanders. De bruuske onthulling van de feiten – zo in contrast met zijn wensen – had hem naar de keel gegrepen, aldus de eerste minister. Van nu af aan was het een gefrusteerd mens, niet zozeer uit op wraak als wel op een revanche of het zegevieren van zijn opvattingen, waardoor zijn tegenstanders vernederd waren geweest. Hij geloofde dat hem voor eens en altijd groot onrecht was aangedaan. Hij zag zich een lang nagestreefd doel ontsnappen, was bovendien slachtoffer van zijn foutieve inschattingen en zijn karakter, terwijl hij daarbij weldra ook slachtoffer zou worden van de intolerantie van zijn aanhangers. Door de combinatie van al deze factoren wierp hij zich op de allerslechtst denkbare politiek. Met andere woorden, voortaan zou hij uitsluitend nog voor de gebeurtenissen door de knieën gaan in plaats van lucide de consequenties te trekken uit algemeen bekende feiten. Voortaan zou het ook een impulsieve politiek worden die in onberekenbare gedaanten zou verhullen wat hij in zijn schild voerde, namelijk zijn oude rancunes niet te laten varen en ten aanzien van de oorspronkelijke bedoelingen zo min mogelijk water bij de wijn te doen. Om tijd te winnen zou hij stap voor stap achteruit wijken, inmiddels slag leverend om dan vanuit de achterhoede weer aan te vallen. En om zichzelf geen ongelijk te geven, zou hij van alles en nog wat verzinnen om de realiteit te verklaren en hierbij gebruik maken van alle denkbare polemische middelen en intriges. Dit zou verdergaan tot het moment dat hij, razend kwaad, zich gedwongen zou zien een complete nederlaag te aanvaarden. En dat, terwijl hij alles had kunnen redden zonder een illusoire overwinning te verlangen.

De eerste minister dacht dat hij de Koning aan het twijfelen had gebracht, maar in feite had hij niets bereikt. Geconfronteerd met de omstandigheden die niet bepaald meezaten, was de enige reactie uitstel van terugkeer geweest. Op zichzelf was dit reeds onrustbarend. Van Ackers uiteenzetting pleitte voor een attitude die vanzelfsprekend was voor ieder onbevooroordeeld mens en die het probleem weliswaar nog niet uit de weg had geruimd, maar wèl een oplossing naderbij had gebracht. In de ogen van de Koning hield dit onaanvaardbare toegevingen in. Zo onaanvaardbaar dat hij alleen al door de gedachte hieraan de terugkeer naar zijn land uitstelde. Achteraf zou hij pretenderen dat er aan zijn terugkeer voorwaarden waren gesteld. Hij besefte niet dat hij als gevolg van zijn eigen aard een onneembaar obstakel had gemaakt van iets wat, vanuit het gezichtspunt van de eerste minister, slechts een beschrijving was geweest van de moeilijkheden en de middelen om ze aan te pakken. Door zijn taktiek onderhandelingen uit de weg te gaan, speelde hij juist zijn tegenstanders in de kaart.

De leden van de delegatie wisten nog steeds niet of Leopold III hen al dan niet zou ontvangen. Het slot van de namiddag en de avond verliepen zonder dat men iets afwist van de intenties van de vorst. Iedereen probeerde de verveling te verdrijven. Rond 23.30 uur 's avonds kwam kolonel Wilson ons in het hotel meedelen dat de Prins en de eerste minister daags daarop om 10.30 uur bij de Koning werden verwacht. Hij zou een uur met hen overleggen, waarna de overige delegatieleden ieder een onderhoud van een half uur zouden krijgen. Na dit bericht konden we dan eindelijk naar bed. En, zoals in Genesis staat geschreven, was dit 'de tweede dag'.

De derde dag, vrijdag 11 mei, was het volop lente. Om 10.30 uur hield onze kolonne stil voor het bordes van de villa. De Prins en de eerste minister gingen meteen bij de Koning binnen, terwijl de Maere en ik in de eetkamer gingen zitten, die als antichambre diende. Opeens verscheen Fredericq. Hij liep hinkend door het vertrek met een paar documenten in zijn hand, keek geconcentreerd en lichtjes bedremmeld. Met enkele hoffelijke woorden groetten we deze spookverschijning. Terwijl ik hem bekeek moest ik denken aan de straf, aan die verschrikkelijke vervloeking, waarmee de blinde waarzegger Teiresias koning Oedipus met zijn misvormde voeten bedreigde. Ik haalde me de prachtige tirade voor de geest, die ik waarschijnlijk in de retoricalessen had geleerd en die ergens in mijn geheugen was blijven hangen om me deze vandaag, nu de profetische en bespottelijke dienaar Fredericq even met ons in één vertrek was, weer voor de geest te halen:

'Je bent dan wel koning, maar je moet me toestaan om je op gelijke voet te antwoorden. Daar heb ik recht op! Ik ben jouw slaaf niet… Je geweeklaag zal in elk hol te horen zijn, op de hele Kithaironberg zal het weergalmen...'.

Hoewel ik genoegen beleefde aan deze herinnering, kreeg ik geen kans haar voldoende uit te diepen. De nieuwsgierige, aimabele en zeemzoete Weemaes kwam ons evenals gisteren gezelschap houden. Opnieuw moest ik mijn woorden wikken en wegen en het houden bij ongedwongen gemeenplaatsen.

We werden verlost door de eerste minister, die van zijn gesprek met de Koning terugkwam. Kort daarop volgde de Prins, die waarschijnlijk zijn broer nog even had gezegd dat hij zich in het vervolg beter aan zijn afspraken moest houden, al was het maar uit elementaire beleefdheid tegenover de mensen die hij bij zich riep.

We kwamen om 11.30 uur buiten en wensten Spaak goede moed; hij zou als eerste in audiëntie worden ontvangen. Op de terugweg vernam ik dat de voornemens van de Koning onzeker bleven en dat de discussies niet vorderden. De leden van de delegatie zouden ieder apart in de loop van de namiddag worden ontvangen. Een veelbetekenend incident had in verband met mijn persoon stof doen opwaaien. De Koning las mijn naam en vroeg om wie het ging. Antwoord van de Prins: de vroegere kabinetschef van Pierlot. En, aldus de Prins, een van de redenen waarom hij mij als secretaris had gekozen. Volgens hem zou ik een nuttige verbindingsrol kunnen spelen door de contacten te vergemakkelijken met het oog op een schikking. De Koning had gerepliceerd dat hij de vroegere kabinetschef van Pierlot nooit wenste te ontmoeten.

Spaaks audiëntie duurde bijna twee uur. Toen hij omstreeks 1.30 uur terugkeerde schoof hij aan bij de delegatie die reeds aan het lunchen was. Hij leek tevreden en optimistisch. Staande had de Koning hem ontvangen met zijn handen op zijn rug. Na Spaaks buiging was Leopold III naar de andere kant van zijn bureau gelopen om Spaak geen hand te hoeven geven. De minister had het spelletje onmiddellijk door, maar deed of hij het niet begreep en was de vorst gevolgd om hem te begroeten. De Koning had echter geen gebruik gemaakt van deze kans om zijn houding goed te maken en had opnieuw de ontmoeting ontweken door naar zijn oorspronkelijke plaats terug te gaan en Spaak een zetel te wijzen. Hierop toonde de minister dat hij het had begrepen en zei: *'De Koning heeft ongelijk.'* (in het Frans: '*Le Roi a tort*'). Dit waren de eerste woorden die tussen Leopold III en diens minister van Buitenlandse Zaken werden gewisseld sinds het uiteengaan in Wynendaele op 25 mei 1940. 'De Koning heeft ongelijk', dat leek wel symbolisch voor de toekomstige betrekkingen. Op het moment zelf kwam dit nog niet zo tot uiting, want Spaak was voldoende edelmoedig om zich niet aangevallen te gevoelen. Bovendien had hij besloten door het innemen van een menselijk standpunt zijn overredingskracht te vergroten. Hij trachtte zonder in starheid of formalisme te vervallen de attitude van de regering in ballingschap te Londen uit te leggen. Spaak probeerde datgene te benadrukken wat de Koning evident moest voorkomen zodat hij het daarmee eens kon zijn.

Beetje bij beetje bereikte Spaak dat de Koning wat beminnelijker werd. Op een bepaald moment maakte de vorst de regering een verwijt over de brief uit 1943 en de toon erin, de brief die was overgemaakt door François De Kinder. Hierop legde Spaak uit dat de noodzaak van het verder functioneren van de regering maximaal was verzoend met de aan de vorst verschuldigde eerbied en dit met de intentie tot verzoening. Tenslotte was de toon van het onderhoud vriendschappelijk geworden, daar de Koning de situatie eindelijk begon te beseffen en hij hierover wilde nadenken alvorens ermee geconfronteerd te worden. Veeleer dan iets te overhaasten, adviseerde Spaak de Koning zich tijd te gunnen om informatie in te winnen. Zo hij door de feiten was verrast, dan moest hij er meer over te weten zien te komen en vervolgens op basis van dit onderzoek zijn houding bepalen. Intussen, zo suggereerde de minister, kon de Koning een brief aan zijn broer schrijven met het verzoek het Regentschap voorlopig voort te zetten. Leopold III vroeg Spaak een ontwerp in die zin uit te werken. In goede verstandhouding namen ze afscheid van elkaar en ditmaal met een handdruk. Evenals Van Acker de dag voordien, had Spaak duidelijk de indruk dat de situatie er gelukkig op was vooruitgegaan.

Burggraaf du Bus de Warnaffe vertrok op zijn beurt richting villa, waar hij om 14.30 uur zou worden ontvangen. Mundeleer zou om 15 uur volgen, dan zou het om 16 uur Lalmands beurt zijn en daarna om 16.30 uur Cornil. In het hotel stelden Spaak en ik intussen een ontwerpbrief van de Koning aan de Prins op. Zonder de toekomst erin te betrekken, beoogde de brief uitsluitend de

Koning een termijn van uitstel te waarborgen om de gebeurtenissen tot zich te laten doordringen.

Cornil keerde om 18.15 uur terug. Om allerlei redenen waren alle delegatieleden van oordeel, dat de Koning zijn terugkeer beter nog wat kon uitstellen. Hoewel burggraaf du Bus de Warnaffe uiterst discreet over zijn gesprek bleef, was het duidelijk dat hij, in tegenstelling tot Lalmand, voorstander van terugkeer was. Hij geloofde wel in een onmiddellijke terugkeer, maar vond zoiets gevaarlijk gezien het contrast tussen de huidige instelling van de Koning en de situatie in het land. Volgens de burggraaf was het wenselijk dat, na een snelle consultatieronde, de Koning zich zou aanpassen.

De dingen namen een gunstigere wending. De Prins leek hierover opgelucht. De ministers, wier vertrek voorzien was voor de volgende dag, zaterdag om 14.00 uur, zagen geen reden tot uitstel. Kolonel Williams-Thomas zou de nodige maatregelen treffen. Daar de Koning niet meteen terugkeerde, besloot de Prins om nog twee of drie dagen bij zijn broer te blijven. Vanuit een scrupuleuze onpartijdigheid keerde hij liever niet samen met de leden van de regering terug. Ook wilde hij de betogingen ontlopen die waarschijnlijk de zondag nadien bij het overwinningsfeest zouden plaatsvinden.

Voor de verdere uitwerking van dit programma ging de Regent naar zijn broer met het tekstontwerp op zak voor de brief die aan hemzelf was gericht. Alleen de Maere vergezelde hem. Ik bleef in het hotel, vrijwel niet weg te slaan van de bridgetafel en, in deze bizarre sfeer, niet echt opgetogen bij het idee dat ik nog twee dagen voor de boeg had. Rond 21 uur wipte de Prins even ons hotel binnen, maar vertrok daarna weer richting villa. Hij was vol goede wil om vriendelijk tegen de Koning te zijn. Om 23.15 uur keerde de Prins in het hotel terug. Hij sprak nog een tijdje met de ministers en ging om middernacht naar zijn kamer, samen met Van Acker. Ik had de indruk van een complete ommekeer die een algehele ontspanning teweegbracht. De Maere vertelde me dat de Koning en de Regent een lang gesprek hadden gevoerd, waarin de Prins voortreffelijk was geweest. Leopold III had zijn standpunten gewijzigd. Hij leek alsof hij zijn onverzettelijkheid losliet en inzag dat hij zijn vasthoudend en wraakzuchtig oordeel moest opgeven ten behoeve van het algemeen welzijn. Om half een 's nachts voegden de Maere en ik ons bij de Prins. De Regent was van oordeel dat hij een groot succes had geboekt door de tegenstrijdige standpunten met elkaar te verzoenen. De Koning stemde in met alle concessies. Ik vroeg of hij met ons zou terugkeren. De Prins antwoordde ontkennend, maar het zou nog een kwestie van dagen zijn om de terugkeer zo goed mogelijk te doen verlopen. Hierop vroeg ik of de vorst Spaaks ontwerpbrief had goedgekeurd. Volgens de Regent was zijn broer het wel eens met de kern, maar zou Fredericq zich nog erover buigen en morgen een definitieve versie voorleggen. Alles scheen dus rozengeur en maneschijn. Na enkele zinnen over deze uitbarsting van optimisme, lees ik toch in mijn opschrijfboekje: '0.30. Ontmoet Prins met de Maere. – Koning doet alle concessies. – Prins van mening heeft groot succes geboekt', maar ik schreef erachter: 'sceptisch'. Ik kon nauwelijks geloven dat het doek over de ontknoping viel. In mijn ogen was het een goed slot van het tweede bedrijf.

De Maere ging naar bed. De Prins op zijn beurt wist met al zijn vreugde bijna geen raad. Zoals hij zo graag deed, mijmerde hij ook nu over de toekomst en zag reeds een algehele verzoening voor zich. Het was een pastoraal en vredig vooruitzicht, na alle bitse en nutteloze twistgesprekken. Nu de dingen weer op hun pootjes terecht schenen te komen, kon hij eindelijk gaan genieten van een prettig familieleven, iets waar hij zich tot dan nauwelijks om had bekommerd. Met vertedering vertelde hij me over zijn neven en bijna met genegenheid over de prinses van Retie. Het Regentschap zou in schoonheid eindigen, terwijl een toekomst vol eendracht en harmonie zich voor ons aftekende.

Tijdens die monoloog was ik onder de dekens gekropen. De Prins geraakte maar niet te bed, neusde hier en daar rond, rommelde in zijn bagage en bleef maar doorpraten. Volgens de beste Navy-traditie vouwde hij zijn kleren methodisch op. In zijn lichtgele pijama sloop hij naar de deur en ging zijn schoenen op de gang zetten. Ik zat rechtop in bed toen hij terugkwam en het licht wilde uitdoen. Ik overdacht hoe spijtig het was dat zijn regentschap weldra voorbij zou zijn, een periode waaraan ik alleen maar goede herinneringen zou bewaren. Met zijn gevoelige intuïtie leek de Prins mijn gedachten te lezen en zei: 'Nee, nee, niet spijtig.' Ik stond perplex – hoe goed had hij mijn gedachten geraden! Hij glimlachte en toen legden we ons te ruste met de nobele voldoening van een volbrachte taak en de zelfvoldaanheid die gepaard gaat met het oplossen van een moeilijk probleem.

Op zaterdag 12 mei wekte kolonel Williams-Thomas ons plots om 7.50 uur. Een Amerikaanse officier was komen melden dat de Koning die nacht door een hartaanval was getroffen. Ontsteld keken we elkaar aan. De Prins zond meteen de Maere op pad voor meer informatie. De generaal was snel terug en rapporteerde ons dat de legerdokter aderontsteking en een hartzwakte had vastgesteld, maar allemaal niet ernstig. De Prins was woedend. Volgens hem waren de inspanningen van de vorige dag voor niets geweest. Aan de houding van de Maere voelden we reeds hoe zich het resultaat van een manoeuvre aftekende waardoor de brave vleugeladjudant zich had laten inpakken. Naar verluidt had men de Koning te streng aangepakt, hem op een kwalijke manier onder druk gezet en had dit alles hem zozeer aangegrepen dat dit een te grote emotie voor hem was geweest.

De ministers, geïnformeerd over 's Konings niet echt ernstige malaise, waren teleurgesteld en ongerust. Het incident riskeerde hun vertrek om 14.00 uur in de war te sturen en zette daarenboven een met ups en downs verkregen akkoord op het spel. Om 10 uur ging de Prins met de Maere naar de villa. Hij kwam om 11.30 uur terug en zei dat zijn broer, die het bed hield, niets ernstigs mankeerde. De Regent had hem ontmoet, maar een grondige discussie van de zaken werd bij voorbaat vermeden. Nadien hadden de Prins en de Maere een lang gesprek met de prinses van Retie gevoerd. Na dit onderhoud had de Maeres gezicht gestraald, alsof hij van een heilige berg was afgedaald. De Regent, die eerder koeltjes omging met zijn schoonzuster daar hij weinig redenen had haar te waarderen, had zich tijdens het gesprek afstandelijk opgesteld en haar met 'u' aangesproken. Hij vond haar evenwel bekoorlijk, intelligent en gevaarlijk. Zij had benadrukt dat haar echtgenoot moest worden ontzien en men hem te grote emoties moest besparen. Kortom, nadat we hadden gedacht dat alles nu in orde was, stonden we in feite nergens.

De verbijsterde en beledigde ministers vroegen zich af of er niet vanaf het begin een loopje met hen was genomen. Spaak uitgezonderd, was nog niemand van hen reeds eerder geconfronteerd geweest met de grillen en het paradoxale gedrag van de koninklijke familie.

Ze begingen de vergissing ervan uit te gaan dat ze te maken hadden met mensen met normale psychologische reacties. Ze verbaasden zich dan ook over de willekeur van hun houding, maar die bleek slechts een normale consequentie van wispelturige verlangens volledig gedomineerd door onvoorspelbare prikkelbare buien.

Bijgevallen door zijn collega's besloot de eerste minister *coûte que coûte* diezelfde dag nog te vertrekken. De interne moeilijkheden van België op het vlak van openbare orde en economie vereisten de aanwezigheid van zowel de volledige regering als van de premier. Het vertrek van de delegatie zou enkele uren worden uitgesteld, maar niet meer dan dat. De Prins wilde een laatste poging doen om zijn broers besluiteloosheid te doorbreken die vol bijbedoelingen leek. De koninklijke villa werd dadelijk geïnformeerd over de definitieve schikkingen van de regering. Men moest erachter zien te komen of Leopold III de delegatie zou laten gaan zonder enige uitleg over zijn uitvluchten of dat hij haar de brief aan de Regent zou toevertrouwen, waarvoor hij Spaak de dag voordien om een ontwerp had verzocht. Een brief waaruit de bevolking zou vernemen dat hij nog even wilde nadenken alvorens terug te keren. Besloten werd dat de delegatie om 15 uur uit Sankt Wolfgang zou wegrijden. De Prins, de Maere, Williams-Thomas en ik zouden twee dagen later naar Brussel terugkeren. Na de lunch, rond 14.15 uur, ging de Prins opnieuw naar de koninklijke villa met de ontwerpbrief van Spaak op zak. Was hij niet voor 15 uur bij het hotel terug, dan zou de delegatie hem op de weg naar Salzburg opwachten voor de villa en zou de eerste minister tot aan het chalet gaan om de beslissing van de Koning te vernemen. Fredericq op zijn beurt had Williams-Thomas laten weten dat hij zou meegaan met het vertrekkende groepje. Dit was zeer tegen Van Ackers zin. De eerste minister moest niets hebben van de schimmige kabinetschef van de Koning. Terecht of ten onrechte schreef hij het aan diens kuiperijen toe dat de resultaten tijdens de gesprekken tussen Leopold III, de ministers en de Prins, alsnog waren gestrand. Van Acker zei aan de Regent, dat hij niet wilde dat Fredericq voor maandag zou terugkeren; hij vreesde voor intriges die de man ongetwijfeld meteen in Brussel op touw zou zetten, zoals hij dat ook in Strobl had gedaan. De Prins antwoordde gewoon dat hij de situatie in het oog zou houden.

Om 15 uur was de Prins nog altijd bij zijn broer. Het vertrekkende groepje ging op weg. Voor het hotel wuifde ik iedereen uit en voelde me als een bestrafte leerling die zijn kameraden op vakantie ziet gaan. Het gezelschap stopte bij de splitsing van de weg die naar de koninklijke villa leidde. Sommigen wandelden wat heen en weer, anderen bleven in de auto's, terwijl Fredericq zich bij het groepje voegde. De eerste minister stapte richting chalet en liep de Prins tegen het lijf die met een brief naar buiten kwam. Eerst had de Koning geweigerd het document te schrijven. Het was zijn bedoeling het verblijf van de ministers te rekken en de gesprekken van voor af aan te beginnen. Toen hij vernam dat ze ondanks zijn vertragingstactiek hun vertrek niet langer uitstelden, was hij uiterst ontevreden. Hij was gedwongen een gebaar te maken, op straffe in België een controverse te ontketenen. Hij protesteerde tegen vorm en inhoud van Spaaks ontwerp. De Prins suggereerde hem een brief naar eigen inzicht te schrijven, maar er wel haast mee te maken daar de tijd drong. De Koning moest dan ook besluiten iets te doen. Fredericq stelde een onbeduidende tekst op die Leopold III in bed ondertekende. Met tegenzin overhandigde hij de brief aan de Prins en zonder nog een woord te zeggen draaide hij zich om. De Prins wachtte nog een tijdje en vertrok toen om de brief te overhandigen aan de mensen die erop wachtten.

Van Acker las het document. Zeker, het had geïnspireerder kunnen zijn, maar deze tekst kon in zijn ogen een officiële waarheid ondersteunen die opgewonden bevolkingsgroepen een tijdje kon kalmeren. De brief luidt als volgt:

12 mei 1945

Mijn waarde Broeder,

Als gevolg van mijn krijgsgevangenschap die ik heb moeten doorstaan, staat mijn gezondheidstoestand me niet toe onmiddellijk naar België terug te keren.

Ik betreur ten zeerste dat ik niet dadelijk na mijn bevrijding weer bij mijn volk kan zijn. Gedurende mijn gevangenschap zijn al mijn gedachten bij mijn volk geweest.

Ik verzoek je om tot mijn herstel verder de opdracht uit te voeren die je in het belang van de natie op je hebt genomen.

Je Toegenegen Broeder,
LEOPOLD.

De Prins nam echter afscheid van zijn ministers. Toen hij Fredericq in 't oog kreeg die op het punt stond mee te vertrekken, vroeg hij hem in zijn *station car* te stappen. Nors antwoordde Fredericq dat hij zijn vliegtuig zou missen als zijn reisgenoten zonder hem vertrokken. De Prins drong aan en zei dat hij hem iets heel belangrijks moest meedelen. De *station car* zou hem naar Salzburg rijden waar hij op tijd zou arriveren. Fredericq kon niet onwillig blijven, te meer daar, voor het goedkeurend oog van de eerste minister, de Prins hem letterlijk zijn eigen auto induwde. Lichtjes verbaasd over iets wat bijna op een ontvoering leek – en dat was het inderdaad – en niet meer opkijkend van het zoveelste onverwachte incident reden de anderen onverstoorbaar richting Salzburg. De prinselijke *station car* zette koers naar 'Gasthaus Weisses Rössl'. Onderweg kreeg Fredericq van de Prins verwijten over zijn gedrag. De Prins wierp hem voor de voeten niet loyaal te zijn geweest door de eerste avond zonder toestemming van de eerste minister naar zijn broer te zijn gegaan en achter de schermen een kwalijke rol te hebben gespeeld. Fredericq, steeds opgewondener uit vrees het vliegtuig te missen, verdedigde zich fel. Trouwens, waarom deze vertraging voor hem? Deze zaak had evengoed in Brussel afgehandeld kunnen worden. Hierop zei de Prins hem dat hij met instemming van de eerste minister had besloten Fredericqs vertrek tot maandag uit te stellen. Fredericq weerde zich uit alle macht. Hij probeerde de auto te laten stoppen en de chauffeur te dwingen rechtsomkeert te maken. De Amerikaanse chauffeur, die waarschijnlijk het spelletje meespeelde, vertrok geen spier. De Maere, ook in de auto en totaal onkundig van het plan, was eerst verbijsterd over het tumult en daarna verontwaardigd tegenover de Prins die deze *kidnapping* had georganiseerd. Hoewel de Prins Fredericq tot kalmte maande, bleef deze maar roepen en tieren. Tevergeefs trachtte de Maere enig schuldgevoel bij zijn superieur op te wekken.

En zo arriveerde het ziedende drietal bij het hotel. Ik genoot op bed van een zalige siësta; eindelijk rust... tot ik opeens een geweldig getier hoorde. Haastig schoot ik in mijn kleren en ging in de gang kijken. De Prins kwam de trap op, gevolgd door Fredericq en de Maere. Alle drie waren ze witheet van woede en riepen van alles door elkaar. Ze liepen richting kamer die de Prins en ik samen deelden. Ik vroeg: *'Wat is er aan de hand?'*

'De graaf van Vlaanderen heeft me van mijn vrijheid beroofd!', stamelde Fredericq, *'ik ben in alle staten! en dát terwijl ik ook nog diabeticus ben...'*

De Prins haalde zijn schouders op en liep de kamer binnen. Voorzichtig ging ik wat achteruit; ik had geen zin getuige te zijn van een afrekening waarvan ik niets begreep en zocht mijn toevlucht in de aangrenzende kamer van de Maere en Williams-Thomas. De Maere voegde zich meteen bij me en ik kreeg ten slotte enige uitleg. Hij was zo kwaad, dat hij meteen na onze terugkomst in Brussel zijn ontslag wilde indienen. Hoogst ontevreden blies hij stoom af; en zie wie er binnenkwam: de Prins. Het was hem niet gelukt Fredericq tot rede te brengen en onder de strenge blik van zijn vleugeladjudant vroeg hij me of ik wilde proberen de hele zaak te regelen. Met het nodige respect wees ik hem terecht en verhulde hem niet, dat hij zich tegenover Fredericq diende te verontschuldigen voor de onbeleefde aanpak. Daarna gingen we naar Fredericqs kamer. De kabinetschef van de Koning zat op een rotan tuinstoel en keek uitdrukkingsloos naar het meer. Bij mijn eerste woorden viel hij de Regent zo heftig aan, dat het dispuut weer oplaaide. Onder deze omstandigheden de sfeer kalmeren was onmogelijk. Over en weer vlogen tactloze woorden, uitspraken die een mens zich in zijn woede laat ontvallen en die nadien tot langdurige rancunes leiden. Ik verzocht de Maere om de Prins mee te nemen en vroeg Fredericq met mij naar buiten te gaan. We wandelden naar het kerkje. Hoe vaak we daar omheen hebben gelopen weet ik niet meer.

Ik wees mijn gesprekspartner erop, dat er absoluut geen sprake van vrijheidsberoving was, want hij was vrij. Zo er al dwang was geweest, dan was die nu voorbij. Evenals wij, zou hij slechts twee dagen later vertrekken. Als hoofd van de delegatie had de Prins het recht hem in Sankt Wolfgang te houden. Het toegepaste procédé was het enige afkeurenswaardige, het enige wat om verontschuldigingen vroeg. Maar ook hier was er bijna sprake van een soort vereffening, want het wantrouwen van de Regent werd gerechtvaardigd door Fredericqs gedrag al vanaf de avond van aankomst. Ik zei hem dat de episode waarover hij zich beklaagde zonder belang was. Als er van alles over werd rondgebazuind of werd overdreven, zou dit het slachtoffer alleen maar ridiculiseren.

We slingerden elkaar heel wat dingen naar het hoofd. Onnodig ze hier te herhalen. Wat ze ons wèl leerden, was hoe ieder van ons zijn functie opvatte. De kabinetschef van de Koning was zijn baas geheel toegewijd, maar op een onderdanige manier. Later zou hij zijn spijt hierover uiten met de verbitterde woorden: *'Dat is wat ik terugkrijg voor zes jaar dienstbaarheid.'*

Langzamerhand keerde de rust terug. Tijdens onze rondwandeling kruisten we soms de Maere die op zijn beurt de Prins de les las. De twee partijen kwamen uiteindelijk weer nader tot elkaar en bezegelden hun verzoening met een handdruk en spijtbetuigingen. Vreemd was dat, toen de Prins de Koning over de zaak sprak, Leopold III er zich alleen maar vrolijk over maakte. Een poosje later zou men de zaak voorstellen als een element in de anti-royalistische samenzwering.

De rest van ons verblijf in Sankt Wolfgang verliep zonder incident. De Prins verbleef met de Maere vrijwel de hele tijd in de koninklijke villa, terwijl Williams-Thomas en ik ontspannen gingen roeien of zwemmen met de G.I.'s. Zaterdagavond kwam de Prins onverwacht met zijn neven het hotel binnen. We dineerden gezamenlijk en maakten daarna in de schemering een heerlijke boottocht. Later vernam ik dat de Koning de Prins had verweten dat zijn kinderen mij hadden ontmoet. In de serene avondsfeer dacht ik nochtans dat de tijd voor verbittering voorbij was. In een overvolle kerk woonden we 's zondags de mis bij. In het kaarslicht fonkelden de vergulde barokversieringen en trilden de schaduwen in het retabel boven het hoofdaltaar. De Prins vertrok nadien naar de villa, terwijl wij lunchten met generaal Hazlitt, in wiens zone Sankt Wolfgang lag en die een bezoek bracht aan zijn illustere gasten. Rond drie uur keerde de Prins met zijn neven terug en ging zijn koffers pakken. Hij zou de laatste nacht bij zijn broer verblijven. Alles leek weer geheel koek en ei in de familie. De jonge prinses en prinsen leken weg van hun oom. De Maere, wiens humeur als barometer voor de situatie gold, was in de zevende hemel. Roeiend en zwemmend genoot ik van een zalige namiddag. Fortuna was ons gunstig gezind.

Fredericq stootte nog eens zijn neus. Uit op een slimme zet, had hij ergens in de haag rond de koninklijke villa een gat ontdekt. Hierdoor kwam en ging hij om geen omweg via de normale weg te hoeven maken. Maar op een keer verraste een Amerikaanse schildwacht hem nèt toen hij weer door het gat tussen het gebladerte kroop. De G.I. deed zijn plicht en de kabinetschef werd als een haas bij zijn achterlopers gegrepen. Spartelend wist Fredericq zich los te worstelen. Hij had het eventjes goed benauwd gekregen en werd daarna razend over wat hem was overkomen. Op een drafje ging hij naar de Koning zijn beklag doen; hij werd het beu dat hij achtervolgd en in het oog gehouden werd. De ruzie met de Prins had hem duidelijk getekend.

Maandag 14 mei om 10.15 uur verlieten we het 'Weisses Rössl' voor de koninklijke villa, waar we op de Prins zouden wachten. Terwijl de Maere naar binnen ging om hem te zeggen dat we aangekomen waren, liepen Williams-Thomas en ik voor het bordes heen en weer, langs een groep dennenbomen die het chalet omringde. Al snel kwam de prinses van Retie met de Prins naar buiten en liep met hem mee tot aan zijn auto. Ook de koningskinderen waren erbij. Williams-Thomas salueerde strak, terwijl ik me respectvol opstelde. Gefascineerd door het tafereel vergat ik al de rest. Het was een scène uit 'Het Adelaarsjong', maar de adelaar ontbrak eraan. In dit hoogst romantische decor appelleerde het geheel niet zozeer aan mijn gevoeligheid als wel aan mijn verbeelding. De Prinses was mooi, als een bevestiging van schoonheid, maar zonder het symbolische ervan. Ze ontlokte begeerlijkheid, maar riep niets sprookjesachtigs op. Met haar zwarte haar, gebruinde teint en welgevormde gestalte domineerde ze in het stralende licht. Opeens hoorde ik Williams-Thomas fluisteren:

'André!'

'Yes?'

'Look! You judge a horse on his legs!'

Ik keek. Haar ietwat dikke enkels waren het enige zwakke punt van een aantrekkelijke verschijning.

De Regent riep me. Ik kwam dichterbij en hij stelde me aan zijn schoonzuster voor. Ze gaf me een hand, zoals ze aan de Prins had beloofd, maar ze deed het aarzelend want ze vreesde haar echtgenoot te misnoegen door een vroegere medewerker van Pierlot te begroeten.

Het afscheid was kort en welgemeend. Op 10.45 uur reden we richting Salzburg, met Fredericq erbij. Om 12.30 uur steeg ons vliegtuig op. Tijdens de vlucht speelde ik rami met de Prins. Hij vertelde me een reeks details over de voorbije dagen. Zo had hij zijn broer verteld dat het Politiek Testament op Churchill een slechte indruk had gemaakt, iets waarover de Koning kennelijk vergenoegd was. *'Net goed'*, zo was zijn reactie geweest, *'ik kan ook zonder hem.'* Bij de bevrijding had de Koning met Fredericqs hulp maar zonder de regering te informeren, een boodschap gezonden aan de staatshoofden en generaal Eisenhower. Niemand had de Prins naar nieuws over Goffinet gevraagd, behoudens de prinses van Retie op de ochtend van vertrek. De Prins had geantwoord dat hij het goed stelde.

'Wat?', reageerde ik, *'hebt u haar niet gezegd dat hij is overleden?'*

'Neen', zei de Prins, *'dat gaat haar niets aan en voor mij is hij niet dood.'* Ik was sprakeloos.

Wat de eigenlijke kern van het probleem betreft, had men de voorbije twee dagen steeds rond de pot gedraaid zonder het probleem echt aan te snijden. Het was de bedoeling van de Koning te wachten. Zelf keerde ik terug met een enorme stapel papier en krantenknipsels die ik in twee ijzeren kisten had meegesleurd. De Regent had dit materiaal laten voorbereiden ten behoeve van de Koning, opdat hij de situatie beter zou kunnen inschatten. Er stak, onder andere, een korte nota van baron Holvoet bij. De kabinetschef van de Prins had hierin, als een overbodige Nestor, een hele reeks gevaren opgesomd en herhaaldelijk tot voorzichtigheid gemaand. Mijn twee kisten waren dicht gebleven. Cornil had de Koning voorgesteld de voorzitters van de Kamers te ontvangen of hen een boodschap te zenden, waarop Leopold III razend was opgeveerd: *'Van Cauwelaert en Gillon! Dat parlement van Limoges!'*

Om 15.30 uur landden we in Brussel. Het was het einde van een reis in het irreële. Ik voelde me even opgelucht als Gulliver die weer vaste grond onder de voeten voelt na de nachtmerrie van de schipbreuk.

In Brussel heerste verwarring. Er was niet nagedacht over middelen om de situatie te forceren, in de veronderstelling dat alles wel vanzelf in orde zou komen. Er heerste teleurstelling en ontreddering. Het was een gunstig klimaat voor manoeuvres en intriges en nog lange tijd zou het hieraan niet ontbreken.

De eerste minister verwelkomde de Prins op het vliegveld. Tijdens de autorit naar het paleis en daarna in het kantoor van de Regent konden ze slechts vaststellen dat de publieke opinie aan een malaise leed. Een deel van de bevolking had de terugkeer van de Koning verwacht, een ander deel het nieuws van zijn aftreden. Door de reis naar Sankt Wolfgang was de onzekerheid nog groter geworden. Niemand geloofde in de ziekte van de Koning, te meer daar generaal Hazlitt, de Amerikaanse opperbevelhebber van de regio waar Leopold III verbleef, aan de pers had verklaard dat de vorst in uitstekende gezondheid verkeerde. De geheimzinnigheid en onduidelijkheid rond zijn toestand zetten aan tot speculaties.

Reeds voor het vertrek van de delegatie deden speculaties de ronde. Na de terugkeer namen ze hand over hand toe. In het hele land heerste verdeeldheid. Op 15 mei trof ik Spaak in een staat van uiterste ontevredenheid aan. Hij had zojuist zijn lidmaatschap van de socialistische partij opgezegd, omdat Larock in een artikel in *Le Peuple* de Koning de neutraliteitspolitiek had verweten die zijn minister van Buitenlandse Zaken had voorgestaan. Binnen de regering vonden de meeste ministers de situatie steeds penibeler worden, maar voor een uitweg uit de impasse zaten zij niet op een lijn. De katholieke ministers dreigden te breken als de Koning geen tijd tot nadenken werd vergund. De Kamervoorzitter op zijn beurt eiste dat men onmiddellijk iets zou doen teneinde zich niet in ongrondwettigheid te verstrikken.

In deze maalstroom besloot de Prins zich totaal afzijdig te houden. Ik waarschuwde Fredericq dat ik ter beschikking stond om de communicatie met Sankt Wolfgang te vereenvoudigen. De koningin-moeder wenste haar zoon Leopold te ontmoeten. Er ging een telegram naar Strobl, vanwaar een gunstig antwoord kwam. Ze vertrok vrijdag de 18de met dokter Rahier. Fredericq vergezelde hen. Kolonel William-Thomas maakte de bedenking dat Fredericqs reis niet was voorzien, waarop deze antwoordde dat de Regent akkoord ging. Hij had echter niets gevraagd en zich ermee vergenoegd een algemeen voorstel tot het bewijzen van goede diensten als een persoonlijke toestemming te interpreteren. Onnodig te zeggen dat de eerste minister dit procédé niet waardeerde.

Voordat zij zou vertrekken had de Prins met zijn moeder in Laken geluncht. Ze had hem een Italiaans porseleinen bordje geschonken met de inscriptie 'Wie een lang leven wenst, houde zich verre van zijn familie.'

'In dat geval word ik duizend!' had de Prins gezegd. En hij begon haar zulke harde verwijten te maken over haar vroegere tussenkomsten, dat de tranen haar in de ogen sprongen. Hij had haar nog eens herhaald dat hij niet in de Koningskwestie verstrikt wilde raken.

De volgende dag verscheen er een communiqué met een gezondheidsbulletin, getekend door dokter Rahier, zeggende dat de Koning niet in staat was zich te verplaatsen. Dokter Govaerts werd erbij geroepen; een nieuw bulletin van 24 mei verklaarde dat de toestand van de Koning in gunstige zin evolueerde.

Intussen bleef er een strijd woeden tussen partijverklaringen, artikelen in de pers en uiteenlopende meningen bij de bevolking en in familiekring. Rond de meest onbetwistbare functie binnen de staat werd door alles en iedereen gepassioneerd gediscussieerd. Er waren mensen die de Koning vereerden als symbool van alle christelijke en patriottische deugden, terwijl hij voor anderen, dixit een liberaal parlementslid in een meeting, als de ergste collaborateur gold. De mensen werden geklasseerd naargelang van hun mening, terwijl hen anderzijds een mening werd toegedicht die stoelde op een vooroordeel. De aristocratie beschouwde het opeens als haar heilige plicht de troon te moeten verdedigen. De adel baseerde haar verdachtmakingen en veroordelingen op de meest oppervlakkige motieven. Ik vernam dat er een onderzoek naar mij werd ingesteld. Het had Koningin Elisabeth verbaasd dat de Prins mij in zijn entourage handhaafde, daar de Koning vijandig stond tegenover iedereen die tijdens de oorlog in Londen was geweest. Voor hem was ik een tegenstander, of ik wilde of niet. En zo werd het ene oordeel na het andere geveld. Bij voorbaat waren bepaalde posities onvergeeflijk. Ik was de kwade genius van de Regent, die openlijk niets tegen zijn broer ondernam, maar die via mijn tussenkomst met de Britten zou complotteren. Ook kwam ons ter ore dat de Koningin de minister van Bevoorrading en secretaris-generaal van de communistische partij Lalmand had laten komen. Ze had hem gevraagd waarom de communisten tegen de Koning waren, terwijl diens terugkeer een toenadering tot Moskou zou betekenen. Kortom, zoals iedereen die sinds lang geen deel van de macht meer uitmaakt en aast op een terugkeer, maakten ook hier een maatschappelijke klasse en allerlei salons een vergissing: ze verwarden intriges met politiek. Zo voltooiden zij de ondergang van wat ze dachten te redden.

Conclusie

Ik beëindig dit boek op het ogenblik dat ik zevenendertig jaar word. In deze regenachtige oktobernacht komt er in flarden een vloedgolf aan herinneringen bij me op. Welke mysterieuze associatie – een zilveren lepeltje tikkend tegen een theekopje of een madeleine uit Combray – brengt de golf aan het rollen, waardoor er straks tal van wrakstukken uit het verleden op de kust liggen? Het beeld dat me scherp bijblijft is dat van mijn vroegere Sint-Barbaracollege met zijn vuilwitte muren van destijds. Mijn jezuïeten-docenten – met al hun menselijke gebreken en verdiensten van hun orde – schijnen nog steeds hun best te doen om de mens waartoe ze me wilden vormen uit zijn bolster te trekken. Misschien geloven ze dat ze hebben gefaald. Toch heb ik getracht om hetgeen ze me hebben onderwezen in praktijk te brengen. Ik herinner me hun stokpaardjes. Enthousiasme en een eigen mening, zo luidde het advies van de ene; de liefde voor het ware, zo onderrichtte een ander me; de toewijding aan een menselijk ideaal in een riskant bestaan, zo klonk het van een derde.

Met deze principes in mijn geestelijke bagage kreeg ik met de Koningskwestie te maken; dankzij die principes heb ik getracht eruit te geraken. In het licht van die principes besefte ik eveneens dat er in de loop der jaren nog iets anders was dan de steriele incidenten die hun belang uitsluitend ontleenden aan de positie van de betrokken personen. Waren deze evenementen niet het symbool van een hogere strijd geweest, dan hadden ze enkel het vergeetboek verdiend. Maar het toneel van de strijd dat weldra overdekt zal zijn met spoken en vergetelheid, zal in de intussen tot rust gekomen lijnen van de situatie een les voor de toekomst nalaten. Het avontuur van deze lamentabele koning was slechts een anekdotische episode in een strijd tussen een groep mensen die zelf de verantwoording willen nemen voor hun welzijn en een tweede groep die hun dit wil opleggen. De ene groep geeft de voorkeur aan het harde risico van de vrijheid, de andere legt zich neer bij de weldaden van een gezagsdrager die als enige alle kennis in pacht heeft. Ooit zal men gaan erkennen: de feiten werden verdraaid geïnterpreteerd onder de bedrieglijke dekmantel van het constitutionele recht, het argument van het overwicht van het aantal en de noodzaak tot een bevel. Tussen de leugen omwille van de staatsraison en de weigering die staatsraison te aanvaarden, ging het om het recht een gezag te veroordelen dat de voorwaarden tot uitoefening van dit gezag had overtreden. Wie instemt met aantasting van dit gezag, stemt in met zijn teloorgang en is uitgeleverd aan het gezag waarvan hij de eerste misbruiken heeft getolereerd. Zoals gewoonlijk werd dit gevaar slechts vagelijk onderkend door de rechtstreeks betrokkenen; ieder kamp telde meer blinden dan helderzienden. Dit verklaart ook waarom zoveel lieden te goeder trouw bleven. Voor een aantal mensen betekende het feit de koning aan te vallen een aantasting van de grondslagen zelf van de maatschappij waarvan hij de incarnatie was. Hem vergeven en hem laten doen, kwam voor anderen erop neer dat een gehele structuur werd tenietgedaan. Een structuur waaraan de koning dienstbaar moest zijn in plaats van deze te domineren.

Aan het slot van zijn *Mes Prisons* schrijft Silvio Pellico dat hij op een avond bezoek kreeg van een deugdzaam man die hem zijn gedrag en geschriften kwam verwijten. In de ogen van deze hoogstaande bezoeker was het Oostenrijkse despotisme belangrijker voor het welzijn van de wereld dan het lijden van Italië en het Italiaans verlangen naar vrijheid. Hoe ernstige onlusten de gevestigde orde niet kunnen rechtvaardigen! De Koningskwestie was het schandaal der rechtvaardigen. Een menigte brave lieden, om de tuin geleid door hun herders en hun leiders, had zich blindelings hierop geworpen. Ze dachten dat ze de waarheid dienden in deze universele samenzwering tegen de waarheid. Het meest bedroevende was om te zien hoeveel fanatisme zich schaarde achter een vergissing met ernstige vèrstrekkende en desastreuze consequenties.

Ja, alles is voorbijgegaan als een schaduw. Immers, de mens leeft van dromen; deze paar feiten kunnen ertoe bijdragen om genereuze illusies te voeden over de triomf van een goede zaak. Hier zij de uitspraak herhaald die de Kalief deed wenen: 'Gisteren was Alexander minder zwijgzaam dan vandaag, maar vandaag onderricht hij ons beter dan gisteren'. De betekenis van het anachronistische bestaan van Leopold III wordt gevormd door het voorbeeld en de les die zijn fouten ons laten.

En nu? We moeten de kust van het verleden achter ons laten en gehoor geven aan een optimistische roep, een roep die als de grote stem Gods door de geschiedenis klinkt. 'Houd vol, beste Theaetetus', fluistert Plato hem toe, 'hoe gering onze krachten ook zijn, we moeten altijd doorzetten' en met open armen de heerlijk onzekere toekomst tegemoet gaan. Wanneer ik de hand van de boodschapper op mijn schouder zal voelen die de meester herinnert aan hen die in de strijd werden geworpen, zal ik mijn wapens neerleggen en me met een glimlach vol spijt en hoop tot hem wenden, zoals de allergrootsten die ik heb gekend dit wisten te doen.

Tweede deel
Portretten

Churchill

Over Churchill zal nog heel veel gezegd en geschreven worden door mensen die hem van nabij hebben gekend, door andere prominenten of door zijn medewerkers. Maar vanuit mijn persoonlijke genegenheid voor hem durf ik het toch aan iets over hem te vertellen. Eén enkele penseelstreek kan bij het meest volmaakte schilderij de perfectie nog verhogen. In het Rijksmuseum in Amsterdam werd me gewezen op een piepklein rood vaantje ergens in een donker hoekje van de *Nachtwacht*, dat na een restauratiebeurt weer zichtbaar was geworden, op de lans van een van de schutterijkapiteins. Door dit vaantje op de voorgrond ontstaat een perspectiefwerking en dankzij dit felgekleurde detail wordt wat aanvankelijk donker was opeens een zichtbare en diepe ruimte. Dit effect zal ik misschien niet bereiken, maar wat Churchill betreft, hoop ik toch het enigszins te benaderen en dit niet zozeer door vele, maar eerder door belangrijke feiten.

Toen ik op een avond in Rome na een diner het Palazzo Farnese verliet, stond ik een ogenblik in bewondering stil in het Herculessalon met zijn zo immense en harmonieuze proporties, die door de indirecte verlichting volmaakt tot hun recht kwamen. Langs een muur rechts van de ingang stond een zuil met een borstbeeld van Paulus III. Eenzaam stond de oude Paus daar in de leegte. Zijn kale, zware hoofd rustte op zijn borst, met zijn baard tegen de plooien van het marmeren schoudermanteltje.

Ik werd gegrepen door de verbittering van zijn gelaat en terzelfder tijd door iets vaag ontembaars, waarvan tragiek uitging maar dat deze tragiek tevens domineerde. Het was een mengeling van uitdaging en aanvaarding, van list en kracht, van pijnlijke overwinningen en glorieuze nederlagen. Geen sprake van onmacht of verslagenheid. Een bruisende energie in een vermoeid lichaam, een diepe droefheid, de droefheid van een man te groot om niet droef te zijn, maar van een geëxalteerde droefheid. En dan vooral die stijve hals, die het hoofd dwong op te rijzen uit de witte en paarse gewaden van de Heilige Vader.

Automatisch dacht ik aan Churchill. Ze waren uit hetzelfde hout gesneden. Beiden hadden ongeduldig gewacht tot hun 66ste om tot de hoogste macht toe te treden. Voor beiden was het een fantastisch middel geweest voor een individuele bekroning die noch de mens noch het mensdom schade had berokkend.

Beiden hielden van praal en waren begerig naar het nieuwe omdat ze nieuwsgierig waren naar het onbekende. Met een onstuimig karakter waarvoor obstakels niet telden, had ieder voor zich zijn eeuw beleefd. Ze waren naar beproevingen op zoek gegaan omdat ze een lotsbestemming wilden. Ze gaven een indruk midden in het strijdgewoel te staan, van gevechten van man tegen man, van Jacob in een niet aflatende worsteling met de engel. Dit gevecht, waarin ze evenveel klappen hadden geïncasseerd als uitgedeeld, had hen getekend. Het lot had hen het hoofd doen buigen, maar hun geest was niet te breken. Ze waren uit op de zege en geloofden in onsterfelijkheid. Met hun grote gebreken en voortreffelijke eigenschappen laten ze een blijvende indruk na, die nog eeuwenlang zal beklijven. Ook al is de mens nog zo klein, hij is in staat tot grootse daden.

Ik vergat Acheson, Eden en Schuman, en mijmerend over mijn genieën zweefde ik langs de trappen van het Palazzo Farnese naar beneden. Beiden volgden me in de Romeinse nacht waar de levenden de schaduw der schaduwen zijn en ze vergezelden me tot Pincio, de tuin der ontmoetingen...

In het duister vol verzuchtingen wandelde ik verder in gezelschap van deze indrukwekkende escorte. Met zachte stem sprak de een me over de ander en dankzij de een begreep ik de ander beter. Ik besefte dat dit gevoel van verwarring, dat me steeds weer overviel bij het begin van elke ontmoeting met Churchill, werd veroorzaakt door het imponerende talent van deze grote staatsman. Die indruk laat zich niet definiëren, ik heb zoiets trouwens bij niemand anders beleefd. Bij deze man voelde je je plotseling als een eenzame in de woestijn.

Vanaf een punt aan de horizon ontstond een tornado, die duizelingwekkend snel aanzwol. Je verdronk erin, hij sleurde je mee in zijn tumult en liet je in de stilte achter, rustig zoals bij een verwelkomende glimlach.

Dat alles duurde slechts een moment, maar overviel me steeds opnieuw. Ik ging beseffen dat hij, die er zo goedaardig uitzag, ook een geducht man kon zijn.

Al bracht de uitstraling van zijn persoonlijkheid me in een opgetogen vervoering, de uitstraling van Churchills woede loog er niet om als hij uitviel tegen lieden aan wie hij een hekel had.

De mensen die hem benaderden konden hiervan soms een glimp opvangen. Op 13 februari, tijdens een diner met hem en zijn vrouw in hun huis aan Hyde Park Gate, verraste hij me met een uitval die me als een vloedgolf overspoelde. De maaltijd was uitstekend geweest en ruim overgoten met champagne Pol Roger 1928 waar hij zo van hield en die werd geschonken in enorme glazen, een geschenk van de hertog van Windsor. Churchill was gekleed in een 'siren suit', een bijzonder soort kostuum dat hij zelf had bedacht en in verschillende soorten stof had laten uitvoeren, aangepast aan verschillende activiteiten en het moment van de dag. Het was een soort zeer praktische overall die vooraan met een ritssluiting sloot. Die avond droeg hij een exemplaar van zwart fluweel. De kraag van zijn witte overhemd stond breed open en was teruggeslagen. Met zijn frisse gelaatskleur en helder blauwe ogen had hij iets van een romantische bard, oud en bedaard. In een zeer ontspannen sfeer hadden we allerlei onderwerpen aangekaart. Schommelend in zijn stoel en zich aan de tafel vasthoudend, overzag hij het verleden. Zijn helder geheugen zette zijn manier van uitdrukken extra kracht bij. Bij het dessert of de koffie vroeg ik hem terloops of de Engelse regering in 1940 zich zonder hem zou zijn blijven verzetten tegen Hitler.

Churchill bleef doodkalm en antwoordde bevestigend. Maar toen opeens voer hij uit, alsof hij een tegenstrijdigheid in zijn herinnering wilde onderdrukken. *'In elk geval'*, zei hij, *'zouden de Duitsers in Engeland voet aan de grond hebben gezet, dan hadden ze kunnen rekenen op een algehele slachting (a general butchery) die ik al gepland had.* Twee leuzen lieten me niet los: *Let everyone kill a Hun, You can always take one with you. Overal had ik verzetsposten voorzien, explosiepunten die vergeldingsacties en eindeloze gevechten zouden hebben ontketend. We zouden van de kaart zijn geveegd, volledig van de aardbodem verdwenen, maar deze totale vernietiging en dit wanhopig verzet zouden Amerika gedwongen hebben te interveniëren. We zouden in Londen omgekomen zijn. Ik had geschreven dat Londen wel een leger had kunnen verzwelgen. En weet je wat zo vreemd is: de lieden die in Duitsland het invasieplan voor Engeland opstelden, gebruikten dezelfde term. Ze zeiden dat ze Londen niet zouden binnenmarcheren omdat de stad een leger zou verzwelgen. Alle middelen zouden goed geweest zijn om de vijand uit te schakelen. De huisvrouw die de Duitse soldaat een teiltje aanreikte, zodat hij zich kon wassen, zou hem met een messteek in de nek hebben gedood. Het zou een strijd der wanhoop geweest zijn tot aan de dood. Ik zou Londen in een immens kerkhof getransformeerd hebben. Elk van ons zou zich voor God aangeboden hebben met een Duitse metgezel. Ik droeg steeds een wapen bij me. Alleen al bij het mikken zou ik dood geweest zijn, voor eeuwig.'*

Hij had zijn stem verheven, het zwijgen opleggend aan zijn vrouw die hem had willen onderbreken. Het zachte was uit zijn blik verdwenen. Het was de andere kant van zijn karakter, zijn gezicht stond onverstoorbaar en onvermurwbaar. Na deze uitbarsting begonnen we over de huidige situatie te praten. Door het Atlantisch Handvest probeerde het Westen zijn versnipperde strijdkrachten te verzamelen om de nog zwakke barrière tegen het Russische gevaar te verstevigen. De toekomst zag er somber uit. Op het moment dat hij me uitliet zei de oude man, die de hoop nooit liet zakken: *'Laten we bidden dat we aan een nieuwe oorlog ontsnappen en als ons dat niet lukt, laten we dan hopen dat de pijn kort zal zijn voor we eeuwig inslapen. (Let us hope the pain will be short before the eternal sleep).'*

Ik had hem aan het eind van de oorlog leren kennen dankzij zijn dochter Mary, over wie ik niets zal zeggen, omdat het mijn genegenheid voor haar tekort zou doen. Aan Churchills glorie hoefde niets meer toegevoegd te worden. Hij was de standvastigheid zelve. In afzondering bij situaties van nederlaag en macht had hij voor de vrijheid een stem gevonden, de kracht tot optreden, een visie voor de hoop, een triomf voor de wapens en een overwinning voor de ootmoedigheid van de mens tegenover de onbeschaamdheid van de tiran. In zijn woorden had het bloed van de strijdenden weerklonken, de beproevingen van de armen, de tranen van de wereld en de aloude roep om redding, woorden waarvoor de mens in het diepst van zijn ellende nooit doof blijft. Aan de tragiek had hij een glimlach geschonken.

Dit was de mens die ik ontmoette. Men kan zich wel indenken dat ik wat onzeker was bij de eerste ontmoeting. Het eerste wat ik constateerde was zijn eenvoud en ik wist dat zijn geest zijn daden evenaarde. Ik begreep ook heel snel dat hij uiterst gevoelig was en dat verklaarde waarom hij zo in verontwaardiging kon ontsteken, maar ook in staat was tot diepe vriendschap.

Hij had een goed hart en was zowel sterk als zwak; hij koos partij naargelang van zijn overtuigingen, maar hij was niet vrij van vooroordelen ten aanzien van mensen. Zijn handelen was beredeneerd, maar in zijn gevoelens konden vooroordelen meespelen. Wat hij verdedigde, was juist. Degenen van wie hij hield konden zich gelukkig prijzen. Zijn familieleden volgden hem door dik en dun; kwade tongen vergeleken hen met de familie Cromwell. Voor zijn vrienden stond hij altijd met kleine attenties klaar en zij konden altijd op zijn trouwe vriendschap rekenen. Ik herinner me dat hij tijdens de laatste ministeriële crisis van het regentschap een zo onverwacht en vriendelijk gebaar maakte, dat het me geheel uit mijn neerslachtigheid haalde. Dat was in april 1950, aan het einde van een uitputtende dag. Al wekenlang poogde van Zeeland hardnekkig een rechtse regering te vormen. De Prins stond geheel alleen voor alle moeilijkheden. Urenlang was ik aan zijn zijde gebleven en had ik met hem allerlei gevaarlijke klippen op het nippertje weten te vermijden. In mijn kantoortje, dat op de paleistuin uitkeek, was ik even wat gaan rusten op de met gele zijde beklede sofa. Het was zeven uur 's avonds. Buiten heerste stilte, in de verte doorbroken door het geknars en het getinkel van de trams. Ik lag nog te soezen toen de telefoon mij opeens uit mijn zoete lethargie haalde. Met moeite kwam ik overeind.

'Londen vraagt u', zei de telefoniste me.

'Wie is het?'

'Ik weet het niet. Ze willen niet zeggen wie.' Ik nam de oproep aan en vroeg wie er aan de lijn was.

'It's Mr. Mystery speaking', was het antwoord. Hij was het. Ik was even verrast.

'Herken je mijn stem niet?'

'Jawel, maar ik was zo blij dat ik niet meteen kon reageren.'

'Ik bel je omdat ik dacht dat je misschien in de problemen zit en omdat ik nieuws wilde. Hoe staan de zaken?'

'Niet zo best.' Ik gaf snel wat uitleg. De stem, nu eens dichtbij, dan weer veraf, werd weer duidelijker:

'Maak je maar niet te veel zorgen en houd vol. Houd vol, mijn jongen, je zult uiteindelijk winnen.'

(Don't worry too much and hold on. Hold on, my boy, you will win in the end).

Ik ging weer op de sofa liggen, maar mijn vermoeidheid was over. Dit soort spontane invallen had hij. Op het juiste moment aan je denken, een vriendschappelijk duwtje in de rug en je kon het leven weer aan.

Hij was een dichter. Hij had zijn leven geleefd en zijn dromen waargemaakt. Een mooier geschenk van de goden kun je je niet indenken. In de loop van zijn lange leven had het lot al zijn mislukkingen gewroken; naar het einde van zijn leven toe verscheen hij als een profeet, wiens misstappen en de keerzijden ervan slechts de voorbode waren van zijn succes. Toen het leek alsof hij zich had vergist, in verband met Antwerpen en Gallipoli, of door zijn steun aan Wrangel, kwam dit doordat hij te vroeg of op het verkeerde ogenblik gelijk had gehad. Hierdoor verwierf hij de reputatie onvoorzichtig te zijn, waardoor hij steeds ongelijk had in de ogen van hen, die de veiligheid van het onmiddellijke voordeel verkozen boven de risico's van overwinningen ontsproten aan een weloverwogen berekening.

Zonder paradoxaal te lijken kan men zeggen, dat deze triomferende carrière slechts onder haar triomf te lijden had. Hij voelde vaag aan dat hij meer op het toeval kon rekenen dan op de mens. Tegenover het lot veroorloofde hij zich buitengewone vrijheden, die de mensen choqueerden of hen verrukten, maar die het lot hem vergaf. Zijn kwajongensstreken, humeurige buien, zijn bitse uitvallen en onverwachte, spectaculaire beslissingen druisten in tegen de gangbare mentaliteit en de toenmalige tijdsgeest. In buitengewone situaties werd hij aanvaard, men verkoos rust. Geen enkel mens is perfect gelukkig; bij Churchill werd zijn succes beperkt door zijn geluk.

Hij werd bemind en bewonderd, hij belichaamde de held die je niet zelf kan zijn, hij was nauwelijks te volgen omdat hij gevaarlijke, stoutmoedige en onzekere paden bewandelde. Als hij zich met het lot van de wereld bemoeide, ging het je duizelen.

Op een absolute monarch of een tiran zouden die reacties weinig indruk hebben gemaakt. Ze zouden hun macht uitgeoefend hebben zonder hiervoor verantwoording af te leggen. Maar Churchill had de moeilijkste weg gekozen, namelijk optreden met instemming vooraf. Hij was fel gekant tegen elke dictatuur en zijn geloof in de democratie gebood hem dat de meerderheid van zijn gelijken altijd vrijwillig met zijn voorstellen instemde.

Deze instemming kan men soms voor korte tijd provoceren, maar niet constant en niet voor altijd. Men wordt geniale mensen beu zoals men de rechtvaardigheid van Aristides beu wordt. Churchill wist dit en met zijn onuitputtelijke persoonlijke talenten speelde hij de standvastigheid van het toeval uit tegen de onstandvastigheid van de mens. Het is dit geheim dat zijn optimisme een melancholisch tintje en zijn energie iets droefs geeft. Het pathetische van deze grote geest houdt verband met hetgeen hij onophoudelijk heeft nagestreefd, maar ook dat hij zonder illusies het vertrouwen van zijn medeburgers zocht en niet hun onderdrukking beoogde. Weliswaar kreeg hij dit vertrouwen meer dan een ander, maar nooit voldoende, nooit tijdig genoeg en nooit lang genoeg.

In zijn explosieve vitaliteit besefte hij toch voortdurend hoe vluchtig en ijdel het succes is. Hij wist het lot stoïcijns te trotseren, het recht in het gelaat te kijken zonder het te tarten, maar met een glimlach: *'Juist als de zaken slecht gaan'*, zei hij op een dag, *'moet de mens opgewekt zijn. Als je het ongeluk negeert, gaat het voor je op de loop.'* Ook kon hij onbegrip en onverschilligheid trotseren, maar niet echt aanvaarden. Hij hield van macht, die voor hem een tweede natuur was. In perioden zonder macht was hij niet aan het nietsnutten, maar politiek inactief. Na de nederlaag van de conservatieven in 1945, de dag voor zijn verjaardag, bekeek ik bij hem in Chartwell, in het graafschap Kent, de vele geschenken die hij uit de hele wereld had ontvangen en die vooral uit allerlei levensmiddelen bestonden, omdat in Engeland alles gerantsoeneerd was.

'Ja,' zei hij me, 'Attlee en Bevin zijn zeer vriendelijk, ik mag van hen alles bezitten, op één ding na…'

'Wat?'

'Macht.'

Power! Het woord gromde in zijn keel, ontplofte als vuurwerk in de nacht, terwijl zijn blik zich fixeerde op dit onbereikbare licht.

'Zou u graag weer over macht beschikken?'

'Dolgraag. Ik voel dat ik dit land weer op het juiste spoor zou kunnen zetten (I could put them on the right track). Maar ik wil liever niet meer wachten, want dan ben ik te oud. Terwijl nu…'

Om met zijn oproep de levenden te bereiken, greep hij in zijn woorden terug naar de betovering van weleer. Achter het vaandel van zijn uitspraken groeide een cohorte van schaduwen. Ze marcheerden met hem mee; ze verleenden aan zijn woorden het gewicht van de geschiedenis. Hoewel zijn welbespraaktheid geheel op het huidige moment was afgestemd, leek ze toch tijdloos. Dit had niet alleen met zijn persoonlijkheid te maken, zo wonderlijk 'klassiek' in zijn nadrukkelijke bewegingen, gedachten en karakter, maar was vooral een kwestie van vorm. Zijn woordenschat, zinsbouw, originele vondsten en gedurfde woordenassociaties waren doorslaggevend beïnvloed door schrijvers die met hun gehele wezen doordrongen waren van inzichten uit de klassieke oudheid. Door hun stijl, die overvloeide in de zijne, was hij in staat dingen op te roepen die, toegepast op de moderne tijd, de klassieke geesten deed huiveren.

Gibbon had een onuitwisbare indruk op hem gemaakt. In november 1949 was ik aanwezig bij de doop van Churchills kleindochter, Emma Soames, voor wie ik peetoom was. De ceremonie vond plaats in de Fletching Church in Sussex. Daar rust het stoffelijk overschot van Gibbon onder een pompeus Latijns grafschrift opgesteld op last van Lord Sheffield wiens vriendschap, zo verklaarde de grote historicus in zijn testament, nooit kon worden terugbetaald. Na het doopsel gingen we terug naar Sheffield Place, de ridderhofstede van Lord Sheffield en destijds familiebezit van de Soames. Gibbon had er vaak lang verbleven, hij had er de drukproeven van de laatste drie delen van *Decline and Fall of the Roman Empire* gecorrigeerd, hij had er zijn oeuvre herwerkt en vrijwel geheel opnieuw geredigeerd. Volgens de overlevering was hij als spreker nog meer getalenteerd dan als schrijver.

Churchill en ik hadden ons in de bibliotheek teruggetrokken. Het was aan het einde van een grijze dag. Een groot vuur brandde in de open haard. De stoel waarin hij was gaan zitten werd door één enkele lamp verlicht. Door de ramen kon je het immense park vermoeden, een van de mooiste van Engeland, waar het struikgewas, de bomen en waterpartijen zachte en vage lijnen in een kleurloos decor trokken. In de stilte fluisterde een spook; wij beluisterden in de schemering en bij de flikkerende vlammen de veelzijdige en briljante conversatie, bezield door de man die volgens Lord Sheffield perfect twee karakters kon verenigen die men zelden binnen een en dezelfde persoon tegenkomt, namelijk een groot geleerde en zeer prettig gezelschap. Bijna binnen handbereik glansden de zes zachtrode boekbanden op kwartoformaat van de oorspronkelijke editie van *Decline and Fall.*

'Geef me het eerste deel eens aan', zei Churchill. Ik stond op en deed wat hij vroeg. Hij bladerde erin, las even de prachtige opdracht en bladerde snel door tot hoofdstuk 14. Hij las me de eerste paragraaf voor. Ik vertaal deze hier zo goed mogelijk, maar je moet het in het Engels horen om echt van het ritme en de evenwichtige opbouw van een terecht beroemde stijl te kunnen genieten.

'Het machtsevenwicht gerealiseerd door Diocletianus, duurde slechts zolang als het door de vaste en bekwame hand van diens grondlegger werd ondersteund. Het vereiste een zeer geslaagde combinatie van uiteenlopende karakters en talenten, iets wat zelden twee keer voorkomt of iets waarop men slechts kon hopen: twee niet afgunstige keizers en twee Caesars (troonopvolgers), zonder ambities; deze vier onafhankelijke monarchen streefden hetzelfde algemeen belang na. Het aftreden van Diocletianus en Maximus werd gevolgd door achttien jaar onenigheid en verwarring. Het keizerrijk werd door vijf burgeroorlogen geteisterd; de rest van deze periode was niet zozeer een staat van rust als wel een wapenstilstand tussen verschillende elkaar vijandig gezinde monarchen, die elkaar met een door angst en haat gevoede houding bezagen en werkten aan de versterking van hun respectieve krachten ten koste van hun onderdanen.'

Hierna zweeg Churchill een ogenblik. Vervolgens zei hij: *'Dit kan men niet fraaier verwoorden. Zo heb ik zelf altijd willen schrijven. Het zou al mijn inspanningen bekronen mocht ik daarin slagen.'*

Hij geloofde in zichzelf omdat hij in de energie van de mens geloofde. En zo geloofde hij zonder twijfel in God, voor de mens, door de mens. Op een avond zaten we naast elkaar op de sofa in zijn kantoor in Chartwell. We hadden nog niet veel gezegd en ik had een beetje gedronken. Ik was nog niet gewend aan stilte tussen ons en probeerde die te breken. Terwijl ik aandachtig naar de bodem van mijn glas whisky tuurde, zei ik plotseling:

'Sir?'

'Ja', zei hij.

'Gelooft u in God?'

Verbaasd draaide hij zich naar me toe en keek me aan.

'Vreemde vraag, mijn zoon, vreemde vraag. Waarom vraag je me dat?

'Ik weet het niet precies, Sir. Ik vraag het me alleen maar af.'

'Of ik in God geloof, dat weet ik niet, mijn zoon, dat weet ik niet. Ik wou dat de dood die slaap van zwart fluweel was (that black velvet sleep) waaruit men nooit meer ontwaakt. Maar ik weet het niet, ik weet het niet. Ik weet alleen dat, als God me tot zich roept, ik niet bevreesd zal zijn, want ik heb mijn best gedaan. En als de Heer me verwijten maakt, weet je, dan zal ik vechten. Ik zal zeggen, Heer, ik heb dit en ik heb dat gedaan ...'

'Sir,' zei ik.

'Ja,' zei hij.

'Zou dat tot iets dienen?'

'Ik weet het niet, maar ik zal het proberen.'

Hij zei me nog andere dingen die ik intussen ben vergeten, waarna ons gesprek een andere wending nam. Maar toen hij me laat in de nacht naar mijn kamer begeleidde, een kleine groen-witte kamer op dezelfde verdieping, toen we op het punt stonden elkaar welterusten te wensen, vroeg hij me opeens:

'Heb je een velletje papier?'

'Ik zou even moeten kijken, zei ik. *Mag ik u vragen waarom?'*

'Omdat ik voor jou verzen zou willen opschrijven die ik mij herinner.'

Ik zocht vlug in mijn boekentas en vond een oude enveloppe gericht aan de Prins-regent. Ik scheurde het voorstuk eraf en gaf het hem, samen met mijn potlood. Hij schrapte het adres door en schreef vier strofen op waarvan ik de auteur niet heb kunnen terugvinden. Dit als vluchtige herinnering aan een gestelde vraag waarop de oude man juist voor het ochtendgloren terugkwam[49]. Weer alleen in mijn kamer, las ik ze:

I
God and I in Space Alone
And nothing at all in view
'And where are the people, Oh! Lord!, I said,
And the earth beneath and the sky overhead,
And the friends that once I knew.'

II
'Ah! those were dreams, God smiled and said
And dreams no longer true
There are no people living or dead,
No earth beneath nor sky overhead,
There is only Myself and you.'

III
'Then why do I feel no fear, I said,
Meeting You here this way.
For I have sinned as I knew full well,
And is there a Heaven and is there a Hell
And is there a Judgement Day.'

IV
'Nay, those were dreams the Great God said,
And dreams that have ceased to be.
There is no such thing as pain or sin;
And you yourself, you have never been,
There is nothing at all but Me.'

Hij beschikte over een dichterlijkheid die plots opborrelde als essentiële vragen zonder antwoord. Alles kon een aanleiding zijn voor die kortere en langere poëtische ingevingen, die je zowel voldaan als onvoldaan lieten. Het is een beetje vergelijkbaar met Spinoza die vol van God was, het is een staat van heroïsche beschonkenheid, waarin de realiteit aan de droom gehoorzaamt en waarin de droom de realiteit binnensluipt. De mens stijgt boven zichzelf uit, zijn contouren vervagen op weg naar de god in zichzelf en hij wordt dan

Dat kind geheel in tranen door de overwinning
dat zijn onschuldige hand uitstrekte naar de monarch van de hemelen.

De klassieke smaak voor het gebaar en een voorkeur voor pakkende woorden waarin zich een filosofie van handelen uitkristalliseert, gingen bij hem gepaard met een Keltische nostalgie naar een onbekende en betere wereld. Zijn bestaan, zijn werk, geschriften en redevoeringen kenmerkten zich door een nieuwe visie op een onbestemd geluk, de verwachte beloning voor ons lijden, een toekomstige stad die wordt vermoed in de mist, van waaruit het mysterie en het avontuur roepen. Zijn emotionele geladenheid was zo sterk, dat ze zowel hemzelf als zijn gesprekspartners tot tranen wist te roeren – oog in oog met zoveel onzekerheden die voor arme stervelingen onder de sluiers van de hoop werden verhuld.

'Ik heb niemand gekend die beter in staat was andere mensen te ontroeren, of in elk geval de Angelsaksen', zei een Engelse vriend mij eens, nadat hij aan een Amerikaanse universiteit een toespraak had gehoord, waarin uit enkele overwegingen over de schoonheid van moeilijke tijden, de magie van de lotsbestemming naar voren kwam.

Bijna iedereen sterft op zijn vijfentwintigste, samen met zijn jeugd. Churchill had de eeuwige jeugd. Dat is wat hem voor mensen van de oude stempel zo onverteerbaar maakte, maar voor de anderen zo fantastisch en aanvaardbaar, met inbegrip van zijn fouten, extravaganties en inconsequenties. Hij bewonderde Napoleon. Churchill schreef zijn oorlogsmemoires in Chartwell onder de blik van de hem door admiraal Beaty geschonken marmeren buste van de Keizer.

Op het nachtkastje in zijn slaapkamer stond een kleine bronzen buste van de Eerste Consul. Churchill, een vijand van de tirannie, leefde in het gezelschap van een tiran. *'Ik kom steeds weer terug op Napoleon'*, zei hij. *'Hij was een groot genie, maar een slecht genie. Hij werd nooit verslagen, hij werd overweldigd (He was never beaten, he was overpowered).'* Dan, plots, toonde hij waarom hij Napoleon zo bewonderde: in de ridderlijke uitdaging van de strijd waarin men het verdict van de lotsbestemming uitlokt en aanvaardt. *'De strijd'*, ging hij verder, *'is een puur juweel. Het is een unieke gebeurtenis, een uiterste inspanning die tenslotte de vrije daad is die de loop der geschiedenis verandert.'*

Hij bestreed Hitler, die voor hem de belichaming van het kwaad was, maar haatte daarom nog niet Duitsland. Ik denk dat het in februari 1949 in Brussel was, tijdens de tweede zitting van de Europese beweging, dat hij voor het eerst na de oorlog, tijdens een officiële bijeenkomst de Duitsers tegemoet ging en zijn hand naar hen uitstak. Hij verbleef in het Paleis te Brussel en was naar het Ministerie van Buitenlandse Zaken gegaan voor een receptie ter ere van de afvaardigingen van de Europese beweging. Toen hij vernam dat er een Duitse delegatie was en dat Max Brauer, de burgemeester van Hamburg er deel van uitmaakte, kwam hij me tussen de vele genodigden zoeken, troonde me mee en legde zijn hand op mijn schouder: *'Kom mee'*, zei hij, *'en vergezel me als secretaris van de Prins-regent om de Duitsers te begroeten. We moeten het voorbeeld geven en hen laten voelen dat ze bij ons hier geen vreemden of vijanden zijn.'* Ik zie nog het gezicht van de Duitse afgevaardigden voor me toen de overwinnaar met een vriendschappelijke glimlach op hen toestapte.

Lang daarvoor reeds was hij bezeten van de idee van een Europese verzoening. Tijdens het huwelijk van zijn dochter Mary, in februari 1947, sprak hij enthousiast over de Verenigde Staten van Europa met de Franse generaal Koenig, die hij bij zich aan tafel had laten roepen. *'Wat de Duitsers u ook hebben aangedaan'*, zei hij, *'de federatie die ze zullen stichten moet een goede verstandhouding met u hebben. Frankrijk moet Europa leiden. Maar we moeten vergeven. We moeten de zweer liefhebben. Het is een groots gebaar. (You must kiss the ulcer. It's a sublime gesture).'*

Nauwelijks enkele maanden na de verpletterende nederlaag van het nazisme, wandelden we op een herfstdag in 1945 samen in het park van Chartwell, waar hij me de 'Waterworks' toonde die hij liet aanleggen. Twee jonge mannen in bruine overall volgden ons overal. Soms duidde Churchill hen een steen aan die moest worden verwijderd of in een stroompje gelegd om erover te kunnen stappen. Hij toonde hen de werkzaamheden die moesten worden uitgevoerd, inspecteerde wat reeds was gedaan en praatte wat met hen. Toen we doorwandelden, groette hij hen hartelijk. Ik werd getroffen door een soort vriendelijk vertrouwen van hun kant dat zich uitte in een hulpvaardigheid zonder onderdanig over te komen.

'Wie zijn die mensen?' vroeg ik hem. *'Ze lijken me nogal toegewijd.'*

'Dat zijn Duitse krijgsgevangenen. Ze hebben gevraagd om hier te mogen werken. Ze schijnen erg op me gesteld te zijn. Ik geloof zelfs,' zei hij glimlachend, *'dat ze me boven Hitler prefereren.'*

Toen de oorlog eenmaal voorbij was, kende hij geen animositeit meer.

Uit alles waarmee hij zich bezighield, haalde hij iets positiefs. Hij was geboeid door de verwikkelingen van de Koningskwestie en hield niet op me over dit onderwerp uit te vragen.

'Je zou alles wat je me vertelt, moeten opschrijven,' zei hij me.

Ik wierp tegen dat deze geschiedenis over twintig jaar vergeten zou zijn, dat ze er slechts toe deed voor de belangrijkste protagonisten die zelf totaal onbelangrijk waren, dat Aristoteles' stelling die zegt dat de dramatische intensiteit afhangt van de grootheid der protagonisten, slechts gold in een besloten maatschappij die niet meer bestond.

'Je vergist je,' zei hij. *'Deze geschiedenis zal altijd blijven boeien, want het is juist dié*

mensen overkomen. Het publiek houdt ervan als de groten der aarde een lesje krijgen. Prominente personen boeien niet als ze opgaan in de massa.'

Hij citeerde me een strofe van Shakespeare, die door Calpurnia aan Caesar in het gelaat wordt geslingerd om hem te bewijzen, dat de voortekens van het lot een verschil maken tussen mensen:

'When beggars die, there are no comets seen.' Geen komeet aan de hemel als een bedelaar sterft.

Na dit gesprek begon ik met schrijven, want de hemel was vol tekens.

Hij was soms wat abrupt in het ontleden van de dingen en wist er alles tot aan de laatste druppel uit te halen. Deze neiging kon worden toegeschreven aan een hartstochtelijke levensdrang en een romantische onstuimigheid. Dit is makkelijk gezegd en het blijft oppervlakkig. In werkelijkheid had hij iets ontoombaars, hij stond altijd klaar om in actie te komen en menselijke en materiële obstakels die hem van een doel afhielden, genadeloos uit de weg te ruimen. Het beste portret van hem is van Sutherland, die hem voor zijn tachtigste verjaardag schilderde. De kunstenaar heeft hem zeer levensgetrouw en bijna kwetsbaar afgebeeld. Churchill hield niet van dit portret, het irriteerde hem, *'it upsets him'*, zei Lady Churchill, want je kan jezelf misschien wel willen kennen zonder jezelf te willen zien. Achter de officiële geschiedenis, achter de legende en de beeldvorming die een halfgod van hem hebben gemaakt, gaat een karakter schuil dat we nooit mogen vergeten. Hij was een Hercules, die zelfs op hoge leeftijd nog belust was op avontuur, en zo zette hij zich altijd bewust of onbewust in voor alles wat de moeite loonde. 'Volgens de woorden van een onstuimige ziel is roekeloosheid verzot op gevaar en een latente vorm van geweld.' Hiermee zou ik de levensdrang willen verwoorden waarbij aandrift en vreugde versmelten, maar die vaak zo dicht bij de wanhoop aanleunt. Deze levensdrang maakte Churchill verwant met een klein maar universeel milieu, een milieu van successen en mislukkingen, van pogingen en overwinningen, een milieu los van naties en klassen. Het maakte hem verwant met nauwelijks een handvol eerder weerspannige dan opstandige mensen die, in de afzondering maar niet noodzakelijk in de actie, onder het conformisme van wetten of ertegen in, de vervulling nastreven van een bestemming of, eenvoudiger, het bestaan dat ze volgens hun gevoel zouden moeten leiden. Het is ongelooflijk dat hij deze levensdrang heeft behouden, hoewel de eerbetuigingen mettertijd verminderden. Hij bleef verlangen naar macht en roem, ook toen hij als publieke persoonlijkheid over zijn hoogtepunt heen raakte, maar als mens is hij op unieke hoogte gebleven.

Dankzij zijn aangeboren zin voor affiniteiten wist hij gelijkgestemde zielen te vinden. Zoals een bepaald gezicht in de menigte je kan frapperen, waardoor er meteen een bijzondere relatie mee ontstaat, bijzonder omdat ze op geen enkele kennis gebaseerd is maar slechts op een onweerstaanbare aantrekkingskracht, zo wist hij bij de mensen die hij ontmoette een scheiding te maken tussen buitenstaanders en toekomstige vrienden. Naar verluidt had hij slechts aandacht voor vrienden, omdat hij mensen die hij niet kon waarderen, negeerde. Hij waardeerde slechts degenen bij wie hij een vorm van gelijkgestemdheid herkende. Vandaar een selectie en afwijzing die onrechtvaardig leken omdat hij zonder enige aanwijsbare reden selecteerde of buitensloot. Bij een lunch in Downing Street, tijdens zijn tweede premierschap, vroeg hij me wie zijn minister van Landbouw was. Ik gaf toe het niet te weten. Hij dacht even ongeduldig na en riep toen zijn vrouw.

'Clemmy,' zei hij, met zijn vingers op tafel tokkelend, *'hoe heet die vetzak (the fat man) die mijn minister van Landbouw is?'*

'Hoe zou ik dat moeten weten?' zei ze.

Hij dacht even na maar kon het zich, ondanks zijn inspanningen, niet herinneren. Bij ons afscheid had ik maar één gedachte: hoe kom ik achter die naam. Ik schoot er zo snel mogelijk een Engelse vriend over aan, die begon te lachen: *'O, dat is Sir Thomas Dugdale'*, zei hij, *'gewezen secretaris van Baldwin.'* Tussen Churchill en Baldwin boterde het totaal niet. Ik denk niet dat hij zich de naam van Baldwins medewerker vaak wenste te herinneren. In dit geval versmolten zijn geheugen en zijn gevoelens.

Toch, als hij in zijn gevoelens verraden was en zijn ontgoocheling begon te beseffen, kende hij geen pardon. Boven zijn bed in zijn slaapkamer te Chartwell had ik een serie foto's gezien. Op twee rijen boven elkaar hingen familiefoto's en afbeeldingen die herinnerden aan belangrijke momenten. Er was onder andere een foto van de Dag der Victorie, op 8 mei 1945, waarop de oude man de massa toelachte, met naast zich koning George en koningin Elisabeth die de voor Buckingham Palace samengeschoolde menigte toewuifden. De Koning en de Koningin hadden deze foto ondertekend. Verder was er nog een foto met het portret van Stalin, voorzien van een lange opdracht. Op mijn verbazing dit portret te zien hangen temidden van foto's van zijn familie, intimi en degenen op wie hij het meest gesteld was, reageerde hij, dat er tussen hem en Stalin een echte sympathie was gegroeid. Door toedoen van maarschalk Montgomery had hij kort ervoor nog een bericht van Stalin ontvangen, waarin deze hem bevestigde dat hij de kameraadschap uit de oorlog nooit was vergeten, ondanks hun uiteenlopende politieke opvattingen. Dat was begin 1947. Churchill vertelde me ook dat, toen hij Stalin voor het eerst ontmoette na de Duitse aanval op Rusland, hij aan deze had verklaard: *'Tijdens de andere oorlog heb ik Lloyd George aangespoord in Rusland te interveniëren. Kunt u me dat vergeven?'*

'Laten we het verleden in Gods handen laten rusten', had Stalin geantwoord, *'dat moeten we maar aan hem overlaten.'*

Het staat buiten kijf dat er tussen deze twee topmannen wederzijds begrip bestond. Door hun positie en temperament wisten ze een globale visie op de zaken te ontwikkelen, waarbij ze zich niet door overbodige details lieten beïnvloeden en in staat waren Gordiaanse knopen door te hakken. In deze periode van glorie en overwinning hoopte Churchill de broederschap te kunnen benutten om zijn oude strijdmakker warm te maken voor een meer tolerante houding tegenover het Westen. Hij had graag gewild dat uit hun openhartige gesprekken de wereldvrede, of althans de aanzet hiertoe, kon ontstaan. Maar toen hij niet langer aan de macht was, leek hem het krediet dat hij zichzelf gaf, verspild en dat betreurde hij. Niet lang daarna ontmoette ik hem opnieuw. De Russen waren Praag binnengevallen. Hij zei me dat hij nu niet meer zo zeker wist of hij de foto van een man, die tot zoiets in staat was geweest, nog wel in zijn slaapkamer wilde hebben. Bij mijn volgende bezoek was Stalins portret verdwenen. Hoewel Churchill sprekend over Stalin nog steeds diens grootheid erkende, liet hij zich – verontwaardigd als een bedrogen minnaar – over zijn persoonlijkheid uit zonder een blad voor de mond te nemen.

De Britten hebben iets onwrikbaars en heel natuurlijks. Dat verklaart ten dele waarom Churchill in al zijn wederwaardigheden dezelfde is gebleven. Maar er is meer. De realist Churchill werd tegen de werkelijkheid beschermd. Hij handelde in beschutte afzondering, wat je ook wel egoïsme zou kunnen noemen, ware het niet dat hij zoveel goeds verrichtte en de spontaneïteit van zijn genie niet aan banden legde. Hij was een mens die mijlenver afstond van de dagelijkse beslommeringen. Zijn hele leven lang nam hij nooit een autobus. Eén keer had hij, tijdens de staking van 1921, de *underground* genomen om naar het Parlement te gaan. Zijn vrouw had hem bijna aan het handje tot aan het metrostation gebracht, vermoedelijk Kensington. Maar tot in Westminster is hij nooit geraakt en hij kwam, God weet hoe, weer thuis nadat hij in de metro meermaals de *Inner Circle* had gedaan. Al jarenlang had hij niet meer gewoon over straat gelopen en een voet in een winkel gezet. Zijn secretarissen bestelden zijn zakdoeken. Zijn originele kledij, zoals de redingote of *siren suit*, was totaal uit de mode of liep erop vooruit. Het was niet te vergelijken met de extravagante outfit van een dandy, maar eigenlijk wel zo amusant. Hij had geen flauw idee van de huishoudelijke problemen waarmee zijn personeel te kampen had en zijn gevoel voor luxe had zowel te maken met zijn onkundigheid met die problemen als met zijn verlangen naar ongestoord comfort. Zich 's avonds uitgebreid omkleden was voor hem een tweede natuur. Als je dit vanwege tragische omstandigheden oversloeg, vond hij dat je het gevaar nog vergrootte door een gebrek aan discipline. In juni 1940, op het moment van het Franse debacle, bij zijn laatste bezoek aan Paul Reynaud, die in Briare letterlijk in een 'noodonderkomen' woonde, stond Churchill erop dat hij vóór het avondmaal een uur kreeg om zich te kunnen omkleden. Daarna verscheen hij in een onwaarschijnlijk wonderlijke uitdossing, maar wel in iets anders dan wat hij overdag had gedragen.

Ondanks zijn schijnbaar brede belangstelling hield hij zich eigenlijk alleen maar intensief bezig met wat hem echt interesseerde. Churchill had weinig algemeen geldende ideeën, maar wel enkele grote visies waarop hij zich kon baseren voor pragmatische standpunten, die soms verbazingwekkend soepel, handig, ja, zelfs cynisch waren en die de voedingsbodem voor zijn optreden vormden. Die visies waren: het Britse Imperium als permanente orde gegroeid uit één lang avontuur, en de wereldvrede, avontuur voor de toekomst, als resultaat van de Angelsaksische invloedssfeer. Thema's die je steeds bij hem terugvindt, ofwel zeer uitgesproken ofwel nauwelijks aangegeven ofwel subtiel verpakt, maar immer aanwezig. Wanneer dat wat hij als essentieel beschouwde op het spel stond, zette hij alles op alles. Hij ging in de aanval, sloeg toe, charmeerde, hield voet bij stuk, won niet altijd alles tot in de details, maar met zijn ongemeen sterke wilskracht en zijn hoogst inventieve ingevingen concentreerde hij zich op het doel, volledig volgens de geest van de wet, het *aequam mentem*, waaraan hij zich tegenover het onvoorzienbare spel van het menselijk toeval toch wist te houden.

Zo de getuige in hem de acteur bewonderde, zo drong de acteur zich aan de getuige op. Het vliegtuig van de Prins-regent bracht ons van Brussel naar Biggin Hill, het vliegveld dat het dichtst bij Chartwell lag, zijn huis in Kent. Hij vroeg me of we even over Duinkerken konden vliegen. Het was stormachtig weer. Zware donkere wolken dreven langs de herfstlucht. De Noordzee lag kalm onder ons. De stranden lagen als een lint geklemd tussen het frisse groen van de velden en de schuimende lijn der golven. Het vliegtuig cirkelde traag over enkele honderden meters geel zand. Zij aan zij zaten we voor een raampje geknield, zijn arm om mijn schouder geslagen en keken naar buiten. Zoals bij David voor de heuvels van Gilbod, zo weerklonk in Churchills oren het verstomde strijdrumoer en hij herhaalde meermaals: '*It's unbelievable!, it's unbelievable!*' Dat daar het epos was begonnen, op die dunne strook grond die aan alle kanten was aangevallen en die als achtergrond had moeten dienen voor een beslissende ramp in plaats van de voorbode te zijn van een overwinning ver in het verschiet, dat was voor hem iets onvoorstelbaars. In die ogenblikken tastte ik het verleden af en voelde hoezeer de gebeurtenissen van 1940 Churchills kwaliteiten hadden gereveleerd, die zonder de gigantische uitdaging van dat moment misschien niet zo duidelijk naar voren waren gekomen. De evacuatie van talloze Britse soldaten zorgde in die periode van fundamentele onzekerheid over een wereld, die dreigde ten onder te gaan, toch nog voor een sprankje hoop. Je telde niet langer de dagen die je nog te leven had. Het gevoel dat je bestond was zo sterk dat hierdoor, in de spanning van het moment, elke gedachte aan een langer voortbestaan in de kiem werd gesmoord en je onmiddellijk tot actie wilde overgaan. Het lot zonder pathos te trotseren – wat de moed der besten was – redde hen van de angst te sterven. De oude man verslond met zijn ogen de kust waar de overwinning was begonnen en ik vroeg me af of zijn energie, die haar eigen ondergang in het gelaat durfde zien of zelfs provoceerde, haar oorsprong vond in het verlangen naar onsterfelijkheid. Zolang hij in de herinnering van de mensen voortleefde, zou hij niet ten onder gaan, althans niet tot aan de vergetelheid die een tweede dood is. Deze idee van een tweede dood ontdekte ik op een grafschrift van het klooster van de heilige Zeno in Verona. Maar hier is de invalshoek zeer christelijk. De gelovige verkiest de zekerheid van een nieuw leven door in de Heer opgenomen te worden boven de illusie van een kortstondig voortbestaan in 's mensen herinnering. In zijn sombere en sobere sereniteit luidde deze idee als volgt:

Ik heb geleefd. Naar verluidt is het schoon in de glorie te overleven, maar dient men niet een tweede keer te sterven? Het volstaat eens en voor altijd in de Heer te sterven tot de Dag des Oordeels waar ik, in mijn wederopstanding, God mijn heiland zal zien.

Met genoegen citeer ik deze gedachte, want ze is door een dunne draad met mijn onderwerp verbonden. Machtige prominenten doen vaak een dramatische inspanning hun stoffelijke vergankelijkheid te overleven, alsof de intrede in de geschiedenis de dood van het individu zou kunnen compenseren.

Bij Churchill uitte dit verlangen zich in een dichterlijkheid die gevoeligheid aan kracht paarde. Evenals de Condottiere van Suarès, leefde hij slechts voor de actie, dus ook voor poëzie, die hij overal zag. Elke gelegenheid was een golf die hem 'vele diamanten van nauwelijks waarneembaar schuim' bracht, ontelbare verzen uit de schatten van zijn geheugen. Ik wil hier een van mijn mooiste herinneringen oproepen. Maandagavond 18 oktober 1948 waren we alleen in Chartwell en praatten in zijn werkkamer wachtend op het souper. Hij vroeg me of ik Byron kende. Ik antwoordde ontkennend. *'U zou hem moeten leren kennen'*, zei hij, *'het is een oprecht man in een wereld waarin bijna alles schijn was.'* Hij nam een boek uit de bibliotheek, ging in een hoekje bij het vuur zitten en begon me de eerste Zang van Don Juan voor te lezen. Het souper onderbrak ons. Na de maaltijd keerden we naar zijn werkkamer terug en hij begon de verzen verder voor te lezen. Tussen 9 uur en middernacht beëindigde hij de eerste Zang van Don Juan. Aan het slot zei hij me glimlachend: *'We gaan om whisky en boterhammen met ham vragen, om de nachtelijke hongersnood te verdrijven (against night starvation).'* Vervolgens ging hij verder met lezen tot een uur 's nachts, waarbij hij het begin van Zang II nam en ook gedeelten uit de andere Zangen koos. Byrons nuchtere, koele humor waarachter de dichter zijn ontgoocheling en cynisme verschool die niets anders waren dan een ontgoocheld enthousiasme, klonk door in Churchills nasale klaroenachtige stem. Hij las vlug en met emotie. Tussen het lezen laste hij commentaren in. Aangekomen bij de honderddderde strofe van Zang I, waarin Byron op lichte toon de dag roemt waarop Don Juan voor het eerst de liefde met Dona Julia proefde, begon hij deze strofe uit het hoofd te reciteren, me over zijn bril heen aankijkend:

'T was on a summer's day – the sixt of June:
I like to be particular in dates,
Not only of the age, and year, but moon;
They are a sort of post-house, where the Fates
Change horses, making history change its tune.
Then spur away o'er empires and o'er states,
Leaving at last not much besides chronology,
Excepting the post-obits of theology.

Hij sprak elk woord afzonderlijk uit, benieuwd naar het effect dat dit op mij zou hebben. Ik onderbrak hem, iets wat hij verwachtte.

'Hebt u de datum van 6 juni voor de invasie gekozen, omdat u zich deze verzen herinnerde? ' 'Nee,' zei hij glimlachend.

Ik was gefascineerd. Jarenlang had deze strofe doelloos door zijn geheugen gedoold tot de dag waar ze zó goed op de gebeurtenissen van toepassing was, dat je je afvroeg of ze niet geholpen had de gebeurtenissen te creëren. Men zou over dit thema eindeloos kunnen nakaarten, maar voor de droom is het beter dat de dingen mysterieus blijven zoals zijn ontkennende glimlach.

Verderop volgde de afscheidsbrief van Dona Julia aan Don Juan, die vertrekt op het moment, dat zijzelf naar een klooster is verbannen. In de oprechtheid van haar wanhoop welde de brief op uit de ironische overwegingen die eraan voorafgaan en die erop volgen, zoals een diamant waaraan de auteur in het voorbijgaan slechts vluchtig en spottend aandacht had besteed:

They tell me 't is decided you depart:
'T is wise – 't is well, but not the less a pain;
I have no further claim on your young heart,
Mine is the victim, and would be again:
To love too much has been the only art
I used; – I write in haste, and if a stain
Be on this sheet, 't is not what it appears;
My eyeballs burn and throb, but have no tears.

I loved, I love you, for this have lost
State, station, heaven, mankind's, my own esteem,

And yet can not regret what it hath cost,
So dear is still the memory of that dream...

Zijn blik werd wazig en zijn stem veranderde terwijl hij verder las. En ik, ik ben nog steeds in de ban van die heugelijke avond in gezelschap van deze oude man, overwinnaar van één der grootste oorlogen ter wereld, die in deze eenzame nacht met tranen in zijn ogen de poëtische klaagzang van een verlaten vrouw voorlas.

Wat vrouwen betreft denk ik niet dat hij voor hen – daar hij meer risico liep slaaf dan meester te zijn – voldoende energie heeft ontplooid om de overwinning en de macht binnen te halen. Hij was gelukkig getrouwd. Zijn gezin gaf hem de hoeveelheid lief en leed nodig voor menselijk evenwicht. Anderzijds had hij misschien gevreesd zijn Samsonkracht te verliezen, had hij het geheim ervan aan Delila geschonken. Hij stond terzelfder tijd dicht bij vrouwen en er ver van af: dicht bij hen om op afstand van hen te blijven. Zij waren een onmisbaar ornament in een maatschappij die zonder vrouwen voor hem aanzienlijk minder aantrekkelijk zou zijn geweest, maar hij wilde niet dat zijn prettig geordend bestaan door hen in de war zou worden gestuurd.

Zijn sympathieke maar eerder oppervlakkige relaties met vrouwen, zonder ongelukkige liefdes, gaven zijn wijsheid meer impact en maakten hem onpartijdiger als iemand hem om advies vroeg bij liefdesperikelen, terwijl zijn ongelooflijke vitaliteit zich kon concentreren op viriele regeringstaken en de felle strijd om de macht.

Zo bereikte hij, oud en wijs, overladen met glorie, met legende gelauwerd, de overwinning van de conservatieven van 1952. Op zijn zevenenzeventigste kwam hij weer aan de macht. Ik ontmoette hem kort daarop in Downing Street. Ik werd naar de tweede verdieping geleid, in een klein comfortabel vertrek met gordijnen en bekleding van fleurig cretonne, dat uitkeek op het binnenplein van het Ministerie van Financiën. Hij zat in een grote fauteuil, blij, glimlachend, schalks, zijn nieuwe gehoorapparaatje mishandelend. *'Hier zal ik doodgaan'*, zei hij *(I'll die here.)* Dat was niet correct. Zijn levensvreugde zou hem ten slotte weer op zichzelf terugwerpen en tot de ultieme afzondering brengen. De oude geduchte bulldog wist nog steeds op alles zijn stempel te drukken. Zijn intuïtie bleef uniek, zijn activiteit en nieuwsgierigheid bleven universeel, zijn stem behield de intonatie die mensen in vervoering bracht en tot tranen toe roerde. Hij was bezeten van twee ideeën: 1. bescherming van de vrije wereld door het behoud van de superioriteit ervan of op zijn minst een evenwicht op het vlak van kernwapens, en 2. voorbereiding van de wereldvrede door een topoverleg tussen de grote machthebbers. Onder zijn impuls werd Groot-Brittannië een kernmacht, terwijl het topoverleg tussen de machthebbers dat hij zo had gewenst en dat hem steeds was geweigerd, door zijn opvolger werd verwezenlijkt.

Maar alhoewel zijn visie juist was en ofschoon hij vastberaden optrad, was hij oud.

Was hij nog jong geweest dan zou men hem met zijn kwaliteiten hebben geapprecieerd, maar bij een man van zijn leeftijd vond men het ongeloofwaardig of bijna choquerend. Men heeft niet graag dat de levenden te lang bewondering afdwingen. Men probeert om de kwaliteiten van prominente persoonlijkheden te minimaliseren, om ze daarna dood te zwijgen. Het doek moet vallen, het publiek wil vertrekken. En de zaal blijft des te duisterder, leger en stiller naarmate de acteur langer op de planken is gebleven. De geschiedenis moet het stuk herschrijven, niet zoals het gespeeld werd maar volgens de smaak van de toeschouwer.

Churchills geringste vergissing werd aan seniliteit toegeschreven. Zijn grootse plannen waren de obsessies van een oude man. Naar verluidt zou hij zich uitsluitend bezighouden met regeringszaken die hem interesseerden, terwijl hij de rest zou verwaarlozen. Het heette dat er wel iemand aan het hoofd van de regering stond, maar dat er niet werd geregeerd. Beweerd werd dat hij in de ministerraad niet verder kwam dan het eerste agendapunt of dat hij slechts die zaken behandelde die hem interesseerden. En gezien zijn leeftijd klopte dit soms wel, maar het was niet terecht dit alles zo op te blazen. Hij was vermoeid, hij was van een herseninfarct hersteld, maar op een aantal momenten was hij toch echt de grote Churchill en dat was grandioos. En zelfs als hij geen briljante ideeën had, dan bleef er nog het woord, zijn magische welbespraaktheid, de laatste gloed die de hemel in vuur en vlam zet lang nadat de zon is ondergegaan. *'I cannot longer clothe my thoughts in words'*, zei hij van zichzelf en door het zo prachtig te verwoorden, bewees hij het tegendeel.

Hij wilde niet in het harnas sterven. Hij begreep dit tijdig en besliste de macht op te geven toen hij eenmaal eenentachtig jaar was, in de Paasweek van 1955, nadat hij Anthony Eden als zijn opvolger had aangeduid (als premier en als leider van de Conservatieve Partij).

Het lot bleef hem gunstig gezind waardoor hij een punt kon zetten achter zijn politieke loopbaan, niet gedwongen af te treden, niet door een verkiezingsnederlaag, maar op een door hemzelf gekozen moment, in de volle glorie van zijn triomf. Een van de grootste staatslieden aller tijden rondde zelf zijn personage af. In de enkele jaren die hij nog leefde, bereidde hij met zijn kernachtige visie en door zijn prestige, zijn actief optreden en redevoeringen een verenigd Europa voor; genoemd zij vooral de Züricher rede (sept. 1946, waarin hij ook een verzoening tussen Frankrijk en Duitsland bepleitte). Hij maakte het begin ervan mee; aan het eind van zijn leven genoot hij bij voorbaat van het vooruitzicht.

Dit is de persoonlijkheid waarmee Leopold III verkoos in aanvaring te komen. Laatstgenoemde probeerde zich met Hitler te verzoenen en Churchill onder druk te zetten. Het is een fout die gemakkelijk door gelijkgezinden wordt begaan als gevolg van hun minachting voor de mensheid. Het was voor Leopold III normaal naar Berchtesgaden af te reizen om de vermoedelijke overwinnaar voor zich te winnen. Het was de enige manier om iemand zonder scrupules te doen zwichten. De troon was wel wat hielenlikkerij waard. Churchill daarentegen moest wel overlopen van sympathie voor de monarchie. Onnodig dus om hem te ontzien in de onwaarschijnlijke veronderstelling dat Churchill de oorlog zou winnen. Toen de oude man de Koning diens illusies ontnam, werd dat beschouwd als onvergeeflijk, als een verraad. Het was algehele overwinning, daar waar men veeleer een compromis had verwacht. Omdat hij nooit aan de verwachtingen had voldaan, omdat hij niet in de smaak was gevallen, was hij nooit een groot man geweest en nu al helemaal niet meer. Hij werd verfoeid door iedereen die van verre of van nabij iets met de koninklijke familie uitstaande had. Jaren na de oorlog, in 1954, deed graaf Gobert d'Aspremont-Lynden, grootmaarschalk aan het Hof, hem tegenover barones Lambert af als gangster. Dit is kenmerkend voor het politiek instinct van Leopold III: hij wist het klaar te spelen dat Churchill zijn tegenstander werd zonder dat hij Hitler tot vriend kon maken.

In Deel Twee van zijn Memoires (over de Tweede Wereldoorlog) uit Churchill twee keer zijn gevoelens over het gedrag van de Koning met betrekking tot de omstandigheden van de capitulatie van het Belgische leger. Churchill volstaat ermee de verklaringen te herhalen en koelbloedig te bevestigen die hij in 1940 in het heetst van de strijd voor het Britse parlement had gedaan. Ondanks jaren van nadenken was hij niet van mening veranderd. Zijn nooit herroepen scherpe oordeel valt niet uit de geschiedenis weg te schrijven. Het blijft. Alle pogingen tot rehabilitatie, tot rechtvaardiging, de verontwaardiging over de onderdanigheid, de spitsvondigheden te goeder of te kwader trouw, de lange verslagen van koninklijke commissies of pamfletten van broodschrijvers delven het onderspit voor dit allerbelangrijkste feit: het strenge oordeel van een zeer groot man aan wie de wereld haar vrijheid te danken heeft. Hij vond het zelfs onnodig nog verder op het onderwerp in te gaan of om erop terug te komen; voorgoed bevestigde hij nog eens de woorden die hij in 1940 had uitgesproken en waaraan hij een zin commentaar had toegevoegd: het feit dat hij dit destijds zo had gezegd, was omdat hij geloofde dat het zijn plicht was de waarheid aan te tonen, – niet alleen met de bedoeling om de Fransen recht te doen, maar ook de Belgische regering die in Engeland de oorlog voortzette.

Men kan zich de consternatie en de razernij van de leopoldisten voorstellen toen dit deel van Churchills oorlogsmemoires verscheen. Tot dan hadden ze zich rustig gehouden. Het minste wat Churchill in hun ogen kon doen, was zich nader te verklaren en dit zou de Koning van alle beschuldigingen vrijpleiten. Leopold III had sinds zijn bevrijding elk contact met Churchill geweigerd. Toch had hij Churchill via indirecte bronnen zijn wrok en diepgewortelde misnoegen laten doorspelen, aangezien hij in 1940 beledigd was. In onbeschofte bewoordingen, die de oude man diep hadden gekwetst toen ik ze hem had doorgespeeld, had de koningsgezinde pers – met name *La Libre Belgique* – verklaard, dat Churchill met zijn Memoires de kans zou hebben om eindelijk ondubbelzinnig zijn ongelijk te bekennen.

De aanhangers van de Koning hadden gehoopt dat Churchill zijn woorden zou herroepen of op z'n minst met een genuanceerde opinie zou komen, die tot een controverse zou leiden waarmee ze hun voordeel zouden kunnen doen. Was de getuigenis gunstig voor hen uitgevallen, dan zou dit van onschatbare waarde zijn geweest. Churchill zou de grootste man ter wereld zijn geweest en het gewicht van zijn woorden had aan de Koningskwestie misschien een andere wending gegeven. Zij minimaliseerden de onverholen veroordeling onmiddellijk op allerlei manieren. Het was bizar; men kleineerde Churchill door zijn opvatting in diskrediet te brengen. Hij werd bestempeld als gepassioneerd en oppervlakkig. In zijn behoefte de feiten naar zijn hand te zetten zou Churchill de waarheid hebben versluierd; in zijn leven en geschriften wees men op zijn fouten en tegenstrijdigheden om daarin ook zijn oordeel over Leopold III te kunnen onderbrengen of in elk geval een smet op Churchill te werpen. De leopoldisten probeerden hem als een kwalijk persoon af te schilderen door te beweren dat Churchill zowel het Belgische leger als de Koning had beledigd. Toch was hij zo verstandig geweest om het een van het ander los te koppelen en over het Belgische leger te zeggen, dat het een moedig en efficiënt leger was. Overigens bleken genoemde valse beweringen even nutteloos als hun voorafgaande snoeverijen. Het is hun niet gelukt met hun zinloze praatjes de grote stem van een man tot zwijgen te brengen of zelfs maar te overstemmen, een man die oog in oog met de geschiedenis onverstoorbaar bleef volhouden dat Leopold III ongelijk had gehad.

Ik zou wat meer toelichting bij zijn getuigenis willen geven en er de draagwijdte van willen verduidelijken. Tijdens de receptie voor het huwelijk van zijn dochter Mary op 11 februari 1947 nam Churchill me even apart en legde me uit dat hij in zijn Memoires op het punt was gekomen van de Duitse invasie in België in 1940. Churchill sprak over de Koning in strenge bewoordingen en verklaarde me, dat hij bij zijn oordeel van 1940 over de Koning bleef. Ik antwoordde hem glimlachend dat het een middel bij uitstek was om Leopold III een plaatsje in de geschiedenis te bezorgen waaruit hij anders snel zou verdwijnen. Churchill zei me nog dat Groot-Brittannië België nooit te hulp gekomen zou zijn, had het geweten dat de Koning de geallieerde waarborg interpreteerde als zouden de verbintenissen van België zich uitsluitend beperken tot het verdedigen van zijn eigen territorium. Ik antwoordde dat de Belgische regering zelf toentertijd niet eens wist hoe de Koning hierover dacht. Dat was de oorzaak van het conflict tussen Churchill en Leopold III.

Ook psychologische redenen hadden Churchill nog versterkt in zijn onwrikbare mening. Hij was verontwaardigd over de manier waarop de royalisten de Prins-regent behandelden. Hij vond de houding van Leopold III tegenover diens broer ongehoord. De mengeling van misprijzen, onachtzaamheid, moedwilligheid of zelfs bijna openlijke vijandigheid die de kern vormde van het optreden van de Koning tegenover de Regent, stuitte Churchill des te meer tegen de borst omdat hij zich kon indenken hoe afschuwelijk dit moest zijn. Leopold III bejegende hem immers op dezelfde manier.

De oude Churchill en de Prins waren door een diepe genegenheid met elkaar verbonden. In 1945, 1946 en 1948 was hij in Brussel en Ciergnon meerdere dagen de gast van de Regent geweest en had enthousiasme bij de bevolking opgeroepen. Die onzekere bleke Hamletfiguur, die kans zag een onmogelijke situatie het hoofd te bieden, had hem geraakt. En om een zinspreuk van de Prins van Denemarken aan te halen: *'The readiness is all'*. Avonden lang voerden ze tot aan het ochtendgloren gesprekken over de meest uiteenlopende onderwerpen. Voor de Prins, die probeerde zo goed mogelijk de hem opgelegde taak te volbrengen – iets wat hem moeilijk werd gemaakt – was bij Churchill een behoefte ontstaan tot beschermen, een wens tot gerechtigheid. Na zijn tweede reis naar België, vergezeld door zijn dochter, had Churchill een brief aan de Prins geschreven die ik hier weergeef en die zijn gevoelens toont. Churchill schreef het epistel met de hand in het vliegtuig dat de Regent tot zijn beschikking had gesteld voor zijn terugkeer naar Engeland:

29-IX-46
Airborne!

Sir,

We enjoyed our visit so much, and it was a great pleasure to visit your Royal Highness and to have such long and interesting extraordinary conditions, and earnestly hope that you will solve them. I am sure the key is Duty.

I was painfully affected by all you told me about your brother's singular attitude and behaviour to you in these long tragic years. I have a brother who is five years younger than me, and whom I dearly love and always cherished. I grieve indeed that you have never found the same kindness and protection which Nature decrees.

My visit to Paris was successful. I had long talks at the British Embassy with Byrnes, Bidell-Smith and General Smuts. How much we all agree! There has been no publicity to cause embarrassment to Mr Bevin; and I have brought my knowledge of the general position up-to-date, and renewed again my intimate American contacts.

I write this in your beautiful and silent airplane. It was indeed kind of you to let it take me home by a triangular route. We carry with us very pleasant memories, and send you back our warmest wishes for yourself and your country.

I am, Sir, Your Royal Higness's
obedient servant.

Winston S. Churchill.

Deel Twee van Churchills Memoires moest normaal in 1949 zowel in diverse afleveringen in de internationale pers als in boekvorm verschijnen. De Koning besefte wel wat laat dat hij er beter aan had gedaan, Churchill niet te verwaarlozen en dat het nuttig zou zijn hem over te halen tot inkeer te komen. Ofschoon zijn eigenliefde nog steeds te groot was om Churchill om een ontmoeting te vragen, wenste hij toch op de een of andere manier met hem in contact te komen. De hertogin van Windsor stelde haar bemiddeling voor. Het was een slimme vrouw, die wist hoe ze zoiets moest aanpakken. De Windsors ontmoetten destijds regelmatig Leopold III en de Prinses van Retie zonder dat ze hen overigens erg genegen waren, want de Windsors waren niemand erg genegen. De hertogin van Windsor voelde zich lichtjes solidair met de Prinses van Retie. Ze dacht nochtans, en ze zei het me meermaals, dat haar avontuur veel beter was geslaagd dan dat van haar toevallige gesprekspartner, zelfs al was hun situatie identiek. In haar ogen was de Hertog, zoals ze hem graag noemde, een held in de liefde, terwijl Leopold III slachtoffer was van een reeks uitglijders, waarin ook de liefde kaderde. Het is een parallel waarop ik met de hertogin nooit dieper ben ingegaan, haar het genoegen van haar ideeën latend zonder haar in haar meest intieme overtuiging te kwetsen.

Toch dient gezegd dat zij zich dienstbaar wilde maken en hiervoor presenteerde zich een onverhoopte gelegenheid. Churchill bracht met een deel van zijn gezin de Nieuwjaarsdagen van 1949 in Monte-Carlo door. De Koning en de Prinses van Retie waren evenals de Windsors in Zuid-Frankrijk, aan de Rivièra. De hertogin stelde haar geschut op. Zij was er nogal vlug in geslaagd de Prinses van Retie en derhalve de Koning ervan te overtuigen, dat het moment was gekomen een ontmoeting te organiseren die ze reeds meermaals had geadviseerd. Ze zou een diner geven ter ere van Koning Michael van Roemenië die ook aan de Rivièra verbleef, diner waarvoor ze tevens de Koning, de Prinses van

Retie en de Churchills zou uitnodigen. Leopold III en de oude man zouden als vanzelfsprekend tegenover elkaar aan tafel zitten en zijn goede genius zou de rest doen. Hij zou het delicate onderwerp van de Memoires kunnen aansnijden, zijn versie van de gebeurtenissen van 1940 uiteenzetten en ze misschien doen zegevieren. Alleen moest Churchill nog voor dit plan gewonnen worden. De hertog van Windsor, voor wie Churchill altijd een zwak had gekoesterd, nodigde hem uit voor het geplande diner, maar die invitatie werd kil ontvangen. De hertogin besloot om zelf tussenbeide te komen en over te schakelen op de derde versnelling. Zij nodigde de oude man uit voor een partijtje 'gin rummy', het enige kaartspel dat hij kende. Tijdens het kaarten sprak ze met hem over Leopold III en diens wens om zich nader te kunnen verklaren. Churchill wilde niets weten van een ontmoeting die al honderd keer eerder had kunnen plaatsvinden indien de Koning dit gewenst had. Hij voelde waar Leopold op uit was, het was een onderhoud of verklaring waarmee hij tegenover zijn tegenstanders in België zou kunnen uitpakken.

De oude man deed eerst ontwijkend en zweeg daarna. Om hem gunstig te stemmen liet de hertogin hem winnen. Telkens wanneer hij een goede slag deed, drong ze er bij hem op aan haar uitnodiging aan te nemen. Terwijl hij de kaarten raapte, herhaalde hij voortdurend: *'I like Prince Charles.'* Zij haalde niets anders binnen dan een nederlaag en die litanie. Toen ze me de gebeurtenis jaren later vertelde, kon ze er nóg niet over uit.

Het diner had plaats, maar zonder Koning Leopold. Toch meldde de pers zijn aanwezigheid. Iemand had de huid van de beer verkocht voordat die geschoten was. Daarop schreef Churchill me om de dingen recht te zetten:

Hôtel de Paris, Monte-Carlo January 5, 1949

......

I see in the newspapers that I am reported to have dined with the Duke of Windsor to meet King Leopold. This is not true. I told the Duke of Windsor that I did not want to get involved in talks about Belgian affairs and he did not therefore invite King Leopold to the dinner which he gave to King Michael of Rumania and his family. I did not think it was worthwhile having a correction put in the newspapers.

...

Ik antwoordde hem vanuit Brussel, op 11 januari:

'De leopoldistische kranten hebben uiteraard veel ophef gemaakt over de zogezegde ontmoeting die tussen u en koning Leopold plaatsgevonden zou hebben. Wat mij betreft, heb ik er nooit in geloofd en ik dank u mijn overtuiging te hebben bevestigd' ...

De passage uit de Memoires van Churchill met betrekking tot de capitulatie van de Koning verscheen in *Le Soir* van zaterdag 12 februari 1949 en maakte grote indruk op de Belgische publieke opinie. *La Libre Belgique* barstte los in beledigingen en scheldpartijen die ik 14 februari aan Churchill doorstuurde. Op 18 februari schreef baron Edmond Carton de Wiart, gewezen secretaris van Leopold II, hem een brief waarin hij liet weten dat hij diep bedroefd was.

Tervurenlaan 177
Brussel

18 februari 1949

Geachte Mijnheer de Minister,

U weet welke bewondering en welke erkentelijkheid de Belgen jegens u koesteren; zij zien in u de Grote organisator van de Overwinning en van de Bevrijding van Europa. Vergeef mij, rekening houdend met deze gevoelens, u in alle openheid op de hoogte te brengen van de diepe en pijnlijke emoties die de publicatie van bepaalde passages uit uw 'Memoires' in *Le Soir* van Brussel hebben teweeggebracht. Ze nemen zonder meer de bewoordingen over van uw toespraak van 4 juni 1940: 'Plots, zonder een enkele voorafgaande informatie, door zo min mogelijk informatie te verschaffen, gaf hij (de Koning der Belgen) zijn leger over.' (Suddenly without prior consultation, with the least possible notice, without the advice of the Ministers and upon his own personal act, (...) he surrendered his Army (...).

Deze bewoordingen vielen te begrijpen in de vreselijke verwarring van eind mei 1940, waarin de gebeurtenissen slecht bekend waren. Maar duizenden Belgen, burgers en militairen, zijn diep ontgoocheld om vandaag, *zonder rectificerend commentaar*, een aantijging herhaald te zien als zou ons Opperbevel – en voor de weinig aandachtige lezer ons hele leger – in volle strijd en zonder verwittiging, op laffe wijze zijn wapenbroeders in de steek hebben gelaten. U kunt zich niet voorstellen, mijnheer de Minister, tot welke vreselijke droefheid deze publicatie bij onze landgenoten geleid heeft, publicatie die, in de ogen van ontelbare lezers van uw Memoires, over de gehele wereld ten onrechte een smet werpt op onze nationale eer.

Ik hoop, dat u mij zult willen verontschuldigen u deze situatie zo openlijk te hebben uiteengezet.

Ik groet u, geachte Mijnheer de Minister,
Met respectvolle hoogachting.

Baron Carton de Wiart

De situatie werd spannender door Churchills bezoek enkele dagen later aan Brussel, waar hij op 24 februari aan de zitting van de Internationale Raad van de Europese Beweging zou deelnemen. Zoals gewoonlijk zou hij de gast van de Prins-regent zijn. Er waren leopoldistische manifestaties of intimidatiepogingen te verwachten. Maar er gebeurde niets, uitgezonderd een verzoek van honderd generaals voor een ontmoeting met Churchill waarbij ze hem een nota over de rol van het Belgische leger in 1940 wilden overhandigen. De oude man ontving hen niet; de nota werd te zijner attentie op het Paleis afgeleverd.

'Zoveel generaals voor uw leger', zei hij me, *'een enkele, maar een goede was meer waard geweest dan dit onverklaarbaar grote aantal. Waar komen ze allemaal vandaan?'*

Ik wist het evenmin, maar vroeg het aan kolonel Defraiteur, destijds minister van Landsverdediging. Hij verzocht me de gewezen Eerste Minister te laten weten dat het bijna uitsluitend om gepensioneerde generaals ging. Het was een aantal waar Churchill niet bij kon; jaren later informeerde hij of het Belgische leger nog steeds zoveel generaals telde.

De tactiek van de aanhangers van de Koning was duidelijk. Geprobeerd werd om kritiek op Leopold III en een belediging van de eer van het leger dooreen te halen. De Prins-regent en Churchill discussieerden over het in te nemen standpunt. Churchill verklaarde zich bereid om zijn Memoires te wijzigen als de Prins dit nodig achtte. De Regent sprak zich niet meteen uit maar zou Churchill later zijn mening laten weten. Voorlopig werd besloten dat Churchill de eerste de beste kans zou aangrijpen om zijn achting voor het Belgisch leger te laten blijken. En dit was wat hij voor een groot publiek deed op zaterdag 26 februari, in het Paleis voor Schone Kunsten in Brussel. In de inleiding van zijn redevoering over Europa sprak hij, elk woord benadrukkend, van het 'gallant Belgian army'. Hiermee koos hij ondubbelzinnig positie, maar de leopoldistische pers reageerde er niet op.

Restte de brief van baron Carton de Wiart. Maar de Prins was van oordeel dat je met een reactie hierop er te veel aandacht aan schonk. Churchill weifelde. Terug in Groot-Brittannië vond hij dat er verduidelijking nodig was. Op 7 maart stuurde hij me een telegram waarin hij me het ontwerp-antwoord aan baron Carton de Wiart aankondigde, 'for your consideration and advice'. Enkele dagen later ontving ik de volgende tekst:

Copy to Monsieur de Staercke,

I am not attempting to write a History of the second World War but only give the story of events as they appeared to me and the British Government, and to confine myself to expressions of opinion which I made as its opening tragedy unfolded. In these you will see that I paid the fullest tribute at the time to the Belgian Army. For instance, on May 28, I said, '... This army has fought very bravely and has both suffered and inflicted heavy losses. The Belgian Government has dissociated itself from the action of the King, and, declaring itself to be the only legal Government of Belgium, has formally announced its resolve to continue the war at the side of the Allies'.

And on June 4, I said, 'At the last moment when Belgium was already invaded, King Leopold called upon us to come to his aid, and even at the last moment we came. He and his brave, efficient Army, nearly half a million strong, guarded our left flank and thus kept open our only line of retreat to the sea. Suddenly, without prior consultation, with the least possible notice, without the advice of his ministers and upon his own personal act, he sent a plenipotentiary to the German Command, surrendered his Army and exposed our whole flank and means of retreat'. It might be convenient at this point to read the testimony of General Weygand, at that time Supreme Commander.

Also in my telegram to Lord Gort of May 27, I used the expression which I have since published about the Belgian Army, 'We are asking them to sacrifice themselves for us.'

Moreover I made every effort to prepare to carry away several Belgian divisions with the British and French troops from Dunkirk. There is therefore no justification for any one to suppose that I have reflected, in any way, upon the valour or the honour of the Belgian Army and its commanders.

With regards to King Leopold, the words which I used at the time in the House of Commons are upon record and after careful consideration I do not see any reason to change them. It is perfectly clear, however, from the two telegrams which I now publish, that I concerned myself with the attitude of the King of the Belgians towards his own Government.

This was pressed strongly upon me at the time by that Government and on constitutional grounds it seemed to me and many others that the King should have been guided by the advice of his Ministers and should not have favoured a course which identified the capitulation of the Belgian Army with the submission of the Belgian State to Herr Hitler and consequently taking them out of the war. Happily this evil was averted, and in the end, all came right.

I need scarcely say that nothing I said at the time could be interpreted as a reflection upon the personal courage or honour of King Leopold.

Baron Edmond Carton de Wiart, K.B.E.

Aan het slot van de tweede paragraaf verwees het ontwerp naar lezing van Generaal Weygands getuigenis. Aangezien deze zijn memoires nog niet had gepubliceerd, is het misschien nuttig om de bedoeling van Churchills brief vast te leggen, te weten aan welk geschreven getuigenis van Weygand hij refereerde. Dit getuigenis komt uit een boek dat door Weygands zoon is geschreven. Hieronder volgt het uittreksel dat Churchill mij zond en waarop hij alludeerde:

The Role of General Weygand
Conversations with His Son
Commandant J. Weygand
Translated by J.H.F. Mc Ewen
With an introduction by CYRIL FALLS
Chichele Professor of the History of War at
The University of Oxford, and Fellow of All Souls
Eyre & Spottiswoode
London

UITTREKSEL (bladzijde 75)

CHAPTER IV. The Events leading to the disaster in the North-Dunkirk.

.....

'And finally, as if the picture was not dark enough already, the finishing touch was added to it by a telegram which now arrived from General Champon to say that the King of the Belgians had just sued for an armistice, ordering at the same time the cease-fire to be sounded at midnight. We had received no sort of warning of the likelihood of such a thing happening, so that the news fell on us like a thunderbolt. General Koeltz, Aide-Major General of the French Army, had spent part of that very day at the Belgian commander's side, and had had no inkling of it. An appeal had even come in from Belgian H.Q. to obtain support from a French division at some point where Belgian troops were in difficulties. I telegraphed immediately to General Blanchard telling him to disengage himself from the Belgian Army and make the necessary arrangements with Lord Gort to parry the consequences of this defection.'

...

Het ontwerp-antwoord voor baron Carton de Wiart was vergezeld van een brief gedateerd 9 maart, waarvan ik hier het begin citeer:

Chartwell, Westerham,
Kent
9 March, 1949

My dear de Staercke,

I send you herewith a copy of the letter addressed to me by Baron Carton de Wiart, together with my suggested reply. Before I send this I should be glad if the Prince Regent could see it, and also I think it might well be shown and unofficially to Monsieur Spaak. Will you kindly let me have it back as soon as possible with any suggestions.

...

Op Churchills verzoek legde ik zijn ontwerp-antwoord aan de Prins en Spaak voor. Met zijn advies duidde de Regent me bovendien aan wat er over een eventuele wijziging van de Memoires gezegd moest worden. Ik kon Churchill dan ook op 23 maart antwoorden:

Geachte Heer Churchill,

Dat ik niet eerder op uw brief van 9 maart heb geantwoord, is het gevolg van het feit dat ik niet sneller de heer Spaak kon bereiken voor zijn terugkeer uit Londen, waar hij deelnam aan een conferentie van de ondertekenende Staten van het Pact van Brussel.

De Prins, de heer Spaak en ikzelf hebben met belangstelling het uitstekende antwoord gelezen dat u voornemens bent te geven op de brief van baron Carton de Wiart. Uw tekst, die exact de waarheid weerspiegelt, lijkt ons perfect. Misschien zou het goed zijn om de verwijzing naar de getuigenis van Generaal Weygand nader toe te lichten.

Bovendien heeft de Prins me verzocht, hierbij refererend aan een gesprek dat Hij met u heeft gevoerd, u te laten weten dat er Zijns inziens geen reden is om de definitieve tekst van uw Memoires te wijzigen door een of andere rectificatie en dat de verwijzing naar het 'gallant Belgian army' die u in het Paleis voor Schone Kunsten hebt gedaan, Hem geheel voldoende lijkt om de kwestie te regelen.

Pas twee maanden later, op 12 mei, zond Churchill zijn brief aan baron Carton de Wiart zonder ook maar iets te wijzigen aan het ontwerp dat hij me had gezonden. De geadresseerde publiceerde in *La Libre Belgique* van 1-2 januari 1950 de vertaling ervan, maar niet het Engelse origineel. De leopoldisten probeerden hun voordeel te doen met de laatste zin van Churchills repliek: 'Het hoeft nauwelijks betoog dat niets van wat ik destijds heb gezegd, kan worden uitgelegd als een kritiek op de persoonlijke moed of de eer van Koning Leopold.'

Maar het besef groeide dat het voor hen maar een mager resultaat was. De Memoires bleven onveranderd en de troostende zinsnede in de brief aan baron Carton de Wiart dekte noch de fout noch de vergissing van de Koning. Zelfs wat zijn eer betrof, werd ontkend dat Churchills woorden in 1940 als een kritiek geïnterpreteerd konden worden; maar onthulden niets over de intieme gedachten van de oude man. Ik kende ze wèl, maar ik zal slechts één zin aanhalen. Op 1 december 1954, tijdens de receptie gegeven voor zijn tachtigste verjaardag, zaten we in een van de salons van Downing Street naast elkaar. Hij vroeg me of Leopold III en de zijnen nog steeds zo wraakzuchtig waren. Ik antwoordde hem dat er niets was veranderd en beschreef hem de koninklijke familie die zich opnieuw in België had gevestigd, zonder weet van de gang van zaken, mijlenver afstaand van de Belgische bevolking, vooral bezig om uit de situatie materieel voordeel te halen en hun onverbiddelijke wrok bot te vieren. Onbeweeglijk luisterde hij, de blik van zijn bolronde ogen strak op het parket gericht. Hij nam zijn sigaar, waarop hij kauwde uit zijn mond, en zei: *'I cannot understand. What does he want? After all, he saved his life.'*

Aan het einde van het regentschap in 1950 stuurde de oude man de Prins een brief, waarin hij zijn bewondering en loyaliteit uitdrukte. Het was een moeilijk moment. Ik besprak destijds met eerste minister Pholien een regeling voor de situatie van de gewezen Regent. Zij die hem hadden ondersteund, waren niet meer aan de macht of wilden hun geloofwaardigheid niet in de waagschaal stellen voor iemand die aan de hunne niets meer kon toevoegen. De bevolking, niet ondankbaar, maar onverschillig, waardeerde de herwonnen rust na alle beroering rond de Koningskwestie. De mensen wilden deze rust niet verstoord zien door een zaak die door het vertrek van de Koning was geregeld en waarover niet meer moest worden gesproken. Het was een tijd, waarin men zich ongemerkt van zijn oud-pupillen kon ontdoen. Eerste minister Pholien dacht alles te regelen door met enkele gunsten degenen die hij nog gevaarlijk achtte, met zachte hand de mond te snoeren. Zijn gezicht leek wat op een bijziend varkentje en stijgt vaag uit de mistige herinnering op. De naam van Pholien citerend schaam ik me bijna enig belang toe te kennen aan een man die tijdens zijn leven totaal onbeduidend was. Met zijn grove en vrijmoedige manieren die hij voor goedmoedig wilde laten doorgaan, duwde hij de Prins geluidloos en roemloos de vergetelheid in.

Ik beschikte over weinig troeven om van Pholien een behoorlijk statuut te verkrijgen. Ik las hem Churchills brief voor zonder die bij hem achter te laten. Hieronder volgt de tekst:

CHARTWELL. Westerham
Kent

30 september, 1950

Sir,

I venture to send you a copy of my new Volume on the War, which I hope will be of interest to you.

I have not thought it right to intrude upon Your Royal Highness in these last anxious months, but I should like now to express my feelings of admiration for the constitutional and selfless part which you have played in the revival of Belgium in the five difficult years after the war. Students of history will effectively recognise what a faithful servant you were to the unity of Belgium, to the maintenance of its Parliamentary and democratic institutions, and to the preservation of the monarchy itself. It is this certain verdict of posterity which will be your reward, and I am sure it is the one which you would value the most.

Let me also thank you for your many gracious courtesies to me in recent years. I have the most pleasant memories of my visits to Brussels, and of painting excursions, and of the kindness with which I have been treated. But most of all I value our long talks together into the small hours of the morning. They have given me an enduring picture of a Prince whose resolve was to do his duty.

Pray convey my warm regards to Monsieur de Staercke, and accept from my wife and me the tribute to our highest respect.

Your faithful friend,
Winston S. Churchill

Aan Z.K.H., de Graaf van Vlaanderen.

Nadat ik de brief had voorgelezen, zei ik tegen de eerste minister dat de mensen dankzij die brief over vijftig jaar nog over de Prins zouden spreken en ook over hem, J. Pholien, wegens zijn houding tegenover iemand wie een dergelijke getuigenis ten deel was gevallen. Aangezien Pholien alles deed om de reputatie te verwerven van zogenaamd invloedrijk man, trachtte hij genereus te zijn om als een haai in het kielzog van de grootheid te blijven.

De fascinatie voor Churchill kon dus voordeel opleveren. Churchills genegenheid was vaak ontroerend, zoals tot slot moge blijken uit volgend voorbeeld. Aan de vooravond van de Bermuda-conferentie op 30 november 1953 was ik samen met Lord Ismay bij hem op bezoek gegaan in Downing Street. Toen wij afscheid namen, vroeg hij me hoelang ik nog in Londen bleef. Ik antwoordde hem, dat ik de volgende dag met Lord Ismay naar Parijs zou vertrekken. Daarop zei hij glimlachend tot Lord Ismay: *'Take great care of André'*.

Sindsdien draag ik die woorden in mijn hart. Ze behoren tot die ondefinieerbare dingen, waardoor je soms hoopt dat onrecht wat langer aanhoudt vanwege de heerlijke vertroosting van de vriendschap. Was er minder leed, dan was er minder vreugde.

En nu ik wel afscheid van hem moet nemen, doe ik dat in tranen, tranen die Churchill evenmin vreemd waren en waarin hij evenals Augustinus, zelfs behagen kon scheppen; ik neem afscheid van hem met bovenstaande woorden in mijn hart. Ze komen telkens terug als de eenzaamheid me te veel wordt, telkens als droefheid opwelt of zelfs als de vreugde, die zoete, melancholische vreugde van de stilte nazindert. 'Luister naar hem, Heer, luister naar hem. Hij was een der grootsten van uw dienaars die vroeg dat men zich over een der minsten onder de uwen ontfermde.'

Salazar

Menigeen die zich bezighoudt met de publieke zaak denkt waarschijnlijk af en toe aan Salente uit de dromen van Fénelon, aan een Staat waar het geluk van de inwoners model staat voor het welslagen van de voortdurende bekommernissen van een verdienstelijk Prins. Alvorens ik Salazar als mens ging appreciëren, bewonderde ik hem al als een ideaal.

Er is nog een andere reden waarom ik de neiging heb alles te verfraaien wat ook maar iets met Portugal te maken heeft. Het was onder de Portugese hemel dat de deur van mijn kooi zich opende toen ik in 1942 het bezette België was ontvlucht. Wie zou zich bij de herinnering hieraan niet een beetje in een roes voelen? Lissabon zal ik altijd met een groot gevoel van vreugde blijven associëren. Want op een ochtend in mei kwam ik hier met iemand aan, op wie ik in deze wereld altijd bijzonder gesteld ben gebleven. Vanuit Porto arriveerden we op de grote vleugels van het avontuur. Onze vermoeide voeten hadden ons over de Pyreneeën, over de bergen van Galicië geleid. O! Het frisse ochtendgloren in dat dorpje van de Minho, helemaal onder de ochtenddauw. Vanuit de steegjes geplaveid met oneffen ronde keien ontwaarden we de hemel tussen het gebladerte van een kronkelige wingerd, die in de felle zon van de dag schaduw moest bieden. Onder de verblekende sterren klopte ons hart vol verwachting. Als een rijpe vrucht kwam een broze vrijheid binnen handbereik. Uitgeput liepen we bijna wankelend over de Romeinse brug van de weg naar Braga. Ik denk aan de talloze vermoeide reizigers die in de loop der eeuwen over deze brug zijn gegaan. Het menselijk lijden is de bodem waaruit de bloemen der herinnering opbloeien, purper van gestold bloed en waarvan de gloed nooit dooft.

Denkend aan Salazar ontsnappen aan mijn harp slechts ijle klanken. Alles wat met hem verband houdt is evenwicht, kalmte en harmonie. Toen ik hem ging bezoeken, stapte ik binnen via het zware ijzeren hek dat toegang gaf tot de tuinen van de ambtswoning van de president, achter het Paleis van de Assembleia (Parlement). Als ik met de auto kwam, dan aarzelde de chauffeur, want hij kon gewoon niet geloven dat iemand bij deze ontoegankelijke man op bezoek ging. Ik beklom de paar treden voor zijn witte vierkante huis. Zijn kantoor was aan de rechterzijde, met gesloten luiken. Nadat ik had aangebeld werd ik door een jonge dienstbode in zwarte jurk, wit schort en kapje naar de antichambre gebracht. Ik ging altijd zitten op de met rode zijde beklede Louis XV-canapé recht tegenover de deur, zodat ik hem kon zien aankomen. Terwijl ik op hem wachtte, bekeek ik tot in de kleinste details het salon waar ik reeds zovele keren had vertoefd. Twee negers van verguld hout hielden een toorts boven hun hoofd. Een fantastisch wandtapijt bedekte een hele muur. Het was afkomstig uit het Ajudapaleis, waar het te lijden had van het licht. Hij vertelde me op een keer dat het een bezoek van Lodewijk XIV aan de werkplaats van Le Brun (Dir. Manufacture Royale des Gobelins) moest uitbeelden. De monarch, gekleed als Romeins keizer, bracht een model bij de schilder; op de achtergrond waren bewonderende of bedrijvige leerlingen te zien.

In de woning was het stil. Slechts vaag vernam je het verre stadsrumoer. Op een commode voor mij tikte de pendule de minuten weg waarin ik op de audiëntie wachtte. Telkens als de pendule het uur sloeg, antwoordden alle uurwerken in het stille huis. Ik hoorde hoe aan de andere kant van de gang de deur bijna geruisloos opengingen en opeens verscheen hij dan van achter het gelakte kamerscherm afkomstig van Coromandel. Ik heb hem in de kracht van zijn leven gekend en ik heb hem ouder zien worden. Zowel onder zijn zwarte als onder zijn witte haren behield hij het hetzelfde fraaie gezicht, gitzwarte ogen die scherp op je gericht waren, de lange haviksneus met het smalle neusbeen, de flauwe glimlach, verlegen en ernstig, verwelkomend en gereserveerd, onder de trillende en diepe schaduw van de twee rimpels boven de dunne lippen. Hij straalde duidelijk waardigheid uit en was niet zozeer afstandelijk, maar ietwat afwezig. Toch wist hij mensen tot zich aan te trekken. Na de eerste aarzelende contacten waarbij we elkaars sympathieën nog aftastten, werden onze ontmoetingen wat mij betreft gekenmerkt door een soort gedrevenheid. Vanaf het moment dat hij in de schemerige kamer naast het kamerscherm in zwart en goud verscheen, raakte ik een moment ontroerd en getroffen, zoals een vogel die door een lichtflikkering wordt aangetrokken en met half opengeslagen vleugels bruusk ineenduikt voordat hij opvliegt.

Salazars eenzaamheid had niets van een eenzame opsluiting, zijn soberheid had niets strengs, zijn ernst was met humor doorspekt; zwijgzaam als hij was kon hij toch ontboezemingen doen. Zoals zovele mensen die voortdurend met zichzelf worden geconfronteerd, was hij uiterst gevoelig, bijna achterdochtig, iets wat hem terzelfder tijd een grote finesse verleende. Aandachtig voor lichaamstaal en gelaatsuitdrukkingen trachtte hij je met zijn blik te doorgronden, zijn wenkbrauwen optrekkend en zijn zwarte ogen een beetje toeknijpend om zich beter op je gelaat te concentreren. Hij keek niet alleen, maar wist een gemoedsgesteldheid in haar totaliteit te vatten en zijn alerte natuur weerspiegelde zich in zijn felle blik. Dan intimideerde hij je, want je had de indruk dat hij je scherp observeerde. En soms had ik het gevoel dat hij méér hoorde dan louter wat ik zei en een hogere werkelijkheid waarnam. Als hij met een beetje hese kopstem in correct Frans sprak, ontwikkelde hij al snel zijn eigen idee, dat hij met gebaren benadrukte. Hij drukte zich duidelijk en precies uit, maar liet zich te veel door zijn gedachten meevoeren om een groot redenaar te zijn.

Bijna alle karakteristieken die ik me van hem herinner zijn geassocieerd met een wandeling, een situatie of een fraai landschap. Ze versmolten met deze achtergrond en kregen zo een subtiele pittoreske meerwaarde waardoor je je het geringste voorval of de meest alledaagse opmerking blijft herinneren. Op een dag wandelden we in de minuscule tuin achter zijn kleine huis in Santa Comba Dao en ik was even blijven stilstaan om naar het murmelen van een bronnetje te luisteren waaruit water via een holle stronk in een stenen bekken liep. Hij kwam dichter bij me staan en zei vaag glimlachend: *'Het enige geluid dat geen pijn doet.'* Deze uitspraak herinner ik me sindsdien bij elke fontein ter wereld. Een andere keer waren we tijdens een tocht op de Rio Vouga de zoutwinningen van Aveiro gaan bezoeken. Terwijl de motorboot het rustige water doorkliefde, kregen we genoeg van het kijken naar de eindeloze vlakke oevers met hun zoutheuvels en begonnen een gesprek over de relatie tussen Kerk en Staat. Hij had me verteld over de terugkeer van de kloosterorden, daarna over zijn vrees voor de vloedgolf van soutanes in allerlei kleuren die het land had overspoeld: *'Ze kwamen met hordes tegelijk en de toestroom hield maar niet op. Ik liet het Vaticaan weten: rustig aan, rustig aan, niet te vlug!'* Ons gesprek stopte zoals het was begonnen toen we vanaf de breder wordende rivier een uitzicht kregen op dennenbossen langs de oevers. En plots was daar de delta, de zee. We bevonden ons in een soort immense schelp, omgeven door een muur van groen, met voor ons de zee. Op de boeg stond onbeweeglijk een kleine matroos met krulhaar in zijn strakke matrozenkiel en achter hem zag ik de oceaan. Op dat moment voelde ik Salazars hand op mijn arm en hij zei me: *'In een sterke Staat kan de Kerk vrij zijn.'* Wij hielden het hierbij, maar de woorden en de plek blijven in mijn geheugen gegrift. Een andere keer, op een mooie februaridag, toen we samen hadden geluncht, stelde hij me een wandeling voor in het park van het San Bento-paleis. Wij gingen naar buiten met prachtig weer: *'Kijk eens naar die prachtige hemel'*, zei hij, *'je zou er nooit genoeg van krijgen en in ons klimaat is het weer meestal prachtig. Dit licht...wàt een beloning na hard werken!'*

Wat zo velen niet beseffen, wist hij wel: hoe waardevol een blijk van genegenheid is als men in de ogen van de wereld niets meer betekent; zo krijgt vriendschap nog meer betekenis. Hij was niet blasé geraakt door zijn hoge positie en deed zijn best om door subtiele en exquise gebaren te bewijzen dat affectie en verdienste voor hem bestendiger zijn dan geluk. Na afloop van het regentschap voelde ik me doelloos en onzeker, en in die sfeer ging ik hem in Lissabon een bezoek brengen. In zijn antichambre vatte ik in enkele woorden de moeilijke momenten samen die we in België hadden doorgemaakt.

Ik vertelde hem over de standpunten die ik naar beste weten had ingenomen. Gezien zijn temperament – zo tegen elke vorm van wanorde gekant – zouden ze hem wel eens niet kunnen aanstaan. Dit zei ik hem; lachend gaf hij me een schouderklopje en reageerde met: '*Kom me dat uitgebreid in mijn kantoor vertellen; als mensen zoals Spaak en u gehandeld hebben zoals u zegt, dan kon dat kennelijk niet anders.*'

Hij was die dag bijzonder voorkomend en greep elke kans aan om zich van zijn vriendelijkste kant te tonen. Na de lunch drong hij erop aan dat ik het klooster van Mafra zou bezoeken, dat ik nog niet kende en op ongeveer 40 km van Lissabon ligt. Hij dacht aan mijn auto en rekende uit hoe laat ik bij het klooster zou aankomen. Toen ik er arriveerde, speelde het klokkenspel een wijsje ter verwelkoming en wachtte de directeur van het museum me bovenaan de trap op. Tijdens mijn korte verblijf zorgde een onzichtbare hand voor tal van vriendschappelijke gestes die me steeds veel genoegen deden.

Neem bijvoorbeeld die keer van de zitting van de Atlantische Raad in Lissabon. Ik verontschuldigde me dat ik zoveel van zijn tijd in beslag nam: '*U hoeft zich niet te verontschuldigen*', onderbrak hij me, '*voor vrienden heb ik altijd tijd. Een van de weinige voordelen van mijn positie is, dat ik mensen kan ontmoeten, niet naargelang van hun belangrijkheid, maar op grond van de achting die ik voor hen koester.*' En ook die keer – toen ik geen afscheid meer van hem had kunnen nemen doordat ik onverwachts moest vertrekken – en hij me om zes uur 's avonds in Santarem liet weten, dat hij me om acht uur in zijn kantoor verwachtte. In volle vaart keerde ik terug van de *Portas do Sol* die ik was gaan bewonderen en was op het afgesproken uur in Lissabon om afscheid van hem te nemen. En dan ga ik nog voorbij aan tal van andere bijna niet te verwoorden en terzelfder tijd zo inspirerende en tot het gevoel sprekende momenten, waar vooraf bedachte details en eenvoudige, geheel vanzelfsprekende gestes voortdurend onze wederzijdse genegenheid versterkten.

Het is niet aan mij om bij het schetsen van onze relaties een idee te geven van zijn denkbeelden of zelfs maar van zijn politieke loopbaan. Een getuigenis is voor mij van meer belang dan een oordeel. Toch moet ik terloops een punt aanhalen dat hem erg na aan het hart lag. In de revolte van ons tijdperk tegen monsterlijk en blind machtsmisbruik ervoer hij het als onjuist, dat de gerechtvaardigde veroordeling van dictaturen niet alleen de veroordeling van puur machtsmisbruik inhield, maar alle vormen van autoritair gezag omvatte, dat van hemzelf inbegrepen.

Hij verklaarde dat hij zich niet schuldig hoefde te gevoelen. Hij was in dit opzicht eerder iemand die beschuldigde dan iemand die beschuldigd werd. De echte tirannie had gescholen in het schandalige onvermogen van de zogezegde

Portugese democratie die zijn aantreden was voorafgegaan en die slechts een partijdictatuur ten voordele van een handjevol mensen was geweest, die elkaar om de beurt de macht uit handen gristen. Anderhalve eeuw lang was de bevolking in materiële en morele ellende gehouden, iets waarom het egoïsme van de machthebbende klassen zich slechts in schijn had bekommerd.

De talloze revoluties in naam der vrijheid resulteerden niet in vrijheid maar brachten haar ongetemde broer voort, anarchie. De natie had op het punt gestaan te verdwijnen, men had kans gezien om van dit land een van de achterlijkste van Europa te maken; ware demagogen hadden een hoge borst opgezet met mooipraterij. Zoals zo vaak in regimes waar democratie slechts een façade is, vochten geheime genootschappen om de macht. Toen hij (Salazar) aan de macht kwam, moest hij niet alleen van voor af aan beginnen, maar moest er eerst tabula rasa worden gemaakt. De Staat moest weer serieus gaan functioneren; in plaats van mooie woorden moesten er daden komen. Salazar maakte korte metten met alle welsprekendheid, verbood de op de Carbonari (genootschappen in Romaanse landen uit de 19de eeuw die zich inzetten voor vrijheid) geïnspireerde organisaties, zowel aan klerikale als aan vrijmetselaarszijde. Getuige van een bijna volledige desintegratie van de maatschappelijke cohesie kende hij de deugd van de orde. Hij herstelde de orde en meteen saneerde hij ook de financiën. Gebaseerd op zijn ervaringen uit verleden en heden, bleef hij steeds een afkeer koesteren voor politici die voor problemen en onrust zorgen, die oproer kraaien maar niets realiseren. En ook had hij een afkeer van situaties waarin het verzaken aan wilskracht alleen maar kan uitmonden in het ergste.

Twee teksten van zijn hand zijn in dit opzicht veelbetekenend. Geschreven met een tussenpoos van twintig jaar, benadrukken ze de helderheid en de continuïteit van zijn zienswijze.

'... *Ik weet precies wat ik wil en waar ik naartoe ga'* zo verklaarde hij in 1928 bij de aanvang van zijn bewind. *'Ik zal het land alle nodige elementen verschaffen om stukje bij beetje zijn situatie te beoordelen. Het land mag over de zaken discussiëren, ze onderzoeken, ze afkeuren, maar het moet gehoorzamen als ik beveel.'*

Zijn tweede tekst, uit 1951, geeft een magistrale zowel literaire, minutieuze als bijna hartstochtelijke analyse van de kern van politieke bedrijvigheid en toont ook aan, hoe diep zijn oude wantrouwen voor grove demagogie verankerd bleef. *'We hebben vaak eindeloos geaarzeld om politiek te beschouwen als een doel op zich. Al die loze beloftes en al die ongegronde eisen; al die bruisende ideeën en al die plannen zonder bestaansgrond; al die discussies over zaken waarover je moet noch kan discussiëren; die opportunistische obsessie waaraan men niet alleen de eeuwige waarheid opoffert, maar ook die gerechtigheid welke slechts een ogenblik krijgt om aan haar trekken te komen; die weinig verheffende hang naar onverdiende roem; dat te koop lopen met ontembare hartstochten en dat exploiteren van de laagste neigingen; dat vreemde over één kam scheren van leugen en waarheid; dit onvoorstelbaar tolereren van verzinsels of dat verdraaien van de waarheid, zelfs als het gezond verstand dit alles volstrekt ongeloofwaardig vindt; die koortsachtige en in feite onproductieve agitatie, ten slotte, die ons doet afgrijzen, dit alles concentreert zich in de idee en dagelijkse praktijk van wat men politiek noemt.'*

Op deze Romeinse toon brandmerkte hij wat hij had meegemaakt. Hij kon zich noch de mogelijkheid van noch de hoop op een andere realiteit voorstellen.

Om Salazar naar waarde te schatten, moet men niet verwijzen naar de verdiensten van een regime dat men hypothetisch als het minst slechte veronderstelde, maar naar het tragische bedrog, naar de grote leugen waaraan hij een einde maakte. We moeten ook aan Salazars kwaliteiten denken, tamelijk zeldzaam bij mensen van zijn kaliber, aan zijn volkomen rechtschapenheid, aan het belang dat hij hechtte aan het recht. Na Duitslands overgave in 1945 eisten de geallieerden – die als plaatsvervangers voor het overwonnen land optraden – als een absolute maatregel en zonder zich om de gevolgen te bekommeren, de repatriëring van alle Duitse onderdanen wonend in Portugal. Om te ontsnappen aan een verplichting die zijn bestaan kapot maakte, benam een van hen zich op het vliegveld van het leven. Salazar liet de Amerikaanse ambassadeur bij zich komen en verklaarde hem dat er geen sprake van kon zijn een mens zodanig onder druk te zetten, dat hij de dood verkoos boven wat hem dwingend was opgelegd. De prijs was te hoog voor de menselijke waardigheid. Hij besliste dat Duitsers aan wie niets kon worden verweten, niet tegen hun zin moesten vertrekken en nam de nodige maatregelen om te voorzien in de behoeften van degenen die verkozen te blijven.

Ook dient bij hem de gematigdheid te worden benadrukt, die bijzonder zeldzaam is bij mensen die regeren zonder controle-orgaan. Door welk miraculeus evenwicht ontsnapte hij gedurende zovele jaren aan wat Lord Acton de corruptie van de macht heeft genoemd? Daar waar de verdiensten van dictators altijd bezoedeld raken door een of ander machtsmisbruik dat verwijten een kans biedt, waardoor de goede elementen van hun beleid door hun zwakheden van tafel worden geveegd, bleef hij op het toppunt van zijn macht steeds zichzelf gelijk. In de klassieke Oudheid was er een soort sceptische bewondering voor degenen, bij wie het geluk niet naar het hoofd stijgt en die overdrijving uit de weg weten te gaan. In de Oudheid zag men het als een ideaal dat buiten het bereik van de gewone sterveling lag. Toch wist hij dit ideaal gestalte te geven. Salazar bleef menselijk, ondanks zijn unieke en geïsoleerde positie. Hij was een klassieke figuur in die zin, dat hij zich steeds van de noodzakelijke beperkingen bewust was. *'O, mijn ziel,'* zei Pindarus, *'put het terrein van het mogelijke uit.'* Zijn vrijheid was absoluut geen ijdel verzet tegen het lot, maar de dankbaarheid voor en aanvaarding van het terrein dat hem was gegeven. Hij onthechtte zich door een discrete waardigheid in zijn stijl van regeren en zonder de grenzen van zijn mogelijkheden te overschrijden. Dit resulteerde in harmonie in zijn bestaan en het succes van zijn projecten en beleid. Hierdoor stijgt hij ook boven zijn eigen land en zijn tijd uit en verdient hij in de herinnering voort te leven. Wat in de toekomstige hommage bewaard zal blijven, is niet zozeer zijn grote macht, dan wel zijn zelfbeheersing in de aanwending van die macht. Hij vertelde me eens dat hij tijdens de grote Ethiopische oorlog aan Mussolini had geschreven – ik meen in 1937 – om hem voor het risico te waarschuwen zijn kansen te verspelen als hij te ver zou gaan. Hij probeerde hem onder ogen te brengen, dat het terrein van zijn acties zich tot de Middellandse Zee moest beperken en slechts binnen die grenzen gerechtvaardigd was. Als hij die grenzen richting Atlantische Oceaan of Rode Zee verlegde, zou hij slachtoffer worden van de gebeurtenissen in plaats van ze te leiden, want voorbij Suez of de Zuilen van Hercules werd hij de zwakste. Het antwoord was sarcastisch geweest. Wie is er zo verstandig om voor het 'Nihil nimis' te buigen als slechts de rede iemand kan adviseren over de grenzen van Fortuna?

Wie zo vooruitziend is als Salazar moet zich wel bekommeren om de toekomst van hetgeen hij tot stand heeft gebracht. Vooruitziende mensen zijn echter zeldzaam. Maar in plaats van elkaar op te volgen, sluiten ze elkaar veeleer uit. Waartoe dient dan een bijzonder goed beleid als de leegte erna slechts grote ellende met zich meebrengt? De enige man op wie de Staat steunt, tart het lot. Hij denkt dat het effect van zijn werk nog lang zal beklijven, maar met hem verdwijnt alles. De waardigste, degene die hem moet opvolgen, is vaak slechts de sterkste, die alleen al daardoor voor zijn rivalen een uitnodiging vormt hem te overtreffen. Tijdens de boottocht op de Rio Vouga die reeds ter sprake kwam, waagde ik het om hem de volgende vragen te stellen:

'Mijnheer de President, denkt u dat u het eeuwige leven hebt?'

'Waarom vraagt u me dat?'

'Omdat ik me afvraag wat er na u zal komen.'

'Dat vraag ik me ook heel vaak af. Als ik er te veel over pieker, zeg ik bij mezelf: ik heb hun zo en zoveel jaar goed bestuur geschonken. Na mij moeten ze dan maar een manier vinden om te consolideren wat ik tot stand heb gebracht.'

'Maar, Mijnheer de President, dat is geen christelijke gedachte, dat is een fatalistische visie.'

'U weet heel goed', zei hij tot besluit, *'dat er in dit land veel Arabisch bloed is.'*

Een andere keer zei hij me terloops dat hij als een grote boom was in de schaduw waarvan niets was gegroeid. Hij speelde met de gedachte de last van het regeren, die hem te zwaar woog, neer te leggen. Dit was, zo bevestigde hij al zuchtend, om een onzekere opvolging nog tijdens zijn leven te waarborgen. Maar hoewel hij dus met deze gedachte speelde, accepteerde hij niet dat deze kwestie ook eventuele opvolgers bezighield. Hij wilde niet, dat men nàm wat hij zelf wilde schenken op een door hemzelf bepaald tijdstip. Iedereen die er wèl over nadacht, probeerde uit alle macht de indruk van het tegendeel te wekken. Het verergerde het probleem alleen maar, maar bleef onbespreekbaar. Bij ons gesprek tijdens een lunch liet hij zich ontvallen: *'Als ik mij eenmaal heb teruggetrokken...'* Hij wachtte even. Ik besefte dat ik niet moest reageren. Een aarzeling van mijn kant, of een protest, zou bevestigd hebben dat hij er zich zorgen over maakte en dat ik nieuwsgierig was. Ik at gewoon verder mijn soep op, alsof er niets aan de hand was. Ik herhaalde bij mezelf, dat de keuze aan Sylla moest worden gelaten. Laat ons in zijn geluk geloven dat hem nooit in de steek heeft gelaten, want hij heeft het nooit geweld aangedaan.

Bezorgdheid over de onduidelijke toekomst deed hem naar de constitutionele monarchie overhellen. De ervaring met de Koningskwestie in België boeide hem omdat deze hem stof tot nadenken voor zijn eigen land opleverde. Niettegenstaande de ontgoochelingen in verband met ons vorstenhuis geloofde hij dat de monarchistische continuïteit, zelfs onder onvolmaakte omstandigheden, de ware remedie vormde tegen de toevalsfactor bij de overdracht van gezag, vooral in politiek minder geëvolueerde landen. Hij had een Grondwet opgesteld waarbij het staatshoofd over veel macht beschikte. Bij het opstellen ervan had hem generaal Carmona (president van Portugal van 1926-1951) voor ogen gestaan, die een overmaat aan middelmatige kwaliteiten bezat, aldus Salazar, die me nog zei: *'Ik weet niet of u me begrijpt.'* Ik begreep hem heel goed en zag ook in, dat de Portugese Grondwet er misschien anders uit had gezien met een opvolger die minder waarborgen voor middelmatigheid bood of juist te veel.

In de Regent zag Salazar een staatshoofd naar zijn hart; het was zijn wens dat hij zelf zo iemand bij de Bragança's zou vinden indien hij op een dag de troon aan hen zou overdragen. Twee keer verbleef de Prins in Lissabon en bij die bezoeken groeide er tussen hem en Salazar een warme vriendschap. Hun persoonlijkheid, hun ideeën, hun timiditeit, het in zichzelf gekeerde dat hen beiden kenmerkte, alsmede de onuitgesproken solidariteit voortvloeiend uit hun beider hoge machtspositie die steeds weer zorgde voor lichte verwarring en onzekerheid, dit alles bracht hen nader tot elkaar en bond hen. Salazar wilde de Prins na diens regentschap opbeuren naar aanleiding van de manier waarop België hem had behandeld. Hij stelde hem voor naar Portugal te komen. Ik citeer de brief, die hij voor die gelegenheid aan de graaf van Vlaanderen schreef. In Salazars klare en gematigde toon is dit schrijven niet alleen een historische getuigenis van achting. Onder het welbewust gereserveerde woordgebruik is de brief zeer hartelijk en welgemeend. Het Portugese origineel is in bezit van de Prins. Toen ik op het punt stond te vertrekken, werd het schrijven me op het vliegveld gebracht met het verzoek het de Prins te overhandigen. De Franse vertaling ervan werd opgesteld door de heer Leitao, de Portugese ambassadeur in Brussel.

Monseigneur,

Ik heb vandaag het grote genoegen gehad om bezoek van de heer de Staercke te ontvangen die me nieuws over Uwe Hoogheid heeft gemeld. Onnodig Uwe Hoogheid te zeggen hoezeer ik het naar waarde heb geschat, rechtstreeks informatie over Zijn gezondheid te ontvangen en hoezeer de berichten me hebben bedroefd aangaande de onaangenaamheden die Uwe Hoogheid heeft moeten verduren nadat Uwe Hoogheid de zware last van het Regentschap had neergelegd. Ik hoop dat de tijd deze wonden zal kunnen helen, hoe diep en pijnlijk ze ook mogen zijn, en dat Uwe Hoogheid later recht zal worden gedaan, iets wat Hij verdient voor de onberispelijke correctheid, het perfect begrip van de plichten van Zijn opdracht en onbeperkte toewijding voor het welzijn van het Belgische volk.

De gebeurtenissen die onmiddellijk het slot van het Regentschap voorafgingen en erop volgden, hebben een zeer pijnlijke indruk bij mij achtergelaten. Zoals de kwestie is geregeld en opgelost, had ze kunnen leiden tot moeilijk te herstellen onenigheden en verdeeldheden, met zeer schadelijke effecten voor de morele eenheid van het Belgische volk. Maar het is zinloos om op dit ogenblik te discussiëren over het nu bereikte resultaat en het is nu nog slechts de opdracht, het in een goede oplossing voor de vrede en de toekomstige eenheid om te zetten. Tijdens de hele duur van de crisis ben ik oprecht bezorgd geweest over de positie van Uwe Hoogheid en ik denk dat Hij zich gelukkig kan prijzen boven het strijdgewoel verheven te zijn gebleven, en dit zodanig dat de gebeurtenissen Hem niet hebben kunnen raken.

De heer de Staercke heeft me de hoop gegeven dat Uwe Hoogheid binnenkort enkele dagen in Portugal zal doorbrengen, waar de rust Hem meer goed zou doen, ver van de plaats waar Hij de hoogste functie heeft vervuld en onder het onbegrip van verscheidene personen heeft geleden. Uwe Hoogheid zou bij ons een heerlijk zacht klimaat en vooral een sfeer van warme sympathie aantreffen.

Ik verzoek Uwe Hoogheid mijn gevoelens van diep respect te willen aanvaarden.

30.X.1950 Oliveira Salazar.

De Prins ging niet op deze uitnodiging in. Hij sloot zich op in het verleden en zijn ontgoochelingen. Voor deze gemoedsgesteldheid had de President begrip. Zonder zich te laten ontmoedigen, probeerde hij meermaals maar tevergeefs om zijn verre vriend die hij wilde troosten tot een verblijf in Portugal te bewegen. Hij liet de Prins niet vallen, ook al kwam deze hem niet bezoeken ondanks het verstrijken der jaren en ondanks eventuele pogingen de graaf van Vlaanderen zwart te maken.

Zo was Salazar, overlopend van gevoeligheid, realistisch en flexibel, subtiel inspelend op de meest uiteenlopende situaties. Je kunt het vergelijken met water uit allerlei bronnen dat een gebied binnenstroomt, talloze hindernissen overwint en ten slotte een machtige stroom vormt. Toegegeven, voor hem gingen het recht en juridische argumenten boven alles, maar hij dacht beslist niet schematisch. De architecten van stellingen en de onverdraaglijke maniakken die alles in vakjes willen onderbrengen, bestempelden hem als een 'corporatist'. Inderdaad heeft hij Portugal een tijdlang een corporatieve structuur gegeven, maar dit was omdat deze beter dan een ander model paste bij de nog primitieve economie van een voornamelijk op landbouw gericht land, dat leefde van zijn natuurlijke hulpbronnen zoals de visvangst, en weinig geïndustrialiseerd was. In dit ongeorganiseerde milieu was een vorm van verplichte verenigingen nodig, gebaseerd op gemeenschappelijke, welbepaalde en aanvullende professionele belangen. Maar het systeem had in zijn ogen geen absolute verdiensten. Naarmate de evolutie verder voortschreed die hij zelf op gang had gebracht, had hij er geen enkele moeite mee het systeem te laten vallen. Hij had veel te veel christelijke principes om zich niet te veroorloven opportunist in zijn optreden te zijn. Hij was boer die geestelijke was geworden, en was doordrongen van een scholastische vorming, die niet zozeer de middelen als wel het doel van de politiek verduidelijkt en haar vastlegt volgens de notie van het algemeen welzijn. Zijn mentaliteit was beïnvloed door het thomistische adagio dat stelt, dat er niets in het begrip is dat niet eerst waargenomen is (*Nihil est in intellectu quid prius fuerit in sensu*: naar Aristoteles, *De Anima*). Hierin ligt de oorsprong van zijn gezond verstand en van zijn op het spirituele gerichte empirisme.

Hij interesseerde zich altijd voor gegevens die hem een heldere analyse van de feiten verschaften. Uiterlijk gezien beperkte hij zich bijvoorbeeld ertoe – als dat zich beperken genoemd kan worden – terug te grijpen op de traditionele constanten van de Portugese politiek en ze verder te ontwikkelen. Hij was Atlantisch gezind, omdat dit altijd iets vanzelfsprekends was geweest voor zijn land vanwege de geografische ligging 'aan de mysterieuze rand van de Westerse wereld'. Hij hield vast aan het begrip koloniaal imperium, omdat dit zo sterk verbonden was met Portugals oude glorie. Vanuit oprechte anticommunistische overtuiging ondersteunde hij het Spanje van Franco. Echter, in al deze drie gevallen stoelde zijn idealistische motief sterk op overwegingen van nationaal belang. Het Atlantisch Handvest diende om dit te verdedigen, het imperium was een mogelijke bron van rijkdommen, door de Spaanse alliantie werd de meest gevaarlijke buur een vriend.

Het complexe probleem van Spanje illustreert op karakteristieke wijze Salazars realisme. Franco was hem niet sympathiek; op menselijk vlak was er geen overeenkomst tussen hen. De een was een amateur, de ander een technicus;

de een was praalziek, de ander bescheiden; de een offerde zijn land aan een prestigepolitiek op, de ander haalde zijn prestige uit de welvaart van het land. Salazar was groot zonder een hoge borst op te zetten: hij was sterk zonder zich te forceren; hij was wie hij was, zonder noodzaak van schone schijn. Hij deed het christendom eer aan door het te belijden; hij schaamde zich voor Franco die ermee te koop liep. Bij Salazar vergat je dat hij een dictator was; bij Franco daarentegen lag het er dik bovenop, tot het karikaturale toe – door zijn schaamteloze autoritaire willekeur, gebaseerd op het leger waarvan hij de uitwassen dekte. En toch behandelde Salazar hem met inschikkelijk respect. Hij wist wat Spanje voor Portugal betekende. Als machtige natie was het een gevaar dat bezworen moest worden door er alert een alliantie mee aan te gaan. Viel Spanje ten prooi aan wanorde, dan vormde het voor het hele schiereiland een gevaar. Tussen de kracht en het uiteenvallen, moest er voor een macht worden geopteerd die, zonder voor de buitenwereld een gevaar te vormen, in het binnenland een barrière tegen het communisme zou vormen. Salazar had met de republiek goede relaties onderhouden, ofschoon hij gevreesd had dat ze slechts het pad voor de revolutie baande. Hij steunde Franco in wie hij meer garanties voor de rust in Portugal zag. Maar daar hij de indruk had dat het Spaanse regime door interne zwakte werd ondermijnd, stelde hij aan de Atlantische gemeenschap slechts een deel van zijn strijdkrachten ter beschikking. Het grootste deel moest in Portugal blijven. Hij wou op elke eventualiteit voorbereid zijn, ingeval het broze evenwicht van zijn buur plots zou wegvallen.

Om die catastrofe te voorkomen, probeerde hij Franco te versterken en deed hij wat hij kon voor Spanjes toetreding tot het Atlantisch Handvest zonder zich illusies te maken over zijn kansen van slagen. Zijns inziens moest het gevaar dat Europa bedreigde de overhand hebben, althans tijdelijk, op de antipathie die een voorlopig regime opriep. Toen de Verenigde Staten om het ergste te vermijden een pact met het kwaad sloten en rechtstreeks met Franco defensieakkoorden aangingen, werd zijn vrees minder, maar verdween niet helemaal. Met het oog op een algemene toenadering tot Spanje bleef hij interveniëren wanneer er zich een gelegenheid voordeed, maar zonder die zelf te scheppen. Zo werden Franco en de anderen discreet maar voldoende onder druk gehouden, in afwachting van het gunstigste moment, dat zich – wie weet – ooit zou voordoen.

Ik heb dit portret met opzet onvoltooid gelaten om eerder een levendige impressie te geven dan een alomvattende schets van een persoonlijkheid. Het was mijn bedoeling een romantisch portret te schetsen, omdat ik Salazar op die manier sterker in mijn hart draag. Salazar en Portugal bevrijdden me uit een monotoon en kleurloos bestaan, een bestaan van technische vraagstukken en lastige problemen, waarvan de oplossing veel tijd en discipline vergde. Salazar kon meer en beter dan wie dan ook de zaken aan, en dit met de nodige methodiek en een strakke aanpak die korte metten maakte met fantaisistische voorstellen. Maar met hem voelde ik een onverwachte bries die de zwaarte der dingen verlichtte. En na die bries wuiven de bladeren nog na, trillen de takken en blijft het landschap vol beweging. Iets subtiel avontuurlijks kenmerkte zijn beleid waarmee hij een anachronistisch land vanuit de 18de eeuw, waarin het was blijven steken, de moderne tijd binnenvoerde. Het komt door het contrast tussen de toegewijde eenvoud en de ingrijpende veranderingen die hij tot stand bracht. Ik houd van deze episode beginnend bij die naïeve achterstand uit het verleden, vervuld van een stralend licht en een Latijnse geest en tevens getuigend van *la dolce vita.* Zo menselijk en zonder overdrijving. Het doet me denken aan zijn Romeinse voorganger Sertorius (122-72 v. C) over wiens leven Plutarchus heeft geschreven. Hij geloofde in de Gelukzalige Eilanden (Canarische eilanden), maar bleef liever bij zijn Lusitaniërs die hij een voorbijgaand geluk bezorgde. In zijn eenzaamheid werd hij door een orakel bezocht dat hem behalve adviezen ook een witte hinde gaf, een onafscheidelijke metgezel en waarborg voor de genegenheid der goden.

Om Salazar hing een zweem van nostalgie en inspiratie. In gesprekken met hem – in de grote lederen armstoelen van zijn kantoor – drong je een fascinerend domein binnen. De ene fauteuil was voor hem, de andere voor zijn gesprekspartner. Hij was wat kouwelijk en plaatste zijn voeten bijna altijd op een elektrisch kacheltje en legde een deken over zijn knieën. Voordat hij ging zitten wierp hij ook mij een deken toe en ik legde deze over mijn knieën, ongeacht de temperatuur. Dan voerden we soms wel urenlange gesprekken, ver van het stadsrumoer, in een lichtjes gedempte sfeer. Mijn blik gleed over zijn werktafel, bleef hangen bij de grote witte aronskelken in de vaas voor de foto van Pius XII met diens handtekening en bleef dan rusten op zijn gezicht. Nooit ging de telefoon. De secretaris verscheen niet. Slechts de dienstbode bracht, naargelang van het moment, thee of porto met taartjes. Onze gesprekken tekenden arabesken op de stilte. Beetje bij beetje lieten we de beleefdheidsformules varen. Het werd een spel van associaties; de arabesken van onze gesprekken puurden zich uit. Soms dacht ik aan een straal licht die zich niet verstrooit, maar dwars door het duister heen gaat. Wanneer ik bij het vallen van de avond bij hem wegging en opnieuw het lawaaiige stadsleven indook, bleef de menselijke intensiteit van de zojuist beleefde momenten voortduren in een heerlijk vreugdevolle herinnering. Ik genoot ervan op de terugweg, langs de Taag. De voortrazende auto, de vervaarlijk kronkelende weg, de stroom die overging in de zee, de wind die over het water scheerde en langs mijn gezicht streek, alles voerde me terug naar ons zojuist onderbroken, maar niet beëindigde gesprek. Verstrooid glimlachend keek ik naar het fraaie uitzicht en ervoer een wijsheid die me nog betoverde.

Wie heeft ooit gezegd dat Salazar pessimistisch, ontgoocheld en verbitterd was, zonder hem te kennen? Mensen zoals hij kennen geen verbittering. Hij was slechts afgemat, het soort afmatting van een daadkrachtig man. Mensen als hij weten welke kloof er ligt tussen dat wat ze willen en dat wat ze kunnen. Maar daarom ondernemen ze niet minder! Afmatting is niet belangrijk. Ze kunnen niet anders. Hun aanklacht is een oproep, een roeping. Alle bladzijden van de evangeliën staan er vol van. Het is moeilijk de netten binnen te halen. Hoe groot de oogst ook is, de maaiers zijn zeldzaam. Zo trekken ze langs de wegen van het leven, de blik verlicht door de gloed van de glorie of het heil. En het gebed dat hun lippen prevelen is slechts voor God bestemd:

U hebt me geschapen, God, machtig en eenzaam
Laat me de slaap van de aarde slapen.

Paul van Zeeland

Er zijn wezens die bang zijn voor het licht, maar die het niet kunnen laten eromheen te fladderen, als een spel van aantrekken en afstoten, van fascinatie en angst. Zo ontstaat en groeit er een voortdurende dualiteit. Als eerbetoon aan de voor hen onhaalbare eerlijkheid en oprechtheid, liggen deze begrippen hen altijd voor in de mond. In de duisternis is het hun strategie je te doen geloven dat ze zich in het licht bevinden. Op die manier kun je trachten uit te leggen hoe van Zeeland is. Op die manier kun je ook de vreemde tegenstelling tussen zijn gebaren en uitspraken oproepen. Sprekend over een cirkel tekenden zijn handen een vierkant. Een rechte lijn prijzend beschreef zijn hand een haarspeldbocht. Waaraan dacht hij op zo'n moment? Verraadde zijn mimiek hem?

Het was een moreel verbloemende figuur, er voortdurend op uit de gevolgen van zijn principes te omzeilen. Hij preekte moed, eerlijkheid en belangeloosheid. Zijn moraal was totaal legaal en alles wat niet onder de wet viel, was geoorloofd. Dientengevolge bestond het leven uit een vernuftig gamma voorwendsels, terwijl de casuïstiek diende ter complicatie van de eenvoudigste regels tot handelen. De bizarre ontwijkende kant van deze sterke persoonlijkheid vond zijn oorsprong in een behoefte op de achtergrond te blijven en wrong zich in allerlei subtiele bochten om maar vooral op de voorgrond te treden.

Toen hij minister van Buitenlandse Zaken was, nam hij eens met een goede vriend op een vrijdag een lichte maaltijd op het ministerie. Op tafel stonden sandwiches met kaas en sandwiches met ham. Van Zeeland wilde zich aan de vet- en vleesloze vrijdag houden en koos met zorg een paar sandwiches met kaas uit. Zijn vriend nam een broodje kaas en een broodje ham. Van Zeeland verbaasde zich hierover.

'Neem jij op vrijdag sandwiches met ham?' vroeg hij.

'Welja', antwoordde de ander, *'hoezo?'*

Van Zeeland dacht na. De kwestie hield hem bezig. Elke menselijke handeling moet wettelijk gewaarborgd zijn. Zijn geest – en daaraan ontbrak het hem niet – begon op volle toeren te draaien. Opeens zuchtte hij echt opgelucht.

'Wat is er?' vroeg zijn vriend.

'Maar natuurlijk! Jij, jij mag sandwiches met ham eten, jij bent niet in je eigen huis.'

Zijn scrupules waren gekalmeerd. Zijn vriend had de regels gerespecteerd, omdat men op vrijdag buitenshuis wel vet en vlees mag eten en hij geen minister was. En zijn vriend was op het ministerie en dus niet in zijn eigen huis. Dus, probleem opgelost.

Hij heiligde alle middelen om hiermee om het even wat te bekomen en meerbepaald om fortuin te maken en dit deed hij met alle mogelijke middelen. Voor hem waren deze gewoon eerlijk, maar eerlijke mensen stonden hier verbaasd over. Hij werd omringd door louche tussenpersonen, onscrupuleuze zakenlieden en onbetrouwbare behoeftige lieden. Hij dekte ze met zijn dubbele moraal. Nu eens rechtvaardigde hij hun optreden, dan weer rechtvaardigde hij zichzelf door het te negeren. Alles was goed voor hem. Zijn vijanden volgden het spoor van een hele reeks twijfelachtige praktijken dat terugvoerde naar hem, maar dat vlak voor hem afbrak. Er was geen Theseus om tot bij de Minotaurus te geraken. Zo voedde hij zich met kleine en grote winsten, zijn ogen naar de hemel gericht en van zijn onschuld overtuigd tegenover de laster die men hem voor de voeten wierp. Hoe minder achting men hem toonde, hoe meer hij de hemel tot getuige nam en zo voegde hij bescheiden verdiensten toe aan grote aardse voordelen...

Van alle mensen die ik heb ontmoet is hij een van de zeldzame figuren – zo niet de enige – die over een zo goed geconcipieerd intellectueel mechanisme beschikte dat hij terzelfder tijd sterk in een ideaal kon geloven en het in de praktijk kon afbreken onder het mom het te verwezenlijken. Hij was een oprecht voorstander van Europa en kon er vurig en scherpzinnig over spreken. Hij weidde over de middelen uit waarmee het gerealiseerd moest worden, maar alle middelen die hij voorstond, hadden vertraging tot resultaat. Tussen zijn geest die hem de te volgen weg aanduidde en zijn wil die weigerde die weg te bewandelen, stond een goochelaar die zowel zijn eigen geest en wil om de tuin leidde als het publiek. Hij had de wonderlijke gave alles en iedereen te misleiden – ook zijn eigen geweten – door de meest duistere zaken te zeggen en ook duidelijk te willen, om dan met feilloze redeneringen te komen die op niets uitliepen. Hij maakte zich soms zorgen over het effect van zijn uiteenzettingen, ze leken hem àl te overtuigend. Dat waren ze dan ook en lieten zijn gesprekspartners achter met een gevoel van onbehagen, fascinatie en onzekerheid. Ze merkten redelijk vlug dat, onder het mom van hen genoegen te doen, hun nu juist datgene werd ontzegd waarnaar ze verlangden. Uiteindelijk werden ze woedend, omdat hun onweerlegbaar te verstaan gegeven werd, dat ze tevreden moesten zijn. Niemand vergeeft het de ander je dom te laten voelen. Van Zeeland werd het zeker niet vergeven. Ik had vele malen, als hij tijdens internationale conferenties het woord nam, de toehoorders begrijpend zien glimlachen: 'Hoe zal hij ons nu weer beetnemen?' zo was op hun gezicht te lezen. Met zijn hand op het hart, met smekende stem, openhartige blik en overtuigende gebaren probeerde van Zeeland alleen maar het goede te doen, het goede voor allen, omdat iedereen gelijk had en iedereen dus tevreden zou zijn. De offers zouden hun beloning kennen en de beloningen zouden de offers doen vergeten. De oogst zou rijker zijn dan de bloesem had beloofd. Helaas, het publiek volgde de goochelaar slechts om zijn kunstjes te zien. Gewaarschuwd luisterde het publiek toch, zelfs tegen de waarheid in. *'Pas op met van Zeeland'*, zei me op een dag kanselier Adenauer, *'hij is te vroom, hij liegt.'*

Toen hij ging beseffen dat hij sloeg zonder doel te treffen, ervoer van Zeeland een diep gevoel van onrecht. Zoals vele zeer intelligente mensen geloofde hij dat zijn geest de beslissing moest binnenhalen zonder dat zijn wil eraan te pas hoefde te komen. Hij blonk uit in argumentatie, hij wilde tot elke prijs overtuigen. Lukte het hem niet dan was hij verrast, alsof de anderen over het hoofd hadden gezien te zwichten voor de perfecte opbouw van zijn logica. Zo hij al een groot getalenteerd man was, dan kon hij toch geen groot man zijn omdat, aldus Augustinus, de wil de mens typeert, terwijl hij slechts een wonderbaarlijk handig intellectueel instrument was. Welnu, er komt altijd een moment waarop de wil een redenering moet concretiseren. Maar zo'n moment kende hij nooit. Hij kwam met bewijzen, maar hij nam geen enkel risico en won uiteindelijk niet. In de Koningskwestie en bij de opbouw van Europa was het voor hem voldoende zijn prachtig redeneertalent volledig uit te leven om zich daarna te onthouden en ermee te stoppen. Hij zei dan: *'Ik heb gedaan wat ik kon; ik heb me niet geëngageerd, alles blijft mogelijk. Ik ben niet aansprakelijk voor wat er gebeurt. Men had maar naar me moeten luisteren.'* Hij verwarde denken en handelen en zijn karakter raakte volledig in de knoop als hij al te subtiele denkoefeningen deed. Ik vroeg eens aan de Prins, waarom hij zo op Spaak was gesteld en een hekel aan van Zeeland had: *'Ik zal het u zeggen'*, zei hij. *'Het is alsof ik 's nachts in de auto rijd. Van Zeeland komt me met volle lichten tegemoet en verblindt me. Spaak rijdt achter me, hij verlicht de weg, zodat ik kan zien.'*

Uiteraard is dit geen alomvattend of sterk genuanceerd portret. Het potentieel van zijn temperament heeft zich pas verduidelijkt en kreeg vaste vorm door de evolutie der omstandigheden. Zijn succes in de zaak Degrelle, waarmee hij de bestaande democratie in België redde, daarna zijn falen in de regering, een vergeefse inspanning om zijn ethiek geloofwaardig te maken terwijl hij intussen zijn rijkdom veiligstelde, zijn verlangen om zijn geraffineerde zetten voor grootse plannen te laten doorgaan; dat alles, met het beschamende in zijn leven, het beschamende ten aanzien van principes die hij openlijk verkondigde en waarvan hij dus bij voorbaat het verdict aanvaardde, dat alles droeg ertoe bij van hem een mysterieus man te maken. Een hermetisch man vanwege zijn kwetsbaarheid, overtuigd van zijn middelen en niet scheutig met oplossingen, in bezit van de sleutel tot vele problemen maar zwijgend over de manieren eruit te geraken als men hem niet vroeg gids te zijn. Een uiterst terughoudend man omdat hij voorzichtig moest zijn; verantwoordelijkheden ontlopend zonder aan het succes te verzaken waaraan hij, sinds zijn jeugd, met zijn talent gewend was geraakt.

Achterbaks onder het mom van correct gedrag, deed hij aan de deugd twijfelen. Dit is wel het laatste wat men aanvaardt, want hoewel ondeugdzaam-zijn nog wordt geaccepteerd, wordt het wel vanzelfsprekend gevonden de deugd hoog in het vaandel te houden.

Ik heb veel met hem samengewerkt en ben hem ontelbare dingen verschuldigd, om te beginnen de functies die ik bij de NAVO heb bekleed. Tijdens vele conferenties hebben wij ons samen over teksten gebogen. Tijdens veel geheime besprekingen hebben we getracht beweegredenen bloot te leggen en vele doelstellingen te preciseren. Ik heb nooit iemand ontmoet met een flitsender intelligentie en zo vol zelfvertrouwen, ik bedoel, een intelligentie die zich zo ongeremd liet gaan. Deze zeer prozaïsche man getuigde van een bezieling die niet bij hem paste, bijna de kroon op zijn redeneertalent.

Maar dit alles ging gepaard met een zelfingenomenheid die een schaduw wierp over zijn heldere ingevingen. Hij was ingenomen met zichzelf en door zijn positie verplichtte hij anderen dit ook te zijn. *'Ze zijn zo stom'*, zo zei Fouché over zijn tegenstanders. Van Zeeland behandelde zijn gesprekspartners onbewust als onnozele lieden door ze als pienter te bestempelen. Ik heb gezien hoe kruiperig zijn medewerkers voor hem waren onder het voorwendsel dat ze zijn geest bewonderden. Ik heb er evenals de anderen aan meegedaan, maar zonder enige illusie. Wanneer hij van zijn middelen genoot waarbij hij zich illusies maakte over de resultaten, keek hij me soms aan en wist ik dat hij twijfels had. Wij hebben bijna nooit dingen met elkaar hoeven uit te vechten. Voor de buitenwereld hebben wij nooit een meningsverschil gehad. We hebben elkaar steeds begrepen zonder met elkaar te kunnen opschieten. Het is niet de positiefste kant van mijn relaas noch de negatiefste van mijn geesteshouding. Hij heeft me ook geleerd te minachten, omdat men hem onvoldoende minachtte. Hij was een acrobaat van het moment; van hem zullen er misschien slechts onderstaande regels resten die op hun beurt slechts een moment zullen duren. Zo weinig ziel en zo veel geest.

'Waarom', zo zei hij me op een dag, *'speelt u steeds met geld?'* Waar de mond vol van is, loopt het hart van over. Ik had de gewoonte aangenomen om tijdens lange vergaderingen een muntstuk uit de Oudheid te bestuderen: een oude gouden stater van Philippus, de kop van Arethusa, de stier van Metapontum. Mijn vingers speelden met een Atheens muntstuk toen hij me die vraag stelde, wat me een schok gaf. *'Ik speel niet met geld'*, antwoordde ik hem, *'ik speel met een glimlach en die is tijdloos.'*

Ik reikte hem het muntstuk aan. Athene bekeek ons spottend, terwijl op de keerzijde van de munt de uil vanonder de heilige olijfboom, vóór de dageraad, ons sprak over de paden van de nacht. Het waren niet de zijne. Hij hield van de voordelen die een activiteit oplevert, niet van de vervoering die uit het avontuur ontstaat.

Derde deel
Documenten

I Documenten voorafgaand aan de aankomst van André de Staercke in Londen

Handgeschreven nota van André de Staercke over het onderhoud met Kardinaal Van Roey 4 februari 1942

Gesprek met Kardinaal Van Roey woensdag 4 februari om 11 uur (1942)

Eerst heb ik de Kardinaal verslag uitgebracht van het twee uur lange onderhoud dat ik op donderdag 22 januari van 16 tot 18 uur had met Kardinaal Suhard, aartsbisschop van Parijs, in het aartsbisschoppelijk paleis, rue Barbey-de-Jouy 32.

Ik zei de Kardinaal, het pijnlijk te vinden volgend onderwerp aan te snijden maar dat ik me ertoe gedwongen voelde daar Kardinaal Suhard mij erover gesproken had. Hij heeft mij gevraagd of zijn collega uit Mechelen onder de strafwet viel als gevolg van het huwelijk van de Koning en ik moest bevestigend antwoorden. De Kardinaal glimlachte lichtjes, keek opzij en zei me:

'Hoezo?'

Ik antwoordde verbaasd dat het kerkelijk huwelijk toch voor het burgerlijk huwelijk had plaatsgevonden.

'Maar', zo zei de Kardinaal, 'om te beginnen voltrekt de priester niet het kerkelijk huwelijk, hij woont het als getuige bij.'

'Eminentie, dit is een subtiliteit van kerkelijk recht, die niet verhindert dat de wet dient toegepast.'

De Koning zei: 'Ik neem alles op mij.' De Kardinaal heeft hem geantwoord: 'Sire, bent u niet aan de Grondwet en de wet onderworpen?' De Koning had aan de Kardinaal geantwoord: 'Neen, ik sta boven de wet wat mijn privé-leven betreft. Ik ben een soevereine persoon en mijn privé-leven wordt niet in de Grondwet geregeld'.

De Kardinaal: 'En de Koning heeft gelijk, het is een soevereine persoon en in dit geval was zijn huwelijk zuiver een privé-aangelegenheid, die niet aan de gewone rechtsregel is onderworpen. Ik weet goed dat de Grondwet een aantal keren is geschonden, om te beginnen met betrekking tot de onterving van de toekomstige kinderen van de Prinses van Retie. Dit is een formele schending. Maar, mijnheer de Staercke, heeft men om te beginnen wel het recht de Koning verwijten te maken, terwijl men onder de Nieuwe Orde de wetten en de

Grondwet alleen maar schendt? En trouwens, de Grondwet zal toch worden herzien en op dat ogenblik moet men dan maar de schendingen regulariseren. Verder is er art.16, lid 2, over het burgerlijk huwelijk dat aan het kerkelijk huwelijk moet voorafgaan. Ik blijf hier niet verder bij stilstaan. Het gaat om een principe uit 1789 waardoor katholieken zich nooit gebonden hebben gevoeld.

In de derde plaats is er het feit dat de Prinses van Retie in de adelstand werd verheven. Ook dit moet geregulariseerd worden.

De Koning heeft in feite alles gedaan wat hij kon ter eerbiediging van de Grondwet. Hij heeft deze slechts geschonden voor zover hij niet anders kon. Maar daar er geen minister was voor het verlenen van de medeondertekening en ik het feit van het huwelijk niet ter discussie stel, was het niet mogelijk anders te handelen. De Koning heeft me gezegd: 'Door Koningin Astrid te huwen heb ik voldoende aan het Land gedacht en door België twee erfgenamen te schenken, heb ik mijn plicht ten aanzien van België vervuld. Ik heb het recht aan mijn eigen geluk te denken. Ik kreeg te horen dat ik een prinses van koninklijken bloede zou dienen te huwen. Wie? Een Spaanse? Ze zijn allemaal gestoord. Een Duitse? Stel je voor!'

'En inderdaad', zo vervolgde de Kardinaal, 'ik dacht bij mezelf, mijnheer de Staercke, misschien een protestantse. Dat was al eens een succes en missschien zou het een tweede keer ook zo zijn?'

'Ik heb altijd wel gedacht', zei de Kardinaal, 'dat de manier waarop men deze zaak heeft aangepakt, niet van veel mensenkennis getuigde. Men zocht de geheimhouding en daarom heeft men het burgerlijk huwelijk uitgesteld dat bij uitstek openbaar is. Natuurlijk, had men – zoals bij de Habsburgers – een vorm van kerkelijk huwelijk gekend met gevolgen op civielrechterlijk vlak, dan was het probleem geweest om zowel de wet te eerbiedigen als geheimhouding te bewaren. Maar aangezien men hier geheimhouding wenste, diende men met het kerkelijk huwelijk genoegen te nemen. Ik heb altijd al gedacht dat men zich over de mogelijkheid tot geheimhouding illusies maakte. Daarna is trouwens wel gebleken dat ik gelijk had. Er waren lekken, de zaak moest bekendgemaakt en niets stond meer de voltrekking van een burgerlijk huwelijk in de weg.'

'Toch geloof ik', aldus de Kardinaal, 'dat de gemoederen bedaren en hoop ik dat de Koning zijn populariteit die slechts tijdelijk is aangetast, zal hervinden. Het moet trouwens gezegd dat hij in deze zaak heeft gehandeld met de grootste onkreukbaarheid en, verder, hoe men er ook over denkt, het gebeurde betreft uitsluitend het privéleven van de Koning en het doet niets af aan zijn kwaliteiten als vorst die intact blijven.'

Ik zei de Kardinaal dat ik er net zo over dacht als hij, maar dat het zinloos zou zijn de ogen te sluiten voor de omvang en ernst van de reactie bij de bevolking. Om het kort samen te vatten, de meeste mensen zeggen: *'Wij zijn misleid over het ethisch gevoel van de persoon.'*

'Ja', onderbreekt de Kardinaal me, 'dit is inderdaad wat men zegt, maar men heeft ongelijk.'

'Wellicht, Eminentie, maar het is het oordeel op zich, al dan niet gegrond, dat onrustbarend is. De zaak is des te ernstiger, omdat men naar aanleiding van dit huwelijk daden in twijfel trekt, die op het eerste gezicht niets met dit huwelijk uitstaande hebben. Zo is het in de ogen van een groot aantal mensen niet de capitulatie en het feit in België gebleven te zijn, die de Koning moreel gezag hebben verleend. Het is het moreel gezag dat men aan de Koning toeschreef, dat zowel de capitulatie als het feit dat de vorst in het Land is gebleven, heeft gerechtvaardigd.

Daar men nu niet meer in dit moreel gezag gelooft of het althans in twijfel trekt, is het feit dat de Koning in België is gebleven en trouwens zijn hele houding weer omstreden. Het is op dit punt dat zijn huwelijk losstaat van de privésfeer en dat het, of men het nu wel of niet wil, een politieke weerslag heeft.'

De Kardinaal zwijgt even en gaat dan verder zonder me rechtstreeks te antwoorden:

'Ik ben altijd van mening geweest dat men de Koning te veel op een voetstuk plaatste. Men had ongelijk, het is een mens als een ander.

Maar het is nu juist de kern van het Koningschap dat men het op een te hoog voetstuk plaatst.' 'Voor een Koning is het voetstuk nooit te hoog, dunkt me, Eminentie.'

Wederom stilte.

'In elk geval, mijnheer de Staercke, gezien alle kritiek en roddels, zeg ik bij mezelf dat het bijna een geluk is dat dit huwelijk thans heeft plaatsgevonden, want in normale tijden en met vrijheid van meningsuiting, had dit nooit kunnen plaatsvinden en had men het verhinderd.'

Ik houd me in en zeg niet dat ik precies het omgekeerde denk en beaam gewoon:

'O, dat is beslist zo, Eminentie.'

'Enfin', zo vervolgt de Kardinaal, 'nogmaals, hopelijk zal het bedaren. We moeten hopen dat de Koning vóór het eind van de oorlog een gelegenheid kan vinden om zijn populariteit te herwinnen en zich weer te bevestigen. In ieder geval zal er iets positiefs uit voortvloeien. U weet wellicht, mijnheer de Staercke, dat er een grondwetsherziening is voorbereid die de Koning de meest ruime bevoegdheden toekent. Op een gegeven moment waren er in die richting tal van ontwerpen. Ik ben het er altijd oneens mee geweest, ik vond ze weinig gefundeerd. Welnu, het huwelijk van de Koning zal ertoe leiden deze idee te laten varen. De Koning dient geen dictator te zijn, maar een constitutionele vorst en zijn bevoegdheden kunnen maar beter behouden blijven.'

Vervolgens spreekt de Kardinaal over zijn herderlijke brief in verband met de radiotoespraak van de Paus[50].

Brief van André de Staercke aan Gaston Blaise, gouverneur van de Generale Maatschappij van België

Brussel, 29 juli 1946

Mijnheer de Gouverneur,

U hebt mij verzocht om een toelichting bij de omstandigheden van mijn laatste onderhoud tijdens de bezetting met mijnheer de Gouverneur Galopin. Ik geef hieraan graag gevolg en verzoek u deze brief als vertrouwelijk te willen beschouwen.

Op vrijdag 24 april 1942 ben ik op bezoek geweest bij mijnheer Galopin, aan de vooravond van mijn vertrek naar Londen en hebben we ongeveer drie uur met elkaar gesproken. Het deed de Gouverneur veel genoegen dat hij, indien mijn reis naar Londen slaagde, gelegenheid tot een serieus contact met de Belgische regering zou kunnen hebben. Hij verzocht me de eerste minister en diens collega's te zeggen, hoezeer hij in gedachten bij hen was en hoezeer hij wenste dat zijn optreden in België zou overeenkomen met de doelstellingen van de regering. Ten behoeve van de regering lichtte hij in mijn bijzijn de algemene situatie in België door. De heer Galopin sprak over het mandaat dat de heren Gutt en Spaak, in mei 1940, in naam van de Regering hadden verleend aan een aantal Belgische prominenten wier namen hij noemde. Dit mandaat had betrekking op de betaling van wedden van overheidsfunctionarissen en ambtenaren. Hij benadrukte de problemen die bij de uitvoering van dit mandaat zouden kunnen ontstaan, dit gezien de strenge financiële controle door de vijand en in mijn bijzijn sprak hij over maatregelen om hieraan het hoofd te bieden.

De Gouverneur sprak over tal van andere onderwerpen. Hij sneed met name het probleem in verband met het tewerkstellingsbeleid aan. Hij legde geen enkel verband tussen het speciale mandaat waarmee hij door de Regering was belast en waarvan hij zojuist het doel had uitgelegd en het door hem gevolgde beleid in verband met werkgelegenheid. Met klem verklaarde de heer Galopin me, dat de aanwezigheid en het optreden van de Belgische regering te Londen onmisbaar waren voor het Land en dat België hieraan zijn behoud te danken zou hebben. Ik wist hoezeer hij naar de geallieerde overwinning uitzag. Hij herhaalde me dat zijn gehele inzet hiernaar streefde. Uiteraard moest men vertrouwen stellen in de Belgische regering in ballingschap, maar het was van belang dat men in een aantal domeinen – en de tewerkstelling in België viel hieronder – eveneens vertrouwen stelde in prominenten wier patriottisme vaststond en die in het bezette land waren gebleven. Want zij waren beter in staat te oordelen over de oplossing van bepaalde vitale problemen. Het ging erom dat hun houding niet tegen het beleid van de geallieerden en van de Regering indruiste, een beleid dat gericht was op het winnen van de oorlog en het herstel van het Land. In het licht van deze principes legde de Gouverneur zijn gedragslijn vast. Hij nam er de verantwoordelijkheid voor op als een uitvloeisel van zijn hoge functie. Dat hij er met mij over sprak was niet omdat hij uit was op goedkeuring van de Regering, maar om haar erover te informeren. Bovendien zag hij het niet als iets definitiefs, maar als de beste houding op dat moment. Indien nodig, zou hij deze gedragslijn kunnen herzien, terwijl de Gouverneur haar ook periodiek aan een beoordeling onderwierp. Aan Joassart had hij voor diens vertrek naar Londen uitvoerig uitleg verschaft over de motieven van de houding die hij in die jaren had aangenomen. Sindsdien had zich geen nieuw doorslaggevend element voorgedaan waardoor hij zijn mening had kunnen wijzigen en in grote lijnen bleef zijn houding nagenoeg dezelfde. Maar niets garandeerde dat in het licht van een nieuwe beoordeling zijn houding niet zou veranderen. Alles hing af van de omstandigheden, de evolutie der gebeurtenissen en de eisen van de Duitsers.

De heer Galopin las me een nota over de materie voor, opgesteld met behulp van juristen en zijn diensten, en becommentarieerde deze. Uit de uitleg van de Gouverneur bleek dat, zo hij al een bepaalde tewerkstellingsmaatregel accepteerde, hij dit uit tweeërlei oogpunt deed. Namelijk, om de deportatie van arbeiders naar Duitsland met alle gevolgen van dien te vermijden en om de voedselvoorziening van de Belgische bevolking te waarborgen. Want deze kwam niet meer, zoals tijdens de vorige oorlog, uit Amerika via bemiddeling van de *Commission for Relief*. Wat betreft het geleverde werk, men moest ervoor waken dat dit niet onder de juridische criteria van het Wetboek van Strafrecht viel waarin hulp aan de vijand stond gedefinieerd. Waarschijnlijk kon dit laatste punt subjectief worden beoordeeld. Maar er waren ook welomschreven gevallen. Wat de grensgevallen aangaat, het was de moeilijke taak van hen die in België waren gebleven een verantwoordelijkheid op zich te nemen naar hun geweten. De Gouverneur zei me dat in haar totaliteit deze houding overeenkwam met het belang van het land, het belang der geallieerden en met een streven naar rechtschapenheid. Het ging immers over de overwinning maar ook om het overleven van België. Waartoe zou een ingestort België dienen, aldus besloot hij, dat zou de victorie op een kerkhof betekenen.

Na mijn aankomst in Londen eind juni 1942 heb ik vanzelfsprekend de Regering verslag over dit gesprek uitgebracht[51].

Handgeschreven brief van André de Staercke aan Hubert Pierlot

Gibraltar, 29 mei 1942

Geachte Mijnheer de Minister,

Fernand Spaak en ikzelf zijn zojuist in Gibraltar aangekomen, na een vermoeiende reis van een maand die gezien de omstandigheden normaal was, tamelijk pittoresk en vol omzwervingen. Het doet me bijzonder veel genoegen om dadelijk na mijn aankomst op vrije bodem, u en mevrouw Pierlot de zeer hartelijke groeten te zenden van mevrouw De Kinder, François, Cécile en Marcelle. Bij ons vertrek was iedereen in goede gezondheid en François heeft ons vergezeld tot zover hij kon geraken, dat wil zeggen tot Parijs. Op 2 mei hebben we afscheid van hem genomen en dit heeft ons allemaal aangegrepen. De twee bezettingsjaren die we samen in dagelijks contact met elkaar hebben doorgemaakt, hebben een vriendschap bezegeld die zich vanaf onze eerste ontmoeting liet voorspellen.

Ik denk dat het voor de inlichtingen, informatie en commentaren die ik voor u meebreng van belang is, dat u ze dadelijk ontvangt. Hoe vlugger u ze in handen hebt hoe nuttiger ze voor u kunnen zijn. En dit eerst en vooral omdat ze wel eens snel achterhaald zouden kunnen zijn. En ook omdat ze handelen over een verbinding die diverse Belgische prominenten zo snel, veilig en regelmatig mogelijk met de regering georganiseerd willen zien.

Ik weet niet of het nu reeds mogelijk is in België te laten weten dat wij goed en wel in Gibraltar zijn aangekomen. Het zou bij François veel ongerustheid wegnemen en de heren Galopin, Hayoit en De Visscher evenals mijn familie geruststellen. Maar hier geldt natuurlijk dat de veiligheid van hen die in het land zijn gebleven de doorslag moet geven. En in dit opzicht kan men niet voorzichtig genoeg zijn. Als het niet op een volkomen veilige manier kan, dan is het beter om te wachten tot we in Londen zijn.

Ik wacht uw instructies af en ik kan niet nalaten u te schrijven, hoe gelukkig en geroerd ik reeds ben bij de gedachte weldra iemand terug te zien die ik in mijn herinnering altijd ben blijven eren en naar mijn beste vermogen heb gediend, heel goed wetend dat er geen betere manier was om mijn land te dienen.

Wilt u zo vriendelijk zijn mijnheer Spaak te zeggen hoe veel genoegen het mij heeft gedaan deze reis samen met zijn zoon te maken. Voor zijn leeftijd is het al een hele persoonlijkheid en onder alle omstandigheden wist hij de situatie meester te blijven. Des te verdienstelijker gezien het feit dat hij bij zijn vertrek uit België amper van een zware kou was hersteld; gelukkig is hij nu geheel en al genezen.

Met mijn vriendelijke groeten aan mevrouw Pierlot, verblijf ik, mijnheer de Eerste Minister, met de meeste hoogachting,

Uw zeer toegewijde,
A. de Staercke

Uittreksels uit de aantekeningen van André de Staercke over zijn eerste contacten bij zijn aankomst in Londen in de nacht van 19 op 20 juni 1942 ('blauw' schoolschrift).

Zaterdag 20 juni. Om 7.30 uur in Hendon. We worden verwelkomd door heel correcte Security Officers, die zich van onze identiteit vergewissen, naar de Belgische Staatsveiligheid telefoneren en ons zeer hoffelijk per auto wegbrengen zonder dat we naar de Patriotic School hoeven te gaan. Bij de Staatsveiligheid ontmoeten we dadelijk Lepage[52]. Hij telefoneert naar Spaak. Fernand is zijn emotie niet meester en gaat ervandoor zodra hij kan... Het is 10.30 uur. Lepage telefoneert naar Pierlot. Ik heb een lang voorbereidend gesprek met hem. De Premier belt om me te laten weten dat mevrouw Pierlot me om 18.30 uur in Byfleet verwacht en dat ik er het weekend kan doorbrengen...

Ontmoeting met Pierlot. Eenvoudig, duidelijk, hoffelijk, minzaam. Hij is ouder geworden, maar is toeschietelijker dan vroeger... Zeer openhartig gesprek. Ik vertel over het land onder de bezetting, over mijn ontmoeting met Kardinaal Van Roey over het huwelijk van de Koning, over de gesprekken met Galopin en De Visscher. Na het diner snijdt de Premier de kwestie aan van de relaties met de Koning. Hij is van mening geheel te zijn misleid door gehuichel dat hij enkele maanden voor de invasie was beginnen te doorzien. Mevrouw Pierlot gaat het dagboek van haar man halen. Het lezen van enkele passages toont zowel een bewondering die Pierlot zichzelf nu verwijt als aangroeiende twijfel. Om 11 uur naar bed na een wandeling naar het golfterrein waarbij we de naoorlogse situatie bespreken. Ik ben getroffen door de rol die Pierlot aan de parlementaire invloed toekent. We bestuderen het fundamentele probleem van de verbinding met het land onder de bezetting ...

Zondag 21 juni. Terug bij Pierlot. Na het diner overlopen we de broadcast en vervolgens stelt Pierlot me een wandeling voor. Onderweg komt mijn situatie ter sprake. Ik zal met hem samenwerken maar in het kabinet van Justitie en zal worden belast met de verbinding, de Staatsveiligheid. Hij zal later deze zaak nog ten gronde bezien. Vervolgens snijdt hij het probleem van de Regering en haar situatie aan. Hij vraagt zich af wie hem na zijn overlijden zal vervangen. Hij denkt eerst aan van Zeeland, ten eerste vanwege zijn waarde en vervolgens omdat hij niemand anders voor ogen had. *'Dit tussen ons'*, zei hij, *'want dit zou de ambities opwekken van mensen die reeds overvol zijn van ambities.'* Hij beklaagt zich over Rolin[53]. *'Met hem heb ik de grootste moeilijkheden. Hij wil in het leger de 2de afdeling heroprichten die rechtstreeks in verbinding zou staan met het bezette land (paramilitaire organisatie) en die in feite Lepage zou uitsluiten'*. Pierlot is falikant tegen en ik ben het geheel met hem eens. De belangrijkste activiteit van de Regering is het contact te onderhouden met het moederland. Dit kan hij niet aan het leger overdragen. Dit zou de aanloop zijn tot een staatsgreep en de Regering opzijschuiven. Pierlot is vastbesloten tot het einde weerstand te bieden, maar Rolin is niet loyaal. Om zijn doel te bereiken is hij bezig bij de geallieerden en schijnt voor de eerste minister te zwichten. Spaak gaat geheel akkoord met Pierlot. Gutt is minder zeker. Als Pierlot Rolin uit zijn functie ontzet, zou Gutt kunnen vertrekken en dit zou de ontbinding van de Regering betekenen. Dit is niet mogelijk. Maar in feite gelooft Pierlot niet dat Gutt zou vertrekken. Die wil zijn politieke carrière voortzetten en zou vrezen door van Zeeland vervangen te worden. Ik vraag Pierlot of het niet verstandiger zou zijn de reis naar Kongo uit te stellen, maar ook daar is de situatie moeilijk en dreigt een putsch. De Vleeschauwer is daar aangekomen, maar wat voert hij er uit? *'Het is de moeilijkste situatie die ik ooit heb meegemaakt'*, zegt Pierlot me. *'U ziet het dilemma. Alle buitenlandse bedreigingen, daar kan ik mee leven, maar niet met deze binnenlandse bedreiging. Rolin heeft ambities. Die heeft hij hiernaartoe meegebracht. Toch geloof ik dat ik over voldoende krediet beschik om zonodig een crisisje teweeg te brengen…'*.

Maandag 22 juni … Lunch bij de Premier met Spaak. Lang gesprek over buitenlandse politiek. Op dezelfde golflengte. Aantrekkelijke man met een onafhankelijke geest, open en veelzijdig…

Om 17 uur Gutt. Zeer openhartig gesprek van twee uur en een kwartier over allerlei onderwerpen[54]…

Dinsdag 23 juni… De eerste minister om 15 uur ontmoet. De ministerraad is niet gereed gekomen met de zaak in verband met de Staatsveiligheid. Alleen de eerste minister heeft een uiteenzetting gehouden, gevolgd door een aanzet tot antwoord aan Rolin.

Ik kan er niet omheen: mijn totaalindruk van de Belgische situatie in Groot-Brittannië is ongunstig: een ongedisciplineerd leger dat bezig is met anti-regeringspolitiek, een regering die niet streng optreedt, denkend dat het bestaan van een Belgisch leger onmisbaar is voor haar prestige tegenover het bezette land en omdat zij aan haar eigen positie twijfelt. Op het eerste gezicht hecht men, volgens mij, veel te veel belang aan een kleine gewapende strijdmacht, die nooit enig gewicht in de schaal kan leggen bij het verloop der gebeurtenissen…

Woensdag 24 juni… Van 12.30 tot 13.15 uur bij de Ambassadeur[55]. In zijn canapé genesteld, heeft hij het over de Koning: *'De Coburgs houden erg van vrouwelijk schoon. Ze hebben gelijk. Trouwens, ik (houd) ook (ervan). Hij weidt uit over de situatie te Londen. 'We hebben een marionettenlegertje met meer officieren dan soldaten. Enfin, geen zorgen voor de dag van morgen. We zien wel…'*

Donderdag 25 juni. Van 9.30 tot 12 uur. Lang gesprek met Richard van Sofina. Neemt de verschillende vraagstukken onder de loep waarmee de Regering en het land geconfronteerd worden: openbare orde, sociaal probleem, economische mogelijkheden in relatie tot de naoorlogse overcapaciteit, Koningskwestie en zelfs het voortbestaan van België, dat niet zo vanzelfsprekend lijkt. Hij vertelt me hoe hij na 25 mei in België is geweest in een poging de Koning te ontmoeten en hem te ontraden in België te blijven. Vervolgens heeft de Koning hem gevraagd terug te komen. Dit heeft hij geweigerd en later heeft hij de Vorst de reden van zijn advies laten weten. Hij weet dat de Koning het hem niet kwalijk neemt. Hij zou misschien de ideale tussenpersoon zijn voor het contact tussen Regering en Koning op het ogenblik dat er een akkoordformule gevonden moet worden.

Vrijdag 26 juni. Eerste werkvergadering Studiecommissie voor de Naoorlogse Vraagstukken – S.C.N.V. (Commission pour l'Etude des Problèmes d'Après-Guerre – C.E.P.A.G.). Vraagstuk van de grote steden. Gillon, Van Cauwelaert, Huysmans. Vrijwel overeenstemmende zienswijze tussen het bezette land en de Commissie, lijkt me. Rekening houden met verworven posities en erkennen dat het probleem is gesteld. Besloten een beperkte commissie op te richten voor uitwerking van een tekst. Ik zal er deel van uitmaken...

3 juli. Om 10.30 uur. S.C.N.V. – C.E.P.A.G. Ik vind dit onderzoek steeds minder interessant. Het is nutteloos gebabbel. In mijn ogen houdt dit soort werk een aantal mensen bezig waardoor ze elders geen schade kunnen aanrichten.

Om 12.30 uur lunch in Victoria Street met Huysmans en diens schoonzoon De Ghendt. Huysmans is een van de aantrekkelijkste mensen die ik ooit heb ontmoet. Bijzonder boeiende lunch. Hij vertelt me over zijn nauwe contacten met Lenin en Trotski, en over zijn geestesgesteldheid van vandaag. Het socialisme is behoudend geworden. *'Ik ben een onstuimig mens maar met mate'*. Hij beschikt over een fantastische cultuur, is een gevoelig en vurig kunstliefhebber. Zelfs religie als bron van ontvankelijkheid is hem niet vreemd. Dit heb ik nooit eerder bij een ongelovige gezien. Evenals Sainte-Beuve maakt hij allerlei allusies naar uitspraken van kerkvaders. Hij kent de materie en de terminologie. Je zou bijna denken dat hij katholiek is, want hij spreekt bezwerende taal. Een geestelijke.

Rapport door André de Staercke na zijn aankomst in Londen aan de Belgische Staatsveiligheid

8 juli 1942

NOTA OVER DE SITUATIE IN BELGIE

Ik geloof dat het nutteloos is om nog verder over de algemene situatie uit te weiden. Anderen hebben deze al vele malen geobserveerd en beschreven. Ik zal dus uitsluitend wat dieper ingaan op vraagstukken die mijns inziens meer speciaal aandacht verdienen.

Wat de Belgische publieke opinie betreft, moet men er zich voor hoeden individuele meningen te generaliseren. Al leeft er inderdaad over een aantal kwesties een eensgezind idee en gevoel, over zeer veel andere kwesties zijn de meningen niet stabiel en sterk uiteenlopend. Dit houdt verband met de communicatiemoeilijkheden, de onmogelijkheid om voor zijn mening uit te komen; een pers die, overgeleverd aan de druk van de bezettende macht, de meest in het oog springende waarheden verdraait. 98% van de bevolking is uitgesproken anti-Duits en stelt al haar hoop op de geallieerde overwinning. Ditzelfde percentage van de bevolking is fel gekant tegen alle personen en instellingen die collaboreren of zich met de vijand inlaten. Dit neemt niet weg dat in verband met het binnenlandse bestel van na de oorlog, de wensen van de bevolking vrijwel onmogelijk zijn te achterhalen. Er leven hieromtrent heel wat ambities en ideeën, maar er is beslist geen overeenstemming over positieve en welomschreven punten. Nogmaals, de bezetting schept een echte chaos en we moeten de bevrijding afwachten voordat er werkelijk verschillende stromingen in de publieke opinie zullen ontstaan. Volgens mij moet men altijd onder dit voorbehoud de uit België komende inlichtingen beoordelen.

Zoals bekend is de administratie aan Secretarissen-generaal toevertrouwd. Het argument dat werd ingeroepen om hen onder de bezetter in functie te houden, was die van de politiek van het minste kwaad. Gezegd werd dat de Belgische administratie beter geleid kon worden door Belgen, aan wie generaal Reeder in zijn toespraak van 5 juni 1940 een grote autonomie had beloofd, dan door Duitsers die al onze instellingen ingrijpend zouden veranderen.

Zeker is dat de bevolking, nog bedwelmd door Frankrijks ineenstorting, door de euforie die volgde op die capitulatie en ook door de nogal goedige houding van de bezetter, deze zienswijze deelde op het moment van mijn terugkeer. Maar om tal van vaak genoemde redenen schoot de bevolking weer wakker: voedselschaarste, een Groot-Brittannië dat tegenstand biedt, de aarzelende en steeds duidelijker inmenging van de Duitse administratie in binnenlandse aangelegenheden en de gezindheid van de bezetter, die vijandig is ten aanzien van de

Belgische eenheid, maar goedgezind ten aanzien van Vlaamse nationalistische partijen en rexisten. De situatie van de Secretarissen-generaal, verstrikt in de aanwezigheidspolitiek, werd daardoor rond december 1940 steeds moeilijker, terwijl de bevolking steeds uitgesprokener pro-Engels werd. De situatie is er sindsdien alleen maar op verergerd. Niet in staat zich los te maken van de toenemende greep van het Duitse gezag, afgekeurd door de bevolking die hun houding niet meer begrijpt, worden de secretarissen-generaal vrijwel door iedereen geminacht en eerlijk gezegd hebben zij dit niet altijd verdiend. Het is hun grote fout geweest geen grenzen te kunnen stellen waarna zij verdere toegevingen zouden weigeren. In hun gehele beleid zijn hun bedoelingen door de gebeurtenissen ingehaald, hetzij uit meegaandheid, hetzij – en vooral – door de geslepen houding van de bezettende macht.

Laat ons snel de situatie van enkele departementen overlopen en vooral dat van financiën, waar dezelfde titularis is aangebleven.

Aan het begin van de bezetting heeft Plisnier een bijzonder energieke houding aan de dag gelegd. Het hele land werd overstelpt door rapporten, die hij aan de Duitse machthebber had gezonden met een protest tegen exorbitante oorlogsbelasting die de vijand op het land hief.

Een tijdlang was hij door deze houding erg populair, maar Plisnier, die achterdochtig en zeer autoritair was, die ook angstvallig waakte voor zijn bevoegdheden die hem naar het hoofd waren gestegen, zag zijn populariteit beetje bij beetje afnemen. Er zijn hiervoor ook ernstige motieven. Het is een feit dat, sinds hij voorzitter is van het Comité van Secretarissen-generaal, het volgens Plisnier in het belang van het land is dat het Comité van Secretarissen-generaal zo lang mogelijk in functie blijft, ook al moest het hiervoor zware toegevingen aan de bezetter doen.

Zo heeft Plisnier de komst van Romsée bij het Ministerie van Binnenlandse Zaken in de hand gewerkt, was hij voorstander van concessies op bijna ieder gebied, o.m. in financiële kwesties, de koper-affaire, tewerkstelling, enz. Kortom, de publieke opinie beschuldigde Plisnier ervan dat hij de bezettingsmaatregelen handig aanvocht, maar dat hij steeds zwichtte voordat de bezetter die maatregelen ook werkelijk eiste.

Verwilghen, titularis bij het Ministerie van Arbeid, is een van de minst populaire Secretarissen-generaal geweest. Aan het begin heeft hij een zeer slap beleid gevoerd, met name op het vlak van benoemingen (Hendrickx bij de Nationale Dienst voor Tewerkstelling, Beeckman bij het Commissariaat voor Prijzen en Lonen, Custers bij het Commissariaat-generaal voor Wederopbouw van het Land, enz.), maar begin 1941 heeft hij geprobeerd zich te herpakken. Het is zinvol hier zijn poging in die richting te resumeren.

Op 11 februari 1941 zond het Duitse gezag Verwilghen een brief om hem de vijf volgende toegevingen te vragen:

1. Afschaffing van de achturige werkdag;
2. Invoering van verplichte arbeidsdienst;
3. Verbod voor mijnwerkers tot verbreking van het contract dat hen aan de mijn bond (verbondenheid met het kolenmijngebied);
4. Verplichting voor de arbeidersklasse twee zondagen per maand te werken.
5. Tenslotte overplaatsing van mijnwerkers van de Borinage naar de Kempen.

Op dat moment werd het voor Verwilghen duidelijk dat ieder van deze vijf punten een grens vormde die hij niet kon overschrijden. Hij weigerde dan ook om door middel van Belgische besluiten de maatregelen te treffen die de Duitsers van hem verwachtten. Maar de onderhandelingen waren onder moeilijke omstandigheden begonnen. Men bevond zich toen juist in de periode van voedselschaarste en het voedseltekort vormde een wapen dat de Duitsers gebruikten als waar chantagemiddel.

Verwilghen ontving in de maand daarna een brief van Dr. Schultze, *Oberkriegsverwaltungsrat* en Hoofd van de *Dienststelle* voor tewerkstelling, waarin deze de realisering eiste van de vijf bovengenoemde maatregelen als uitvoering van een door een De Winter gedane belofte als tegenprestatie voor enkele duizenden tonnen graan die het Duitse gezag voor de voedselvoorziening van het land zou leveren.

Verwilghen had nooit van een dergelijke belofte gehoord en ondervroeg zijn collega De Winter hierover, die verklaarde nooit iets beloofd te hebben.

Verwilghen rapporteerde deze verklaring aan de Duitsers, die niet verder aandrongen. Maar de onderhandelingen en de druk hielden aan en men moest een aantal beperkte toegevingen doen, die bij de publieke opinie echter als enorm overkwamen.

Het betreft hier:

Besluit van 10 april 1941 dat voorzag in de vervanging van ongehuwde arbeiders door gehuwde (het was de bedoeling van de Duitsers de vrijgezellen tot vertrek naar Duitsland te dwingen).

Besluit ter benoeming van een algemeen afgevaardigde voor arbeidsreglementering waarvoor de Duitsers een gunsteling, lid van de UHGA (Unie voor Hand- en Geestesarbeiders), wilden laten benoemen.

Besluit dat een vooropzeg van drie maanden oplegde aan mijnwerkers die hun mijn wilden verlaten.

Tot in december 1941 kwamen de Duitsers niet terug op de 5 bovengenoemde eisen. Intussen schreven zij zelf voor (ordonnantie van 30 september, dat de mijnwerkers tot 31 maart 1942 aan de mijn gehecht bleven.

Eind 1941 ontving Verwilghen een nieuwe aanmaning ter realisering van de verplichte arbeidsdienst. Na allerlei onderhandelingen waarop ik hier verder niet inga, weigerde Verwilghen zijn akkoord te geven. De Duitsers vaardigden hierop een ordonnantie uit waarbij de verplichte arbeidsdienst werd ingevoerd (ordonnantie van 6 maart 1942). Verwilghen zag in dat zijn aanwezigheid aan het hoofd van het departement zinloos was geworden en schreef op 12 maart 1942 een protestbrief waarin hij om intrekking van de ordonnantie vroeg. Generaal Reeder liet hem ontbieden voor generaal Schumprecht, adjunct-chef van Militaire Administratie. Deze trachtte Verwilghens tegenstand te overwinnen met het gebruikelijke verhaal over de anti-bolsjewistische kruistocht en de noodzaak voor België verduidelijkend met de Duitsers mee te werken.

Na dit gesprek op 17 maart schreef Verwilghen op 19 maart generaal Reeder een brief, waarin hij verklaarde hem niet in zijn argumentatie te kunnen volgen, dat voor hem (Verwilghen) het Belgische standpunt het enige was dat hij kon verdedigen als Belgische Secretaris-generaal en hij verklaarde bovendien dat hij zich in de positie zag geplaatst waarin het onmogelijk werd om zijn functie uit te oefenen.

Op 24 maart verliet hij het departement en werd vervangen door De Voghel, de oudste Directeur-generaal. We kunnen zeggen dat vanaf dat ogenblik het Departement van Arbeid buiten spel werd gezet en dat de Duitsers voortaan in zulke belangrijke kwesties als arbeidskrachten zelf de beslissingen nemen die zij nodig achten, daarbij voor de tenuitvoerlegging beroep doend op Hendrickx, Directeur-generaal van de Nationale Dienst voor Tewerkstelling.

Kort iets over het Departement van Openbare Werken geleid door De Cock. Deze vervangt Secretaris-generaal Delmer, terzijde geschoven als gevolg van de Duitse ordonnantie van maart 1941 m.b.t. de pensionering van kaderleden.

Er valt ook weinig te zeggen over het Ministerie van Koloniën en het Ministerie van Openbaar Onderwijs waar Nys zich erbarmelijk meegaand heeft getoond, maar er werkt ook een uitstekende kracht, te weten Cruslin, die een nuttig tegenwicht vormt voor de invloed van De Vleesschauwer, hoogleraar aan de Universiteit van Gent en Directeur-generaal Hoger Onderwijs.

Op het Ministerie van Verkeerswezen, waar Claeys de scepter zwaait ter vervanging van Castiaux die om dezelfde redenen als Delmer moest uittreden, gebeurt er veel meer. Claeys is een voortreffelijk patriot, geheel op onze golflengte. Hij heeft met al zijn vermogen weerstand geboden in de kwestie van het spoorwegpersoneel, dat de bezetter naar Duitsland wilde sturen. Bij heftige incidenten is hij door generaal Reeder met arrestatie bedreigd. De situatie werd gered doordat Leemans, Schuind en Plisnier tussenbeide kwamen. Vanzelfsprekend is de positie van Claeys precair.

Leemans, titularis van het Ministerie van Economische Zaken, is een pro-Duitse V.N.V.-er en is hierom door de Duitsers aan het hoofd van het departement geplaatst. Echter, volgens een persoonlijke ervaring, bevestigd door persoonlijkheden als de heer Galopin, heeft zich bij Leemans een zekere evolutie voorgedaan. Zijn verhouding met zijn partij was meermaals zeer gespannen en ook al blijft hij voorstander van een Duitse overwinning, de Duitsers stonden toch verbaasd dat hij meermaals een Belgisch standpunt tegenover de Duitsers verdedigde. Op het moment van mijn vertrek signaleerde de heer Galopin dat Leemans duidelijk neiging vertoont tot meer toenadering en probeert hem advies te vragen over tal van aangelegenheden. De heer Galopin beziet deze openingen vanzelfsprekend met veel terughoudendheid.

Het geval van Romsée op het Ministerie van Binnenlandse Zaken is m.i. overduidelijk. Romsée is slim en gewiekst en heeft een beleid, dit in tegenstelling tot zijn collega's. Hij wil met opzet, onder hoede van en met steun van de Duitsers, de instellingen van het land ingrijpend veranderen en integreren in een Nieuwe Orde onder leiding van Duitsland.

Ik denk dat het kwaad dat Romsée gaat stichten duurzaam en ingrijpend zal zijn, daar hij zijn doelstellingen methodisch en in alle domeinen nastreeft. Doorlopend breidt hij zijn bevoegdheden uit, door ze andere collega's te ontnemen als deze weigeren toe te geven aan de eisen van het Duitse gezag. Romsée's benoeming schept een ernstig verantwoordelijkheidsprobleem waarin iemand uit het Kabinet van de Koning de grootste rol speelt.

Alle controle-instanties heeft Romsée bij zijn eigen departement gecentraliseerd; hij heeft de organisatie van rijkswacht en politie grondig veranderd; hij wijzigt de provinciale en gemeentelijke structuur en hij vervangt geleidelijk de burgemeesters die zijn ideeën niet aanhangen. Zijn handige en schijnheilige methoden kon ik waarnemen in de zaak van de officieren van het kamp van Lückenwalde, dat hoogstwaarschijnlijk hier wel bekend is.

Wat Schuind betreft, het heeft lang geduurd voordat ik me een helder oordeel over hem kon vormen. Schuind is benoemd tot hoofd van het Departement van Justitie ter vervanging van Ernst de B. (Brunswyck), om dezelfde reden als de heren Delmer en Castiaux uitgetreden.

Schuinds benoeming is bedoeld als tegenwicht voor Romsée op Binnenlandse Zaken. Men heeft een Waal willen kiezen die geen Vlaams kent.

Schuind heeft de reputatie een ambitieus man te zijn en hij stelt zijn functie van Secretaris-generaal voor als een plicht waaraan hij zich niet kon onttrekken, welke consequenties of problemen hieruit ook voor hem zouden voortvloeien.

Schuind is een echte onderhandelaar. Sinds hij deel uitmaakt van het Comité van Secretarissen-generaal zijn alle netelige kwesties voortspruitend uit de Duitse eisen totnogtoe afgesloten met transacties die misschien soms eerder handig dan correct zijn, maar die de bevolking tot wanhoop weten te brengen.

Schuind heeft een slechte reputatie bij de magistratuur en dit verergert nog door de houding die de magistratuur heeft aangenomen tegenover het gezag dat de Secretarissen-generaal zich toeëigenden (zie zijn houding in diverse processen die de rechtbanken ertoe hebben gebracht de Secretarissen-generaal de wetgevende macht te ontzeggen).

Wat betreft De Winter, Secretaris-generaal bij Landbouw en Bevoorrading, hij is waarschijnlijk een van de meest gehate mannen in het land. De bevolking had misschien zijn toegevingen aan de Duitsers op het vlak van controle en administratieve jurisdictie aanvaard, indien de organisatie van de bevoorrading succesvol was geweest. Maar daar deze op een complete mislukking is uitgelopen, was de houding van De Winter in de ogen van de bevolking onvergeeflijk.

Naast de Secretarissen-generaal die over het administratieve gezag beschikken dat trouwens hoe langer hoe meer door de bezetter beperkt wordt, moeten we rekening houden met de interventie van persoonlijkheden die vanwege hun houding en hun adviezen op het moreel van het bezette land van grote invloed zijn en die de echte haard van verzet tegen het Duitse gezag vormen.

Op het voorplan staat een discreet, efficiënt en betrouwbaar man die over aanzienlijke middelen beschikt: de heer Galopin.

Ik kon hem lang van nabij meemaken en kon me daardoor rekenschap geven van zijn inspanningen ter ondersteuning van wat hij noemt: 'het morele front van het land'. Het is een man die zonder enige terughoudendheid voor de geallieerde zaak gewonnen is. Behalve Galopin kunnen we in Brussel nog namen citeren als De Visscher, Struye, Hayoit de Termicourt en Albert-Édouard Janssen. Verder dienen de naaste medewerkers van Galopin vermeld (Blaise, de Munck, enz.) en aan Vlaamse zijde Bekaert en Collin (Voorzitter van de Kredietbank). Zonder al deze prominenten op één lijn te plaatsen, getuigen ze allemaal van dezelfde goede wil.

Buiten Brussel treedt Tschoffen duidelijk naar voren.

Wat de houding van de bezetter betreft, heb ik het hier niet over het begin. Zoals eerder gezegd, hebben de Duitsers een zekere inschikkelijkheid getoond. De reacties van de Belgische bevolking hebben hen vervolgens teleurgesteld, maar het staat vast dat sinds het begin van de oorlog met de Sovjet-Unie, de bezetter zich over de gevoelens van de bevolking geen enkele illusie meer maakt. Het is trouwens vanaf dat moment dat de bezetter het masker heeft laten vallen. Vóór juni 1941 riep de bezetter steeds het Belgische belang in ter rechtvaardiging van maatregelen die in werkelijkheid slechts ten voordele van Duitsland waren. Vanaf juni-juli 1941 is dit voorwendsel verdwenen. Dikwijls is gesproken over de scheiding tussen het militair opperbevel (Generaal von

Falkenhausen) en de militaire administratie (Generaal Reeder), het diplomatiek personeel van de Duitse Ambassade en tenslotte de partijorganen. Op dit vlak moeten we al te snelle conclusies wantrouwen. Het staat vast dat de aanwezigheid van talrijke administraties, samen met de buitensporige methodische manier van werken, zo typerend voor de Duitsers, voor wrijvingen en elkaar overlappende bevoegheden zorgt.

Vaak heeft het militair opperbevel geïntervenieerd en een bepaald optreden van de militaire administratie veroordeeld. Maar alles te samen verschilt dit m.i. niet veel van het fenomeen dat zich meestal voordoet wanneer meerdere diensten zich met één en dezelfde kwestie bezighouden.Vaak heb ik kunnen vaststellen, en met name in de affaire van de officieren van het kamp van Lückenwalde, dat men aan de top elkaar altijd vond, ook als men in bepaalde details van mening verschilde. Sinds het vertrek van maarschalk von Brauchitsch is het krediet van Generaal von Falkenhausen aanzienlijk gedaald in België. In ieder geval heeft generaal von Falkenhausen het Paleis hiervoor gewaarschuwd met de mededeling, dat de tot hem gerichte gratieverzoeken voor ter dood veroordeelden voortaan nog maar weinig kans van slagen zouden hebben. Uit gesprekken van Belgische officieren met de vleugeladjudanten van generaal von Falkenhausen komt eveneens naar voren dat het leger een zeker misprijzen heeft voor de partij. Maar voor zover ik weet is dit nooit verder geraakt dat de verbale fase en is het steeds de partij die, met name in vraagstukken m.b.t. arbeidskrachten en tewerkstelling, zijn suggesties heeft zien triomferen.

Er wordt ook op gewezen dat sinds begin 1942 de inmenging van de bezetter aanzienlijk is toegenomen en dit in alle sectoren. Men gaat meer en meer eisen stellen en verdraagt hoe langer hoe minder tegenspraak en bezwaren van de Belgische autoriteiten. Al een hele tijd werd het kleinste in het Staatsblad verschijnende besluit door de Duitsers onder de loep genomen. Thans kan men zelfs zeggen dat de inwendige administratie der departementen geheel in handen van de Duitsers is overgegaan (vaststelling van begrotingen, benoemingen, enz.) – zie bijvoorbeeld de begroting van de Nationale Dienst voor Tewerkstelling die generaal von Craushaar op verzoek van Hendrickx op eigen gezag van 70 tot 80 miljoen heeft verhoogd.

Met betrekking tot de Duitse politiek voor het land onder de bezetting wordt een tweeledig doel nagestreefd ten voordele van Duitsland:

1. Arbeidskrachten aan Duitsland verschaffen;

2. De Belgische economie voor Duitsland laten werken.

Mijns inziens is het probleem *werk* een van de moeilijkste en meest delicate. De positie van de Belgische industrie wordt als volgt omschreven: bij gebrek aan bevoorrading uit het buitenland zijn we verplicht te werken om te leven. We willen niet meedoen aan de fabricage van oorlogsmaterieel (wapens, schepen, enz.), maar wij aanvaarden opdrachten waardoor wij de wegvoering van de arbeidersbevolking kunnen verhinderen en die ons in ruil een aantal voedselleveranties voor het land bezorgen.

Bemerken we dat dit beleid in het nadeel van het Land uitvalt, dan zijn we vanzelfsprekend bereid ermee op te houden. Trouwens het potentieel van de Belgische arbeiders in België is veel kleiner dan hun eventuele potentieel in Duitsland. Want dankzij verholen sabotage kunnen we zeggen dat de gemiddelde arbeider slechts op de helft van zijn vooroorlogse activiteitsgraad werkt. Het is een feit dat totnutoe een groot aantal arbeiders op Belgisch grondgebied is kunnen blijven. Naar schatting zijn er ongeveer 200 000 naar Duitsland vertrokken. Volgens wat Dr. Schultze in september heeft gezegd, streeft de bezetter ernaar minstens 500 000 arbeidskrachten te laten komen. De Belgische missie die in maart 1942 naar Berlijn is gegaan, heeft uit betrouwbare bron vernomen dat de Duitsers meer dan een miljoen arbeiders voor de legers hadden gemobiliseerd. Ze zoeken dus uit alle macht de productie in het Reich te waarborgen door een beroep te doen op buitenlandse arbeidskrachten uit de bezette landen. Hoewel de bezetter niet de in het begin aangegane verbintenis heeft geschonden om de vrijheid van arbeidscontract voor Duitsland te eerbiedigen, heeft de bezetter toch indirecte dwangmaatregelen toegepast. Die maatregelen zijn een algemeen voedselbeleid dat de bevolking heeft uitgeput en de arbeiders gedwongen te vertrekken, en een concentratie op economisch gebied. In de algemene textielindustrie bijvoorbeeld is door een eerste centralisatiemaatregel het aantal weverijen van 900 tot 160 teruggebracht en, op het moment van mijn vertrek, door een tweede maatregel tot 180.

Zo is een groot aantal arbeiders vrijgekomen; sinds de invoering van de ordonnantie van 6 maart 1942 in verband met verplichte arbeidsdienst in België zien zij zich voor de keuze gesteld van zwaar werk in eigen land of 'uit vrije wil' naar Duitsland vertrekken.

Aan de hand van een aantal gesprekken met Britse en Belgische autoriteiten kon ik toelichting geven bij de in deze nota genoemde punten. Hierover nog langer uitweiden lijkt me nutteloos.

II Aanvullingen bij de Memoires

Niet gedateerde nota van André de Staercke over zijn vertrek na de troonsafstand van Leopold III op 1 augustus 1950

Het communiqué dat de zo lang uitgestelde troonsafstand aankondigde, maakte een eind aan de Koningskwestie. Nog diezelfde dag trof ik voorbereidingen voor mijn vertrek. Twee dagen later reed ik samen met mijn neef naar Italië. Vervuld van een vreemde vreugde, was het op die regenachtige donderdag alsof ik op de kop van een golf dreef. Stukje bij beetje verdween de obsessie te moeten triomferen. We reden nu echt op de lange weg door Lotharingen naar Straatsburg. Ik werd me opnieuw bewust van de wereld om mij heen. Vrijdag werden de Alpen weer een echt gebergte voor me; het oppervlakkige gebabbel van mijn neef Pascal fungeerde als trait-d'union met de hervonden realiteit. Na de Sint-Gotthardpas voelde ik me pas echt bijna vrij; Ticino lag voor ons en bood me de kalmerende aanblik van de zonsondergang.

Ik zie het Lago Maggiore liggen vóór Locarno en volg de kronkelige oevers tot aan 'mijn' Creda waar ik dit schrijf in een witovergoten nacht. Als een languit rustende vrouw wier geplooide jurk in kreukels raakt en weer glad trekt, zo trekken de lome golfjes een rimpeling over het meer. In de verte duiken de golvende heuvellijnen op, omhuld door nevelflarden. Het water fluistert tegen de rotsen. Bladeren trillen lichtjes aan onbeweeglijke bomen, de veervormige palmbladeren ritselen met licht geknetter. Het bleke schijnsel verjaagt de nacht niet. Haar zachtheid wordt bijna tastbaar en haar sluier zichtbaar. Vóór mij tekent de maan over het meer een pad bezaaid met talloze goudstukken. Het is het moment waarop Jacob ontspannen de door de engelen verlaten ladder beklimt. In het holst van de nacht zit ik op deze schitterende wolk.

Commentaar van André de Staercke op zijn memoires (eind 1990)

Aan de vooravond van mijn zevenenzevenstigste verjaardag heb ik mijn memoires nog eens herlezen. Moest ik ze herschrijven, gesteld dat ik dit überhaupt zou willen, dan zou ik het anders aanpakken. Allereerst zou ik mijn stijl wat afvlakken. Door de passie van mijn jonge levensjaren stond ik nog te dicht bij de gebeurtenissen en was dermate bevlogen, dat ik me daar nu als bejaarde man niet meer in kan herkennen.

Deze bladzijden zijn niet het werk van een historicus. Ze zijn slechts bedoeld als een dikwijls verontwaardigde en onvoltooide getuigenis, die ik evenmin zal voltooien. In mijn aantekeningen is nog voldoende te vinden en dan vooral in mijn rode opschrijfboekje, wat gaat over de eerste ontmoetingen met, of liever gezegd, de eerste schok van de bevrijde koning Leopold III met de harde nasleep van de overwinning, die hij nooit heeft begrepen of die hij uit wrok nooit heeft kunnen begrijpen. In deze aantekeningen die ik van dag tot dag noteerde, blijft er voldoende over om licht te werpen op het noodlot dat hij totaal over zich heen liet komen.

Bovendien heeft een bepaald fanatiek deel van de Belgische publieke opinie nooit de bezwaren willen aanvaarden die de Koning had geaccumuleerd en die hem tot troonsafstand hebben gedwongen. Dit deel van de publieke opinie was zo verblind dat het zelfs kans heeft gezien prins Karels regentschap zozeer te verdoezelen, dat hij zelfs niet in de officiële lijst van Belgische staatshoofden werd opgenomen ondanks zijn zes jaar durende regeerperiode – van 1944 tot 1950 – die net zolang heeft geduurd als die van zijn broer koning Leopold die van 1934 tot 1940 aan de macht was.

De Egyptenaren deden iets soortgelijks door met een hamer de cartouches van Farao's te bewerken wier herinnering ze – tevergeefs – wilden uitwissen.

Dit verklaart tevens het feit dat ik deze getuigenis heb geschreven en ze niet meer herschrijf.

Uittreksels uit het rode opschrijfboekje die niet in de memoires zijn verwerkt (24 mei-23 juli 1945)

Do. 24 mei

… Diner Pierlot, vertel bezoek Salzburg.

Diens advies eerst, terugkeer maar onder strikt bepaalde voorwaarden: troonrede tot aan de laatste komma door de eerste minister. Vertel bezoek aan de Kardinaal naar aanleiding van artikel van kanunnik Leclef in *La Revue Nouvelle*[56]. 'U dwingt mij te spreken. Pas op met wat u doet. De roep om een leider, nieuw rexisme. Schandalige plechtigheid in de Sint-Goedele.'

Aan einde onderhoud, geschokt: laten we ons kruit drooghouden.

Vr. 25 mei

Terugkeer Koningin 19 uur…

Za. 26 mei

Getelefoneerd naar de eerste minister om te weten of hij nieuws heeft. Ontmoeting met Fredericq om 11.30 uur.

Ik zie Fredericq bij Holvoet daarna. Kondigt medisch bulletin van Govaerts aan – gezondsheidstoestand beter – wellicht binnen een week consultatie. Duidelijke indruk van gebrek aan openhartigheid. Vertel aan Fredericq consequentie van deze houding. Bezwaar van de Prins. Betwisting grondwettelijkheid mogelijk. Hij erkent. Ontmoeting met Van Acker. Hij zegt me zijn indruk: Fredericq denkt dat de Koning binnen twee weken terugkeert. Zegt me voor het eerst precies wat hij denkt; hij kan niet terugkeren, hij is onmogelijk geworden. Besloten het hem te zeggen. Men wil slechts spreken met degenen die J. Pirenne gelijk geven.

Bel Prins – gedeprimeerd. Vraagt me maandag naar Ciergnon te komen. Koningin heeft hem gebeld. Zei niets over reis.

Van Glabbeke belt me om 15 uur: maakt me in grootste geheim deelgenoot van rapport over publieke opinie, analyse betrekkingen regering en rijkswacht – politie...

Wo. 30 mei

<In Londen> Cartier om 12 uur. Gematigd in beoordeling gebeurtenissen. Bedroefd over hetgeen plaatsvindt. Land en dynastie eerst. Betreurt tegenstrijdigheid tussen de twee broers. Resultaat van opvoeding, Karel werd overal buitengehouden. Bij Albert hetzelfde.

Do. 31 mei

...Zie Prins terug tegen 17 uur. Goede stemming. Signaleert mij dat hij tot op heden niet het minste nieuws heeft ontvangen. Williams zegt me aan de telefoon dat de Koningin naar Londen gaat en dat de Streel[57] om overtocht heeft gevraagd. Waarom? Laat ze maar doen, zegt de Prins. Ze zullen nergens geraken. Prins weet van niets. Spaak heeft eerste minister verwittigd omdat de Streel het via Buitenlandse Zaken heeft gespeeld.

Vr. 1 juni

Eerste minister vraagt me om 11.30 uur te komen. Onderzoek situatie gevolg reis Koningin. Welke intrige wordt er bekokstoofd? Zeg hem dat het wellicht gaat om beloften aan iedereen. De eerste minister zegt me dat de knoop moet worden doorgehakt. Hij zal naar Salzburg gaan en duidelijke taal spreken.

Wanneer? maandag. Ik zal Williams om vliegtuig verzoeken en hem vragen te vergezellen. Hij zal vertrekken met het rapport Van Glabbeke. Zal zeer duidelijke taal spreken. Indien hij terugkeert, barsten in het Land tal van conflicten los. Alle andere problemen kunnen pas opgelost wanneer dit probleem van de baan is.

Williams verwittigd. Akkoord. Verwittig de Prins. De eerste minister zal hem om 17.30 uur ontmoeten na ontvangst Sovjet-ambassadeur.

Za. 2 juni

Ontmoet de eerste minister weer om 12.40 uur. Met Fredericq. Ik laat bericht versturen om aankomst eerste minister aan te kondigen. Vraag of Fredericq of Pirenne of beiden meegaan.

Eerste minister heeft vrij duidelijk met Fredericq gesproken. Laatstgenoemde denkt dat het een terugkeer wordt. De eerste minister heeft hem gezegd dat hij geen enkele minister zou vinden, behalve rechts. Oplossing onmogelijk. Fredericq kijkt hiervan op: er is te lang gewacht. Ik vraag de eerste minister of hij de samenhang van zijn regering in geval van aftreden kan garanderen. Hij antwoordt bevestigend.

Ma. 4 juni

Eerste minister om 9 uur bij de Prins. Vertrek Evere 9.30 uur. Cornet, Gatien du Parc, telegram Koningin voor Koning ontvangen: 'Lovely flight. All well. Berger and Dujardin also quite well'. SHAEF stuurt slechts door met goedkeuring van regering. Spaak zegt aan Fredericq die belt, dat men doorstuurt indien code of indien Regent akkoord. Ontmoet Regent, beslissing naar Britse ambassadeur te gaan om Koningin te bellen... Prins en ik in oude ambassade om 11.30 uur. Koningin aan de telefoon. Letterlijke interpretatie. Leugen van de Koningin. Ik telefoneer naar Spaak, we wachten met verzenden.

Di. 5 juni

... Artikel *Libre Belgique* tegen Pierlot en Spaak. Door weigering antwoord op voorstel van Pierlot en Spaak tot wapenstilstand, heeft Koning geweigerd ministers te volgen op onterende weg. Lunch Pierlot-Spaak om 14 uur. Recht van antwoord opgesteld. Pierlot zegt me, vergadering van zes katholieke ministers met minister van Staat Van Cauwelaert en hemzelf. Uiteenzetting van 4 uur door Pierlot, document, reacties, enz. Beslissing niet katholieke partij te binden aan onherroepelijk verloren zaak. Akkoord voor terugkeer. Akkoord voor de zes ministers in de regering aan te blijven in geval van troonsafstand.

Wo. 6 juni

Van Acker 's avonds terug. Telefoontje Roch om 20.30 uur. Indruk goed... Onderhoud met Van Acker beëindigd om 22 uur. Indruk Prins: 'we are nowhere'. Nog een maat voor niets.

Ik heb de indruk Prins zeer gespannen, beseft niet voor 100% volledig de situatie.

Do. 7 juni

Prins steeds gespannener. Ontevreden over de situatie waarin men hem pusht. Zal geen besluiten meer tekenen. Onmogelijk hem zo een rol als figurant te laten spelen die nooit wordt geraadpleegd.

11.30 uur Williams-Thomas. Frankfurt crash Augsburg. Cornet eerst, daarna eerste minister. Volgende dag <8 juni>, eerste minister van 9.30 uur tot 13.15 uur. Pingpong Williams met Retie, Patch, Cornet. Eerste minister 'awkward' na gesprek. 'The king looked very worried'.

Namiddag Koning laat eerste minister wachten tot 18.45 uur, daarna komt Cornet hem halen zeggend dat hij hem al sinds 6 uur zoekt.

Indruk Williams-Thomas: hebben vorderingen geboekt. Geen ander alternatief dan troonsafstand indien Koningin niet uit Londen terugkeert met indruk dat de Britten wensen dat hij blijft.

Eerste minister om 17.30 uur. Indruk minder formeel dan Williams. Gesprek van 4 uur met Koning; niet verheeld problemen positie regering. Geen mogelijkheid een nieuwe te vormen zelfs als Van Acker toestemt wegens onthouding socialisten, communisten, liberalen. Stakingen, sociale conflicten. Wat is uw mening. Geen. Waarom komen. Omdat beslissing noodzakelijk. Geallieerden? Voorstanders van de oplossing die de orde handhaaft. Koning getroffen door dit antwoord. Zegt aan Van Acker dat hij naar het schijnt moet aftreden. Vraagt te raadplegen en nog enkele dagen advies Britten af te wachten via Koningin. Eerste minister akkoord, begrijpt, Koning hiervan niet op de hoogte. Kan zijn beoordeling in twijfel trekken. We stevenen af op de troonsafstand, maar kan nog een of twee weken duren. Heeft de ambassadeurs ontmoet en hen op de hoogte gebracht. Zal kardinaal ontmoeten. Vaststaat dat bedoeling was terug te keren; de eerste minister wil niet de indruk wekken dat hij het is die tot troonsafstand heeft aangezet. Beslissing moet van de Koning zelf komen.

Bij zijn vertrek en wetend dat Cornet bij Koning blijft, vraagt eerste minister of de Koning vermogen heeft. Nee, zegt Cornet. Dan moeten we iets regelen indien troonsafstand, zegt eerste minister.

Ik vraag de eerste minister de Prins te gaan opzoeken. 20 uur. Diner A.E. Janssen. Ontmoet Van Cauwelaert. Heeft het met mij over de toekomst van het Regentschap en niet over een eventuele terugkeer.

Vr. 8 juni

11.30 uur. Eerste minister bij de Prins. Ik blijf aan het begin van het onderhoud. De Prins besloten brief aan zijn broer te schrijven om te verwijten niets te hebben gezegd. Met goedkeuring van de eerste minister stel ik onmiddellijk de notulen op. Brief zal door Holvoet aan Fredericq worden overhandigd. Eerste minister ontmoet op lunch Universitaire Stichting; heeft Prins overgehaald te tekenen.

10 uur 's morgens. De Maere heeft Prins overgehaald hem met de brief te sturen. Ik zie niet in waarom na de eerste minister nog iemand te sturen. Dat zou een manœuvre zijn vooral met de mentaliteit van de Maere. U moet niet zo opvliegen. Bent u altijd zo onaangenaam. U weet plaats in mijn hart.

Prins vertelt me gesprek Caraman in verband met mij. Ben bij de Koningin geweest als een eerste minister.

Ma. 11 juni

10 uur. Telefoontje Williams-Thomas. 'Request voor eerste minister, Erskine, Sherman, Pirenne over there'. Vliegtuig klaar 3 uur. Ga naar de Prins om 10.40 uur. Tref er eerste minister aan, op de hoogte. Zijn van mening dat we de Britten – Amerikanen vragen of we op hen kunnen rekenen voor ordehandhaving. Williams-Thomas zei me dat zij wellicht niet zullen meegaan, omdat geen zin in de zaak verwikkeld te raken.

Eerste minister over de problemen, algemene stakingen, 2 provincies geen gouverneur.

Prins zegt me na vertrek eerste minister, dat hij zaterdag Kardinaal heeft ontmoet. Deze gunstig tegenover terugkeer, maar begrijpt problemen.

Congres socialistische partij stemt unaniem motie bureau voor troonsafstand.

Terugkeer eerste minister bij de Prins met brief Erskine waarin staat, onmogelijk mee te gaan omdat Britten zich er niet mee willen bemoeien.

Di. 12 juni

Vertrek eerste minister uitgesteld, slecht weer. Ik bezoek de ministeries, Spaak, Roch. Indruk terugkeer en grote problemen. Dreigende stakingen Luik en Borinage. Geïntrigeer communisten.

Wo. 13 juni

Vertrek nogmaals uitgesteld. Pirenne vraagt, mij te ontmoeten. Prins nogal vijandig. Eerste minister wil graag. Geconvoceerd om 11.30 uur. Komt om 11.50 uur. Vraagt audiëntie Regent om privébrief voor te leggen waarin wordt gesommeerd te interveniëren met oog eerbied grondwet waarvan hij de beschermer en die geschonden is... Antwoord ongrondwettige situatie. Ik antwoord hem ja, dus geen reden voor Prins te interveniëren, te meer daar hij geen enkel bericht heeft ontvangen. Na de Koning zal de Regent worden aangevallen. Zeg hem geen zaak voor Regent. Vertrekt om 12.20 uur.

Lunch Marteaux: communisten zullen voor Regent stemmen. Met Richard avond bij Prins.

Do. 14 juni

Vertrek eerste minister om 8.30 uur met Williams-Thomas. Arriveren in Salzburg.

Ontmoet Pierlot om hem op de hoogte te stellen gesprek Pirenne...

Vr. 15 juni

Telefoon Williams-Thomas: de zaken gaan slecht. Codewoorden – 'The sky is red' – telegram 'The sky is very red'. Roch adviseert mij koninklijke trein. Staking openbare diensten dreigt...

Terugkeer eerste minister rond 20.30 uur. Belt me om 20.45 uur bij Spaak. We gaan naar de Prins. Koning heeft besloten terug te keren. Alles is gezegd. Vastbesloten, zal teken geven voor het vliegtuig dat hem terug moet brengen. Onmogelijkheid een regering te vormen. Van Acker aarzelt: weigering direct of proef. Prins: niet te ver gaan. De gebeurtenissen afwachten om een beslissing te nemen. Vertrek Van Acker om 10.30 uur, ga om 10.40 uur naar Spaak. Deze meent: dubbelzinnige situatie, door de Koning te doen geloven dat hij een formateur zal vinden. We moeten hem de ogen openen en zeggen dat hij moet terugkeren met een regering.

Za. 16 juni

Ministerraad om 9.30 uur. Van Acker komt rond 12.20 uur. Ministers zullen hun ontslag indienen. Aan de Koning telegraferen dat hij niet op de regering moet rekenen, noch op Van Acker, en dat hij ter plaatse een regering moet vormen.

Om 11.30 uur Williams-Thomas verontwaardigd. Deze figuur is collaborateur nummer één, zou op de lijst oorlogsmisdadigers moeten staan na wat de eerste minister heeft gezegd.

Vertrek weekeinde Britse ambassadeur.

Aankomst Spaak om 18 uur.

Wandeling tuin Eksaarde met Britse ambassadeur. Geen sprake van Britse inmenging voor ordehandhaving. Bal Guards uitgesteld, zodat men niet verkeerd kan interpreteren als inmenging. Vraagt zich af hoelang de crisis zal duren.

Zo. 17 juni

Spaak. Merk dat de door de eerste minister ontvangen brief gedateerd 16 niet die is waarvan afschrift aan de Prins werd overhandigd. In de eerste, vriendelijk, wordt gevraagd door te gaan. In de tweede, droog, wordt hij voor zijn bedoelingen gewaarschuwd en wordt geprobeerd hem verantwoordelijkheid in de schoenen te schuiven. Telefoneer de eerste minister. Hij heeft de brief gezien bij de Prins. Deze werd hem niet overhandigd. Hij ziet in de brief een manœuvre dat morgen opgehelderd zal worden (Telefoneer bij Richard die me zegt Koningin via Heineman geprobeerd Spaak te ontmoeten. Heeft vanmiddag Hayoit ontmoet).

Ik ga om 22.30 uur bij de Prins langs. Komt om 23.15 uur van Laken terug. Koningin heeft tijdens begin gesprek niets gezegd. Prins hoe langer hoe zuurder. Plots zegt <Koningin>: dat erg slecht, nietwaar -ja, erg slecht. Zag er radeloos uit. Wat te doen? Heeft gedacht aan Spaak, zelfs aan Pierlot. Prins zei haar dat hij niet aan dit spelletje wilde meedoen. Gesprek met slappe lach. Komen niet meer bij van het lachen. Vertrek om 24 uur.

Ma. 18 juni

... Sawyer om 12 uur ontmoet: de cruciale vraag is hoelang het zal duren, de afloop staat vast. Van Acker heeft ons gevraagd zonder verzoek regering geen vliegtuig te geven. Akkoord, maar wat indien de vraag van de Koning in Salzburg komt. Onmogelijk te weigeren.

Van Acker om 11.20 uur ontmoet. Besloten door te zetten. De zaak moet binnen een paar dagen geregeld zijn.

Pirenne terug, belast met opdracht de Koning in te lichten. Holvoet verwittigt ons, intussen pingpong. Weemaes bezorgt tegen 6 uur brief Koning aan Prins. Is verbaasd over zijn verbazing. Lilian heeft geschreven, niet geantwoord. Je ministers hebben ontslag genomen. Afschrift brief aan eerste minister gedateerd 17 juni, vervolg boodschap van de eerste minister, vraagt om bekendmaking. Eerste minister bij Prins om 7 uur.

Di. 19 juni

Om 9.30 uur Van Acker ontmoet. Brief niet overhandigd. Dringt niet aan. Roch toont me zeer categorieke brief Erskine waarin staat: de Geallieerden zullen niet interveniëren voor handhaving orde.

Ontmoet de Prins om 10 uur. Telefoneer naar de Koningin om haar te vragen waarom men de brief niet overhandigd heeft. Zij zal om 13 uur antwoorden. Stel de eerste minister op de hoogte. Lunch op Buitenlandse Zaken, Spaak, Sovjet-ambassadeur, Lalmand. Moskou -communisten zullen voor de Prinsregent stemmen.

Fredericq en Pirenne twee keer bij Holvoet met brief die zich distantieert van die van de Koning zonder de brief te geven. Prins draagt me op uitleg te vragen waarom wijziging en niet waarom niet doorgegeven. Telefoneer en ga naar Laken. Tref ze niet aan. Spaak belt me motie van rechts de Koning volledig gunstig gezind. Vraag uitleg aan Pierlot. Die zegt me, niet letterlijk op te vatten. Akkoord over vorig standpunt. Eerste minister zegt me, de beslissende stap is gezet. Het moet afgelopen zijn. Heeft de Koning geschreven. Zegt me dat in het voorontwerp van troonrede, zin: ik prijs mezelf gelukkig het ontslag van mijn ministers te hebben geweigerd en ze gedwongen te hebben naar Londen te gaan.

Diner om 20 uur bij mevr. Maskens met de Britse ambassadeur. Men belt me vanaf het paleis dat Fredericq en Pirenne om 11 uur. Ik ga ernaartoe na eerst de Prins ontmoet te hebben. Fredericq legt me uit dat zij hebben gehandeld krachtens de hen door de Koning verleende volmachten. Als zodanig kon de brief niet worden overhandigd. Citaat van de boodschap van de eerste minister niet juist. Juridische tegenstrijdigheid tussen de herneming van 's konings prerogatieven en de handhaving van de Regent. Pirenne zegt me Hayoit en Cornil werden geraadpleegd. Fredericq vraagt me, deze namen niet te citeren en niets tegen de eerste minister te zeggen, aangezien de toestand nogal gecompliceerd is. De Koning heeft deze zin geschreven om conflict met zijn broer te vermijden.

24 uur. Ontmoet de Prins, glas melk. Zegt me dat ze hoe langer hoe meer stommiteiten zullen begaan. Vreest dat men de zaak Berchtesgaden bovenhaalt en onthult me dat de Koning een overeenkomst met Hitler heeft gesloten om de afbakening van de grenzen van België en haar rol binnen het Grote Reich vast te leggen. De documenten bestaan. Dr. Meissner, de man van Hitlers telegraafdienst, moet ze bezitten. Hierna werd er in Laken acht dagen lang mee gewapperd.

Wo. 20 juni

9.30 uur. Pierlot verveeld met belang dat ik hecht aan motie van rechts. Rechtse partijen worden rijp. Hij wil wel een duwtje in de rug geven, maar is slaaf van zijn houding gezien geen nieuw feit sinds zijn septembertoespraak. Om 11.20 uur zegt Spaak me, Van Acker heeft documenten over Berchtesgaden. Antwerpen voor gebruik Duitsers – Calais en Duinkerken inbegrepen. Ontmanteling-geen leger meer-dynastie gered-verraad. Van Acker zal proberen Davignon uit te horen. Pirenne moet Spaak komen ontmoeten. Zal hem vragen regering te vormen. Zal hem antwoorden dat het te laat is. Met de zaak Berchtesgaden trouwens onmogelijk. Beklaagt zich over de houding van katholieken. Herhaal hem gesprek Pierlot: rechts steunt de Koning als zijden draadje waaraan een olifant hangt.

12.15 uur. Eerste minister. Brengt hem verslag uit van gesprek van gisteren met Fredericq en Pirenne. Eerste minister besluit zwaar geschut in te zetten. Zal uitpakken met Berchtesgaden. Leest me een indrukwekkend document voor vanwege de bijzonderheden over gesprekken met Hitler, bijgewoond door Schmidt, de tolk. Ik zeg hem dat deze gevangen zit. We zullen hem laten ondervragen, zegt de eerste minister. Ik zal het er met de Britse ambassadeur over hebben... Er bestonden twee memoranda van de overeenkomsten, het ene werd in

Brussel vernietigd, het andere is in Berlijn. Men heeft von Kiewitz in 1942 gestuurd om te trachten er de hand op te leggen. Vergeefs. Zal uitpakken met de door de Koning zelf georganiseerde vrijwillige wegvoering. Nota Tilkens, van uur tot uur, waarin hij zijn twijfels uitspreekt.

15 uur. Drie berichten uit Salzburg overgemaakt door Williams-Thomas. 1. Men vraagt Cartier. 2. Aan Fredericq en Pirenne zeggen dat de Koning akkoord gaat. Dat ze, zodra ze klaar zijn, komen. 3. Men vraagt vliegtuig voor vertrek van drie personen uit Salzburg. Williams heeft de namen gevraagd.

18 uur. Cocktail Britse ambassade. Algehele samenzwering. Theunis vraagt me of hij kan ontkennen dat Prins zou vertrekken in geval van troonsafstand. Antwoord ja. Pauwels voorstander vertrek. Mierzoete Nuntius. Ganshof serieus. Vraag hem of hij regering wil vormen. Vraagt mij te ontmoeten. Dring bij ambassadeur aan voor Schmidt; die zal nagaan of wij hem kunnen ondervragen.

Do. 21 juni

… 12.35 uur. Ganshof. Hem wordt gevraagd regering te vormen. Had gisteren een voorgevoel. Vandaag officieel gevraagd. Indien niet hij, dan rest er slechts troonsafstand. Houdt slag om de arm… Zal in ieder geval als adviseur naar Salzburg gaan. Ontmoet Spaak om 14 uur. Deze raadt het hem af.

Eerste minister om 15.30 uur. Vergadering van rechts. Heeft hen overtuigd van de noodzaak troonsafstand. Heeft uitgepakt met Berchtesgaden en wegvoering. Heeft op vlakke en nonchalante toon gesproken. Rechts wil zijn gezicht redden en delegatie naar Koning sturen.

18.30 uur. Ganshof. Situatie overlopen. Geen verantwoordelijkheid verleden, advocaat. Zeg hem debat meedogenloos. Wil het afbakenen. Onmogelijk. Men zal het niet hebben over Limoges. De Limogeards zullen het erover hebben. Het is allemaal moeilijk vooruit te zeggen.

Vr. 22 juni

… Diner om 19.30 uur bij de eerste minister. Deze kalm. Van Glabbeke niet zeker Ganshof. Zeer controversiële juridische stellingen. Alleen de regering-Van Acker wettig.

Bij Lily Wigny om 14.30 uur. Verwittigt me van fantastische samenspanning tegen mij. Oude entourage uiterst geïrriteerd over mijn houding. Ik ben een kruitvat geweest. Indien de Koning terugkeert, zal ik het moeilijk krijgen…

Zo. 24 juni

… IJlings teruggeroepen van Eksaarde. Brussel 10.30 uur. De voorzitters <van Kamer en Senaat> komen om 11.30 uur. Ontmoet hen voor de audiëntie. Van Cauwelaert is bleek en opgewonden.

De Prins zeer nerveus en had spit. Zal hen staand ontvangen zodat men niet ziet dat hij niet kan opstaan. Komen boodschap lezen.

Om 12.15 uur Prins zeer bleek. Kleine woordenwisseling met Van Cauwelaert. Deze heeft de Prins moreel verantwoordelijk gesteld ongepaste taal van zijn ministers. Prins woedend, heeft hem bits geantwoord. Gillon zit er mee in zijn maag. De Prins wil vertrekken, is niet langer Regent, adviseer hem te wachten. Bel eerste minister op die tegen 13.10 uur komt. Adviseert ook te wachten. Lunch met de eerste minister. Men heeft toestemming gekregen Schmidt te ondervragen. We doen dit zo snel mogelijk. Zal, indien nodig, met alles naar buiten komen, maar wenst liever niet hiertoe verplicht te worden...

Ma. 25 juni

Williams-Thomas 12.30 uur. Pirenne bij Erskine, geen sprake Britse inmenging voor ordehandhaving. Toeschouwers als bij een voetbalwedstrijd...

Van 26 juni tot 23 juli 1945, werden de meeste aantekeningen van André de Staercke op losse velletjes geschreven en tussen de bladen op de overeenkomstige datum in de agenda gestoken.

Di. 26 juni

Van Cauwelaert 9.30 uur. Verklaart me dat de publieke opinie ingelicht moet worden indien ernstige feiten Berchtesgaden. Men zou ze slechts moeten onthullen aan drie of vier kopstukken van rechts, die voor de ommezwaai van hun troepen de verantwoording op zich zouden nemen. Zijn geweten onrustig, wil de zaak goed begrijpen. Zeg hem dat ik de eerste minister zal informeren en ik ga om 10.15 uur onmiddellijk naar hem toe. Ontmoet Ganshof terug Salzburg. Zegt me staan 48 uur af van het feit waaraan wij denken. Wenst me te spreken. Eerste minister zegt me alles gaat goed. Heeft samenvatting gesprek Tschoffen met Koning ontvangen...

Diner bij Knatchbull... neemt me apart en zegt me: bezoek gekregen van Van Cauwelaert om mening geallieerden te polsen en van Ganshof die hem heeft gezegd: Koning heeft nooit geantwoord op Hitlers toenaderingspogingen in Berchtesgaden. Dring aan op noodzaak ondervraging.

Wo. 27 juni

Tschoffen om 11 uur. Vat onderhoud met Koning uitgebreid samen: eerst samenvatting situatie, vervolgens bezwaren, somt er achttien op. Berchtesgaden, Koning ziet er als door de bliksem geslagen uit wanneer bestaan vermeldt twee korte memoranda, waarvan een vernietigd; ze hebben een tolk aangehouden. *'Hoezo, hebben ze Schmidt aangehouden? Fort Eben-Emaal, Prinses Marie-José-, ik ben niet verantwoordelijk'*. Eindelijk advies aftreden. Hoe? Boodschap die Tschoffen improviseert. Wat te zeggen over de geallieerden? Tschoffen zegt me, hij haat de Britten. *'Ik weet dat ik niet op die lui kan rekenen. Ze hadden er beter aan gedaan woord te houden aan begin oorlog enz.'*

Lunch Prins, Air Marshall Cunningham, Brits ambassadeur. Knatchbull heeft mij gezegd dat hij weet dat de Koning hen haat. Was hij niet tevreden geweest in Eton? Waarom? Sawyer heeft zin eind te maken aan al dat gereis…

Diner Spaak. P.H. zeer gespannen na bezoek Ganshof die liet doorschemeren Koning zou vluchten in onthouding; heeft geprobeerd opschudding te veroorzaken door ondervraging Schmidt. Niet mogelijk dat Belgische ministers de getuigenis van een Duitser tegen de Koning aanvaarden. P.H. van zijn stuk gebracht: zal advies inwinnen bij Pierlot.

Van Acker telefoneert me, aarzelt Ganshof te laten vertrekken die niet is ontboden.

Aanvulling Tschoffen: heeft Van Waeyenbergh[59] in Salzburg ontmoet. Eerst in vuur en vlam voor de terugkeer. Weet niets van de gebeurtenissen af. Tschoffen geeft hem zijn documentatie. Hij geeft deze terug en zegt: *'Dat is afschuwelijk. Ik wist van niets, zal tot voorzichtigheid manen. Met wat de kranten reeds hebben gezegd, moeten we oppassen'.* Is er iets anders, dan Koning verplicht na te denken alvorens terug te keren: spoor Tschoffen aan de Kardinaal te ontmoeten om hem documenten te tonen. Zal hem bij me laten komen. Tschoffen is er gisteravond naartoe gegaan. Kardinaal onder de indruk, maar herziet houding niet. Hij zal niets zeggen, noch voor noch tegen troonsafstand. Onthoudt zich ervan, over de Koning te spreken in zijn redevoeringen, met name tweemaal in Antwerpen. Men heeft dit hem verweten. Zal niets méér doen, hij wordt buiten alles gehouden.

Do. 28 juni

9.30 uur. De Visscher. Vat onderhoud van eergisteren met Ganshof samen. Ik begin diens spelletje door te krijgen. Heeft tegenover De Visscher zijn vrees geuit voor Berchtesgaden. In tegenstelling tot wat hij heeft gezegd aan Knatchbull. Wilde een regering maken van verdediging en troonsafstand waarvan hij de leiding zou nemen en waarvan De Visscher deel zou uitmaken. De Visscher heeft het hem afgeraden en heeft geweigerd. Kreeg de indruk dat hij opgaf. Ik zeg hem dat Ganshof de Robin Hood of de Rode Pimpernel wil uithangen en voordeel halen uit alle situaties. De Visscher heeft de indruk dat hij een slecht contact Pirenne heeft gehad. Aangrijpende sfeer gesprekken in Salzburg (traan – geen referendum, want 30 tot 35 % tegen). Ganshof tracht de waarheid over Berchtesgaden uit de weg te gaan. Ontkent deze bij de Ambassadeur – brengt P.H. van zijn stuk – neemt aan bij De Visscher – komt tenslotte met het wapen van de onthouding als dreiging tot sabotage.

Ontmoet de eerste minister. Vat voor hem dit gesprek samen. Hij verklaart dat hij zich niet in de houdgreep laat nemen. Zal naar het Parlement gaan.

Diner om 20.15 uur bij de Prins. Gesprek tot 23.30 uur, we springen alle twee van de hak op de tak, grote openheid over elk onderwerp.

Vr. 29 juni

9.30 uur. De Visscher. Werd om middernacht gebeld door J. de Landtsheere, naar Salzburg ontboden met van Zeeland, Pholien, Devèze. Heeft om familiale redenen geweigerd. Zeg het aan de Prins, Spaak en Van Acker. Prins en Spaak hadden liever gezien dat hij wel was meegegaan.

Van Acker om 11.15 uur..., vertelt me: resultaten Schmidt uitstekend. Weet er voldoende van om alles te doen springen. Wenst er geen ruchtbaarheid aan te geven. Men zal er nog meer over vernemen en men zal de wedstrijd tegen de klok winnen in verband met ondervragen of niet ondervragen. Hij is rustig. Zegt me, de Brouckère erg vastberaden geweest in Salzburg. Liberalen hebben de Koning goed duidelijk gemaakt dat terugtreding niet onthouding inhoudt, maar troonsafstand.

De Koning heeft aan een van de adviseurs gezegd: ik zou de ministers van Londen kunnen laten fusilleren (wellicht Henricot; antwoord: en u als legeraanvoerder die gecapituleerd heeft en zich geheel overgegeven).

13 uur. Lunch Nuntius. Gesprek vol vleierijen. Alle hypothesen te overwegen. Moeten openhartig spreken. Van Waeyenbergh, perplex, moet Van Acker ontmoeten. Zegt me wat hij aan de Koning heeft gezegd. Bevestigt Tschoffen. Idee ereraad...

Ma. 2 juli

12 uur. Roch heeft bij zijn eerste vertrek Meissner ontmoet. Schmidt zaterdag. Hij komt terug met schriftelijke verklaringen van de twee en deze stemmen overeen. De verklaringen zijn geparafeerd en ondertekend. Schmidt lijkt een correct man, die bij het herlezen van zijn verklaring deze nu eens wat afzwakte en dan weer wat versterkte. Grosso modo, alles waarvan men de Koning heeft beschuldigd, klopt: er is zelfs meer: Prinses Marie-José heeft hierin een verschrikkelijke rol gespeeld. In goede aarde vallend bij de Führer, heeft zij de Koning weten te overtuigen dat hij om een onderhoud moest vragen; haar werd een eerste contact door Hitler voor de Koning geweigerd en vervolgens toegestaan na een tweede verzoek. Dit was het onderhoud van 17 november 1940. De politieke gesprekken waren door de Prinses van Piëmont voorbereid. De Koning was vragende partij. Hij was het die aan het begin van het gesprek de politieke onderwerpen begon aan te snijden, dit in de zin van een entente met Duitsland en de overwinnaar, en om de dynastie te redden. Hij deed diverse suggesties.

Hitler nam de leiding van het gesprek over en weidde toen uit met een van zijn lange verklaringen. Daarna kwam men tot gemeenschappelijke conclusies voor de toekomst. Schmidt heeft de twee personen – gevangenen van de geallieerden – genoemd die in het bezit zijn van de documenten over dit gesprek. Behalve de rapporten Meissner en Schmidt die voor zichzelf spreken, hoopt men aan de documenten te kunnen geraken. Voor de eerste minister zou dat het einde betekenen. Hij hoopt er nooit gebruik van te hoeven maken. Hun bestaan is voldoende. Deze namiddag belt hij Davignon en draagt hem op, met de documenten in de hand, te vertellen wat hij weet, aangezien de Koning hem alles heeft gezegd. Bij het eerste gesprek was hij al aan de grond genageld...

Di. 3 juli

9.30 uur. Prins vraagt om me. We discussiëren. Cornil audiëntie. Vastgesteld op 10.30 uur nadat ik de eerste minister heb gevraagd om 10 uur te komen. Hij zegt me dat Davignon alles schriftelijk heeft erkend en Schmidt en Meissner heeft bevestigd.

Cornil en Hayoit 10.30 uur. Ik blijf met Hayoit. Aangrijpende sfeer van de gesprekken. Zeer voorzichtig in wat hij zegt. Zeer omfloerst. Bezien of er niet een minder slechte oplossing is dan troonsafstand, maar dat is een zaak voor de politici. In ieder geval geen sprake meer van terugkeer. In elk geval zijn de juristen erin geslaagd de Koning aan het verstand te brengen dat hij niet meer de soeverein is, maar onderdaan en dat het de Regent is die de baas is. Het is dus aan hem de oplossing aan te reiken. Deze kan troonsafstand zijn, maar is het land hiervoor klaar? Wat te zeggen over de reactie van de Vlamingen. Zou het niet een betere oplossing zijn als de Koning tijdelijk terugtrad en de volle soevereiniteit aan de Prins liet. Daar er geen troonsafstand zou plaatsvinden, zou hij zo – tot aan de meerderjarigheid van de graaf van Brabant – geen Koning zijn en zou het Regentschap gedurende een tiental jaren kunnen worden voortgezet. Het is aan de uitvoerende macht de onmogelijkheid om te regeren vast te stellen. Aan hem, dus aan de Regent, de mogelijkheid om te regeren vast te stellen. Het volstaat het niet te doen en de huidige situatie gaat gewoon verder.

Ik toon Hayoit mijn verbazing en vraag hem, of hij echt gelooft dat deze juridische goocheltruc zal werken. Hij antwoordt me niet bevestigend, maar komt met een stortvloed van protesten, zeggend dat geprobeerd is er het beste van te maken. Dat in dit geval de Koning zijn aanhangers de mond kon snoeren, terwijl men anders, bij troonsafstand, deze groep niet zou verhinderen zich te roeren.

Spreekt over de jeugd van de Prinsen, spreekt met veel lof over de Regent, beklaagt mijn positie en hemelt die op.

Om 12.15 uur bij Regent ontboden waar we ons bij Cornil voegen. Prins vuurrood, nogal opgewonden, vat het onderhoud samen – hetzelfde als bij

Hayoit. Prins van mening dat deze truc de situatie niet kan redden. Ik voeg eraan toe dat het niet voldoende is te zeggen open kaart te spelen, maar dat je het ook moet doen. Cornil legt nadruk op kalmerend effect van onthouding vergezeld van een brief van de Koning, waarin hij zijn aanhangers vraagt zich rustig te houden. Volgens Cornil zou de oplossing jaren kunnen aanslepen, tenzij een nieuwe parlementaire meerderheid de Koning door tussenkomst van de uitvoerende macht zou terugroepen.

Na het vertrek van Hayoit en Cornil toont de Prins me de persoonlijke brief van zijn broer. Een bijna hartelijk schrijven eindigend met affectieve groeten, waarin hij zijn overtuiging bevestigt dat de Prins tegen zijn historische opdracht opgewassen zal zijn. In de brief aankondiging dat Cornil en Hayoit een ontwerp voor een officiële brief aan de Prins zullen overhandigen voorzien van commentaar (hypothese onthouding). Cornil heeft de brief niet overhandigd...

Om 5 uur Spaak. Is erg met situatie verlegen. Zitten in een impasse. Ganshof heeft hem persoonlijke brief van de Koning overhandigd: Geachte Minister – geheel de uwe. Om zijn aandacht te vestigen op internationale situatie van het Land. België wordt heen en weer geslingerd door verschillende grootmachten. Sommige hiervan buiten onze verdeelde en zwakke situatie uit. Vraag Spaak met klem, gebruik te maken van zijn positie en zijn goodwill om deze situatie te verhelpen. Aandacht van Groot-Brittannië, onze natuurlijke waarborg, hierop vestigen opdat het ons zou helpen te voorkomen dat een andere mogendheid zich in het nadeel van de Britten op 60 km van Antwerpen installeert. Toenaderingspoging van Spaak.

Spaak heeft Ganshof gezegd: dit loopt erop uit dat in het Parlement alles op tafel wordt gegooid. Wie gaat dit debat leiden? Alleen jij kunt dat doen, zei Ganshof. Daar is het parlement op uit. Spaak zei dat hij niet zal terugkeren en zal aftreden, maar op het ogenblik brengt het parlement ons in de problemen. Het kan alleen uitlopen op een parlementair debat met een motie in de stijl van die van Limoges en met het vertrek van de Koning tot gevolg.

Om 18 uur bij Mrs Sawyer die om 16 uur uit de V.S. was teruggekeerd. Mr Sawyer vraagt me hoe ver de zaken staan? Hij zegt me dat de Koning zich aan ons heeft overgeleverd door te zeggen dat de Regent de baas is. Aan ons hiervan te profiteren. Geen voorstander van parlementair debat. Ik verneem dat Ganshof hem de avond van de terugkeer uit Salzburg is komen opzoeken.

Om 19 uur bij Cornil en vraag hem de brief. Wist niet dat de Koning er bij de Prins melding van had gemaakt. Naar mijn informatie hierover voeg ik eraan toe, dat dit een herhaling is van het Fredericq-systeem. Adviseer hem, met mij gaan om brief te geven. Hij accepteert. Overhandigt dit ontwerp aan de Prins met de uitleg dat het om een schets gaat. De Koning zegt hierin dat hij in de onmogelijkheid om te regeren verkeert, aangezien hij geen regering kan vormen. Zal uitslag verkiezingen afwachten. Intussen vraagt hij om de zegen van de Voorzienigheid voor zijn broer.

Diner Spaak – per telefoon inhoud brief aan eerste minister.

Wo. 4 juli

... 9.30 uur Pierlot. Vindt de ideeën van de juristen onbruikbaar. We moeten tot het eind gaan. Van Acker moet de rechtsen met hun neus op de feiten drukken. Onmiddellijk convoceren en door uitnodiging van de fractieleiders de vergadering van deze namiddag verhinderen...

Om 15 uur Ganshof bij mij. Ben met hem zeer openhartig. Wantrouwen bij oplossing onthouding, omdat niet te goeder trouw zal worden toegepast. Voorbeelden. Hij vraagt me, persoonlijke plannen niet met die van de Staat te verwarren. Zegt me dat gevolgen troonsafstand onvoorspelbaar en oneindig zouden zijn. Nemen vriendschappelijk afscheid van elkaar...

Do. 5 juli

Om 12 uur eerste minister. Samenvatting onderhoud met rechts. Heeft rapport Schmidt en Meissner en getuigenis Davignon gelezen alsook nota over vrijwillige wegvoering, waarvan Roch me het origineel heeft voorgelezen. Is van oordeel dat dit sterke indruk heeft gemaakt. Wil naar Salzburg gaan en alles aan de Koning meedelen, maar wil slechts gaan indien de rechtsen hem toestaan te zeggen dat zij de stellingname van de Koning niet meer kunnen steunen, gezien de gedane onthullingen. Rechts heeft hem toestemming gegeven, maar met een licht voorbehoud.

15 uur. Ik bel Pierlot op. Van oordeel dat Van Acker op rechts niet het door hem verwachte effect heeft gehad. Deze morgen heeft P.W. Segers hem gezegd dat ze achter de Koning stonden wat hij ook gedaan mag hebben.

5 uur. Vergadering bij de Prins – Holvoet, eerste minister, Spaak, De Visscher en ik: te volgen gedragslijn ten aanzien van brief van de Koning. Besloten, aan Cornil zeggen zich tot Van Acker te wenden. Van Acker zal zeggen beoogde procedure onthouding onmogelijk te volgen – of troonsafstand of debat in het Parlement dat, volgens Spaak, slechts kan uitlopen op een motie vergelijkbaar met die van Limoges.

Donderdagavond ministerraad. Van Acker zal met du Bus vertrekken. De katholieken akkoord dat hij zegt dat er een Kamerdebat nodig is waarin alles tot klaarheid wordt gebracht, indien de Koning geen troonsafstand doet.

Vr. 6 juli

... 13 uur. Lunch Prins, Amerikaanse Ambassadeur, Eyskens. Eyskens zegt me problemen in verband met vertrek du Bus dat men wil verbieden. Om 14.30

uur vergadering om hen te overtuigen. Zegt me dat alle katholieke kopstukken overtuigd zijn van noodzaak troonsafstand, maar niet bereid zijn verantwoordelijkheid te nemen...

Do. 12 juli

Om 10 uur vertrek Evere. Om 13 uur aankomst Salzburg. Wachten op eerste minister en Williams-Thomas. Brief Prinses aan Prins: vraagt hem te komen. Prins in auto met eerste minister tot in buurt van koninklijke villa. Daarna eerste minister bij ons, de Thy bij de Prins.

Eerste minister vertelt ons de Koning driemaal te hebben ontmoet, tweemaal zaterdag en zondag, tien en vijftien minuten, gisteren een uur en een kwartier. Zaterdag en zondag zeer heftig, eerste minister onverstoorbaar. Ondervraagd over wat hij wist over Berchtesgaden en wegvoering. Koning bevestigt: mijn beslissing zal in geen geval door deze beide elementen worden bepaald. Laat ons hierover niet redetwisten. Heeft zich gisteravond verontschuldigd voor zijn heftige toon van de vorige dagen. Hij benadrukt zijn dramatische situatie en vraagt om begrip. Komen om 15 uur bij 'Gasthof Weisses Rössl' aan...

Eerste minister en du Bus ontboden. Vervolgens Holvoet, Marcq, Delacroix. Daarna voorzitters van de Kamers.

Terugkeer eerste minister. Fredericq aanwezig bij gesprekken (zoals reeds acht dagen). Men klampt zich vast aan hoop ereraad. Idioot idee, gelanceerd door jurist. Gesprekken ook in aanwezigheid van de Prins gevoerd.

Holvoet keert terug. Heeft Koning een uur en een kwartier gesproken[60]. Was zeer vastberaden en er werd goed naar hem geluisterd. Haalt de eerste minister en du Bus bij de Koning af. Woont de gesprekken van de Kamervoorzitters met Fredericq bij. Nog steeds dezelfde hoop, ditmaal ondersteund door de Prins.

9.30 uur terugkeer eerste minister en Gillon. We staan nog steeds nergens. Van Acker optimistisch. Gillon pessimistisch. Beklaagt zich over houding van Van Cauwelaert tijdens onderhoud. Heeft onvoorwaardelijke steun katholieken beloofd, komt in opstand tegen Pierlot. De fouten van de Koning vallen te verontschuldigen. Die van de regering te Bordeaux zijn dat niet. Desertie.

Williams-Thomas wordt verzocht de Koningin en Spaak te halen. Eerste minister akkoord, ziet er het nut niet van in. Voor Spaak voorwendsel: moet informatie geven over de mogendheden die het land bewerken.

23 uur. Holvoet telefoneert in bijzijn Williams-Thomas en mij, vraagt Pierlot te laten komen. Verklaart dat men niet Cool, maar Pauwels laat komen. Eerste minister woedend, weigering. Verklaart: hij vertrekt als men hen laat komen. Holvoet houdt aan, Van Acker obstinaat. Holvoet vraagt of hij zelf kan komen discussiëren. Toegestaan. Bij mij wacht hij met Williams tot 0.15 uur op hem. Steekt zijn ontevredenheid niet onder stoelen of banken. Zal niet toegeven. Zal

terugkeren en onmiddellijk debat openen. Hij heeft er genoeg van. Hij laat ze niet gaan. Holvoet arriveert. Hij blijft bij zijn weigering. Holvoet ontstemd (ik ben aan het kaarten, beklemtoont de eerste minister).

Vraagt aan eerste minister zelf te komen. Eerste minister gaat weg. Williams keert terug. Hij ook woedend (had me gisteren reeds over ontvangst van de Koning zondagmorgen verteld: dacht de Britten 'fair play', verwachtte niet zo behandeld te worden, dacht dat het iets anders was. Na in Eton te zijn geweest, waarom behandeld als gevangene. Haalt papieren voor de dag. Williams zwijgzaam, woedend, zei bij zichzelf *'bloody fool'* (dat is dan de dank voor onze bevrijding van je land). Hij heeft er genoeg van. Zal morgen telegraferen, de andere vliegtuigen stoppen na Spaak en Koningin. We geven het nodige commentaar bij hele situatie. Hopen eerste minister zal volhouden.

1.30 uur terugkeer eerste minister en Holvoet. Van Acker heeft tegenover Fredericq, de Regent en de Koning niet toegegeven: gesprek drie minuten: *'Ben ieders gevangene. Hoe kon het zover komen als Belgen onder elkaar? Uw aanwezigheid belangrijker hier, dus geef ik toe.'*

Opmerking eerste minister: *'Prinses zat met één bil op de troon. Ze wil er met beide op zitten... Spijt te zijn gekomen.'*

Vr. 13 juli

Bij de lunch zegt De Thy me, indruk: Prinses van Retie heeft koordjes in handen. Zodra ze hem zag: *'Wat denkt u chantage op de Koning uitgeoefend?'* Antwoord niet. Meteen ijzig. *'Kijk eens aan, u ook in battle dress. Niets Belgisch meer dus'.*

Holvoet om 10 uur bij koninklijke villa. Gisteravond heeft Pirenne nog geprobeerd, Van Cauwelaert over te halen voor erecomité. Van Cauwelaert probeert nog op eerste minister... Williams heeft zijn hard en persiflerend telegram gestuurd, doen verstaan dat het genoeg is. Eerste minister zaterdag terug. Williams-Thomas naar Salzburg, Koningin en Spaak afhalen. Baron Holvoet komt terug van de Prins. Alles gaat slecht. Geen kwestie van aftreden, want men heeft er niet de motieven voor gegeven. Prinses van Retie heeft verklaard dat entourage Prins niets dan vijanden van de Koning telt. Holvoet zegt me, Prins wil me na lunch ontmoeten, voor aankomst Koningin. Van Acker informeren. Vertrekken rond 13 uur per auto. Wacht langs de weg. Holvoet gaat Prins halen, die hij meebrengt. We gaan in de berm zitten[61]. Zeg Prins mijn ongerustheid. Is in val gelokt. Men wil hem erbij betrekken. Hij moet dit zien te vermijden. Zonder partij te kiezen zolang er geen beslissing is, moet hij terugkomen op voorbehoud. De Regent zijn, dat is zijn plicht. Indien geen beslissing, moet hij weer naar Brussel en terugkomen wanneer beslissing genomen (toespraak dienst natie). Als hij blijft, wordt hij als voor of tegen geklasseerd, wat niets aan de zaak verandert of schadelijk zal zijn en de acht maanden lang zo moeizaam boven het strijdgewoel gehandhaafde positie in gevaar zal brengen. Terugkeer moet morgen; en gunstig voor land en dynastie.

Prins akkoord. Vraagt dat ik dit aan Koning uitleg. Zal ik doen indien men mij ontbiedt. Via Holvoet erover spreken met Fredericq. Breng hem ervan af zo te gaan. Holvoet en ik terug te voet. Leest me verslag voor gesprek Van Cauwelaert, Gillon, Koning. Spaak arriveert rond 16.30 uur. Heeft samen met Koningin gereisd. Niet hartelijk.

Rond 18 uur ontboden. Wacht tot 19.45 uur in het juristen-'kot'. Naar buiten komen Pirenne, Fredericq, Marcq, Holvoet. Het familietreffen is afgelopen. Iedereen voor aftreden, behalve Pirenne, die de meest dwaze oplossingen voorstelt. De Prins toont aan dat ze onhaalbaar zijn en verwerpt ze met enkele woorden. Ga iets eten en boottochtje maken. Rond 22 uur verneem ik dat ik al drie kwartier wordt gezocht. Ga met Delacroix, Bodson en Holvoet naar de villa. De Prins wacht me op. Er is een familieruzie over mij geweest. De Prins wilde me raadplegen over mogelijkheid vorming nieuwe regering. Hierop geraakte de Koningin buiten zichzelf. Ze zei: *'Jouw vuile de Staercke. Hij laat zich overal zien en intrigeert ten gunste van aftreden. Je zou vreemd opzien als je wist wie slecht over hem heeft geoordeeld, iemand die slimmer was dan jij, je vader.'* De Prins had erg fel geantwoord. Zijn moeder had hem toegevoegd dat ze hem een oorvijg ging verkopen. Hierop had de Prins gezegd: *'Als u wenst dat ik met mijn werk voortga, dan wordt het met de Staercke; anders stap ik op'*. Ik stel mijn functie aan de Prins ter beschikking. Hij weigert. Vestig zijn aandacht op noodzaak niet van houding te veranderen. Erg opgewonden, wandelen op pad voor villa. Om 10.20 uur arriveert Spaak bij Koning. Ontmoeten Fredericq. Vestig zijn aandacht erop dat Koning Albert niet over mij had kunnen spreken, want ik pas 20 jaar bij diens dood. Ontmoeting met de Koningin. Prins gaat naar Retie. Van Acker en Marcq bij Koning. Holvoet en ik zoeken plaatsje bij de juristen. Eind gesprek rond 2 uur 's nachts.

Keren terug. Koning heeft tegen Spaak gezegd. Van Acker wilde niets weten van zijn verdediging. Spaak zegt nee. Men laat Van Acker, vervolgens Marcq, Pirenne en Fredericq komen en doet een test. Deplorabele antwoorden tot aan door Fredericq ter verdediging getoond telegram, waarop te lezen staat 'de oorlog is voorbij'. Juristen trekken zich terug. De Koning komt terug, neemt afscheid en zegt zal morgen zijn antwoord geven. Aftreden in overweging.

Za. 14 juli

...Om 10 uur Holvoet bij Prins. Alles is veranderd. Men wil Prins doen blijven. Men beweert dat men dossiers over zijn Huis heeft. Men zal hem leven zuur maken. Het is die Retie...

Ontmoet rond 12 uur Prins met Holvoet en Van Acker op de weg. Gesuggereerd zo snel mogelijk terugkeer. Belofte brief Koning aan Prins voor morgen, met mooie woorden en beslissing zich onthouden. Van Acker zegt zijn verplichtingen ontslagen.

Bij de lunch zegt Spaak dat hij Koning en Prins wil ontmoeten. Indien crisis moet terug. Telefoneer naar de Thy. Gaan rond 13.30 uur naar de weg met Holvoet, du Bus, Spaak, Van Acker en ik. Noodzaak beslissing. Spaak gaat met Prins Koning ontmoeten. Komt na half uur terug. Koning buigt niet het hoofd voor Parlement. Zal verkiezingen afwachten. Wettelijk land, werkelijk land. Onmogelijk, zegt Spaak. Besluiten tot een vergadering om 3 uur, waaraan ik niet deelneem. Spaak komt rond 16.30 uur terug, verklaart Koning is lomp. Drie kwartier gewacht. Dan de brief waarin hij zijn voornemen tot aftreden aankondigt. Van Acker verklaart onmogelijk en staat rond 16.30 uur op voor vertrek. Koning gaat even weg en keert niet terug. Spaak uitgenodigd voor diner. Boottochtje met Gillon. Algehele consternatie. Prins roept me om 10 uur laat me half uur wachten, ontvangt me 10 minuten, geeft me een arm want dat doet deugd, voelt dat ik kwaad ben.

23 uur Voorzitters: voor maandag debat in vooruitzicht. Van Cauwelaert zou motie vervallenverklaring niet kunnen aanvaarden, maar wel vertrouwensmotie voor regering.

Paul-Henri terug rond 23.30 uur. Heeft gedineerd met Koning, Koningin, kip, perziken, champagne. De Koningin probeert hem voor zich in te nemen nadat ze had geweigerd hem op het vliegveld te groeten. Ingenomen positie: niet aftreden, afwachten. Indien België het eind monarchie wenst, moet het maar een republiek worden. Spaak heeft gezegd: *'Sire, indien ik president word, neem ik u als eerste minister.'* Gelach. Spaak ongerust over houding Prins. Zei hem voor souper dat hij op zijn beurt zou vertrekken indien het niet tot een regeling kwam. Holvoet en ik kalmeren Spaak...

Zo. 15 juli

Om 8.30 uur mis in Sankt Wolfgang. Vertrek stad 10.15 uur. Prins ziek. Zie Koning even, die Spaak laat halen die we op de weg hebben achtergelaten. Spaak komt er aan. Heen en weer gedraaf voor de fameuze brief... Vertrek om 11 uur... Brussel 15.30 uur. Spaak zegt me: *'Bezorgt Pierlot revanche van zijn leven: de Koning heeft hem gezegd: 'ik reken slechts op Pierlot en op u'*. Van Acker wacht op de Prins. De Prins gaat met hem naar het paleis... Word bij de Prins ontboden. Daar zijn Van Acker en Paul-Henri. Lezing en discussie brief van Koning. Besloten in twee etappes te werk te gaan. Het Regentschap consolideren en hiertoe wet aannemen waardoor mogelijkheid om te regeren afhankelijk wordt van parlement. Vervolgens op interpellatie debat voeren over de Koningskwestie.

Op die wijze verbindt de regering zich niet rechtstreeks en laat de Prins onschendbaar...

Na vertrek eerste minister en Spaak spreekt Prins me over houding en moraal Prinses van Retie...

Ma. 16 juli

Prins ietwat beter. Ontmoet om 12 uur Amerikaanse ambassadeur. Uiterst geïrriteerd. Heeft 'at lenght' de zaak besproken met President Truman en minister Byrnes. Hij is van mening dat de Koning misbruik van de Amerikaanse gastvrijheid heeft gemaakt; men moet hem laten weten dat de Amerikanen hem willen vervoeren waarheen hij maar wil, maar dat hij moet vertrekken. Als hij over acht dagen nog niets heeft beslist, is het afgelopen met communicatie en levensmiddelen...

Om 18 uur Britse ambassadeur. Minder vastberaden dan Sawyer. Bezorgd om zijn 'Parade'. Kalmeer hem.

Begeef me om 19.45 uur naar eerste minister voor overhandiging brief Koning aan Regent, die me deze om 17.30 uur heeft laten lezen...

Di. 17 juli

Katholieken ontslagnemend, want willen niet troonsafstand goedkeuren die regeringsmeerderheid aansluitend op het debat wil voorstellen...

Om 13 uur Van Acker bij de Prins, om 13.30 uur du Bus. Ontmoet om 14.15 uur du Bus. Signaleer hem gevaar situatie van Prins steunend op een partijenregering voor oplossing voornamelijk nationale kwestie. Binnen twee weken wordt de Prins in de polemiek meegesleurd, zijn positie zal onhoudbaar worden en de houding van de katholieken zal hem tot vertrek dwingen. De revolutie is aan rechtse zijde.

Stemming wet in Kamer zou regentschap bevestigen. Eerste besluit over het staatshoofd hangt in de lucht.

Diner met Prins en Holvoet. Scrupules van de Prins indien de wet goed in het scenario van zijn broers brief past. Om 21.30 uur wordt Cornil erbij geroepen. Kalmeert de Prins.

Om 17.30 uur Pierlot, waar Gillon is. Pierlot beschrijft me de geestesgesteldheid van rechts. Vergadering van die ochtend of gisteren. Zwijgen van Pierlot.

Woe. 18 juli

Prins veel beter. Pingpong.

Lunch bij Spaak.

Stemming Senaat. Frenetieke verklaring van Moyersoen; rechts in de oppositie.

18.30 uur Telefoontje van Van Cauwelaert. Vraagt me te interveniëren zodat debat niet plaats heeft bij eerste minister en Spaak. Belooft me het mogelijke te doen voor terugkeer katholieken in regering. Zeg hem, dat ik zal trachten uitstel tot dinsdag te bekomen, zodat hij kan onderhandelen. Informeer de eerste minister en vraag Van Cauwelaert contact met hem op te nemen. Hij stuurt me een brief naar Buitenlandse Zaken, waar ik dineer, met het bericht dat de eerste minister zal nadenken. Verzoekt me bij Spaak te interveniëren met nadruk op een waardig nationaal feest.

Om 23.30 uur terug diner en bridge op Buitenlandse Zaken met Mr en Mrs Sawyer. Blijf tot half een 's nachts. Sawyer erg fel over de Koning. In feite abdicatie daar hij weigert zijn gezag uit te oefenen. Vertel hem over invloed katholieken in het land. Dié strekking moet overtuigd worden. Tot aan Rome gaan. Zouden we door Myron Taylor geholpen worden. Zal niet rechtstreeks interveniëren maar welwillend zijn.

Do. 19 juli

Prins steeds nerveuzer in vooruitzicht debat en aftreden katholieke ministers. Het is Van Cauwelaert niet gelukt uitstel te verkrijgen. Heeft er trouwens een prijsje opgekleefd.

Prins ontmoet Spaak om 9 uur in verband met bezoek Prinses Elisabeth. Wil niet naar de Parade van de Guards gaan. Hebben hierover felle onenigheid. Na gesprek met Spaak besloten Kardinaal te ontmoeten voor terugkeer katholieken en, na debat, alle partijvoorzitters met voorstel tot adempauze tot verkiezingen en terugkeer katholieken in regering.

Vr. 20 juli

10 uur Prins, hij heeft een conflict met de Maere. Kom om 10.20 uur tussenbeide.

11 uur Britse ambassadeur bij de Prins. Indien geen luisterrijke verwelkoming van Prinses Elisabeth, kan zij beter niet komen.

15 uur Kardinaal bij Prins. Akkoord voor tussenkomst na debat. Maakt zich sterk dat hij zal slagen. Zal hem op de hoogte houden.

18.15 uur Na debat, Van Acker bij Prins. Neem Merode en hem mee richting Eksaarde.

Za. 21 juli

Om 10 uur Te Deum Sint-Goedele. Betogingen binnen en buiten. Geschreeuw van de geestelijken. Spaak laat de deuren openen. Tot de commissaris: '*Maak vrij baan.*' Gillon weigert andere uitgang te nemen.

Zo. 22 juli
Niets

Ma. 23 juli
Prins 11.20 uur. Pingpong. Mijn slechte humeur. Laat Pierlot, Carton, Delvaux, Eyskens ontbieden.

Lunch Spaak. Pirenne oefent druk uit op Van Straelen opdat hij ten aanzien van de wegvoering zijn mening herziet. Van Straelen heeft geweigerd. Pirenne heeft Van Acker voor schoft uitgemaakt, enz... (Van Straelen heeft dit aan Vos overgebracht).

Briefwisseling met betrekking tot de brief dd. 10 juli 1949 van Camille Gutt aan Leopold III

Camille Gutt aan Leopold III

Washington, 10 juli 1949.

Sire,

Is het nog niet te laat om een brief te sturen, of is de teerling reeds geworpen als dit schrijven aankomt? Ik herinner me de brief die ik in juli 1940 aan de Koning had gezonden, waarin ik er op aandrong door hem te worden ontvangen. Ik geloofde en geloof nog steeds, dat ik de Koning had kunnen overtuigen indien hij naar mij had geluisterd en zo een thans onherstelbaar geworden schade te vermijden.

Denkend aan dit verleden besloot ik, vandaag te schrijven. Opnieuw zie ik ons land bedreigd door een gevaar, opnieuw vrees ik dat de Koning slecht over dit gevaar is ingelicht. Al te veel lieden benaderen de vorst uitsluitend om hem te behagen. Anderen, die een houding uit het verleden willen doen vergeten, zijn meer uit op zijn vergiffenis dan dat ze hem de waarheid willen zeggen. Tenslotte zijn er ook lieden voor wie de vorst slechts een comfortabele springplank voor hun ambities is.

Sire, ik heb geen ambities. Ik heb niets dat dient te worden vergeten en niets wat mij moet worden vergeven. Wat ik in mei 1940 dacht, ben ik de gehele oorlog lang en vanaf de oorlog blijven denken. Ik kan zonder spijt, haat of vrees spreken en denk slechts aan het welzijn van België en het behoud van de Dynastie.

Op een gewichtig moment is België ernstig inwendig verdeeld – verdeeld vanwege de Koning. In plaats van de burgers rond zich te verenigen is de Koning een bron van tweedracht. De Koning heeft om een volksraadpleging gevraagd: die heeft hij nillens willens gekregen. De inzet van de verkiezingen was voor alle partijen duidelijk, ook al stond deze niet officieel in de verkiezingsprogramma's vermeld. De helft van de Belgen is tegen terugkeer van de Koning. Maar zelfs indien het maar een derde of een vierde was, dan nog kan een Koning niet regeren *tegen* een belangrijk deel van de Natie in.

Terwijl het land zich in een onvruchtbare strijd uitput, wordt de Dynastie verzwakt. Voor 1940 werd het principe nooit aan de orde gesteld. Thans evenwel staat het Hoofd van de dynastie reeds jaren ter discussie. Indien dit voortgaat, wordt de Dynastie zelf ter discussie gesteld.

Ik woon sinds drie jaar niet meer in België, maar ik kom er vaak op bezoek en blijf in nauw contact met het land. Ik kan de Koning bevestigen, dat zijn terugkeer de burgeroorlog betekent. Indien hem het tegendeel wordt gezegd, wordt hij misleid. En ik weet dat de Koning nooit heeft gewild dat er om zijnentwille Belgisch bloed zou vloeien. Hij zou het verafschuwen.

Er bestaat slechts één oplossing. Wil deze rust brengen, dan dient ze van de Koning zelf te komen, zonder de druk van een groep, zonder een partij-etiket. Dat de Koning Prins Boudewijn naar België zende. Laat deze zijn studie voortzetten, in contact treden met de instellingen en de mensen. Op het ogenblik dat hij volgens de Koning voor zijn taak is opgeleid, treedt de Koning af en zal de vijfde generatie koningen haar bestaan verbinden aan dat van aan de toekomst van België.

De enigen die deze oplossing niet zouden toejuichen zijn de Belgen die in de huidige crisis een aanleiding zoeken voor een uitzichtloze broederstrijd. De overgrote meerderheid zal de oplossing met vreugde begroeten. De Koning zal er meer bewondering mee oogsten en er beter zijn toewijding aan de Natie mee tonen dan met alle verklaringen en procedures.

Sire, in de functie die ik bekleed zie ik het onweer naderen. Het is geen gewapend conflict, het is een economische crisis, die men reeds vier jaar tracht op de lange baan te schuiven of te camoufleren, maar die onvermijdelijk is door de vernietiging in de oorlog van een niet in cijfers uit te drukken maatschappelijk kapitaal. De Verenigde Staten ondervinden deze crisis reeds. In de voorbije weken heeft ze hevig toegeslagen in Groot-Brittannië. Ze zal alle landen ter wereld treffen. En ondanks zijn aantoonbare evenwicht en welvaart is België een van de meest kwetsbare landen, doordat het zeer sterk van het evenwicht en de welvaart in andere landen afhankelijk is. In de regeringsverklaring waarmee de in oktober 1944 genomen maatregelen werden gerechtvaardigd, heb ik deze situatie duidelijk naar voren gebracht – er schuilt geen enkele verdienste van mezelf in, het was zonneklaar. Maar in hetzelfde document heb ik gezegd dat het gevaar alleen overwonnen kon worden, indien het gehele bedrijfsleven en het productieve deel van de bevolking de handen ineen zouden slaan. Op dat moment heeft iedereen de oproep begrepen. Zal de Koning er thans doof voor blijven, op het moment dat het gevaar duidelijker wordt? Zal de Koning verdeeldheid brengen in een land dat eenheid meer dan ooit broodnodig heeft? Dit kan ik niet geloven.

Ik blijf, Sire,
De trouwe en toegewijde dienaar
Van de Koning.

GUTT

Camille Gutt aan André de Staercke

Washington, 11 juli 1949

Persoonlijk en vertrouwelijk
Mijn waarde de Staercke:

Bijgaand zend ik u een copie van de brief die ik vandaag aan Prégny (verblijfplaats van Koning Leopold III) heb gezonden.

Vanzelfsprekend maak ik me geen illusies, maar ik zeg tot mezelf dat het een laatste noodkreet is; baat het niet, dan schaadt het niet.

Volgens een goede traditie zend ik een copie van dezelfde brief aan Spaak en Pierlot.

Met hartelijke groeten

Gutt

André de Staercke aan Camille Gutt

15 juli 1949.

Geachte Mijnheer de Minister,

Laat me u eerst gelukwensen voor het bewonderenswaardige schrijven dat u naar Prégny hebt gezonden. Zelfs als het niet het door ons gewenste effect heeft, dan nog ben ik van mening dat het heel goed is dat u het hebt gestuurd en ik ben ervan overtuigd dat de vastberaden en openhartige bewoordingen ondanks alles indruk moeten maken.

Ik heb niet verzuimd de Prins de nota over te maken die u tot Hem had gericht en ik heb deze zelf met veel belangstelling gelezen. In de huidige omstandigheden, waarin de politieke strijd in ons land de fundamentele problemen verhult, was deze tekst bijzonder nuttig voor ons.

De crisis houdt aan en er zit geen schot in. De radicale formule die van Zeeland voorstond, is op dit ogenblik mislukt maar moest beproefd worden. Zoals u zich kunt voorstellen was het alles of niets. Het waren acht zware dagen, gevolgd door een ontspanning dankzij het rustiger optreden van Van Cauwelaert. Maar ondanks alles houdt de druk aan en deze is afkomstig van de radicale CVP-elementen (christen-democraten), die onmiddellijk een punt achter het regentschap willen zetten, ondanks alle eventuele avonturen daarna. De kern van het politieke probleem schuilt in de krachtige tegenstand die de liberale partij biedt ten aanzien van de avances van de CVP. Achter dit alles wacht Prégny met ongeduld en van Zeeland hoopt ditmaal een homogene CVP-regering te kunnen samenstellen, profiterend van de steun van enkele liberale overlopers en met de dreiging van een ontbindingsdecreet achter de hand.

Dit alles om te zeggen dat de situatie uiterst gespannen is en ook erg ongrijpbaar. Ze vereist enorm veel omzichtigheid. Willen we het avontuur vermijden, dan dienen we tijd te winnen en de verstandige lieden bij de CVP (en die bestaan) de kans bieden weer moed en een stem te vinden. De combinatie CVP-BSP zou zeker kunnen worden voorgezet en kan een ernstig programma uitwerken waarin ze elkaar vinden. Maar de Koningskwestie weegt op de sfeer door, als een dikke wolk die voor een verstikkende en verlammende atmosfeer zorgt. Binnen de BSP zelf ontwikkelt zich trouwens een stroming die liever in de oppositie zou gaan. Het probleem is dus dat de lieden van de CVP hun gezonde verstand moeten hervinden voordat de anderen zot worden.

Ik stel vast dat de Prins bewonderenswaardig flegmatisch en kalm blijft.

Ik weet nog niet zo zeker of ik u een diner verschuldigd ben. Ik heb zelfs serieuze twijfels, want in de verwikkelingen die we beleven, behouden we stevige hoop op een overwinning. In elk geval kunt u zich voorstellen dat we op het ogenblik onze vrienden tellen. Ze zijn talrijk: ze zijn trouw en niet van talent gespeend. Dit is niet alleen een steun maar ook een serieuze troef.

In elk geval geloof ik dat we, geconfronteerd met alle radicale pogingen die nog een tijdje zullen aanhouden, moeten trachten een krachtige en duidelijke positie te handhaven. Indien deze positie bestaat, moet ze een bepaalde stroming binnen de CVP verhinderen om voort te gaan met een riskante politiek waarvoor in die partij in ieder geval geen meerderheid voorhanden is.

Dit is hetgeen door de langdurige crisis duidelijk moet worden; als resultaat kan slechts een compromisformule uit de bus komen die van gezond verstand getuigt. Vertrouw in elk geval op ons moreel. Ik herinner me opeens een uitspraak van mijn vader: 'Beschouw makkelijke dingen alsof ze moeilijk waren en moeilijke dingen alsof ze makkelijk zijn'.

Je stelt nog iets anders vast: naarmate de crisis aansleept, wordt duidelijk welke lieden niet competent zijn. Ik zal ze niet met name noemen, maar het gaat om mensen voor wie politiek een aanleiding is hun mond te roeren, maar over de echte problemen te zwijgen. Vanuit deze invalshoek is de Koningskwestie natuurlijk ideaal voor hen. Maar vraag ze om een detail over het steenkoolprobleem, over het onderwijsvraagstuk of over onze financieel-economische toestand en ze zijn verloren, ze zien zelfs geen kans iets te verduidelijken. Je kan je hierover verbazen, maar het is begrijpelijk. Want het is een periode van talrijke manœuvres waarbij mensen met heel wat mini-ambities te koop lopen. Ook in dit opzicht geloof ik niet dat het om verloren tijd gaat, want ik stel me voor dat het allemaal vanzelf zal worden opgelost.

Voor vandaag houd ik het hierbij. Ik bied u evenmin een overzicht van de voorstellen en tegenvoorstellen die ter tafel komen. De situatie evolueert constant, maar indien we over acht dagen een stukje verder staan, zal ik u nog vlug een woordje zenden.

Inmiddels verblijf ik, Mijnheer de Minister, als steeds

Uw vriendschappelijke en eerbiedige

A. de Staercke.

Jacques Pirenne aan Camille Gutt

SECRETARIAAT DES KONINGS

Prégny, 2 augustus 1949.

Mijnheer,

De Koning heeft uw brief van 10 juli 1949 ontvangen, en deze heeft Zijn volle aandacht gekregen. De verwijzing die u maakt naar uw brief van 13 juli 1940 heeft de Koning niet helemaal begrepen. In bedoelde brief stond immers geen enkel advies aan de Koning. De brief beperkte zich in feite tot het verzoek aan de Koning, u in België op te bellen zodat u Hem de positie zou kunnen uitleggen die u vanaf de maand mei 1940 hebt ingenomen. Waarschijnlijk herinnert u zich de bewoordingen niet meer precies, wat erg begrijpelijk is na negen jaar zo rijk aan evenementen. Het zal u waarschijnlijk genoegen doen dat ik een kopie hiervan bij dit schrijven voeg.

Wat de Koningskwestie betreft, ik geloof niet dat u hiervan exact de draagwijdte begrijpt. Het overstijgt verre de persoon van de Koning. Het gaat er niet uitsluitend om of de Koning al dan niet Zijn prerogatieven zal hernemen, ons gehele constitutionele systeem staat op het spel. Kortgeleden kon men lezen in de *Cahiers Socialistes*, het orgaan van de intellectuelen van de partij, dat de socialistische partij – hoewel deze het ontkent – in het geschil rond de persoon van de Koning de afschaffing van de Monarchie nastreeft en de invoering van de Republiek.

Hieraan voeg ik toe dat indien een minderheid er door oppositie in zou slagen de Koning tot aftreden te dwingen, na hem onwettig van het land verwijderd te houden, dit het gehele systeem van onze instellingen, dat op het principe van de Nationale Soevereiniteit berust, zou vervormen. Door de wet van 19 juli

1945 heeft het Parlement zich het recht toegekend een einde aan het Regentschap te maken door vaststelling van het einde van de onmogelijkheid om te regeren 'wegens de vijand'. Het feit dat het Regentschap, waarvan de bestaansreden sinds lang is vervallen, niet wordt beëindigd, plaatst België in een revolutionaire situatie, aldus de woorden van de Minister van Justitie Moreau de Melen tijdens de ontmoeting in Bern op 25 april laatstleden.

Het is van belang om de wettigheid door een stemming in het Parlement te herstellen, al dan niet voorafgegaan door een volksraadpleging – dit volgens wat het Parlement hierover zal beslissen.

Als de Koning eenmaal in zijn constitutionele prerogatieven is hersteld, is het aan hem te beslissen of hij zijn macht weer wenst op te nemen of deze aan Prins Boudewijn overdraagt.

Aftreden op instigatie van onverantwoordelijke politieke groeperingen zou de weg vrijmaken voor zeer kwalijke avonturen.

U kent de Koning voldoende om te weten dat het enige wat de Koning ter harte gaat de eenheid en welvaart van het land zijn en dat elke overweging van persoonlijke aard altijd vreemd is geweest aan zijn politieke stellingname en dit zal ook altijd zo blijven.

Aanvaard, Mijnheer, mijn gevoelens van hoogachting.

De Secretaris des Konings

Camille Gutt aan Jacques Pirenne

29 augustus 1949.

Mijnheer,

Ik bevestig u de goede ontvangst van uw brief van 2 augustus, vanuit Brussel verzonden en vandaag met de gewone post aangekomen.

Zelfs na negen jaar herinner ik me mijn brief van 13 juli 1940 alsof ik deze gisteren had geschreven. Er zijn periodes waarvan men niets vergeet. Het is waar dat er in deze brief geen enkel advies stond, maar dat ik de Koning erin verzocht mij te ontvangen. Ik dacht slechts aan één ding: de toekomst. Ik had hem willen zeggen wat ik voortdurend in Poitiers, Bordeaux en Vichy had herhaald. Ik had hem willen overtuigen. Daar ik hem niet heb ontmoet, was dit onmogelijk. Twee weken later ben ik naar Londen vertrokken. Ik denk dat u het vervolg kent.

U schrijft dat u niet gelooft dat ik precies de draagwijdte van de Koningskwestie begrijp en u voegt eraan toe dat deze de persoon van de

Koning overstijgt. Over dit laatste punt ben ik het met u eens, want het is de persoon van de Koning die het probleem van het koningschap dreigt te stellen. Wat de Monarchie betreft ben ik veel minder bang voor de door u geciteerde Cahiers Socialistes dan voor het aanhouden van de huidige situatie met haar crises, verdeeldheid, officiële verklaringen en officieus geknoei. Ik denk niet dat de waardigheid van de koningsfunctie hierbij zal winnen.

Ik wens niet in een juridische discussie te treden over het onderwerp dat u in de derde paragraaf van uw brief aanhaalt. Jarenlang reeds is men steeds weer met andere argumenten gekomen. Wat mij vooral bezighoudt is de feitelijke situatie: de verdeeldheid in België op een ogenlik dat het land meer dan ooit behoefte aan eendracht heeft. Alleen de Koning is bij machte een einde te maken aan deze verdeeldheid. U schrijft me dat de eenheid van het land het enige is wat de Koning ter harte gaat. Dit is altijd mijn overtuiging geweest. Het is waarom ik hem mijn brief heb gezonden. Had ik vandaag geschreven, dan zou mijn brief nog dringender zijn geweest dan zes weken geleden.

Aanvaard, Mijnheer, de uitdrukking van mijn gevoelens van hoogachting.

GUTT

Camille Gutt aan André de Staercke

6 december 1949

PERSOONLIJK.

Mijn waarde De Staercke,

Het is reeds lang geleden dat ik iets van u heb vernomen. Maar ik denk dikwijls aan u, al was het maar om u te verwensen als ik eraan denk dat ik helaas! moreel met tien lengten mijn weddenschap tegen u heb gewonnen! Ik geef toe dat de gebeurtenissen zich twee jaar later hebben voorgedaan dan ik had gewed, maar wat zijn twee jaar in het bestaan van een land? In elk geval is er gebeurd wat ik voorzag en vreesde, namelijk dat onze nationale 'Eliacin' <P. van Zeeland> zijn blazoen heeft gezuiverd als een Marion de Lorme, wier overige kwaliteiten hij helaas niet bezit. Van Zeeland kan nu rustig in overal het openbaar paraderen. En aangezien hij twaalf jaar geleden heel wat indruk heeft gemaakt, is zijn naam niet vergeten en wat betekenen twaalf jaar nu helemaal? Ik vermeld twee dingen die volgens mij goed zijn. Enerzijds heeft hij volgens mij de socialistische partij tegen zich in het harnas gejaagd (de kranten lezend krijg ik min of meer die indruk); anderzijds heeft hij zich niet alleen met de volksraadpleging vereenzelvigd maar ook met de zaak van de terugkeer van de koning. Hij zal er denk ik de terugslag van voelen indien het een verloren zaak wordt.

In dit opzicht moet ik zeggen dat het schouwspel van deze koning, die letterlijk over zijn kroon marchandeert zoals je dat doet bij een vondst op de vlooienmarkt, die erover marchandeert in de gesprekken met Pirenne in Brussel, in het gesprek met Eyskens in Prégny, tijdens de discussies in de kamercommissie, niet alleen ontzaglijk ontluisterend is maar ook belachelijk. Bij heel wat mensen moet trouwens die indruk leven, want anders had Devèze nooit verklaard dat de terugkeer van de Koning op de troon het eind van de dynastie zou aankondigen.

***

Theunis heeft me het boek van Capelle gezonden. Ik geef toe dat ik nog niet de moed had de bladzijden los te snijden. Deze meneer heeft me nooit geïnteresseerd. Ik heb hem nooit intelligent gevonden. Bij de zaak Martens voor de oorlog toonde hij zoveel toewijding aan zijn superieur dat hij zelfs voor zondeboek wilde spelen, om daarna wellicht met een adellijke titel te worden beloond. Meteen vanaf het begin van de oorlog bleken nogmaals zijn toewijding en dwaasheid. Vervelende bijkomstigheid: hun optreden druiste tegen de eer en het belang van het land in.

Het is wel amusant dat ik bij het openen van het boek op een passage viel waarin Capelle zonder voorbehoud de lof van Van Overstraeten zingt.

Ik weet niet of er notulen bestaan van de bijeenkomst van de Ministerraad op 26 mei 1940 in de Belgische Ambassade te Parijs. Maar nog hoor ik in mijn hoofd de zin die Capelle uitsprak voor alle ministers:

'Daar heb je Van Overstraeten weer. Die hadden ze al lang geleden moeten fusilleren'.

Trouwens, diezelfde avond verklaarde Fredericq aan de Ministerraad, op het ogenblik dat de regering unaniem had besloten om de door de koning gevraagde twee blanco besluiten met handtekeningen te weigeren:

'Ik zie liever mijn naam niet in dit antwoord vermeld, want in feite is de op bevel van de koning opgestelde communicatie niet aan mij overgemaakt. Was ze aan mij overhandigd, dan weet ik niet of ik had aanvaard haar door te geven'.

Als ik me goed herinner waren hier twaalf mensen getuige van (ik denk dat Delfosse niet meer erbij was en dat De Vleeschauwer reeds in Bordeaux was). Van dit twaalftal zijn er twee overleden. Er blijven er dus nog tien over die evenals ik deze zin hebben gehoord.

***

Er was twee weken geleden nogal wat opwinding over een bericht als zou de Regent zich met de Prinses van Orleans-Bragance hebben verloofd. De Belgische kranten hadden geschreven dat men ten Paleize geen bevestiging gaf, maar de Amerikaanse kranten zeiden dat het Paleis het nieuws als 'voorbarig' had bestempeld. Deze verwarring maakte de opwinding nog groter. Waarschijnlijk hebben de Amerikanen dagenlang het gerucht voor waarheid gehouden.

Is het een roddel? Of is er geen rook zonder vuur? Of 'vuren', zoals men drie eeuwen geleden zei.

Met hartelijke groeten,

GUTT

P.S.: Uit de kranten vernam ik dat Pierlot in de kliniek ligt. Ik heb hem dadelijk geschreven maar nog geen antwoord ontvangen. Kunt u me zeggen of het ernstig was en hoe het nu met hem gaat?

Nota van André de Staercke over interview van United Press met Leopold III in verband met de capitulatie (18 oktober 1949)

Woensdag 28 september 1949, ik heb met de eerste minister gedineerd. Tijdens het gesprek tussen ons tweeën na de maaltijd, signaleerde de eerste minister heel terloops dat hij van Pirenne een voor United Press bestemd interview van de Koning had ontvangen. Dit interview handelde over de capitulatie van het Belgisch leger en gaf de versie van de Koning op de gebeurtenissen. Eyskens voegde eraan toe dat Pirenne hem had verzocht, dit document na eventuele correcties door te zenden aan het persagentschap.

Eyskens zei me dat het document in zijn ogen volslagen onschuldig was, dat hij het zonder advies aan Lilar had doorgegeven en dat deze geen enkel bezwaar zag, behoudens enkele vormelijke correcties.

Eyskens verklaarde me dat hij me absoluut over dit evenementje wilde informeren. Hij vroeg of ik vond dat het document aan de Prins doorgegeven moest worden.

Ik maakte de eerste minister meteen enkele algemene bezwaren kenbaar en ried hem aan, het doorgeven van dit document namens de Koning aan het persagentschap niet te aanvaarden. Ik verduidelijkte: ofwel was hij slechts – zoals hij zelf zei – een simpele brievenbus en in dat geval was zijn bemiddeling onnodig, ofwel had zijn bemiddeling betekenis en in dat geval nam hij de verantwoordelijkheid op zich voor het document dat hij doorgaf.

Ik ried hem ook nog aan om geen enkele correctie in het document aan te brengen, want hiermee zou hij niet alleen de verantwoordelijkheid voor de vorm maar ook voor de inhoud op zich nemen. Ik voegde er tenslotte aan toe, dat mijns inziens de Prins er geen kennis van wenste te nemen. Want over het algemeen had de Prins altijd zijn afzijdigheid, onafhankelijkheid en onpartijdigheid willen bewaren ten overstaan van ieder polemisch document over de Koningskwestie. In dit geval zou hij niets aan zijn standpunt wijzigen.

Om de eerste minister nog verder te waarschuwen voor het overmaken van het document, vertelde ik hem het verhaal over het interview van Wilhelm II aan de *Daily Telegraph,* dat tot de val van kanselier von Bülow had geleid. Ik zei zelfs tegen de eerste minister dat ik waarschijnlijk beter dan hij de gesprekspartners kende met wie hij te doen had, dat het lieden waren voor wie haarkloverij voor een argument doorgaat en die niet zouden schromen gebruik van hem te maken door hem meer erin te betrekken dan hij zou willen.

Eyskens antwoordde me dat ik gerust kon zijn, dat het document zonder belang was maar dat hij er bijzondere aandacht aan zou schenken.

Ik hoorde er verder niets meer over tot zaterdag 8 oktober 1949, toen de eerste minister me vroeg naar zijn kabinet te komen. Hij verklaarde dat hij opnieuw met me moest spreken over het document door Pirenne aan hem overhandigd in verband met de capitulatie van het Belgisch leger. Hij zei me besloten te hebben, het door te geven, maar dat hij een paar veranderingen had aangebracht in de door Pirenne ontworpen begeleidende brief. Want deze liet de eerste minister zeggen: 'Ik geef u toestemming tot publicatie van…' en de eerste minister had dit laten veranderen in 'De Koning geeft u toestemming tot publicatie van… '.

Ik zei Eyskens nogmaals dat hij, door het simpele feit dat hij het doorzenden accepteerde, volgens mij als verantwoordelijke voor de publicatie beschouwd zou worden. Ik waarschuwde hem ervoor dat hij, ondanks die wijziging in de brief, niet minder fel aangevallen zou worden.

De eerste minister vroeg: *'Zal ik het document dan toch maar aan de Prins overhandigen?'* Ik herhaalde nog eens dat het beter was dit niet te doen en zelf wilde ik het evenmin lezen. Maar Eyskens hield aan en daarom nam ik het mee. In de auto, op weg naar een lunch bij Spaak, keek ik het in en vond een aantal zinnen die voor een felle politieke polemiek konden zorgen.

Na de lunch las Spaak het document en wees me op een totaal ontoelaatbare zin, waarin werd verklaard dat de capitulatie van het Belgisch leger geen politieke consequenties tot gevolg had gehad en de toekomst van het land niet op het spel gezet.

Meteen telefoneerde ik naar Eyskens' woning en deelde hem mee dat mijn mening na lezing van het document nog formeler was en dat ik hem werkelijk moest vragen het niet door te sturen. Ik legde uit dat er een hoogst explosieve zin in stond, zei dat ik op mijn vorige beslissing terugkwam en van oordeel was dat de Prins over het incident moest worden geïnformeerd. Verder verklaarde ik aan Eyskens: *'Het is mijns inziens niet de taak van de Regering van de Prins, soortgelijke documenten te verzenden. Ik weet zeker dat ook de Prins er zo over denkt en het is moeilijk aan te nemen dat Zijn regering – tegen Zijn besluit in – dit soort verzendingen doet. De uitvoerende macht is onscheidbaar en in omstandigheden zoals deze moeten de mening van de Prins en die van de eerste minister overeenstemmen.'*

Eyskens bedankte me voor mijn telefoontje, liet zijn ongenoegen blijken dat hij er zo nauw bij betrokken was door lieden die ervan profiteerden dat hij niet de tijd had gevonden het betreffende interview te lezen. Eyskens zei nog dat hij er met Pirenne over zou spreken.

De volgende dinsdag, 11 oktober, ging de eerste minister om 9 uur naar de Prins die ik over het incident had geïnformeerd. Deze was het geheel met me eens en had me verklaard, dat Hij niet wilde dat dit document door Zijn regering zou worden doorgezonden. De Prins besprak de zaak echter niet met de eerste minister. Deze riep mij na zijn onderhoud met de Prins aan het eind van de ochtend bij zich en zei me dat hij zich ten aanzien van Pirenne ertoe had verbonden het interview door te zenden. Hij kon er niet meer onderuit, had zoals gezegd de begeleidende brief gewijzigd en zou proberen dat Pirenne de omstreden zin zou veranderen of eruit halen.

Ik antwoordde de eerste minister slechts dat hij zich mijns inziens ernstige moeilijkheden op de hals zou halen door ondanks alles het koninklijk interview door te zenden.

Enkele dagen later vroeg ik Magain, kabinetschef van de eerste minister, of het interview was doorgezonden. Het antwoord was bevestigend. Magain voegde trouwens eraan toe dat de zin over de capitulatie op Eyskens' verzoek was gewijzigd.

Hieruit leidde ik af dat de Koning en de eerste minister co-auteurs waren van de huidige zin, zeggend dat de capitulatie geen politieke consequenties had gehad en die zoveel reacties heeft uitgelokt, wat de verantwoordelijkheid van de eerste minister lijkt te vergroten[61].

III VERZOENING ONMOGELIJK

Handgeschreven brief van Leopold III aan Prins Karel

Domein van Argenteuil

15 november 1982 – feest van de dynastie

Mijn waarde Karel,

Van verschillende kanten verneem ik dat je me wenst weer te zien; die intentie verheugt me want ik denk dat, voor je heengaan en terwijl ik nog leef, je geweten je ertoe aanzet de enorme schade te willen herstellen die je door je houding tegenover mij aan het land, aan je familie hebt toegebracht, en dit op bijzonder moeilijke momenten in ons nationale bestaan.

Wat betreft de gebeurtenissen na de bevrijding van het land en die op een crisis zonder weerga zijn uitgelopen, draag je een immense verantwoordelijkheid voor de Geschiedenis.

Je houding had ingrijpende repercussies die een bedreiging inhielden voor de toekomst van de dynastie zelf. Ze hebben België aan de grens van een burgeroorlog gebracht!

Gedurende al deze tragische en pijnlijke gebeurtenissen heb je je als tegenstander gedragen, en heb je niet geaarzeld het hoger landsbelang te verwaarlozen ten voordele van persoonlijke overwegingen.

En geconfronteerd met de meest laaghartige en leugenachtige beschuldigingen heb ik je niet één maal de eer van het leger en zijn aanvoerder horen verdedigen.

Zo in België en in het buitenland de ware toedracht van de gebeurtenissen tussen 1940 en 1950 reeds werd vastgesteld, dan ontbreekt hieraan toch een hoogst belangrijke getuigenis: de jouwe.

Dit zwijgen van de hoofdgetuige kan niet langer duren. De Geschiedenis en het Vorstenhuis verdienen de Waarheid!

Daarom acht ik het absoluut noodzakelijk dat je, vóór een eventuele ontmoeting, licht werpt op je houding gedurende de jaren van 1945 tot 1950.

In afwachting van je antwoord, een broederlijke omhelzing van
Je broer,
Leopold

Nota van André de Staercke

Dinsdag 26 november 1982

Rond 18.15 uur bezoek van baron Richard van de Cie Géomines.

Hij kwam uit Oostende, waar hij de Prins-regent heeft ontmoet. Was verlaat door files en slecht weer.

Hij toont me de brief die K.L. aan zijn broer heeft gezonden en vertelt de spontane reacties van de Regent: *'De Staercke, ik wil de Staercke ontmoeten...'*

Voorontwerp antwoord opgesteld door A. de Staercke

Ik heb je brief van 15 november 1982 ontvangen en ik pas er wel voor op een polemiek aan te gaan over een onderwerp dat tot de Geschiedenis behoort.

Sereen wacht ik op haar oordeel. Aan haar alleen komt deze toe.

Wat mij betreft, blijf ik nog altijd bij mijn gedragslijn van de zes moeilijke jaren waarin ik, op verzoek van het Parlement en het volk van België, een door jezelf bevestigd verzoek, de functies van Staatshoofd heb uitgeoefend.

Deze gedragslijn is geheel vervat in de toespraak bij de eedaflegging die ik op 21 september 1944 voor de verenigde Kamers heb gehouden. De eerste zin: 'Als lid van het Vorstenhuis ben ik, met dit huis, ten dienste van de Natie', heeft mij de plicht voorgeschreven die ik naar eer en geweten gedurende het gehele Regentschap heb trachten te volbrengen.

In ieder geval blijf ik overtuigd dat het herstelde contact slechts vruchtbaar zou zijn indien het in waardigheid en boven elk gevoel van wrok kon uitmonden in verzoening en harmonie die ik in het belang van België, de Dynastie en onze familie wens.

André de Staercke aan Prins Karel

Brussel, 22 november 1982

Monseigneur,

Het vertrouwen dat U me heeft willen betonen door baron Richard toe te staan, mij de inhoud van de brief van Koning Leopold gedateerd 15 november 1982 mee te delen, heeft mij diep getroffen.

Deze brief heeft de herinnering bij mij opgeroepen aan een verleden waarvan ik het voorrecht heb gekend het met U te beleven. Ik herinnerde mij Uw inspanningen, Uw onpartijdigheid en het succes van de verheven opdracht die het Land U had toevertrouwd.

Onder Uw hoede en ondanks de Koningskwestie is het land in die zes jaar herrezen uit zijn ruïnes, is de welvaart weergekeerd en de Dynastie gered. Het blijft voor mij een eer dat ik mocht deelhebben aan zovele verdiensten en hiervoor zal ik U altijd dankbaar blijven.

Wat de brief van Koning Leopold betreft, die U tracht in de valstrik van Uw goede bedoelingen te lokken, zijn er naar mijn bescheiden mening twee reacties mogelijk.

Ofwel niet antwoorden, want Uw wens tot verzoening heeft niets uitstaande met de eis tot het afleggen van rekening en verantwoording.

Ofwel geeft u een kort antwoord dat bevestigt dat het juist het besef is dat U België naar beste vermogen heb gediend, waardoor U thans, in waardigheid en zonder bijbedoelingen, in het belang van het land en de dynastie een familieharmonie nastreeft.

Toen Richelieu op sterven lag, vroeg zijn biechtvader hem of hij zijn vijanden vergiffenis schonk. Hierop antwoordde de grote Kardinaal: *'Ik heb nooit andere vijanden dan die van de staat gekend.'*

Op het ogenblik dat u een hand uitsteekt, wordt er van U iets onvoorstelbaars en onrechtvaardigs verlangd, namelijk dat U de meest waardevolle periode in Uw leven zou moeten verloochenen. U bent gerechtigd om te antwoorden: 'gedurende het Regentschap heb ik slechts het welzijn van de Staat en het geluk van Mijn medeburgers nagestreefd'.

Want alle andere overwegingen moeten wijken voor die welke U tot uitdrukking hebt gebracht in Uw toespraak bij de eedaflegging.

'Als lid van het Vorstenhuis ben ik, met dit huis, ten dienste van de Natie.

Het is in dezen geest dat ik den oproep, die mij gericht werd, beantwoord heb'.

In deze geest van zelfverloochening hebt U het Regentschap uitgeoefend, met de unanieme goedkeuring van ons land en uit het buitenland.

Ik geloof dat u er goed aan hebt gedaan het U voorgelegde voorontwerp voor het eventuele antwoord te beperken tot de enkele paragrafen die U hebt gekozen. Tevens ben ik er zeker van dat U het stempel van Uw persoonlijkheid hieraan zult kunnen schenken, in het streven naar een eendracht waarnaar u verlangend uitziet en die U tot eer strekt.

Mag ik U verzoeken, Monseigneur, de uitdrukking te aanvaarden van mijn eerbiedige en diepe genegenheid.

André de Staercke

Antwoord van Prins Karel aan Leopold III

Koninklijk domein Raversijde

Mijn waarde Leopold,

Ik zou niet beter op je brief van 15 november 1982 kunnen antwoorden dan door je te herinneren aan de toespraak die ik op 21 september 1944 bij mijn inwijding voor de Verenigde Kamers heb gehouden. Hierin staat de getuigenis die ik je hierbij laat geworden en verwoordt anderzijds de lijn van de plicht die ik naar eer en geweten heb trachten te vervullen tijdens de moeilijke jaren waarin ik, op verzoek van het Parlement en het volk van België, door jezelf bevestigd verzoek, de functies van Staatshoofd heb uitgeoefend.

Wij hebben ons beiden in dienst van België gesteld. Het is de weg die ons door middel van serene contacten moet brengen tot herstel van eendracht in de familie rond het Koningschap. Dit is ook de verzoening die het land nog van ons verwacht.

Je toegenegen broer,
Karel

3 december 1982

IV BIJLAGEN BIJ HET PORTRET VAN PAUL VAN ZEELAND

BIJLAGE I

VERTROUWELIJKE NOTA VAN CAMILLE GUTT VOOR DE REGENT, 12 NOVEMBER 1946

De beraadslagingen van het Internationaal Monetair Fonds zijn verlopen zoals in mijn laatste rapport voorzien. Ansiaux heeft een voortreffelijke uiteenzetting gegeven en aan de huidige pariteit wordt niet getornd, evenmin als aan de Franse pariteit en, naar ik denk, evenmin aan de Noorse en Deense. Maar dit wil niet zeggen – verre van – dat deze pariteiten als organisch solide worden beschouwd. Dit houdt in dat op dit ogenblik alles wat wordt geproduceerd, kan worden verkocht (het is een 'seller's market') en dat de kwestie opnieuw wordt bekeken op het moment dat er zich een 'buyer 's market' aftekent. In die tussentijd zullen we zien welke landen erin geslaagd zijn hun binnenlandse economie aan de waarde van hun munt aan te passen.

In dit opzicht werden er zeer duidelijke twijfels geuit, met name door de Amerikaanse afgevaardigde Harry White. Ondanks een vorm van typisch Amerikaanse naïviteit en onwetendheid is deze man een der zeer goede 'economische breinen' rond de tafel van mijn Raad. Hij benadrukte in hoeverre onze prijzen internationaal te hoog zijn. Het is onbetwistbaar waar; het gaat er alleen om te weten of verlaging haalbaar is, dan wel of onze prijzen stabiel zouden kunnen blijven terwijl de wereldprijzen zich hieraan aanpassen.

***

Ik begin allereerst met deze laatste veronderstelling, waarop veel mensen in België uit gemakzucht steunen, omdat ze de eenvoudigste en dus de aangenaamste is.

Geen sprake van dat de Britse prijzen zich naar de onze voegen: hiervoor is het verschil te groot en om dit weg te werken zou de soberheidspolitiek totaal overboord moeten worden gezet. Echter, de regering is niet van plan deze los te laten en ik weet dat de bevolking op het ogenblik nog in aanzienlijke meerderheid achter haar staat, ondanks hetgeen de conservatieven zeggen, die hun hoop voor waarheid houden.

Wat de Amerikaanse prijzen betreft, mogen we nog een stijging verwachten, daar de President gisteren de opheffing van alle beperkingen heeft aangekondigd, behalve voor de huren, suiker en rijst. Maar ik geloof niet in grote prijsstijgingen, want de grote klap is deze zomer gevallen, tussen het moment van afschaffing van de prijscontrole en de gedeeltelijke herinvoering. We mogen zelfs aannemen dat we, na deze lichte stijging, zullen zien dat bepaalde fabrikanten prijsverlagingen doorvoeren. Want, zoals ik in mijn laatste nota schreef, alles wijst richting massaproductie. Hierdoor zullen de algemene kosten per eenheid omlaag gaan; anderzijds maakt een aantal industrieën hoge winsten die verlaagd kunnen worden, want op een gegeven moment zal het spook van de 'buyer's market' naderbij komen. Dit is geen lange-termijnprognose, want die is minder eenvoudig op te stellen, maar dekt de twee eerstvolgende jaren en in die periode zal de toekomst van onze munt bepaald moeten worden.

***

Prijzen thans onbetwistbaar te hoog.

Waarom?

Doordat de Belgen zich absoluut niet dezelfde offers hebben getroost als de Britten of Nederlanders.

Meer specifiek doordat men sinds mijn vertrek uit de regering het plan voor een massale (en snel te recupereren) belasting op de aanwas van het patrimonium heeft laten vallen en doordat men te snel salarisverhogingen heeft doorgevoerd.

Dikwijls heb ik tegen de Prins gezegd hoezeer ik Eyskens' rechtlijnigheid en zijn loyaliteit ten opzichte van mij heb gewaardeerd. Maar enerzijds was het loslaten van mijn belastingproject (waarvan Eyskens voorstander was) een voorwaarde voor zijn toetreding tot de regering; anderzijds werd hij geheel geabsorbeerd door het werk i.v.m. de nieuwe belastingen en genoot hij trouwens vanaf het begin in de nieuwe regering onvoldoende gezag om druk uit te oefenen op de andere ministeries en de eerste minister. Hierdoor verzette hij zich niet tegen een verhoging; ik voeg hier onmiddellijk aan toe dat deze in principe onvermijdelijk was, maar veel beperkter had moeten zijn. Toen De Voghel arriveerde was het kwaad geschied.

Waarom wil ik dit zo verduidelijken? Het is geen vorm van verwijt van mijn kant, want zoiets ligt niet in mijn lijn. Als het op een gegeven moment tot een devaluatie komt, wil ik namelijk niet te horen krijgen: 'Maar waarover beklaagt u zich? Uw beleid is gevolgd'. Neen. In de redenering is mijn beleid gevolgd, en in een aantal technische elementen. Dit was onvoldoende. En toen De Voghel Van Acker ervan heeft kunnen overtuigen dat een verlaging van de kosten van levensonderhoud tot een verhoging van de reële salarissen zou leiden, heeft Van Acker bewonderenswaardig gereageerd, maar toen was het reeds te laat.

***

Hoe kunnen we na deze verduidelijking weer omhoog klimmen, d.w.z. onze prijzen verlagen.

In zijn toespraak heeft White aangegeven dat een aantal maatregelen – zoals die welke we in de regering-Pierlot hadden genomen – om psychologische redenen mogelijk waren in de paar maanden volgend op de bevrijding, maar thans niet meer. Hierin steekt veel waarheid, hoewel White de dingen door een Amerikaanse bril beziet, d.w.z. door de bril van een land waarin men (zoals in Frankrijk) de bevolking zo ver kan krijgen dat ze zich laat afslachten, maar dat men haar geen reëel financieel offer durft vragen. Ondanks demagogische tendensen kan men bij ons zeer veel van de bevolking gedaan krijgen, als men tenminste de moed heeft erom te vragen en de intelligentie om er uitleg bij te verschaffen.

Maar hiermee houd ik erover op. Er zijn drie manieren om bij ons tot een prijsdaling te geraken: het productievolume opvoeren, de winsten van bepaalde industrieën en tussenhandelaars verlagen, een invoerbeleid toepassen dat voor een prijsdaling zal zorgen en hiermee een redelijke (anders dus dan in de redeneringen) dam tegen salarisverhogingen opwerpen.

Verhoging van de industriële productie houdt in: enerzijds de steenkoolproductie en anderzijds het individueel rendement verhogen, d.w.z. modernisering van de uitrusting.

Steenkool: de Prins kent de situatie beter dan ik. Zelf woon ik veel te ver buiten België om te beoordelen hoe doeltreffend de toegepaste of geplande remedies zijn. Wel weet ik dat het een verloren zaak is indien we niet op zijn minst opnieuw de productie van voor de oorlog bereiken (en meer zou bijzonder wenselijk zijn).

Nieuwe uitrustingen voor de industrie en invoer: komt wat verderop aan bod.

Winsten van de industrieën: verdwijnen misschien vanzelf als de invloed van de internationale concurrentie voelbaar wordt. In de huidige situatie van winstgevende industrieën dreigt het gevaar, dat werkgevers en arbeiders het eens geraken over loonsverhogingen. Het laat ze Siberisch koud, de klant betaalt toch. Maar zodra ze een stap terug moeten zetten, zal er wel iets veranderen.

Vervolgens het euvel van de slechte distributie. Is vooral te wijten aan de tussenhandelaars en helaas verbonden met de politiek, die van de middenklasse, van wie de numeriek sterkste Belgische partij een electoraal platform heeft gemaakt.

De middenklasse, d.w.z. voor het merendeel de hogere klasse die beneden haar stand is geraakt, en de lagere klasse die wordt overschat, d.w.z. de economisch gezien meest onnutte en dus meest schadelijke lieden.

***

Heruitrusting – d.w.z. gebruik van dollars

De Prins zal zich herinneren dat ik meteen vanaf oktober 1945 na afsluiting van de 'Lend-Lease Act' erop heb aangedrongen, de eerste lening van 100 miljoen Amerikaanse dollar aan te gaan, alsook de eerste lening van 100 miljoen Canadese dollar, te beginnen met een schijf van 25 miljoen, om aan het eind van de maand nadien een onderhandelaar naar Washington te zenden voor het verkrijgen van een nieuwe lening. We zouden gemakkelijk 200 miljoen dollar – misschien meer – verkregen hebben tegen een interestvoet van hooguit 3%. Van deze twee bedragen kan vandaag geen sprake meer zijn, het eerste is te hoog, het tweede te laag.

Ik vroeg destijds ook dat men onze onderhandelaars cijfers, statistieken en heruitrustingsplannen zou bezorgen, wetend hoezeer men in dit land deze vorm van documentatie weet te waarderen, ook al is ze misschien nutteloos!

Men heeft het achterwege gelaten. Enerzijds aarzelde De Voghel om onze begroting met leningen te belasten (hoewel de situatie van onze buitenlandse schuld beter is dan tientallen jaren het geval was), anderzijds was de Gouverneur van de Nationale Bank niet erg enthousiast over leningen voor heruitrusting. Hij was van oordeel dat de industriëlen met de aankoop van nieuwe uitrustingen op dit moment – d.w.z. tegen te hoge prijzen – een risico liepen, daar de prijzen over een of twee jaar zouden dalen.

Deze bezwaren heb ik persoonlijk nooit voldoende belangrijk gevonden om te wachten met het aangaan van onze leningen. Deze twee jaar worden twee cruciale jaren; hoe eerder de nieuwe uitrustingen er zijn, hoe beter; anderzijds had reeds vanaf midden 1945 de – zorgvuldig gekozen – invoer geïntensifieerd moeten worden ter verlaging van de kosten van levensonderhoud. Maar er is pas dit jaar mee begonnen. Tenslotte: de regering zou haar tegenstanders, en met name van Zeeland, van een zeer voornaam argument hebben beroofd. Hoe vaak heb ik het niet allemaal herhaald, de Prins kan het beamen. Want ik heb de gebeurtenissen voorzien, maar ik predikte in de woestijn. Enkele maanden geleden heeft van Zeeland het applaus van alle senaatsbanken in ontvangst genomen met zijn pleidooi voor een nationale heruitrusting en 'full employment'. Dat laatste is trouwens een idiotie voor onwetende lieden, daar we vrijwel geen werkloosheid kennen!

Dit brengt me opnieuw bij het heruitrustingsplan en de lening. Ik zie namelijk het werk dat de Fransen hier verrichten en de diepe indruk die dit maakt. Ik zou me niet over de economische situatie van Frankrijk durven uitspreken, daar ik niet over gegevens beschik. Ik geloof echter niet dat ze goed is. Maar de monetaire en financiële situatie ken ik wel, en die is desastreus. Desondanks (en wie weet misschien ook ietwat hierdoor) hebben de Fransen hier de voorbije lente een zeer groot succes behaald; en het volgende succes gaan ze binnenhalen bij de Bank voor Herstel en Ontwikkeling (lening van 500 miljoen dollar). De voornaamste reden voor dit succes: het plan Monnet. Monnet is een van de allerintelligentste Fransen, die de Amerikanen voortreffelijk kent. Met zijn plan heeft hij, als ik het zo mag uitdrukken, de Amerikanen de ogen uitgestoken. De Amerikanen zeiden me: *'We kennen de Fransen, ze beschikken nooit over exacte cijfers, we durfden er nauwelijks om vragen, ze verschaften ons er meer dan we wilden.'* Om het volks te zeggen: And that's really what did the trick. – In welk milieu ik ook kwam, overal was het plan Monnet onderwerp van gesprek.

We zouden moeiteloos een Belgisch plan kunnen opstellen. Ik geloof dat De Smaele hiertoe over alle elementen beschikte. En dit plan zou even serieus zijn als het plan Monnet. Want – met alle waardering voor Monnets immense inspanning en de inspanningen die hij heeft weten te verkrijgen van de administratie en groeperingen – ik ken maar al te goed de spitsvondige geest en bepaalde verborgen gebreken van de Fransen en ben overtuigd dat Monnets plan een zeker bedrag voor 'window dressing' bevat. D.w.z. dat bepaalde onderdelen ervan nooit gerealiseerd zullen worden.

***

Waarom schrijf ik deze lange, niet erg bemoedigende maar oprecht gemeende nota, die heilzaam zou kunnen zijn?

Omdat ik, indien het nog kan, mijn land voor een devaluatie van de frank wil behoeden.

En omdat ik, indien het nog kan, mijn land ervoor wil behoeden dat van Zeeland aan de macht komt...

Het eerste zou kunnen gebeuren indien het tweede plaatsvindt, maar het tweede houdt beslist het eerste in, alsmede tal van andere gevaren.

Ik geloof reeds te hebben gezegd, dat ik me in mijn leven even vaak heb vergist als wie dan ook. Maar sinds 1940 – misschien door wat men ervaring noemt, misschien doordat beetje bij beetje datgene wat mijn leven zin gaf, is verdwenen en ik me hierdoor in mijn bestaan concentreer op vraagstukken van landsbelang – heb ik me nooit vergist ten aanzien van deze belangrijke vraagstukken, noch ten aanzien van de mensen die erbij betrokken waren.

Reeds jarenlang wijs ik op het gevaar van van Zeelands terugkeer in het beleid. Ik werd onthaald op gelach of een schouderophalen. Ik denk de reactie vandaag anders zou zijn. Op dit moment ziet het ernaar uit dat de entente tussen de CVP en de socialistische partij – een mijns inziens wenselijke en onmisbare entente – binnenkort tot stand komt. De Christendemocratische partij is de sterkste en zal portefeuilles en ministers eisen; *niemand* behalve van Zeeland is in die partij op de hoogte van de nationale en internationale economische politiek. Eyskens en Scheyven zouden kunnen fungeren als 'figure-head': ze beschikken geen van beiden over zijn talent, kennis, intelligentie en geslepenheid.

Vanmorgen heeft iemand me gezegd: 'Maar als hij in de regering komt zal hij zeker niet naar Financiën gaan'. Mijn antwoord: 'Ook al zit een spin in een hoekje van haar web, dan nog zal ze de vliegen de een na de ander verslinden.' Als van Zeeland morgen in de regering komt, zal hij overmorgen eerste minister zijn.

Daar Van Acker er normaal gesproken niets op tegen heeft dat hij in de regering komt, zal hij zich evenmin kunnen verzetten tegen van Zeelands klim naar de top.

***

Hij zal zich niet tegen zijn regeringsdeelname verzetten, omdat hij met de CVP zal willen onderhandelen. En ook omdat van Zeeland gesteund zal worden door baron de Launoit, die in de oorlog Van Acker uit handen van de Gestapo heeft gered. Van Acker vergeet dit minder snel dan het Otto Wolff-akkoord.

Hij zal zich niet tegen zijn klim naar de top kunnen verzetten, doordat hij nog nooit met zo'n sterke tegenstander te maken heeft gehad. In de door hem geleide regeringen hebben uitsluitend mensen van het tweede plan gezeten (met uitzondering van Spaak, die hem steunde, en De Voghel en De Smaele die hij zelf steunde).

We moeten vooruitzien, en zelfs rekening houden met een nederlaag. Niet te veel, dan zou ik te sterk aan het België van 1940 terugdenken. Maar ik heb over twee gevaren gesproken: devaluatie en van Zeeland. Om zowel volledig als oprecht te zijn, moet ik toegeven dat – ook al zou ik het doorvoeren van de eerste diep betreuren – het tweede voor mij ernstiger zou zijn dan het eerste.

Want voor de devaluatie kan men misschien twee verzachtende omstandigheden inroepen (tussen haakjes, noch Sofina die over vreemde valuta's beschikt noch Ougrée die schulden heeft, zullen erom rouwen). Primo: de devaluatie zal uitgaan van het niveau van 1944 – terwijl die in Frankrijk al de derde wordt – op basis van het in 1945 vastgestelde niveau. M.a.w. hadden we niet *onze* politiek gevolgd maar zoals de Fransen die van 'gecrepeerde hond', dan zou onze frank veel meer in waarde dalen.

Secundo: ze zal niet nu plaatsvinden. Maar *indien* ze plaatsvindt, *indien* ze onvermijdelijk is, dan zal ze zich volgens mij binnen zes maanden tot een jaar voordoen, op hetzelfde ogenblik als een reeks andere devaluaties en met goedkeuring van het Internationaal Monetair Fonds. Op die wijze kan men spreken van een algemene muntaanpassing en kan van Zeeland zeggen dat hij het dan in overeenstemming heeft gedaan met mij! Dit wordt dan het enige komische aspect van dit avontuur. En dan kan van Zeeland nog maar eens zeggen: 'Ik heb het niet gewild'.

Ik heb me echter veroorloofd deze lange nota te schrijven omdat ik van harte hoop dat het niet gebeurt. Niet zozeer omdat de gebeurtenissen België van pas zullen komen, maar opdat men voor haar regering mensen uitkiest die de gebeurtenissen een duwtje in de rug geven.

GUTT.

<Handgeschreven door Gutt> Het is juni 1940, mijnheer!
G

Deze vertrouwelijke nota is aan de Regent gericht, vergezeld van een handgeschreven brief van Gutt, op dat moment directeur-generaal van het Internationaal Monetair Fonds. Er was ook een persoonlijke brief van Gutt aan André de Staercke bij, gedateerd 12 november 1946. De 21ste november bevestigt de Staercke als volgt de ontvangst hiervan: ' ... de Prins heeft zopas uw brief van 12 november en de erbij gevoegde vertrouwelijke nota ontvangen. Ik beken dat we deze met een gevoel van beklemming en bezorgdheid hebben gelezen. Het is maar al te waar wat u zegt en als het erom gaat te kiezen tussen twee kwaden, moeten we het minste kwaad kiezen. De zaak waarvoor u vreest is nog te verkiezen boven degene die deze zaak zal ontketenen of er voordeel bij zal hebben. Helaas, de opeengestapelde vergissingen eisen hun prijs; als deze maar niet te hoog uitvalt.'

BIJLAGE 2

NOTA VAN ANDRÉ DE STAERCKE OVER HET PROJECT BEGIN AUGUSTUS 1960 VOOR DE VORMING VAN EEN REGERING SPAAK-VAN ZEELAND NA DE KONGOCRISIS[63]

Ik moet een aantal gebeurtenissen vastleggen voordat ik ze vergeet.

Donderdag 4 augustus <1960>, Paul-Henri <Spaak>, ontboden door de Koning, kwam naar Brussel. Na onze lunch met Hankenhorn en V. Walther in het Pavillon d'Armenonville, vertrok hij. De volgende dag, vrijdag 5 augustus, belde hij me om 9 uur op met de mededeling dat hij urenlang met van Zeeland op het Paleis was geweest en dat men hem voorstelde om een regering met hem te vormen. Ik zei alleen maar: *'Goeie genade!'* zo geschrokken was ik toen ik besefte hoe ver men was afgeweken van de voorwaarden die Paul-Henri had gesteld, toen hij met het idee van een terugkeer speelde. *'Je weet niet half hoe intelligent hij is,'* aldus Spaak. Uit ons gesprek trok hij de conclusie dat ik de zaak als niet haalbaar beschouwde. Hij zei me dat iedereen met wie hij erover had gesproken, er ook zo over dacht, met name Marcel Grégoire. Ik vroeg hem wanneer hij zou terugkeren. Hij antwoorddde dat hij moest wachten, de zaken waren hangende.

De volgende dag, zaterdag 6 augustus, om 9 uur weer een telefoontje van Paul-Henri. Hij aarzelt, geeft zich rekenschap van de moeilijkheden met van Zeeland. Om 16 uur wijs ik hem op het rapport-Hammarskjöld over Katanga en benadruk ik het belang hiervan. Om middernacht belt Cassiers me en zegt dat het Paleis om het rapport heeft gevraagd, dat men op het ministerie niet over een correcte tekst beschikte en dat hij het per telex had verstuurd.

Zondag 7 augustus ga ik om 6.50 uur naar le Bourget om Rothschild op te wachten, die niet komt doordat hij om 8 uur het vliegtuig in Brazza heeft gemist. P.H. belt me op. Hij vraagt me of ik het rapport-Hammarskjöld naar Brussel heb overgemaakt, want het is voor de Koning van groot belang en de regering moet over een plan beschikken. Ik ben geïrriteerd door de telex van gisteren en omdat Rothschild er niet was. Ik verbaas me over het woord 'plan' waarachter ik van Zeeland voel en antwoord dat Wigny dezelfde gedragslijn volgt als die welke wij voorstaan, dat hij naar New York gaat, maar dat hij zich niet gesteund voelt en dat hij de indruk heeft, dat men Eyskens wil sturen omdat deze beter tegen de V.N. opgewassen is en meer pro-Katanga. Ik vind dit alles bizar. Paul-Henri vraagt me naar Brussel te komen. Ik blijf liever hier want er komen misschien vergaderingen in Parijs. Paul-Henri belt me nogmaals, nu met de boodschap over een telegram over het rapport-Hammarskjöld van van Zeeland, dat hij het aan hem (Spaak) heeft voorgelezen, dat het mij tevreden moet stellen en dat de Koning het aan Eyskens zal overhandigen. In de loop van de dag laat Paul-Henri naar Cassiers telefoneren met de vraag, of ik met hem om 20.30 uur in Parijs in restaurant Les Anges wil dineren.

Daar tref ik hem aan, met Simone <Dear> en hij doet me daar het relaas van wat volgens hem een buitengewoon avontuur is. De Koning heeft hem verzocht van Zeeland te ontmoeten. Heeft hij aangenomen, en pathetische en ontredderde kant van de Koning, die ziet dat Hammarskjöld in duigen valt zonder er iets aan te kunnen doen. Van Zeeland heeft aan hem (Spaak) om te beginnen gezegd dat Katanga erkend dient te worden en hem voorgesteld, toe te treden tot een regering waarin hij de enige socialist geweest zou zijn en waartoe mensen als Meurice, Gilson en Bekaert behoord zouden hebben. Paul-Henri legt hem uit dat het onmogelijk is de onafhankelijkheid van Katanga te erkennen. Van Zeeland geeft zich binnen vijf minuten gewonnen. Hij legt hem ook uit dat het moeilijk met hem werken is. Van Zeeland begrijpt en zegt, dat ze aan de Koning verslag zullen uitbrengen en dat hijzelf of Paul-Henri het zal worden, en de een na de ander. Wat betreft de kandidaat-ministers, ook dit begrijpt hij en hij aanvaardt een volledig andere lijst, met de mensen van Paul-Henri. Het idee dat overblijft is hijzelf en Paul-Henri of, indien dit niet gaat, eerst de één die het zou proberen en daarna de ander met de lijst van Paul-Henri[64]. Men brengt verslag uit aan Koning, die opgetogen is, hij is bereid zijn standpunt over Katanga te wijzigen en benadrukt Gilsons populariteit. Tenslotte is men het eens over Paul-Henri's voorstellen. Maar over mijn persoon: incident met van Zeeland, Afrikaanse Zaken. Het verleden is vergeten. Onderhoud met Breisdorf.

Dit alles geeft me een kwalijke indruk. Paul-Henri heeft de zaak niet in de hand gehad. Hij werd er in meegetrokken. Hij moest als borg dienen in een onmogelijke regeringssamenstelling, waarvan alle ideeën recht tegen de zijne indruisten. Die werden gewijzigd om hem te behouden. (Het erop wagen. Moeten we op een ramp wachten om in actie te komen?)

Maandag 8. Paul-Henri beseft het en wil zijn handen ervan aftrekken. Hij laat me om 11 uur komen. Hij laat me per ijlpost aan Papeians twee brieven bezorgen, voor de Koning via Lefèbure[65] en voor van Zeeland. De brieven om 16 uur doorgegeven. Het post-scriptum van de brief aan de Koning als benadrukking na ons gesprek, waarbij ik hem had gezegd dat er in Brussel enig besef begint door te breken en dat erover gepraat gaat worden. Daags daarna, 9 augustus, nieuwe brief aan de Koning, uitsluitend om deze indruk te benadrukken en te zeggen dat:

1 met van Zeeland geen geluk

2 de een of de ander

3 ter beschikking van de Koning.

Ik kan er niets goeds van denken en mijn onbehagen neemt toe. Ik spreek van valstrik of op zijn minst een schema waarin zijn plaats vaststaat. 's Namiddags felle reactie bij zitting Veiligheidsraad Katanga. Hij reageert als een kandidaat.

Om 11 uur woensdagmorgen bij hem; incident brief aan Eyskens. Ik slaag erin deze tegen te houden. Dan zegt hij me dat hij naar Brussel terugkeert waar de Koning hem heeft ontboden en ditmaal om de macht weer in handen te nemen. Ik vraag hem of het met Van Zeeland is. Hij weet het niet maar hij gaat en zal accepteren. Ik ben verbijsterd. Ik wijs hem erop dat Lefébure totaal onkundig is, dat de Koning gebruik heeft gemaakt van andere tussenpersonen, wellicht Pirenne, want dit tot mislukking gedoemde onrealistische plan draagt diens stempel, en dat van Zeeland zich tegen hem heeft blootgegeven door zelf naar Eyskens te gaan, wat aantoont dat Lefébure van niets weet. De gehele samenstelling is utopisch, de situatie is nog niet rijp. Door nu op te treden wordt de ramp niet vermeden maar verergerd en wordt het onmogelijk er later nog het hoofd aan te bieden, doordat we ons dan zullen compromitteren. Paul-Henri vraagt me of ik hem zou volgen in een regeringsformatie met van Zeeland. Mijn antwoord is: '*Het spijt me, maar het is nee*.' Bij zijn vertrek zegt hij koeltjes: '*Met van Zeeland maak ik geen enkele kans, maar het is te laat en je kunt je lot niet ontlopen*.' Ik zeg hem dat hij niet verplicht is deze beslissende stap te doen, dat hij moet wachten en dat Parijs hiervoor even aangenaam is als Colombey. Hij antwoordt me dat Parijs voltooid verleden tijd is en kwam met tal van oorzaken aan voor het falen van de NAVO, die vooral dienen als argument voor de door hem gekozen oplossing. Niets aan te doen. 's Avonds kwam er een vriendelijk telefoontje van Simone, met het bericht dat ik Paul-Henri verdrietig had gemaakt. Ik geef uitleg, vermaningen en waarschuwingen ten aanzien van de entourage.

Donderdag 11 augustus probeer ik hem in Brussel te bereiken. Tevergeefs. Om 12 uur zegt S.M <onleesbaar> me dat hij was teruggekeerd en in Saint-Cloud is. Ik telefoneer. Simone zegt me dat het niet voorbij is, maar we hebben niet gewacht. Hij is om 5 uur 's ochtends vertrokken en om 9.30 uur aangekomen. Hij heeft me niet opgebeld en is uiteraard ontevreden, waarschijnlijk evenzeer over zichzelf als over mij. Simone zegt me dat Pirenne alles heeft bekokstoofd. Ze zegt, in ieder geval niet met van Zeeland. Paul-Henri heeft zijn vroegere posities weer ingenomen. Ik heb de indruk dat alles is misgelopen. Wigny vertelt me over heftige reactie De Man op het Paleis. Kortom, Paul-Henri heeft zich halsoverkop in de eerste de beste regeringssamenstelling gestort, zonder voorzorg, de toekomst op het spel zettend en gehoorzamend bij de eerste vingerknip. Ik heb ook het gevoel dat we hier te maken hebben met een van die irritante door Pirenne beraamde samenzweringen à la Bonald of Maistre over voorbijgestreefde principes riekend naar fascisme of de ideeën van Maurras, principes verbonden met de eerste stellingnames over, de rol van van Zeeland en de aanwezigheid van Gilson, de man in de rol van helper. Dit alles ziet eruit als een samenzwering zonder de minste kans van slagen.

Op de 11de niet het geringste levensteken van Paul-Henri. Het maakt me wrevelig en ik voel me ietwat verbitterd, ik heb er geen woorden voor.

Geschreven op 11 augustus om 1 uur 's nachts.

Met Spaak om de scherpe kantjes eraf te halen. Ik geef me rekenschap van zovele dingen die opnieuw beginnen. De toespraken van de Koning zijn stijloefeningen van Pirenne. Zelfs de Kongolese politiek. Oordeel van de Koning over de regering en over Lefèvre (als u zo verdergaat beginnen we weer bij 1950).

Op 12 augustus om 9 uur telefoontje van Van den Bossche; bevestigt het onrecht veroorzaakt door de gedisproportioneerde militaire interventie. De regering heeft nu het lef het parlementair stelsel te verdedigen.

9.45 uur. Lily Wigny vertelt me dat het gerucht gaat, dat de intrige met Pirenne en van Zeeland reeds een maand geleden is begonnen. Paul-Henri boudeert nog steeds. Ik sta perplex. Deze cholerische naïviteit is in mijn ogen een slecht voorteken voor de toekomst. Met grillen red je een land niet.

Zaterdag 11 uur. Na een telefoontje aan Simone tref ik Paul-Henri bij hem thuis. Tot ziens bij vertrek. Onverschillig. Zal nadenken. Ziet niet in wat de NAVO kan uitrichten. Vertel hem over de mislukte verklaring van Eyskens over de NAVO. Woorden van iemand die aan het eind van zijn latijn is. Vraagt inlichtingen over bases, waarschijnlijk om deze door te geven.

Noten

1 Tijdens een gesprek van mannen onder elkaar (de hertogin was afwezig), zei de hertog eens in verband met Hitler en de joden: 'he killed only 6 millions of them. He didn't finish the job'. De Staercke was met stomheid geslagen. Hij vroeg zich af of hij niet moest opstaan en weggaan. Maar in plaats daarvan liet hij wat later in het gesprek vallen dat de hertog zijn eigen korte biografie in de *Encyclopedia Britannica* eens zou moeten lezen. Hierin wordt weinig flatterend over de hertog gesproken. De Staercke dacht dat hij hierna nooit meer zou worden gevraagd; maar twee of drie weken later werd hij weer door de hertog uitgenodigd, die de *Encyclopedia Britannica* uiteraard niet had ingekeken.

2 De gegevens van deze biografische introductie zijn afkomstig van de Papieren de Staercke bewaard in de Archieven van de Université Libre de Bruxelles en de notities die Jean Stengers optekende na gesprekken met André de Staercke. Een exemplaar van het niet gedateerde *curriculum vitae* na het einde van zijn diplomatieke loopbaan (1976) wordt bewaard in de Archieven van het Ministerie van Buitenlandse Zaken, dossier 18.298/I/1. In *La Libre Belgique* van 27 februari 1976 verscheen een autobiografisch interview met André de Staercke na diens ontslag als permanent vertegenwoordiger van België bij de NAVO.

3 Over het Comité Lippens en A. de Staerckes deelname, cf. Jules GERARD-LIBOIS en José GOTOVITCH, *L'an 40. La Belgique occupée*, Brussel, 1971, pp.207-210; Dirk LUYTEN, *Het Centrum Lippens: een Belgische Nieuwe Orde in een nazistisch Europa?* in: *Revue Belge de Philologie et d'Histoire*, 71, 1993, pp.875-912; Jan VELAERS & Herman VAN GOETHEM, *Leopold III, de Koning, het Land, de Oorlog*, Tielt, 1994, pp.481-485 en 1060; persoonlijke brief van A. de Staercke aan Alfred Magain, kabinetschef van eerste minister Gaston Eyskens, 29 maart 1950 (ULB, Papieren de Staercke).

4 Gesprek van Jean Stengers met Fernand Lepage, november 1987.

5 André de Staercke heeft aantekeningen over zijn reis en de eerste dagen na zijn aankomst in Londen opgeschreven in een schoolschrift met blauwe kaft, dat later ter sprake komt.

6 Archieven van het Ministerie van Buitenlandse Zaken, dossier Pers 2315 (persoonlijk dossier van Fernand Van Langenhove).

7 Na dit incident deed mevrouw Antoinette Spaak bij de kamerdebatten over de begroting van Buitenlandse Zaken, begin juni 1976, een tussenkomst in verband met de taalpolitiek bij de aanwerving van het diplomatiek personeel. Ze verweet minister Van Elslande de wet wel naar de letter maar niet naar de geest te eerbiedigen en klaagde het gevoel van onbehagen aan dat bij het diplomatiek corps heerste in verband met de discrepantie tussen Nederlandstaligen en Franstaligen op de hoogste posten (Parlementaire Handelingen. Kamer van Volksvertegenwoordigers, zittingsperiode 1975-76, vergadering van 3 juni 1976, p.3849-3850).

8 Interview geciteerd supra nr 1.

9 Michel Dumoulin heeft deze teksten gebruikt voor de biografie van Spaak (Brussel, 1999, p.301-302 en 310).

10 Rapport van de Amerikaanse ambassadeur Charles Sawyer aan het State Department, 22 mei 1945, gepubliceerd door Jules GERARD-LIBOIS en José GOTOVITCH, *Léopold III: le non-retour. Textes et documents, sélection et présentation*: in *CRISP*, *Courrier Hebdomadaire*, 1020-1021, 9 december 1983, p.8. De Staercke wordt hierin anoniem vermeld als 'medewerker van de Regent'. Hierbij dient opgemerkt dat André de Staercke volgens J. Gotovitch niet tot de anonieme getuigen behoorde die door de auteurs werden geïnterviewd.

11 Tijdens het proces voor corruptie van Olivier Gérard, een hoge functionaris bij Buitenlandse Handel, zal hem worden verweten zijn relaties ten voordele van de door Dannie Heineman geleide Sofina te hebben gebruikt (*Pan*, 8 oktober 1958). In een brief aan Marcel <Grégoire> van 25 juli 1958 wordt dit aangevochten door André de Staercke. Hij erkende slechts eenmaal begin november 1950 te hebben geïntervenieerd, in een periode dat hij zonder werk was en zich van de ene dag op de andere in een moeilijke materiële situatie had bevonden. Heineman, die hem bij Sofina wilde binnenhalen, vertrouwde hem de opdracht toe om in Portugese kringen de nieuwe algemeen directeur voor te stellen van een filiaal van de groep, de Maatschappij voor Gas en Elektriciteit van Lissabon die met nationalisatie werd bedreigd. De Staercke werd voor deze opdracht betaald, maar de onderhandelingen met Sofina werden plotseling afgebroken na de Staerckes beslissing de functie van permanent vertegenwoordiger bij de NAVO te aanvaarden.

12 André de Staercke maakte in zijn herinneringen gewag van het eiland Flores. In werkelijkheid beschikten de Verenigde Staten sinds het eind van de Tweede Wereldoorlog over een luchtbasis op de Azoren bij Lagos, op het eiland Terceira, en dit krachtens een bilaterale overeenkomst met Portugal. Krachtens dit akkoord moesten de V.S. vooraf toestemming van Portugal verkrijgen in geval van militaire interventies in het buitenland. Deze basis werd inderdaad in 1967 tijdens de Zesdaagse Oorlog en in 1973 tijdens de Kippoer-oorlog gebruikt, wat voor Portugal trouwens uitliep op economische represailles van de Arabische landen. Eind jaren zestig werd met een bilaterale overeenkomst inderdaad een basis op het eiland Flores aan Frankrijk toegestaan. Met hartelijke dank aan José Nobre-Correia die deze getuigenis voor ons heeft toegelicht.

13 Archieven van het Ministerie van Buitenlandse Zaken, dossier 18.298 / IX / 8, correspondentie met Salazar en de leden van diens entourage, eind september-november 1967.
Met uitzondering van die met een asterisk (*) zijn de noten van de Memoires (14 tot 48) van de hand van André de Staercke.

14 Cf. Burggraaf Jacques DAVIGNON, *Mai 1940 à Berlin* in: *Revue Générale belge*, oktober 1949, p.13. Cf. ook, van dezelfde auteur, *D'une autre Allemagne*, id., februari 1949, 5.

15 Kolonel De Fraiteur werd later Minister van Landsverdediging.

16 John A. GADE, *All my born days*, New York, 1947, p.357.

17 *Kanttekening 'Lichtervelde'. Het gaat hier om graaf Thierry de Lichtervelde (1908-1983).

18 Waren aanwezig: de heren Pierlot, Spaak, Delfosse, De Schryver, Gutt, De Vleeschauwer, Balthazar, ministers. De heren Tschoffen, lid van de Raad van State en Hoste, onderstaatssecretaris, woonden de vergadering bij; de heer Richard, onderstaatssecretaris, was op dienstreis naar de Verenigde Staten.

19 De op de ministerraad uitgesproken zin werd opgenomen in de brief aan de Koning.

20 *Een gedetailleerde uiteenzetting over het opstellen van de brief van 20 november 1943 en de ontvangst ervan staat in Jan VELAERS & Herman VAN GOETHEM, *Leopold III, de Koning, het Land, de Oorlog*, pp.822 e.v.. De originele tekst gedateerd 20 november 1943 is met de datum van 3 november gepubliceerd in *Recueil de documents* betreffende de periode 1936-1949, opgemaakt door het Secretariaat van de Koning, zonder datum, bijlage 218, pp.499-501. De handtekeningen van de ministers Gutt, Balthazar en De Vleeschauwer zijn niet gereproduceerd.

21 * Vertaling van het origineel van de brief van 21 november 1943 aan de Kardinaal.

22 Doorgaans rapport-Servais genoemd (p.133). Onnodig te benadrukken dat alles wat het rapport-Servais vermeldt over de zending-De Kinder foutief is. (*N.B.: het antwoord van de Koning aan de Regering gedateerd 11 januari is eveneens gepubliceerd in het supra n. 20 geciteerde *Recueil,* bijlage 219, pp.501-502, gevolgd door de vermelding: '*Cette lettre fut remise en mains propres par le Roi au Cardinal qui la fit parvenir à M. De Kinder. Celui-ci fut malheureusement arrêté et fusillé par les Allemands. Il est donc probable que la lettre du Roi ne parvint pas au Gouvernement*'. (Deze brief werd door de Koning aan de Kardinaal zelf ter hand gesteld, die haar aan De Kinder liet toekomen. Deze werd helaas aangehouden en gefusilleerd door de Duitsers. Waarschijnlijk heeft de Regering de brief van de Koning niet ontvangen).

23 Brief van 17 februari 1944.

24 Hiermee wordt Brussel bedoeld.

25 De identificatie van de correspondent aangeduid onder de letter X staat niet vast. Xavier gebruikte verschillende schuilnamen die wij samen hadden bedacht. In zijn schrijven verwijst hij naar Bernadette en Nadette die stonden voor Jean de Landstheere, verantwoordelijk voor de administratie persoonlijke eigendommen van de Koning, maar gezien de context kan het ook om Charles De Visscher gaan. Hierom verkies ik geen keuze te maken tussen de twee namen, wier belang in de zaak waarover Xavier het heeft, trouwens vrijwel evenwaardig is.

26 Cf. in verband met dit onderwerp, het begin van het Politiek Testament van de Koning gedateerd van 25 januari 1944: *'Wij zijn reeds in het zesde oorlogsjaar aanbeland. Niets laat ons toe met zekerheid te stellen dat het staken van de vijandelijkheden in Europa of de bevrijding van ons grondgebied dichtbij zijn.'*

27 Februari 1944.

28 *Volgens de getuigenis van André Rostenne op 17 april 1998 door Jean Stengers opgetekend, heeft André Rostenne, die het netwerk *Poste Central des Courriers* in Parijs leidde, De Kinder meermaals in een café ontmoet. Toen Rostenne uitgeput in februari 1944 Parijs moest verlaten, heeft hij zijn instructies in verband met De Kinder aan zijn opvolger doorgegeven. Deze was zo onvoorzichtig plaats en uur van zijn aanstaande ontmoeting met De Kinder in een opschrijfboekje te noteren. Hij werd aangehouden en zijn opschrijfboekje in beslag genomen met als gevolg dat De Kinder door de Duitsers werd opgepakt.

29 *L'Attitude de Léopold III de 1936 à la Libération*, Parijs, Albin Michel, 1949, p.233.

30 * Het document, bijgenaamd het Politiek Testament, droeg de titel 'Memorandum van de Koning, geschreven om persoonlijk en vertrouwelijk aan de heer Pierlot te worden overhandigd, voltooid op 25 januari 1944.' Het is verschenen in het supra n. 20 geciteerde *Recueil*, Bijlage 220, pp.502-507. Nogmaals gepubliceerd in het postuum verschenen boek getiteld *Leopold III, Kroongetuige. Over de grote gebeurtenissen tijdens mijn koningschap*, Tielt, Lannoo, 2001, bijlage K, pp.259-265.

31 *Volgens een nota van André de Staercke over een onderhoud met Cornil op 10 december 1949 vertrouwde deze hem toe, dat de Koning – acht dagen na het onderhoud met Jamar en hemzelf – alleen hem had laten terugkomen. 'In geen van beide audiënties heeft de Koning gesproken over de door De Kinder gebrachte brief: evenmin heeft hij gezegd dat hij aan Cornet een exemplaar had toevertrouwd, bestemd voor de Britten. Hadden wij dit geweten, dan spreekt het vanzelf dat wij ons er niet mee belast zouden hebben om opnieuw contact te zoeken met de Koning.

32 De notulen van deze ministerraad zijn nooit gepubliceerd. * Cf. Bijlage 1.

33 De tekst van deze notulen staat in de bijlage van dit hoofdstuk. * Cf. Bijlage 2.

34 Civil Affairs Officers

35 SHAEF Supreme Headquarters Allied Expeditionary Forces.

36 Op 27 april 1944 hechtte de ministerraad zijn goedkeuring aan de organisatie van de militaire missie. Ze moest drie secties omvatten: de eerste voor 'krijgsverrichtingen en verbindingen', de tweede voor burgerlijke aangelegenheden met een bij 'wetsbesluit' vast te leggen statuut, de derde onderverdeeld in drie subsecties: 1 De parketten en militaire rechtsgebieden. 2 De inlichtingendienst 3 De staatsveiligheid.

37 In een in juli 1949 verspreide prospectus ter aanbeveling van een heruitgave van *Leopold II* door graaf de Lichtervelde, gepubliceerd bij de Presses de Belgique, staan de volgende zinnen: '*Ceux qui ont aujourd'hui dépassé la trentaine n'oublieront jamais l'extraordinaire émoi qu'ils ont connu naguère lorsque fut révélé à leur esprit et à leur cœur de jeune homme la vie et l'œuvre de Léopold II. À cette époque, en ce pays, la monarchie n'était point discutée: les vues théoriques et historiques de Charles Maurras sur le gouvernement royal n'étaient pas étrangères à la sympathie croissante qu'exerçait chez nombre de jeunes hommes d'alors le système de l'hérédité dynastique*'. (Degenen die vandaag ouder zijn dan dertig jaar zullen nooit de uitzonderlijke emotie van vroeger vergeten, toen zij als jonge mensen veel leerden over het leven en de realisaties van Leopold II. In dit land stond de monarchie destijds niet ter discussie: de theoretische en praktische inzichten van Charles Maurras over de koninklijke macht waren niet vreemd aan de groeiende sympathie die het systeem van de koninklijke opvolging genoot bij jonge mensen). En wat verder: *'Ces pages…venaient apporter au courant néo-monarchiste d'alors une exceptionnelle et vivante argumentation'*. (Deze teksten leverden een uitzonderlijke en levendige argumentatie aan de neo-monarchistische stromingen uit die jaren).

38 *De niet in vorm gegoten en de met potlood geschreven notulen van de ministerraad van 20 september worden bewaard in het dossier *Conseil* van de Papieren de Staercke gedeponeerd bij de ULB.

39 Later zou hij minister van Staat worden.

40 Op 1 augustus op 35, op 1 oktober op 54.

41 Er waren vijf invasiestranden. Drie ervan waren ingericht als kunstmatige drijvende havens, boden min of meer beschutting naargelang het weer en werden 'Gooseberries' genoemd. Twee van die invasiestranden (St.-Laurent en Arromanches) waren getransformeerd tot geprefabriceerde havens, zo groot als Dover ('Mulberries'). De storm van 19 juni verwoestte de 'Mulberry-haven' van St.-Laurent bestemd voor de Amerikanen, terwijl die van Arromanches, bestemd voor de Britten, geheel operationeel kon worden gemaakt.

42 Ontleend aan het verslag van de Nationale Bank van 1945 en dat van de Generale Maatschappij over hetzelfde jaar.

43 Belast met de staatsveiligheid in oorlogstijd.

44 Cf. François MAURIAC, *Mes Grands Hommes*, Éditions du Rocher, Monaco, 1949. (NB: Mauriac refereert aan de generatie van 1880, na Frankrijks nederlaag in de Frans-Duitse Oorlog van 1870).

45 Mattheus, VIII, 9.

46 *Cahier XIV*, 9, van 27 april 1913.

47 Ministeriële besluiten van 13 september en 5 oktober.

48 Belgisch Partizanenleger, aangesloten bij het Onafhankelijkheidsfront en actiegroepen van de Nationale Koningsgezinde Beweging.

49 Met hartelijke dank aan onze collega Philip Grierson, dankzij wier medewerking deze tekst geïdentificeerd kon worden. Het gaat om een benaderende versie van een gedicht met de titel *Illusion* van de hand van Ella Wheeler Wilcox, een Britse dichteres die aan het begin van de 20ste eeuw zeer populair was, maar thans in vergetelheid is geraakt, behalve voor haar korte uitspraken die je op wenskaarten vindt. Volgens P. Grierson was Churchills prosodie beter dan die van het originele gedicht:
God and I in space alone
And nobody else in view
'And where are the people, O Lord!' I said.
'The earth below and the sky o'erhead
And the dead whom once I knew?'
'That was a dream, 'God smiled and said,
'A dream that seemed to be true,
There were no people, living or dead,
There was no earth and no sky o'erhead
There was only myself -and you.'
'Why do I feel no fear', I asked,
'Meeting you here in this way,
For I have sinned I know full well,
And there is heaven and there is hell,
And this is the judgment day?'
'Nay, those were dreams,' the great God said,
'Dreams that have ceased to be.
There are no such things as fear or sin,
There is no you – you have never been –
There is nothing at all but Me.'
Dit gedicht is opgenomen in *The World's Great Religious Poetry*, uitgegeven door Caroline MILES HILL, New York, Macmillan, 1923, pp.140-141.

50 Als kanttekening bij het antwoord van de aartsbisschop op zijn audiëntie-aanvraag schreef André de Staercke: 'Ci-jointe la pièce rapportant ma conversation avec le Cardinal. À garder strictement confidentielle'. (Hierbij gevoegd een document met het verslag van mijn gesprek met de Kardinaal. Strikt vertrouwelijk.)

51 Verschillende ontwerpen en het afschrift van de definitieve versie van deze brief worden bewaard in de Papieren de Staercke gedeponeerd bij de Archieven van het Ministerie van Buitenlandse Zaken (dossier 18.298/I/3). A. de Staercke gaf een afschrift aan Mark VAN DEN WIJNGAERT, die ernaar verwijst in zijn boek *L'économie belge sous l'occupation. La politique d'Alexandre Galopin, gouverneur de la Société Générale*, Parijs-Louvain-la-Neuve, 1990, p.73. Een uittreksel van het origineel van deze brief, bewaard in de Archieven van de Generale Maatschappij van België, werd gepubliceerd in: René BRION en Jean-Louis MOREAU, *La Société Générale de Belgique 1822-1997*, Antwerpen, 1998, pp.344-345.

52 Fernand Lepage, administrateur-generaal ad interim van de Belgische Staatsveiligheid in Londen.

53 Over dit conflict dat uitliep op de ontheffing van Rolin van zijn functies als onderstaatssecretaris van Landsverdediging begin oktober 1942: Robert DEVLEESHOUWER, *Henri Rolin 1891-1973. Une voie singulière, une voix solitaire*, Brussel, 1994.

54 Naar aanleiding van zijn gesprek met de Staercke schreef Camille Gutt op 1 augustus 1942 aan Georges Theunis: 'Na zijn aankomst heb ik een lang gesprek met hem gevoerd... Hij zegt dat Galopin heel goed is. Hij is verreweg de beste wat betreft zijn informatie over industriëlen, magistraten, hoogleraren, het Paleis, enz. – over het geheel genomen bemoedigend...', aangehaald door Jean-François CROMBOIS, *Camille Gutt 1940-1945. Les finances et la guerre,* Brussel, 1999, p.193.

55 Het betreft Edmond Cartier de Marchiennes, Belgisch ambassadeur in Londen.

56 A. de Staercke verwijst naar het artikel van kanunnik Leclef, secretaris van kardinaal Van Roey, *Le Cardinal Van Roey et l'occupation allemande en Belgique: autour de la capitulation*, verschenen in: *La Revue Nouvelle*, 1ste jaargang, nr 7, 1 mei 1945, pp.406-411: bij wijze van voorproefje 'een aantal bladzijden uit een belangrijk boek dat zeer binnenkort zal verschijnen bij Éditions Goemaere onder de titel *Le Cardinal Van Roey et l'occupation allemande en Belgique. Actes et documents*'. Het artikel eindigt met de volgende woorden: '...l'acte du Roi a épargné à notre pays un gigantesque 'Stalingrad' avant la lettre' (...de daad van de Koning heeft ons land gespaard voor een immens 'Stalingrad' avant la lettre.) Het boek zou in de lente van 1945 in het Frans en het Nederlands verschijnen.

57 Secretaris van Koningin Elisabeth.

58 Roger Roch was kabinetschef van eerste minister Van Acker.

59 Rector van de Katholieke Universiteit van Leuven.

60 Afschrift van het verslag opgemaakt door Holvoet over zijn gesprek met de Koning op 12 juli 1945 in de Archieven van het Ministerie van Buitenlandse Zaken, Papieren de Staercke 18.298/II/2.

61 Op 13 juli noteert Holvoet: 'Om 10 uur 's avonds heeft de Regent gevraagd om de Staercke die hem om 10.45 uur buiten het chalet ontmoette, want de Koning wil hem nog steeds niet ontvangen, aangezien hij voor Pierlot heeft gewerkt en een dubieuze reputatie heeft' (*Ibidem*).

62 Over deze periode en over de moeilijkheden die hij binnen de Regering ontmoette, Cf. Gaston EYSKENS, *De Memoires*, Tielt, 1994, p.274.

63 Over dit project, dat mislukte na de weigering van eerste minister Gaston Eyskens het ontslag van zijn regering aan Koning Boudewijn aan te bieden, tenzij deze haar ontsloeg, zie J. STENGERS, *L'action du Roi en Belgique. Pouvoir et influence depuis 1831*, 2e editie, Brussel, 1996, pp.73-74; G. EYSKENS, *De Memoires,* Tielt, 1994, pp.593-597; V. DUJARDIN en M. DUMOULIN, *Paul van Zeeland 1893-1973*, Brussel, 1996, pp.243-246; M. DUMOULIN, *Spaak,* Brussel, 1997, pp.586-591; *Parlementaire documenten. Kamer van Volksvertegenwoordigers van 16 november 2001, Verslag van de Parlementaire Onderzoekscommissie bedoeld om de juiste omstandigheden van de moord op Patrice Lumumba en de eventuele betrokkenheid hierbij van de Belgische politieke verantwoordelijken vast te stellen*, vol. 1, pp.456-466.

64 Over de samenstelling van deze lijst, zie DUMOULIN, *Spaak.*, p.588. Behalve de functie van eerste minister zou Spaak de portefeuille van Buitenlandse Zaken krijgen, terwijl die van Afrikaanse Zaken aan de Staercke zou worden toevertrouwd. Op een blad gevoegd bij het memorandum van deze periode noteert de Staercke: 'Regeringsdeelname interesseert me niet. Voor mij betekent het meer een opoffering dan een genoegen. Zelfs geen opoffering die me genoegen doet. Derhalve wil ik me alleen opofferen onder bepaalde omstandigheden, in bepaalde functies en met bepaalde personen. Deze elementen ontbreken. De afkeer die ik voel ten aanzien van politiek wordt er niet minder op. En ik denk dan ook dat een ander de mij aangeboden functies met meer enthousiasme en beter dan ik kan vervullen.'

65 Het betreft René Lefébure, kabinetschef van Koning Boudewijn.

Namenregister

In dit register zijn de namen van Leopold III, Prins Karel (de Regent) en André de Staercke niet opgenomen.